ullstein

Das Buch

Kriminalhauptkommissar Oliver von Bodenstein wird nachts zu einem Brand in der Nähe von Ruppertshain gerufen. Er vermutet, dass der Feuerteufel dahintersteckt, der seit Monaten im Taunus sein Unwesen treibt und leerstehende Gebäude anzündet. Doch diesmal geht es um mehr: Im brennenden Wohnwagen auf dem Campingplatz im Wald kam ein Mann ums Leben. Bodenstein und seine Kollegin Pia Sander ermitteln wegen Mordes. Als sie mit der Besitzerin des Wohnwagens sprechen wollen, kommen sie zu spät: Auch sie wurde getötet, obwohl sie sowieso nicht mehr lange zu leben gehabt hätte. Während die Polizei fieberhaft nach einem jungen Mann fahndet, der in der Brandnacht im Wald den Täter gesehen haben könnte, geschieht ein dritter Mord.

Vor über vierzig Jahren verschwand Bodensteins bester Freund, der zehnjährige Artur, spurlos. Gibt es einen Zusammenhang zwischen der Mordserie und diesem nie aufgeklärten Vermisstenfall? Bodenstein geht den alten Spuren nach und entdeckt Ungereimtheiten und Ermittlungsfehler. Pia und er stoßen auf eine Mauer aus Schweigen, Angst und Misstrauen, und der Mörder scheint noch nicht am Ende mit seiner Mission. Um ihm Einhalt gebieten zu können, müssen sie herausfinden, was im August 1972 im Wald bei Ruppertshain wirklich geschehen ist.

Die Autorin

Nele Neuhaus, geboren in Münster/Westfalen, lebt seit ihrer Kindheit im Taunus und schreibt bereits ebenso lange. Ihr 2010 erschienener Kriminalroman *Schneewittchen muss sterben* brachte ihr den großen Durchbruch, seitdem gehört sie zu den erfolgreichsten Krimiautorinnen Deutschlands. Außerdem schreibt die passionierte Reiterin Pferde-Jugendbücher und, unter ihrem Mädchennamen Nele Löwenberg, Unterhaltungsliteratur. Ihre Bücher erscheinen in über 30 Ländern. Vom Polizeipräsidenten Westhessens wurde Nele Neuhaus zur Kriminalhauptkommissarin ehrenhalber ernannt.

Von Nele Neuhaus sind in unserem Hause bereits erschienen:

In der Serie »Ein Bodenstein-Kirchhoff-Krimi«:
Eine unbeliebte Frau · Mordsfreunde · Tiefe Wunden · Schneewittchen muss sterben · Wer Wind sät · Böser Wolf · Die Lebenden und die Toten · Im Wald

Außerdem:
Unter Haien

NELE NEUHAUS

IM WALD

Kriminalroman

Ullstein

Besuchen Sie uns im Internet:
www.ullstein-taschenbuch.de

Ungekürzte Ausgabe im Ullstein Taschenbuch
1. Auflage Oktober 2017
3. Auflage 2017

Umschlaggestaltung: www.zero-media.net
Titelabbildung: © plainpicture/NaturePL/Klaus Echle
Karten: © Peter Palm, Berlin
Satz: Gesetzt aus der Sabon
Satz: Pinkuin Satz und Datentechnik, Berlin
Druck und Bindearbeiten: CPI books GmbH, Leck
ISBN 978-3-548-28979-3

Für Matthias.
Danke für deine Geduld, für Aufmunterung,
Unterstützung und für deine Liebe.

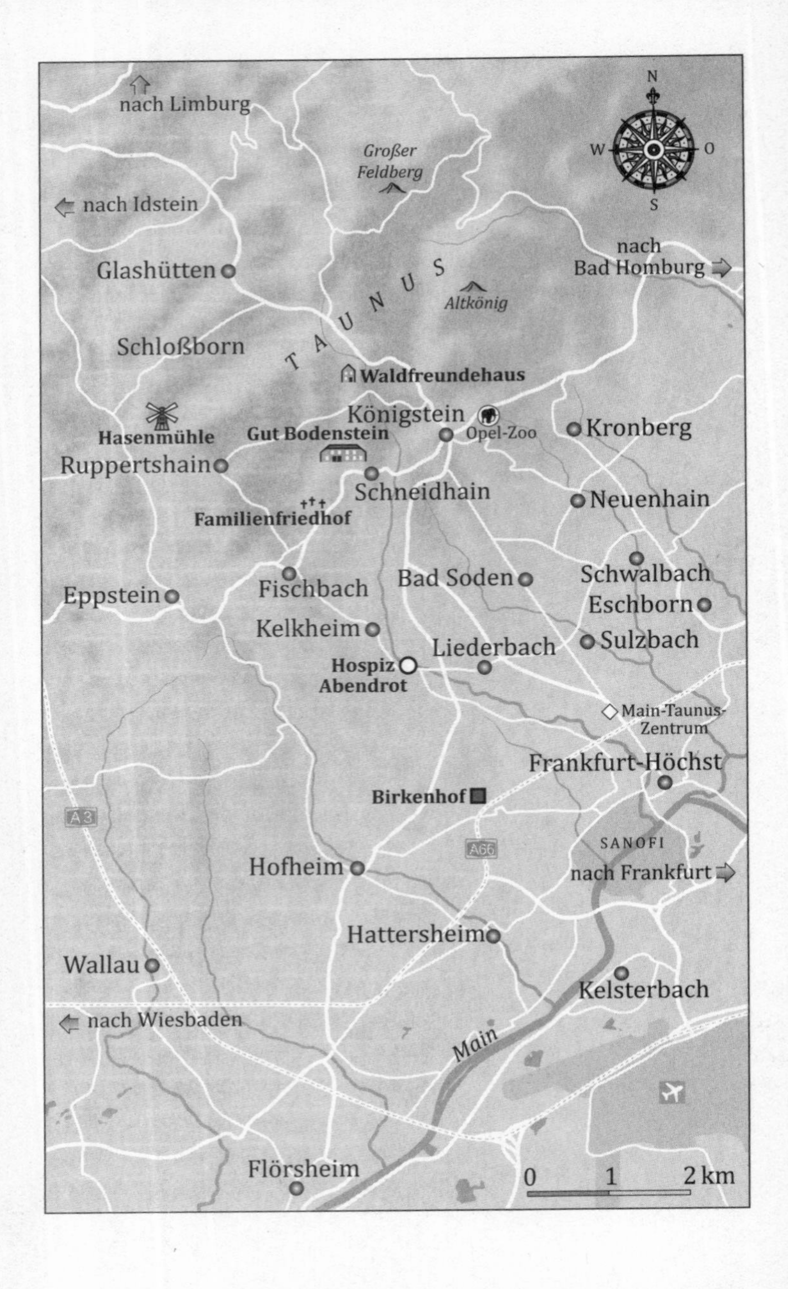

nach Limburg
Großer Feldberg
N
W
O
S
nach Idstein
nach Bad Homburg
Glashütten
TAUNUS
Altkönig
Schloßborn
Waldfreundehaus
Königstein
Opel-Zoo
Kronberg
Hasenmühle
Gut Bodenstein
Ruppertshain
Schneidhain
Neuenhain
Familienfriedhof
Schwalbach
Bad Soden
Eppstein
Fischbach
Eschborn
Kelkheim
Sulzbach
Liederbach
Hospiz Abendrot
Main-Taunus-Zentrum
Frankfurt-Höchst
Birkenhof
A3
A66
SANOFI
Hofheim
nach Frankfurt
Hattersheim
Wallau
Kelsterbach
nach Wiesbaden
Main
Flörsheim
0
1
2 km

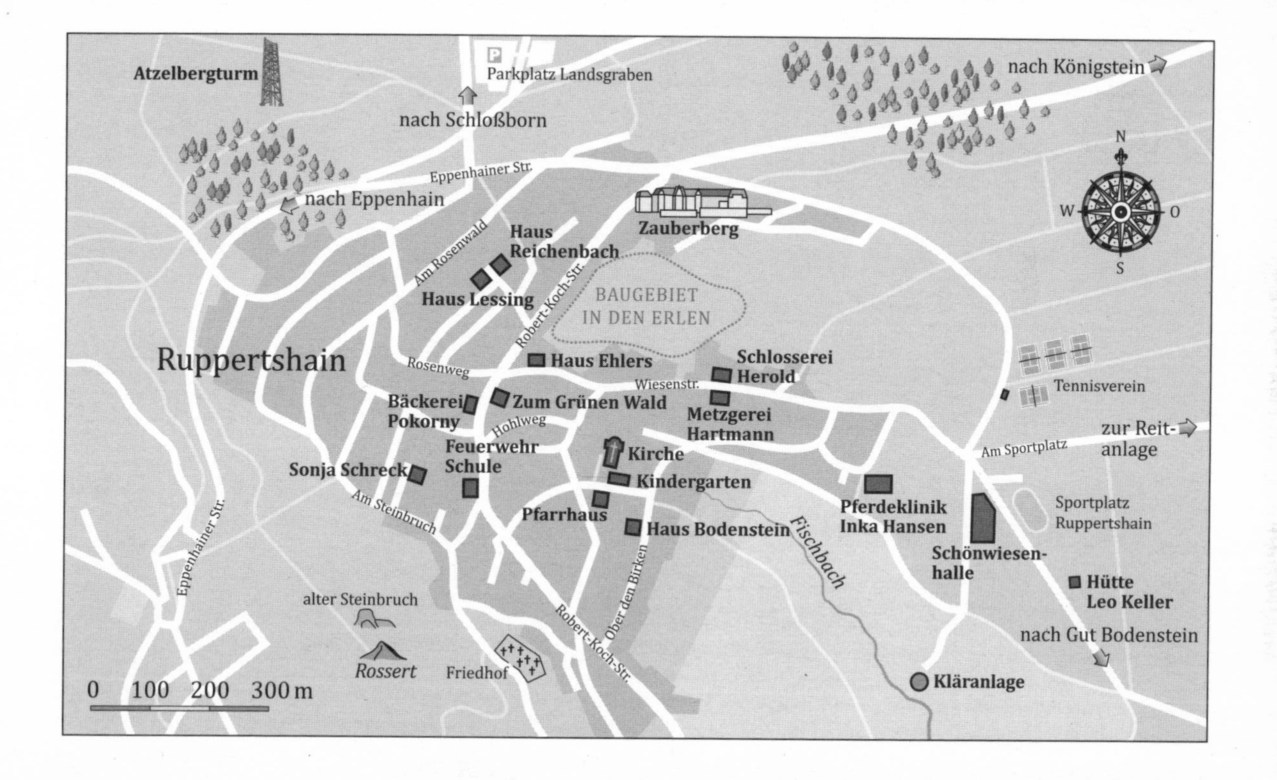
Atzelbergturm
P
Parkplatz Landsgraben
nach Schloßborn
nach Königstein
Eppenhainer Str.
nach Eppenhain
Zauberberg
N
W
O
S
Haus
Reichenbach
Am Rosenwald
Haus Lessing
Robert-Koch-Str.
BAUGEBIET
IN DEN ERLEN
Ruppertshain
Haus Ehlers
Schlosserei
Herold
Rosenweg
Wiesenstr.
Tennisverein
Bäckerei
Pokorny
Zum Grünen Wald
Metzgerei
Hartmann
Hohlweg
zur Reit-
anlage
Feuerwehr
Schule
Kirche
Am Sportplatz
Sonja Schreck
Kindergarten
Am Steinbruch
Pfarrhaus
Pferdeklinik
Inka Hansen
Sportplatz
Ruppertshain
Haus Bodenstein
Fischbach
Schönwiesen-
halle
Eppenhainer Str.
Ober den Birken
Hütte
Leo Keller
alter Steinbruch
Robert-Koch-Str.
nach Gut Bodenstein
Rossert
Friedhof
Kläranlage
0 100 200 300 m

Verdrängung ist die tödlichste Form der Verleugnung.
C. Northcote Parkinson

Dieses Buch ist ein Roman. Die gesamte Handlung ist von A–Z von mir erfunden. Auch wenn es den Ort Ruppertshain wirklich gibt, sind Ähnlichkeiten mit lebenden oder bereits verstorbenen Personen nicht beabsichtigt und rein zufällig.

Personenregister

Schulfreunde von Oliver von Bodenstein in alphabetischer Reihenfolge:
Ralf Ehlers, Unternehmer und Lebenskünstler
Jakob Ehlers, sein Bruder
Patrizia Ehlers, geb. Kroll, dessen Frau
Dr. Inka Hansen, Tierärztin
Andreas Hartmann, Metzgermeister
Franziska Hartmann, seine Schwester
Elisabeth Hartmann, seine Mutter
Edgar Herold, Schlossermeister
Conny Herold, seine Frau
Rosemarie Herold, geb. Kroll, seine Mutter
Clemens Herold, sein Bruder
Sonja Schreck, geb. Herold, seine Schwester
Detlef Schreck, Sonjas Mann
Wieland Kapteina, Revierförster
Ronja Kapteina, seine Tochter
Klaus Kroll, Ortspolizist, Bruder von Rosemarie Herold und Patrizia Ehlers
Dr. Peter Lessing, Investmentbanker
Henriette Lessing, seine Frau
Elias Lessing, sein Sohn
Letizia Lessing, seine Tochter
Konstantin Pokorny, Bäckermeister
Sylvia Pokorny, seine Frau
Roman Reichenbach, Installateur
Simone Reichenbach, geb. Ohlenschläger, seine Frau
Pauline Reichenbach, ihre Tochter

Weitere Figuren:
Adalbert Maurer, Pfarrer im Ruhestand
Irene Vetter, seine Schwester

Leonard Keller, Städtischer Arbeiter
Annemarie Keller, seine Mutter
Felicitas Molin, Schwester der Pächterin des Waldfreundehauses
Dr. Renate Basedow, Ärztin in Ruppertshain
Benedikt Rath, Kriminalhauptkommissar a. D.
Valentina Berjakov
Claudia Ellerhorst, ihre beste Freundin
Estefania Ugonelli

Das K11:
Oliver von Bodenstein, Erster Kriminalhauptkommissar, K11
Pia Sander, ehem. Kirchhoff, Kriminalhauptkommissarin, K11
Dr. Nicola Engel, Kriminalrätin, Leiterin der RKI Hofheim
Kai Ostermann, Kriminaloberkommissar, K11
Kathrin Fachinger, Kriminaloberkommissarin, K11
Tariq Omari, Kriminalkommissar, K11
Cem Altunay, Kriminalhauptkommissar, K11
Christian Kröger, Kriminalhauptkommissar, Erkennungsdienst
Prof. Dr. Henning Kirchhoff, Leiter des Instituts für Rechtsmedizin Frankfurt
Dr. Frederick Lemmer, Rechtsmediziner
Gianni Lombardi, Vernehmungsexperte vom LKA
Dr. Kim Freitag, forensische Psychiaterin, Pias Schwester
Merle Grumbach, Opferbeauftragte der RKI Hofheim
Stefan Smykalla, Pressesprecher der RKI Hofheim

Außerdem:
Karoline Albrecht
Dr. Christoph Sander
Sophia von Bodenstein
Gabriella von Rothkirch
Heinrich Graf von Bodenstein
Leonora Gräfin von Bodenstein
Quentin von Bodenstein
Lorenz von Bodenstein
Thordis von Bodenstein, geb. Hansen

Prolog

31. August 1972

Ich will das nicht tun. Aber ich muss. Ich habe keine andere Wahl. Ich kann nicht zulassen, dass er mir alles zerstört. Und genau das wird passieren, und zwar schon bald. Er wird irgendjemandem das erzählen, was er mir erzählt hat, vielleicht sogar der Polizei, die noch immer überall nach dem Russenkind sucht und jeden im Dorf ausfragt. Man wird ihm glauben, so, wie ich ihm geglaubt habe. Es wird sich herumsprechen und das ganze Dorf wird es erfahren. Sie werden schockiert tun und mitleidig, aber hinter meinem Rücken werden sie über mich lachen, weil ich so naiv bin. Ich kann schon hören, wie sie tratschen. Ich kann mir genau vorstellen, wie sie verstummen, sobald ich irgendwo auftauche. Bevor das geschieht, muss ich handeln. Ich muss einfach.

Die ganze Nacht über habe ich mir den Kopf zerbrochen. Jetzt habe ich einen Plan. Es ist ziemlich praktisch, dass mich alle für etwas dumm halten. Niemand würde mir so etwas zutrauen. Nicht mir.

Ich laufe durch die Obstwiesen, auch wenn die Strecke etwas weiter ist. Falls mir jemand begegnet, kann ich behaupten, ich wollte ein paar Äpfel lesen. Die Sonne ist eine bleiche Scheibe am Himmel. Beim Laufen kleben meine Oberschenkel aneinander, so schrecklich heiß ist es. Kein Lüftchen geht. Seit Tagen hat es keinen Tropfen mehr geregnet, doch heute wird es ein Gewitter geben. Die Schwalben fliegen ganz tief und die Luft ist elektrisch aufgeladen.

Endlich habe ich den Wald erreicht. Die Schatten der Bäume spenden kaum Kühle. Es ist unnatürlich still. Der Wald scheint den Atem anzuhalten. Vielleicht ahnt er, was ich vorhabe. Zwischen hohen Fichten steht seine Hütte. Er hat sie selbst ausgebaut, und ich habe ihm oft dabei geholfen. Ich kenne jeden Winkel, und manchmal wünschte ich, es wäre anders gekommen.

Am liebsten würde ich wieder umkehren, aber ich kann nicht. Ich muss es tun, sonst wird er mir die Chance zerstören, endlich von meiner Familie wegzukommen. Die Oberfläche des kleinen Tümpels, den wir letzten Sommer zusammen gegraben und in den wir Kaulquappen gesetzt haben, schimmert wie schwarzes Glas. Mein Herz pocht, als ich an die Tür der Hütte klopfe. Ein paar Sekunden hoffe und fürchte ich, dass er nicht da ist. Aber dann geht die Tür auf. Er trägt nur eine Jeans, sein Oberkörper ist nackt und sein Haar noch feucht. Sein Blick streift mein Gesicht, ein ungläubiges Lächeln schleicht sich in seine Mundwinkel. Er hat nicht mit mir gerechnet. Natürlich nicht. Nach allem, was ich vorgestern zu ihm gesagt habe.

»Hey, das ist ja schön!«, sagt er und seine Augen leuchten. »Warte, ich zieh mir schnell was über.«

Er ist so anständig. Trotzdem hasse ich ihn, weil er mich festhalten will, hier, in diesem Leben, das ich nicht mehr will. Er streift sich ein T-Shirt über.

»Willst du reinkommen?«, fragt er. Er ist ein bisschen unsicher.

»Klar. Wenn du mich rein lässt …« Ich lächele, obwohl ich lieber weglaufen würde. Mir ist übel. Die Hütte besteht nur aus einem Raum. Er klaubt ein paar Klamotten zusammen, wirft sie auf einen Stuhl. Mein Blick fällt auf die Schlafcouch, die ordentlich gemacht ist.

»Setz dich doch.« Er ist aufgeregt, glaubt, hofft, ich sei gekommen, um ihm zu sagen, dass ich über alles nachgedacht habe und zu ihm zurückkehre. Trotz allem. »Willst du was trinken? Ich hab Coca-Cola da.«

»Nein, danke«, sage ich.

»Du … du siehst sehr hübsch aus«, sagt er verlegen. »Das Kleid steht dir echt gut.«

»Danke.« Ich muss mich beeilen. Nicht dass die Kinder mich hier überraschen. Ich schmiege mich an ihn. Er riecht nach Duschgel und Shampoo, und ich schließe die Augen, weil mir die Tränen kommen. Ach, wenn es doch nur eine andere Lösung gäbe!

»Es tut mir leid, was ich zu dir gesagt habe«, murmele ich.

»Und mir tut's leid, dass ich dir gedroht habe.« Seine Stimme ist ganz nah an meinem Ohr. »Aber ich musste es dir doch sagen. Immerhin war es dein …«

»Nicht! Bitte! Ich weiß ja, dass du es nur gut meinst.«

Und trotzdem lasse ich mir mein Glück nicht von dir kaputtmachen, denke ich. Nicht von dir, und auch von keinem anderen. Zum ersten Mal in meinem Leben habe ich eine echte Chance.

Sein Atem streichelt mein Gesicht, ich berühre seine Wange, seinen Nacken. Alles an ihm ist so vertraut.

Geh!, schreit die Stimme in meinem Kopf. *Geh einfach weg und lass ihn in Ruhe!*

Ich beiße die Zähne zusammen, um nicht zu weinen. Er ist völlig arglos.

»Ach, ich habe dich so sehr vermisst.« Ich spüre seine Lippen weich und zärtlich in meinem Haar.

Jetzt, denke ich. Lieber Gott im Himmel, verzeih mir!

Er begreift nicht, was mit ihm geschieht. Guckt mich nur ungläubig an. Und dann ist alles vorbei.

Fünf Minuten später atme ich die warme Luft, den Duft von Harz und Sommer und Fichtennadeln. Meine Knie sind weich wie Pudding. Ich wollte das nicht tun. Aber ich musste. Er hat uns keine Wahl gelassen.

Dienstag, 7. Oktober 2014

»Danke fürs Mitnehmen.«

»Alles klar.« Der Mann nickte gleichgültig, setzte schon den Blinker, um sich wieder in den Verkehr einzufädeln, und blickte in den Außenspiegel. »Ciao!«

»Ciao!« Er kletterte aus dem Lieferwagen, zerrte seinen Rucksack aus dem Fußraum und schlug die Tür zu. Glück gehabt, dass der Typ angehalten hatte. Es zog sich nämlich ganz schön, den Berg hoch von Königstein bis zur Billtalhöhe, und er wollte vor Einbruch der Dunkelheit im Wohnwagen sein. Von den Pendlern, die aus Frankfurt in den Hintertaunus fuhren, nahm keiner einen Tramper mit, erst recht keinen Langhaarigen, der aussah wie ein Penner. So was täte sein Vater auch niemals. Der Lieferwagen tauchte in den Verkehrsstrom ein, und er wartete am Straßenrand, bis er endlich die Straße überqueren konnte.

Von hier aus waren es noch knapp anderthalb Kilometer Fußmarsch, dann hatte er sein Ziel erreicht, den Campingplatz am Waldfreundehaus. In den drei Monaten im Jugendknast hatte er jede Nacht vom Wald geträumt. Von Bäumen, die bis in den Himmel wuchsen, vom lehmigen Duft feuchter Erde, vom dämmerigen Licht und den Geräuschen. Er liebte den Wald, seitdem er denken konnte. Seine Schwester hatte immer Schiss gehabt, aber er mochte es, wenn sich die Bäume über ihm schlossen. Nur dann fühlte er sich geborgen. Vielleicht sollte er ja Förster werden. Oder Waldarbeiter, so lange, bis er das Abi nachgeholt hatte. Denn das hatte er vor.

Auf der linken Seite der Schotterstraße tauchten mehrere Weiher auf, die dem Angelsportverein gehörten. Zwischen Tannen und Fichten standen vereinzelte Laubbäume, deren Blätter sich schon herbstlich verfärbten. Als sich ein Auto näherte, verbarg er sich hinter dem Stamm einer mächtigen Buche. Niemand sollte ihn sehen. Im Laufe der Zeit hatte er gelernt, sich unsichtbar zu machen. Es dämmerte schon, als er endlich die große Waldwiese erreichte. Um nicht an der Ausflugsgaststätte vorbeigehen zu müssen, schlug er sich ein Stück durchs Unterholz, bog den rostigen Maschendrahtzaun herunter, der den Campingplatz umgab, und kletterte darüber. Dann setzte er sich unter einen Baum und wartete. Von seinem Platz aus hatte er einen ungehinderten Blick auf die Wohnwagen, die in einer großen Runde rings um die Wiese am Waldrand standen. Die meisten waren seit Jahren nicht mehr bewegt worden. Ihre Besitzer nutzten den Campingplatz zur Sommerfrische oder an den Wochenenden. Manchen der Wagen sah man allerdings an, dass sie schon sehr lange unbenutzt waren. In einem von ihnen wollte er die nächsten Tage unterkommen, bis er den Entzug hinter sich hatte.

Heute war Tag vier seiner neuen Zeitrechnung. Der Zeit ohne Drogen. Diese ersten vier Tage eines kalten Entzugs waren die schlimmsten, das wusste er, denn es war nicht der erste, den er machte. Im Knast hatte er schon dasselbe erlebt, aber danach hatte es keine Woche gedauert, bis er wieder voll drauf gewesen war. Diesmal wollte er es wirklich durchziehen. Er wollte weg von der ewigen Jagd nach dem Zeug, das sein ganzes Leben bestimmte. Endgültig. Das hatte er Nike versprochen. Und seinem Kind, das in ein paar Wochen zur Welt kommen sollte. Ein Junge würde es werden, Nike hatte es ihm auf dem Ultraschallbild gezeigt. Und dann hatte sie ihm gesagt, dass er nicht mehr wiederzukommen bräuchte, solange er nicht clean sei. Sie hatte dabei geweint, und er auch.

In dem Augenblick hatte er sich vorgenommen, es zu schaffen. Er wollte seinem Sohn ein Vater sein, ein *guter* Vater. Kein Junkie, der nur den nächsten Schuss im Kopf hatte und für den sein Sohn sich schämen musste. Vor allen Dingen aber wollte er ein besserer Vater sein, als seiner es für ihn gewesen war.

Die ersten drei Tage, die schlimmsten, hatte er in einem leerstehenden Haus in Bockenheim verbracht. Stöhnend hatte er sich von einer Seite auf die andere gewälzt. Der kalte Schweiß hatte widerlich nach dem Gift gestunken, das eine solche Macht über seinen Körper und seinen Geist hatte. Das ganze Zimmer hatte danach gerochen und nach Kotze und Urin. Vielleicht war es genau das, was er gebraucht hatte. Dieses Gefühl, das letzte Stück Dreck zu sein.

Er wartete, bis am späten Abend die Lichter im Wohnhaus neben der Gaststätte erloschen waren. In einem einzigen Wohnwagen auf der gegenüberliegenden Seite der Wiese brannte Licht, sonst war alles dunkel. Er hatte sich für den Wagen ganz am Ende der Kolonie entschieden. Die morschen Holzstufen der Veranda, die rings um den Wohnwagen führte, knarrten unter seinen Füßen. Das Schloss an der Tür war ein Witz. Er brauchte keine Minute, um es zu knacken. Drinnen roch es muffig und nach Schimmel, aber das war ihm egal. Mit dem Feuerzeug leuchtete er das Innere des Wohnwagens aus, das erstaunlich geräumig war. Natürlich alles im spießigen Fünfziger-Jahre-Look. Aber es gab ein Bett mit Kissen und Decken und ein Campingklo. Zu seiner Freude fand er mehrere Sixpacks mit Mineralwasser auf der Arbeitsfläche der Küchenzeile, im Hängeschrank Konservenbüchsen mit Ravioli und Thunfisch und Gläser mit eingemachtem Obst. Im abgeschalteten Kühlschrank, dessen Tür nur angelehnt war, lagen sogar noch sechs Dosen Bier. Hier konnte er es eine Weile aushalten. Er warf seinen Rucksack auf die Eckbank, streifte die Schuhe von den Füßen und ließ sich auf das Bett fallen. Noch zwei, drei Tage, dann konnte er Nike sagen, dass er clean war.

»Du wirst sehen, Nike«, murmelte er. »Alles wird gut.«

Minuten später war er tief und fest eingeschlafen.

Donnerstag, 9. Oktober 2014

Die Detonation ließ das alte Holzgebäude erbeben. Die Fensterscheiben klirrten, gleichzeitig begannen die Hunde draußen im Flur zu bellen. Felicitas Molin fuhr aus dem Tiefschlaf hoch, ihr Herz hämmerte, und sie wusste im ersten Moment nicht, wo sie war. Ein rötlicher Lichtschein fiel durch die Gardinen, die sich im Luftzug bauschten. Sie erkannte verschwommen die Digitalanzeige des DVD-Players unter dem Fernseher. 2:24. Erst dann fiel ihr ein, dass sie nicht in ihrer gemütlichen, sicheren Wohnung in Friedrichsdorf war, sondern im Haus ihrer Schwester. Mitten im Wald und völlig allein, kilometerweit entfernt von der nächsten menschlichen Behausung. Sie streckte die Hand aus. Statt eines vertrauten Körpers war da nur die Lehne des Sofas. Seit nunmehr neun Monaten, zwei Wochen und drei Tagen musste sie sich jedes Mal beim Aufwachen bewusst machen, dass auch Ehemann Nummer zwei aus ihrem Leben verschwunden war, und zwar auf äußerst schäbige Art und Weise. Genau genommen war er nämlich nicht einfach verschwunden, sondern hatte sie betrogen, gedemütigt und verlassen, nachdem er ihr Geld ausgegeben und dazu noch einen Riesenberg Schulden angehäuft hatte, für die sie nun geradestehen musste. Immer öfter dachte sie an ihren ersten Mann, mit dem sie fünfundzwanzig Jahre verheiratet gewesen war, bevor sie ihn wegen dieses Bürschchens mit den treuen Hundeaugen und dem zugegeben äußerst appetitlichen Körper verlassen hatte. Bis heute fiel es ihr schwer zu begreifen, was geschehen war. Nichts war mehr übrig von ihrem Leben. Weil sie nicht mehr gewusst hatte, wo sie bleiben sollte, war sie schließlich hierher zu Manu und Jens gezogen, in diese grässliche alte Holzbude, die ein Eigenleben zu besitzen schien. Die Balken knackten und knarrten, der Wind heulte schaurig in den Kaminen, und in den Wänden glaubte sie permanent das Trippeln kleiner Pfoten zu hören. Die Nächte waren das Schlimmste. Am liebsten hätte Felicitas sich die Decke über den Kopf gezogen, den Knall und den seltsamen Lichtschein ignoriert und weitergeschlafen. Aber die Hunde bellten, als seien sie kurz davor, durchzudrehen.

»Was für ein blöder Mist!« Felicitas stemmte sich mühsam hoch und sackte wieder zurück. Sie war wieder auf der Couch eingeschlafen. Ihr Kopf dröhnte, das Zimmer drehte sich vor ihren Augen und ihre Zunge fühlte sich dick und pelzig an. Eine ganze Flasche Dornfelder und fünf Whiskey-Cola waren wohl ein bisschen viel gewesen, aber ohne die benebelnde Wirkung des Alkohols wäre sie gestern Abend wahrscheinlich vor Angst gestorben. Mühsam kam sie auf die Füße und schleppte sich zum Fenster. Sie schob die Gardine zur Seite, alles, was sie erkennen konnte, war ein diffuser Lichtschein drüben auf dem Campingplatz. Ohne Kontaktlinsen war sie blind wie ein Maulwurf. Auf dem Regal im Flur lag Jens' Feldstecher, mit dem ihr Schwager im Sommer gerne die jungen Mädchen in ihren Bikinis beobachtete. Felicitas tastete sich hinaus in den Flur. Die Hunde hatten aufgehört zu bellen, hockten aber beide vor der Haustür und knurrten. Plötzlich huschte heller Lichtschein über die Wände. Motorengeräusch! Felicitas erstarrte für eine Sekunde vor Schreck. Doch das Auto fuhr vorbei, und sie entspannte sich wieder. Kein Einbrecher, der ihr nach dem Leben trachtete, nur irgendjemand, der um diese Uhrzeit mitten im Wald unterwegs war. Ein Liebespaar vielleicht, das ein abgeschiedenes Plätzchen gesucht und gefunden hatte.

Zurück im Wohnzimmer, gelang es ihr kaum, das Fernglas scharf zu stellen, so sehr zitterten ihre Hände. Dann sah sie es. Weiter hinten auf der großen Waldwiese, auf der die Wohnwagen standen, brannte es, und zwar heftig. Es würde ihr wohl nichts anderes übrig bleiben, als die Feuerwehr zu verständigen! Dummerweise hatte sie hier draußen null Handyempfang und das Festnetztelefon war vorne in Manus Büro. Just in dem Augenblick, als sie sich abwenden wollte, gab es auf dem Campingplatz eine zweite, noch heftigere Explosion. Eine grelle Stichflamme schoss in den schwarzen Nachthimmel, alle Fensterscheiben im Haus klirrten und die Hunde fingen wieder an zu bellen. Für ein paar Sekunden konnte Felicitas ganz deutlich die Umrisse eines Menschen vor dem hellorangefarbenen Feuerball erkennen. Die Angst schnürte ihr die Kehle zu, und sie bebte am ganzen Körper, als sie nun hinaus in den Flur stürmte. Großer Gott! Da draußen war jemand, der die Wohnwagen anzündete! Sie traute sich nicht, das Licht einzuschalten. Erst gestern hatte sie in der Zeitung wieder von dem Feuerteufel gelesen, der seit Monaten hier in der Gegend sein Unwesen trieb und schon mindestens fünfzig Brände gelegt hatte.

Die Hunde bellten und jaulten vor der Tür des Windfangs wie rasend. Bear und Rocky waren Australian Cattle Dogs, furchtlose Tiere mit rötlich grauem Fell, hellen, wachsamen Augen und schneeweißen Zähnen. Sollte sie die zwei einfach nach draußen lassen? Was würde Manu wohl an ihrer Stelle tun? Ihre Schwester war immer pragmatischer und mutiger gewesen als sie, wahrscheinlich wäre sie direkt auf die Wiese marschiert, um den Kerl zur Rede zu stellen. Ach, verdammt, warum musste so etwas ausgerechnet jetzt passieren, wo ihre Schwester für sechs Wochen nach Australien geflogen und sie hier mutterseelenallein war? Felicitas schob die Tür zu dem kleinen Büro auf, tastete sich zum Schreibtisch vor und nahm das Telefon von der Ladestation. Mit zittrigen Fingern tippte sie die 112 und schloss die Tür hinter sich, sonst hätte sie bei dem Hundegebell keinen Ton verstanden. Ihr Blick wanderte zum Fenster und vor Schreck setzte ihr Herz für ein paar Schläge aus. Da draußen stand ein Mann direkt hinter der Scheibe und grinste sie an.

***

»Dad! *Da-ad!* Papa, wach auf!«

Ein helles Stimmchen und eine energische kleine Hand, die nachdrücklich an seiner Schulter rüttelte, katapultierten Kriminalhauptkommissar Oliver von Bodenstein unsanft vom Traum in die Realität eines viel zu frühen Morgens.

»Wie spät ist es?«, murmelte er und blinzelte in das grelle Licht der Deckenlampe.

»Zwei – Fünf – Eins«, erwiderte Sophia, die noch Schwierigkeiten mit dem Lesen der Uhrzeit hatte. »Dein Handy klingelt seit Zwei – Drei – Sieben. Da ruft einer mit einer unterdrückten Nummer an.«

Das klang vorwurfsvoll. Bodenstein zuckte vor Schreck zusammen, als direkt neben seinem Ohr eine dissonante Tonfolge losschrillte.

»Ich hab's dir gleich mitgebracht, dann musst du nicht extra aufstehen.« Seine Tochter, sieben Jahre alt und hellwach, hielt ihm sein Smartphone entgegen. Anrufe mit unterdrückter Nummer konnten um diese Uhrzeit nur von Sophias Mutter kommen, wenn sie sich – wie es gerade der Fall war – in einem exotischen Land mehrere Zeitzonen entfernt aufhielt, oder vom KvD der Regionalen Kriminalinspektion in Hofheim. Bodenstein vermutete Letzteres und behielt recht. Auf einem Campingplatz mitten im Wald zwischen Königstein und Glashütten war ein Wohnwagen in Flammen aufgegangen, es hatte eine heftige Explosion gegeben, die man bis nach Königstein gehört hatte. Da ein Feuerteufel seit Monaten schon die ganze Region in Atem hielt und das K11 neben Verbrechen gegen das Leben auch für Brandsachen zwischen Main und Taunus zuständig war, hatte man ihn verständigt.

»Ich fahre gleich hin«, sagte Bodenstein und beendete das Gespräch. Er stieß einen tiefen Seufzer aus und schloss die Augen. Läge dieser Campingplatz nur zweihundertfünfzig Meter weiter westlich, hätte das Telefon bei seinem Kollegen vom Hochtaunuskreis geklingelt. So ein Pech. Heute Nacht hatte er Bereitschaftsdienst, obwohl Sophia bei ihm war. Der Dienstplan konnte nicht immer Rücksicht auf seine private Situation nehmen, besonders nicht, seitdem die Kleine beinahe fest bei ihm wohnte. Die Ausnahme war mehr oder weniger zur Regel geworden.

»Musst du weg?«, erkundigte sich Sophia.

»Hm, ja.«

»Kann ich mitkommen?«

Gute Frage. Er konnte ein siebenjähriges Kind unmöglich allein im Haus lassen. Es war mitten in der Nacht, viel zu früh, um Eltern von Schulkameradinnen aufzuwecken und Sophia bei ihnen abzuladen. Zu seinen eigenen Eltern zu fahren würde einen ziemlichen Umweg bedeuten, und es war nicht sicher, ob sie es überhaupt hören würden, wenn er bei ihnen an die Haustür klopfte. Eine Klingel gab es am Gutshaus noch immer nicht.

»Gibt es Tote?«

Sophia klang genau wie ihre Mutter, Bodensteins Exfrau, die er vor beinahe dreißig Jahren am Schauplatz eines Selbstmordes kennengelernt hatte.

»Das weiß ich nicht«, antwortete er gähnend. »Es ist wahrscheinlich nur eine Brandstiftung.«

»Schade.« Sophia hüpfte auf das Fußende des Bettes. »Ich würde total gerne mal einen Toten sehen.«

»Wie bitte?« Bodenstein öffnete die Augen, richtete sich auf und musterte seine jüngste Tochter, die sich im Schneidersitz niedergelassen hatte und nachdenklich eine Strähne ihres dunklen Haares zwischen den Fingern zwirbelte.

»Na ja. Greta hat ihre tote Oma gesehen. Mit Blut und Gehirn und allem«, erwiderte Sophia. »Und ich bisher nur ein paar tote Tiere. Das ist voll ungerecht.«

»Du bist noch ein bisschen jung für den Anblick einer Leiche«, entgegnete Bodenstein trocken.

Karolines Tochter Greta war durch das Erlebnis vom Dezember vor zwei Jahren tief traumatisiert, doch offenbar hatte sie mit Sophia darüber gesprochen, und das konnte ein gutes Zeichen sein, denn sonst erwähnte sie den Tod ihrer Großmutter mit keinem Wort. Karoline hatte ihre Tochter damals sofort aus dem Internat geholt und das Mädchen von Kinderpsychologen betreuen lassen, ihr Exmann und sie hatten viel Zeit mit Greta verbracht, und Karoline, die selbst ein schweres Trauma erlitten hatte, reiste seitdem nur noch dann, wenn Greta bei ihrem Vater war. Die meiste Zeit arbeitete sie nun von zu Hause aus, um jederzeit für ihre Tochter da sein zu können.

Bodenstein schwang die Beine über den Bettrand. »Was mache ich jetzt mit dir?«

»Ich will mitkommen!« Sophia sprang mit einem Satz aus dem Bett, ihre Augen glänzten. »Bitte, Dad! Bitte, bitte, bitte!«

»Es ist drei Uhr morgens«, erinnerte er sie. »Du musst morgen in die Schule, und eigentlich solltest du noch etwas schlafen.«

»Ich bin total ausgeschlafen«, behauptete Sophia. »Und ich kann ja morgen Mittagschlaf machen, wenn ich aus der Betreuung komme. Bitte, Papi!«

Er hatte ohnehin keine andere Möglichkeit, als sie mitzunehmen. Cosima ließ die Kleine zwar schon gelegentlich für ein paar Stunden alleine in ihrer Wohnung, wenn sie irgendwohin musste, aber nicht nachts.

»Dann zieh dich an. Und nimm gleich deinen Ranzen mit.«

»Juhu!« Sophia machte einen Luftsprung und sauste aus dem Schlafzimmer. Bodenstein blickte ihr kopfschüttelnd nach, dann öffnete er den Kleiderschrank und zog einen warmen Pullover heraus. Er kannte den Campingplatz am Waldfreundehaus, oben auf der Billtalhöhe. Im Wald war es grundsätzlich ein paar Grad kühler als innerhalb einer Ortschaft, und Mitte Oktober konnte es im Taunus nachts schon empfindlich kalt werden.

***

Die Straßen lagen wie ausgestorben da, alle Häuser waren dunkel. Nur die Straßenlaternen warfen ein mattes orangefarbenes Licht auf die Hausfassaden und den Asphalt, der noch völlig trocken war.

Vor Tag und Tau, ging es Bodenstein durch den Kopf, als er in die Robert-Koch-Straße abbog, die das kleine Taunusörtchen Ruppertshain in zwei Hälften teilte. Unterhalb der Straße lag der alte Teil des Ortes mit seinen verwinkelten Gassen, oberhalb waren die Neubaugebiete in den letzten vierzig Jahren den steilen Hang empor gekrochen. Am Zauberberg, der ehemaligen Lungenheilstätte, setzte Bodenstein den Blinker und bog rechts in Richtung Königstein ab. Sogar für Zeitungsausträger war es noch zu früh. Wer jetzt unterwegs war, war per se verdächtig. Zu 70 Prozent wurden Verbrechen nachts verübt. Nicht ohne Grund fürchtete der Mensch die Dunkelheit.

Sophia redete wie ein Wasserfall, Bodenstein hörte nur mit einem Ohr zu und brummte hin und wieder zustimmend. Ihr Mitteilungsdrang war immens, und sie besaß die Eigenart, alles, was ihr gerade durch den Kopf ging, ungefiltert herauszuplappern. Im Licht der Scheinwerfer tauchte eine Hinweistafel auf.

»Schon 65 *Wildunfälle* seit 2007«, las Sophia. »Vor zwei Wochen waren es erst 63. Wird das eigentlich immer automatisch geändert, Papa? So wie an einer Tankstelle?«

»Nein«, erwiderte Bodenstein. »Ich denke, dass der Förster die Zahlen aktualisiert.«

Für einen kurzen Moment herrschte Ruhe.

»Du, Papa? Was ist eigentlich ein *Wildun-Fall*?«

»Das heißt Wild-Unfall.« Bodenstein musste schmunzeln. »Wenn ein Auto mit einem Reh oder einem Wildschwein zusammenstößt, bezeichnet man das als Wild-Unfall.«

»Ach so.«

Nach ein paar Kilometern öffnete sich der Wald auf der rechten Seite. Die hohe Mauer der Ausbildungsstätte einer Großbank tauchte auf. Dahinter erstreckten sich die Lichter von Königstein bis hinab ins Tal. Über ihnen thronte majestätisch die hell erleuchtete Burgruine.

»Papa? Wusstest du, dass sich da mal einer erschossen hat?«

»Wo?«

»In der Gartenhütte von der KTC«, erwiderte Sophia. »Das hat der Opa erzählt. Aber das ist schon ganz lange her.«

»Hm«, murmelte Bodenstein nur und nahm sich vor, seinem Vater bei Gelegenheit ins Gewissen zu reden. Nur weil Sophia mit ihrer altklugen Art den Eindruck erweckte, älter zu sein, als sie war, so waren Geschichten über Selbstmorde definitiv ungeeignet für eine Siebenjährige mit einer so morbiden Phantasie, wie seine jüngste Tochter sie besaß.

Links ging es auf den Waldparkplatz, wo ein anderer Fall ihn vor Jahren zu einer Leiche in einem Ferrari geführt hatte. Nach zehn Jahren als Leiter des K11 der Regionalen Kriminalinspektion in Hofheim war es für Bodenstein kaum noch möglich, unbefangen durch die Gegend zu fahren. Erinnerungen an Schauplätze von Mord und Totschlag hatten in seinem Kopf neue Orientierungspunkte geschaffen. In seinem Beruf war das unvermeidlich, aber ein Kind in Sophias Alter sollte seine Heimat nicht als eine mit Leichen gespickte Landkarte wahrnehmen.

Durch die Nepomuk-Kurve fuhr er in den Ölmühlweg und dachte mit dem üblichen flauen Gefühl, das ihn jedes Mal auf dem Weg zu einem Verbrechensschauplatz beschlich, an das, was ihn wohl erwarten mochte. Die Feuerwehrleute befürchteten, im Wohnwagen könne sich jemand aufgehalten haben, als er in Flammen aufgegangen war, aber davon hatte er Sophia natürlich nichts erzählt. Brandleichen waren etwas Fürchterliches. In Bodensteins persönlicher Hitliste der schlimmsten Leichen standen sie ganz weit oben, zusammen mit solchen, die längere Zeit im Wasser gelegen hatten oder ein paar Tage warmen Temperaturen ausgesetzt waren und kaum noch etwas Menschliches hatten. Bislang hatte sich die mysteriöse Serie von Brandstiftungen auf unbewohnte Gartenhütten, Scheunen, Papiercontainer und Strohballenlager beschränkt. Nie war ein Mensch zu Schaden gekommen. Sollte sich das heute Nacht geändert haben?

Die Ampel an der B8-Kreuzung blinkte im Nachtmodus. Der Berufsverkehr ging frühestens in zwei Stunden los. Dann würde sich eine schier endlose Blechlawine durch das Nadelöhr des Königsteiner Kreisels in Richtung Frankfurt wälzen. Bodenstein bog nach links, Richtung Limburg, ab. Hoffentlich betraf dieser Brand tatsächlich nur den Wohnwagen, dann konnte er die Ermittlungen schnell an die Brandsachverständigen übergeben. Die Bundesstraße machte eine weite Links-, dann eine Rechtskurve. Schon von weitem sah Bodenstein das pulsierende Blaulicht eines Streifenwagens. Er stand an dem Waldweg, der zur Waldgaststätte auf der Billtalhöhe führte. Der uniformierte Beamte gehörte zu den Königsteiner Kollegen, erkannte ihn und ließ ihn mit einem Kopfnicken passieren.

Bodenstein folgte dem geschotterten Weg durch den Wald. Er konnte das Feuer riechen, bevor er die Lichtung erreicht hatte. Rauch hing zwischen den Bäumen und kroch durch die Lüftungsschlitze ins Innere des Autos. Dann sah er den Lichtschein durch die Stämme der Fichten. Auf dem Parkplatz standen mehrere Fahrzeuge, darunter ein Rettungswagen mit geöffneten Türen. Bodenstein parkte zwischen einem Streifenwagen und einem dunkelgrünen Jeep und wandte sich zu Sophia um, die bereits ihren Gurt gelöst hatte.

»Ich muss jetzt hier arbeiten«, sagte er zu seiner Tochter. »Und ich möchte, dass du solange im Auto bleibst, okay?«

»Och Menno! Wieso denn?« Sophia zog eine Flunsch.

»Weil ich das sage. Ich mache die Standheizung an und bitte einen Kollegen von der Streife, ein Auge auf dich zu haben.«

»Ich will aber das Feuer sehen! Bitte, Papi!«

»Nein.«

»Und was soll ich bitte schön hier machen?« Das Mädchen verdrehte die Augen. »Ich langweile mich zu Tode!«

»Das war die Abmachung. Du hast doch deinen iPod dabei. Kann ich mich darauf verlassen, dass du hierbleibst und keinen Unsinn machst?«

»Und wenn ich Durst kriege? Oder aufs Klo muss?«

Bodensteins Geduldsfaden wurde dünner. »Dann sagst du einem der Polizisten Bescheid. Sie bleiben in der Nähe und schauen nach dir. Aber du steigst auf keinen Fall aus und läufst hier alleine herum. Kann ich mich auf dich verlassen?«

Sophia bemerkte die Schärfe in seinem Ton.

»Klar.« Sie wich seinem Blick aus. Bodenstein hatte ein ungutes Gefühl. Die Chancen, dass Sophia tatsächlich im Auto blieb, lagen bei knapp fünf Prozent. Sie hielt sich an keine Regel, denn Cosima erlaubte ihr so gut wie alles, nur, um ihre Ruhe zu haben. Das führte dazu, dass Bodenstein in der Zeit, die Sophia bei ihm verbrachte, ständig Kämpfe auszufechten hatte. Egal, ob es um Tischmanieren, Schlafenszeiten, die Nutzung des iPods oder Fernsehsendungen ging, jedes Mal gab es eine Diskussion, die nicht selten mit Tränen und Wutanfällen endete.

* * *

Die Ausflugsgaststätte und das benachbarte Wohnhaus lagen dunkel und abweisend da, die Möbel des Biergartens waren schon weggeräumt. Selbst Optimisten rechneten im Oktober hier oben im Taunus nicht mehr mit Biergartenwetter. Bodenstein öffnete den Kofferraum und holte ein Paar Gummistiefel heraus. Die Mischung aus Löschwasser und Matsch wollte er seinen Schuhen nicht zumuten. Er stellte den Kragen seiner Jacke auf und blickte sich um. In dem grünen Jeep, hinter dessen Windschutzscheibe an einem Saugnapf ein Schild mit der Aufschrift

»Forstschutz Hessenforst« baumelte, saß ein Hund, dessen Atem die Scheiben beschlagen ließ.

Im unteren Bereich der großen Lichtung, auf der etwa drei Dutzend Campingwagen standen, war die Hölle los. Mehrere Löschfahrzeuge parkten kreuz und quer. Dichter Qualm waberte über der Wiese, helles Scheinwerferlicht vermischte sich mit den Farben des Feuers zu einem Lachsrosa, vor dem sich die Feuerwehrleute wie schwarze Scherenschnitte bewegten. Bodenstein betrachtete das hektische Treiben mit wachsender Besorgnis. Der Brand war noch nicht unter Kontrolle, die Flammen hatten auf einige Fichten übergegriffen, die nun wie Fackeln brannten. In den letzten Wochen hatte es kaum geregnet, der Wald war sehr trocken, und die Gefahr, dass sich das Feuer zu einem Waldbrand auswuchs, war groß. Mit einem Knall, der das Brummen der Aggregate übertönte, barst der Stamm einer Fichte und versprühte einen Funkenregen. Die ganze Szenerie hatte etwas Dämonisches, wie in einem Gemälde von Pieter Brueghel dem Älteren. Der beißende Brandgeruch trieb Bodenstein die Tränen in die Augen. Verbrannter Kunststoff und Benzin. So rochen brennende Tankstellen.

An der Einfahrt zum Campingplatz standen mehrere Leute und blickten zum Feuer hinüber. Ein Feuerwehrmann sprach mit einem Mann in grünem Loden. Wieland Kapteina war der Revierförster, ein alter Freund Bodensteins seit Kindertagen.

Der Feuerwehrmann bemerkte ihn und kam auf ihn zu. Auch er war Bodenstein gut bekannt. Immer wieder traf man sich an Schauplätzen ähnlich unerfreulicher Ereignisse wie diesem.

»Guten Morgen«, grüßte Bodenstein ihn.

»Morgen, Herr Hauptkommissar«, erwiderte Jan Kwasniok, der Wehrführer der Königsteiner Feuerwehr.

»Was ist passiert?«

»Einer der Wohnwagen und ein in der Nähe abgestelltes Auto brennen«, erklärte Kwasniok. »Außerdem hat das Feuer auf ein paar Bäume übergegriffen.«

»Der Feuerteufel mal wieder?«

»Bisher war er nur in Kelkheim und Liederbach aktiv.« Kwasniok schürzte nachdenklich die Lippen. »Viel kann ich noch nicht sagen, aber hier wurde mit ziemlicher Sicherheit Brandbeschleuniger benutzt. Und im Feuer dürften mehrere Flaschen mit Campinggas explodiert sein, das würde zumindest die Heftigkeit und die extreme Hitzeentwicklung des Feuers erklären.«

»Personenschaden?«

»Die Befürchtung liegt nahe, wegen des Autos. Aber an den Wohnwagen kommen wir noch nicht ran.«

»Wer hat den Brand gemeldet?«

»Die Schwester der Pächterin.« Der Wehrführer nickte in Richtung einer Frau, die auf zwei Polizisten einredete. »Der Knall der Explosion hat sie aufgeweckt. Dann hat sie das Feuer gesehen und gleich angerufen.«

Das Funkgerät des Einsatzleiters rauschte und knackte.

»Ich muss wieder«, entschuldigte er sich und setzte seinen Helm auf. »Bis später.«

Zwei weitere Feuerwehrautos näherten sich mit blinkendem Blaulicht durch den Wald, rumpelten über den Parkplatz und fuhren auf die Wiese. Bodenstein bat die Kollegen von der Schutzpolizei, ein Auge auf Sophia zu haben, dann wandte er sich der Frau zu, die den Brand gemeldet hatte. Er schätzte sie auf irgendetwas zwischen Ende vierzig und Mitte fünfzig, und sie war so mager, dass sie fast anorektisch wirkte. Ein verlebtes Gesicht, schmale Lippen, eine zerzauste Dauerwelle. Die blonde Farbe war an den Ansätzen schon ein paar Zentimeter herausgewachsen. Dicke Brillengläser ließen ihre rotgeränderten Augen unnatürlich groß erscheinen. Als sie den Mund öffnete und sich ihm als Felicitas Molin vorstellte, verschlug es Bodenstein für einen Moment den Atem. Eine solch massive Alkoholfahne hatte er selten gerochen.

»Haben Sie etwas getrunken?«, erkundigte er sich.

»Oh Gott, ja«, gestand sie ihm, hielt die Hand vor den Mund und kicherte hysterisch. »Ich hab hier draußen eine Todesangst. Nach einer Flasche Wein kann ich wenigstens einschlafen.«

»Das klingt nicht so, als ob Sie hier wohnen würden.«

»Momentan schon. Aber normalerweise bin ich nicht ganz alleine hier draußen. Meine Schwester und ihr Mann haben die Gaststätte gepachtet.« Mit einer vagen Handbewegung wies Felicitas Molin auf die Gebäude, die sich an den leeren Biergarten anschlossen. »Sie sind zum ersten Mal seit fünf Jahren in den Urlaub gefahren, und ich passe solange auf alles auf. Ich arbeite freiberuflich, deshalb ist das kein Problem.«

»Ist außer Ihnen noch jemand dauerhaft auf dem Gelände?«

»Nein, ich glaube nicht. Die Saison ist beendet und dann kommt kaum noch jemand hier raus.«

»Was haben Sie beobachtet?« Bodenstein hegte wenig Hoffnung, dass Felicitas Molin in ihrem Zustand irgendwelche hilfreichen Beobachtungen gemacht haben könnte, aber es konnte ja sein.

»Ich habe ein Auto gehört«, antwortete sie zögernd. »Und ich meine, jemanden beim Feuer gesehen zu haben. Aber ich bin mir nicht sicher.«

Ihr Blick schnellte zu den beiden Polizeibeamten hinüber.

»Da ... da war ein Mann, der zum Fenster reingeguckt hat«, flüsterte sie mit weit aufgerissenen Augen.

»Aha. Wo?«

»Am Bürofenster. Das liegt auf der anderen Seite des Hauses, Richtung Straße. Ich habe die Feuerwehr angerufen und da ... da glotzte er mich durchs Fenster an. Ich hätte mich fast zu Tode erschreckt!« Frau Molin streckte eine Hand aus. »Schauen Sie, wie ich immer noch zittere!«

»Konnten Sie sehen, wohin der Mann verschwunden ist?«, wollte Bodenstein wissen.

»Nein«, flüsterte die Frau. »Und das macht mir Angst.«

»Haben meine Kollegen schon nachgeschaut?«

»Ich ... ich habe ihnen nichts davon erzählt.«

Bodenstein bat einen der Streifenbeamten, auf der rückwärtigen Seite des Wohnhauses nach Fußspuren zu schauen.

»Wem gehört das ganze Gelände hier eigentlich?«, fragte er Frau Molin, als der Kollege gegangen war.

»Einem Verein. ›Die Waldfreunde Hessens‹. Die Wohnwagen gehören Vereinsmitgliedern, und in der Holzbaracke da drüben gibt es Zimmer, die gelegentlich an Wanderer vermietet werden. Die Campingsaison ist seit Ende September vorbei, und das Gästehaus ist auch geschlossen.«

»Wissen Sie, wem der Wohnwagen gehört, der in Flammen aufgegangen ist?«

»Nein. Tut mir leid.« Sie zuckte die Achseln. »Ich habe aber irgendwo eine Telefonnummer vom Verein. Die kann ich Ihnen raussuchen.«

»Das wäre gut.«

Der jüngere der beiden Polizisten näherte sich.

»Herr Hauptkommissar, ich soll Ihnen von Ihrer Tochter ausrichten, dass sie aufs Klo muss und am Verdursten ist«, sagte er und grinste.

»Danke. Ich kümmere mich darum.« Bodenstein nickte resigniert, wandte sich um und winkte Sophia, die sofort die Tür aufriss und aus dem Auto kletterte.

»Sie nehmen Ihre Tochter mit zu einem Einsatz?« Frau Molin schürzte missbilligend die Lippen. »Und das zu dieser Uhrzeit?«

»Glauben Sie mir, das mache ich nicht gerne«, entgegnete Bodenstein kühl. »Allerdings kann ich ein siebenjähriges Kind wohl kaum alleine zu Hause lassen.«

»In sechsundsechzig Tagen werde ich acht«, verkündete Sophia mit Nachdruck. »Normalerweise darf ich nicht mit Papa zur Arbeit. Wegen den ganzen Leichen und so. Aber meine Mama ist gerade in Russland mit ihrem neuen …«

»Gibt es hier irgendwo eine Toilette?«, unterbrach Bodenstein seine Tochter hastig, bevor sie dieser Fremden noch mehr Familieninterna auf die Nase binden konnte.

»Ja, natürlich. Drüben, bei der Gaststätte.« Felicitas Molin starrte ihn aus wässrigen Augen an. Vorwurfsvoll oder mitleidig? Oder eher … sensationslüstern? *Hauptkommissar schleppt seine siebenjährige Tochter mitten in der Nacht zu Verbrechensschauplatz mit.* Bodenstein konnte die Schlagzeile schon vor seinem inneren Auge sehen und spürte, wie ihm die Röte ins Gesicht kroch.

»Komm, Sophia«, sagte er knapp.

»Ich kann ihr die Toilette zeigen«, bot Frau Molin eilfertig an. »Und die Kleine kann gerne bei mir im Haus bleiben, bis Sie hier fertig sind. Drinnen ist es wärmer als hier.«

Die Vorstellung, seine kleine Tochter in der Obhut einer alkoholisierten Unbekannten zu lassen, behagte Bodenstein ganz und gar nicht. Lieber würde er Wieland bitten, nach Sophia zu sehen. Mit ihm musste er ohnehin später noch sprechen.

»Vielen Dank, das ist nicht nötig«, sagte er deshalb höflich.

»Bitte sehr.« Das klang schnippisch. »Wenn Sie meinen, dass es besser ist, ein kleines Kind hier alleine herumlaufen zu lassen.«

»Ich bin nicht klein!«, protestierte Sophia.

»Sie läuft nicht alleine herum«, entgegnete Bodenstein schärfer als beabsichtigt.

»Schon klar.« Frau Molin stieß ein höhnisches Schnauben aus, dann zog sie einen Schlüsselbund aus der Tasche ihrer Daunenjacke und drehte sich um. Er folgte ihr mit Sophia an der Hand über die Terrasse des Biergartens zu den Toiletten. Ein Außenstrahler am Dachfirst der Gaststätte sprang an. Bodenstein knipste das Licht in der Damentoilette an und wartete draußen. Es war höchste Zeit, mit Cosima zu sprechen, auch wenn er dazu nicht die geringste Lust verspürte. Aber es konnte nicht sein, dass sie Sophia bei ihm ablud, wann immer es ihr passte. Eine ganze Weile hatte es recht gut geklappt mit den Betreuungszeiten, aber seitdem Cosima im vergangenen Jahr erfahren hatte, dass ihre Mutter ihr Testament geändert und ihm, Bodenstein, ihre Villa in Bad Homburg per Schenkung vermacht hatte, hielt sie sich an keine Absprachen mehr.

»Herr Hauptkommissar?« Der Beamte, der nach Spuren schauen sollte, bog um die Hausecke. »Ich konnte den Spanner dingfest machen.« Er präsentierte ein Windlicht, das einem Halloween-Kürbis nachempfunden war, sichtlich darum bemüht, ernst zu bleiben. »Könnte es sein, dass es dieser Herr war, der Sie angestarrt hat, gnädige Frau?«

Bodenstein lächelte amüsiert.

»Sie machen sich über mich lustig!«, zischte Felicitas Molin gekränkt. »Das ist ja wohl das Allerletzte!«

Sie wandte sich ab und schwankte zurück zum Haus.

»Danke für Ihre Hilfe!«, rief Bodenstein ihr nach. »Ich habe später noch ein paar Fragen an Sie.«

»Sie wissen ja, wo Sie mich finden«, schnappte die Frau und verschwand in der Dunkelheit.

»Ein Kürbis!«, kicherte der Streifenbeamte und stellte das

Windlicht auf die Waschbetonplatten. »Na ja, so, wie die Dame nach Alkohol riecht, sieht sie wahrscheinlich auch weiße Mäuse.«

***

Der Morgen graute schon, als das Feuer endlich gelöscht war. Über der Waldwiese hing der Qualm wie Morgennebel und stieg nur langsam in den von purpurfarbenen Streifen durchzogenen Himmel. Die Feuerwehrleute rollten die Schläuche ein, die ersten Fahrzeuge verließen die Wiese. Von dem Wohnwagen mit Vorzelt war nur noch ein geschwärztes Gerippe übrig, die Außenhaut aus Aluminium, die Styroporisolierung und die Innenverkleidung aus Holz waren restlos verbrannt. Das Löschwasser und die Hitze des Feuers hatten die Fläche ringsum in einen Kreis aus Matsch und Asche verwandelt. Daneben schwelte das Wrack eines Autos. Fabrikat und Typ des Fahrzeugs waren nicht mehr zu erkennen, selbst die Nummernschilder waren in der Flammenhölle geschmolzen. Zur Erleichterung des Försters war es der Feuerwehr jedoch gelungen, eine Ausbreitung des Feuers in den Wald zu verhindern, lediglich fünf Fichten, die im Halbkreis um den Wohnwagen herumgestanden hatten, waren den Flammen zum Opfer gefallen. Um kurz vor sechs Uhr morgens begannen zwei Feuerwehrleute damit, die Überreste des Wohnwagens zu inspizieren und nach letzten Glutnestern zu schauen.

Bodenstein stand ein paar Meter entfernt und sah ihnen schweigend zu, die Hände in den Taschen seiner Jacke vergraben. Immer wieder gingen Küchen, Wohnzimmer, Garagen und auch Wohnwagen in Flammen auf, weil Menschen leichtfertig mit Benzin und Gasflaschen hantierten. In den meisten Fällen konnten die Leute sich retten. Sein Bauchgefühl sagte ihm zwar, dass es hier nicht so war, dennoch hoffte Bodenstein inständig, in seinen letzten zweieinhalb Monaten als Leiter des K11 von einer Ermittlung wegen Brandstiftung mit Personenschaden verschont zu bleiben.

Zum Jahresende würde er für ein Jahr aus dem Berufsleben aussteigen. Die Entscheidung für ein Sabbatical hatte er sich lange und gründlich überlegt, bevor er Dr. Nicola Engel, seine Chefin, von seinem Ansinnen unterrichtet hatte. Sein Beruf war für ihn immer weitaus mehr gewesen als nur ein Job zum Geldverdienen. Er war mit Leib und Seele Polizist und Ermittler, nach einer Karriere beim LKA oder im Polizeipräsidium hatte er sich nie gesehnt. Doch in den letzten Jahren hatte sich etwas verändert. Dinge, die er früher problemlos auf Distanz hatte halten können, berührten ihn plötzlich stärker und ließen sich nicht mehr abschütteln. Es gelang ihm oft nicht, die Arbeit nach Feierabend auszublenden. Die Fälle verfolgten ihn. Er war Polizist geworden, weil er an Gerechtigkeit geglaubt hatte, an Regeln und Werte. An Gut und Böse. Und dieser Glaube war ihm abhandengekommen, genauso wie die Jagdlust, die ihn früher erfüllt und angespornt hatte. Er hatte es satt, von Menschen belogen und für dumm verkauft zu werden. Die endlosen, ermüdenden Stunden, in denen er jemandem gegenübersaß, von dem er wusste, dass er ihm etwas verschwieg, waren vergeudete Lebenszeit. Und wenn man endlich alle nötigen Indizien und Beweise für eine Verhaftung zusammenhatte, tauchte ein cleverer Anwalt auf, und schon wurden aus lebenslänglich mit Sicherungsverwahrung fünfzehn Jahre oder eine Einweisung in die Psychiatrie. Mit einer günstigen Prognose spazierte der Täter irgendwann wieder frei herum, aber sein Opfer wurde nicht mehr lebendig, und die Kollateralschäden, die traumatisierten Angehörigen, schienen Gerichte, Gutachter und Staatsanwälte zunehmend weniger zu interessieren. Das war nicht mehr das, was Bodenstein unter Gerechtigkeit verstand.

Der Fall, bei dem er Karoline Albrecht vor zwei Jahren kennengelernt hatte, hatte ihm endgültig den Rest gegeben. Es war ihnen nicht rechtzeitig gelungen, diesem Psychopathen das Handwerk zu legen. Als sie ihm letztendlich auf die Schliche gekommen waren, war es ein bitterer Sieg gewesen, denn zu viele Menschen hatten sterben müssen. Das überwältigende Gefühl der Machtlosigkeit und das unbefriedigende Ende des Falles hatten aus dem vagen Unbehagen die Erkenntnis werden lassen, dass er etwas Grundsätzliches in seinem Leben verändern musste. Ein weiterer Grund, weshalb er ein Jahr pausieren wollte, war Karoline. Er wollte Zeit für sie haben, denn sie war ihm wichtig. Ihre Beziehung, die sich behutsam entwickelt hatte, machte seit Monaten keinerlei Fortschritte mehr, und er musste ergründen, woran das lag.

Seine Chefin war natürlich alles andere als begeistert gewesen, hatte die endgültige Entscheidung darüber aber nach Wiesbaden delegiert, und so hatte Bodenstein vor ein paar Wochen ein Vier-Augen-Gespräch mit dem neuen Polizeipräsidenten geführt, den er aus seiner Zeit bei der Frankfurter Kripo gut kannte. Im Unterschied zu den meisten seiner Amtsvorgänger war er kein Verwaltungskarrierist, sondern hatte selbst lange Jahre an vorderster Front Dienst getan: als SEK'ler, beim K11 in Frankfurt, wo er unter anderem die Ermittlungen in einigen der spektakulärsten Mord- und Entführungsfällen der letzten Jahre geleitet hatte. Er hatte Bodensteins Wunsch nach einer Auszeit verstanden und akzeptiert. Nicola Engel hatte die Nachricht mit einem Schulterzucken aufgenommen und gesagt, Bodenstein könne nicht erwarten, automatisch wieder Leiter des K11 zu werden, wenn er aus seinem »Urlaub« zurückkehrte, aber das hatte ihn kalt gelassen. Eine endgültige Entscheidung über seine Nachfolge war an höchster Stelle noch nicht gefallen, doch er ging fest davon aus, dass man seiner Kollegin Pia Sander die Leitung der Abteilung übertragen würde. In der Vergangenheit hatte sie oft genug bewiesen, dass sie absolut in der Lage war, seinen Job zu machen.

»Herr Hauptkommissar?« Die Stimme des Wehrführers riss Bodenstein aus seinen Gedanken. »Wir haben eine Leiche gefunden. Am besten, Sie schauen sich das mal selbst an.«

Der winzige Rest an Hoffnung war dahin. Leider hatte Bodenstein genau das befürchtet, irgendwem musste schließlich das Auto gehören, das direkt neben dem Wohnwagen abgestellt worden war. Als er Kwasniok durch die klebrige Asche folgte, spürte er die Wärme unter den Sohlen seiner Gummistiefel. Im Laufe der Jahre hatte er viele Leichen gesehen, das gehörte zu seiner Arbeit, aber an den Anblick gewöhnte er sich nie. Auch diesmal schauderte er. Vor wenigen Stunden war dieses verkohlte Etwas ein lebendiger, atmender und fühlender Mensch gewesen. Dass es sich bei dem Feuer um Brandstiftung gehandelt hatte, stand für die Feuerwehr mittlerweile außer Frage. Was zu klären blieb, war, ob der Tod des Opfers bereits vor dem Ausbruch des Brandes eingetreten war oder erst in dessen Verlauf.

Bodenstein zückte sein Handy, um erst dem KvD und dann Pia die Situation zu schildern.

»Am besten rufe ich Henning an«, antwortete Pia sofort. »Er soll selbst kommen, bevor er sich hinterher beschwert. Wer kümmert sich um die Spusi?«

»Der KvD weiß Bescheid.«

»Okay, ich fahre gleich los.«

Sie legte auf, und Bodenstein steckte sein Handy weg.

»Ich will Ihnen etwas zeigen.« Der Einsatzleiter der Feuerwehr hatte gewartet, bis Bodenstein das Telefonat beendet hatte, nun führte er ihn in einem Bogen um die Überreste des Wohnwagens herum. Er deutete auf mehrere halbrunde Metallstücke inmitten des Ascheberges, geschwärzt und verkohlt.

»Das sind die Reste von Propangasflaschen«, erklärte Kwasniok.

»Aha.« Bodenstein wusste nicht ganz, worauf der Einsatzleiter hinauswollte. Er war selbst kein Camper, aber es war allgemein bekannt, dass Wohnwagen mit Gas beheizt wurden und auch der Herd mit Campinggas funktionierte.

»Eine Propangasflasche kann im Prinzip nicht explodieren«, fuhr Kwasniok fort. »Ohne Sauerstoff brennt Propangas nicht. Und diese Flaschen sind so konzipiert, dass bei Wärmeentwicklung, wenn der Flascheninnendruck steigt, das Druckentlastungsventil aufgeht.«

»Und dann explodiert es.«

»Nein. Das Gas brennt nur ab. Wie eine Art Flammenwerfer. Gefährlich wird es erst dann, wenn das Gas ausströmt und nicht gleich entzündet wird, also wenn sich ein Raum mit Luft-Gas-Gemisch füllt. Dann reicht ein Funke, und alles geht in die Luft.«

Bodenstein nickte.

»Die Flaschen waren offenbar rings um das Vorzelt platziert«, sagte der Einsatzleiter. »Es ist nur eine Vermutung, aber ich könnte mir Folgendes vorstellen: Jemand dreht die Druckventile der Flaschen auf und sorgt dafür, dass der Inhalt der Flaschen in das geschlossene Vorzelt strömt.«

Er stapfte zurück zur Vorderseite des zerstörten Wohnwagens

und deutete auf eine verkohlte Spur im Gras, die nun im heller werdenden Zwielicht deutlich zu erkennen war.

»Dann legt er eine Art Zündschnur aus Benzin.« Kwasniok ging an der Spur entlang, und Bodenstein folgte ihm. Der aufgeweichte Boden quatschte unter den Sohlen seiner Gummistiefel. »Ungefähr dreißig Meter lang. Dann muss er nur noch ein Streichholz an die Benzinspur halten, und – peng! – alles fliegt in die Luft.«

»Klingt plausibel.« Bodenstein fuhr sich nachdenklich mit der Hand über das unrasierte Kinn.

»Hier war ein Brandstifter am Werk, der sich vorher einen genauen Plan zurechtgelegt hat«, behauptete Kwasniok. »Und ich denke nicht, dass das der Feuerteufel aus Kelkheim war.«

»Danke, Herr Kwasniok. Meine Kollegen von der Brandermittlung werden später noch mal mit Ihnen sprechen.«

»Alles klar. Ein paar meiner Leute bleiben hier und überwachen die Brandstelle. Sie können später bei der Bergung der Leiche helfen.« Kwasniok tippte sich grüßend mit dem Zeigefinger an die Schläfe und ging zu seiner Truppe hinüber.

Bodenstein blickte sich um. Die Grasnarbe der Waldwiese war von den Reifen der schweren Löschfahrzeuge zerwühlt. Löschwasser und Flammen hatten die Brandstelle, die sich durch das Auffinden einer Leiche in einen Tatort verwandelt hatte, zu einem Alptraum für die Techniker der Spurensicherung gemacht. Die Kollegen Kröger und Becht, der Brandspezialist vom K10, würden *not amused* sein, aber das ließ sich nicht ändern. Auf dem Weg zu seinem Auto rekapitulierte Bodenstein, was er bisher wusste. Irgendetwas konnte mit der zeitlichen Abfolge dessen, was diese Frau Molin ihm erzählt hatte, nicht ganz stimmen. Angeblich war sie von einer Explosion aufgewacht. Dann wollte sie das Motorengeräusch eines wegfahrenden Autos gehört haben, und erst danach, bei einer zweiten Explosion, hatte sie die Gestalt eines Menschen vor den Flammen beobachtet. Das ergab keinen Sinn. Es sei denn, der Brandstifter war nicht der Einzige, der hier in der vergangenen Nacht unterwegs gewesen war.

***

Nachdem die Sonne gegen sechs Uhr mit einem spektakulären Morgenrot den Tag angekündigt hatte, war sie kaum eine Stunde später hinter einer dicken grauen Wolkenschicht verschwunden und schien dort auch für den Rest des Tages bleiben zu wollen. Es nieselte leicht, als Kriminalhauptkommissarin Pia Sander auf dem Parkplatz des Waldfreundehauses aus dem Auto stieg. So weit oben im Taunus gab es keinen lichten Laubwald mehr, nur noch Nadelbäume. Hohe Fichten, Tannen und Kiefern drängten sich um die Lichtung und bildeten eine undurchdringliche dunkle Wand in der grauen Düsternis. Die Ausflugsgaststätte und die Nebengebäude aus verwittertem Holz machten auch keinen besonders einladenden Eindruck.

Pia blickte sich um. Bodensteins Privatauto stand zwischen einem Streifenwagen und einem grünen Jeep von der Forstaufsicht, weit und breit war jedoch keine Menschenseele zu sehen. Obwohl der Brand schon seit einer Weile gelöscht war, roch es noch immer intensiv nach Rauch. Weiter hinten auf der Waldwiese, die weiträumig mit rotweißem Flatterband abgesperrt worden war, stand ein Löschfahrzeug der Feuerwehr in der Nähe des abgebrannten Wohnwagens.

»Seltsam. Wo sind die alle?« Pia angelte ihre Daunenweste von der Rückbank und schlüpfte hinein. Dann nahm sie ihr Handy und rief die Anrufliste auf. Sie tippte auf Bodensteins Nummer, aber eine Verbindung kam nicht zustande. Kein Empfang. Pia blickte in das Auto ihres Chefs, dann in den Streifenwagen.

»Hallo? Was machen Sie denn da?«, fragte jemand dicht hinter ihr, und Pia fuhr erschrocken herum. Vor ihr stand eine magere Frau mit einem verhärmten Gesicht und einer herausgewachsenen Dauerwelle und starrte sie misstrauisch an. Die dicken Brillengläser verliehen der Frau das Aussehen einer zerrupften Eule.

»Ich bin Kriminalhauptkommissarin Sander.« Pia zückte ihren Ausweis. »Wer sind Sie? Was tun Sie hier?«

»Ich wohne hier, wenn's recht ist«, entgegnete die Frau mit einem giftigen Unterton. Sie schnappte sich Pias Ausweis und prüfte ihn so eingehend, als ob sie bei der Einreisekontrolle an einem amerikanischen Flughafen arbeiten würde. »Meine Schwester ist die Pächterin vom Waldfreundehaus. Ich habe heute Nacht die Feuerwehr angerufen.«

Dann fischte sie einen Zettel aus der Tasche ihrer abgetragenen Jeansjacke mit einem Teddykragen, der irgendwann einmal weiß gewesen sein musste.

»Dieser Kommissar wollte von mir eine Telefonnummer haben.« Sie hielt Pia den Zettel hin. »Ich habe sie ihm aufgeschrieben.«

»Danke.«

Der Geruch nach Alkohol, Knoblauch und Mottenpulver, den die Frau ausdünstete, war überwältigend, doch Pia verzog keine Miene.

»Haben Sie meinen Chef zufällig irgendwo gesehen? Ich habe hier leider keinen Handyempfang.«

»Ach, das ist Ihr Chef. Na, herzlichen Glückwunsch.« Die Eule verzog ihre Lippen zu einem geringschätzigen Lächeln. »Dem ist wohl sein Kind abhandengekommen. Ist ja auch eine ziemlich bescheuerte Idee, ein kleines Mädchen nachts hierher mitzunehmen und unbeaufsichtigt herumlaufen zu lassen.«

Die freundliche Unvoreingenommenheit, die Pia normalerweise jedem Fremden entgegenzubringen versuchte, verwandelte sich blitzartig in Abneigung.

»Ich hatte ihm angeboten, auf die Kleine aufzupassen, aber das wollte er ja nicht«, sagte die Eule schulterzuckend. »Lieber hat er sein Kind bei der Kälte allein im Auto sitzen lassen. Können Sie sich so etwas vorstellen?«

Pia ging es entschieden gegen den Strich, wie abfällig diese Person über ihren Chef sprach.

»Nein, das kann ich nicht«, entgegnete sie deshalb frostig.

»Schon klar.« Der Tonfall war verächtlich. »Eine Krähe hackt der anderen kein Auge aus.«

Da platzte Pia der Kragen.

»Ich würde mein Kind auch nicht bei einer Frau lassen wollen, die wie ein Schnapsladen riecht«, entgegnete sie scharf.

»Was fällt Ihnen ein?« Die Frau fixierte sie wütend aus zusammengekniffenen Augen. »Was wissen Sie denn wohl über mich?«

»Wahrscheinlich ungefähr so viel, wie Sie über meinen Chef

wissen«, versetzte Pia kühl. »Man sollte nicht vorschnell Urteile über Menschen fällen, die man überhaupt nicht kennt, Frau …«

»Molin. Felicitas Molin. Ich schreibe übrigens für verschiedene Zeitungen.« In den Augen der Frau funkelte schiere Boshaftigkeit. »Ein Kommissar, der sein Kind nachts mit zu Ermittlungen nimmt, wäre sicherlich einen Bericht wert.«

»Na, dann viel Spaß beim Schreiben.« Pia schüttelte den Kopf. »Passen Sie nur auf, dass Sie sich keine Verleumdungsklage einhandeln.«

Die Eule brabbelte irgendetwas von »Pressefreiheit« und »Informationsauftrag«, aber Pia ließ sie einfach stehen und machte sich auf den Weg zur Brandstelle. Es war ein paar Jahre her, seitdem sie einmal mit Christoph in dem Ausflugslokal hier oben zum Essen gewesen war. Den Campingplatz hatte sie damals gar nicht wahrgenommen. Rings um die Waldwiese waren etwa vierzig Wohnwagen abgestellt, die meisten von ihnen wirkten im grauen Zwielicht trostlos und vernachlässigt. Manche standen zum Schutz vor den Einflüssen der Witterung unter ausgeblichenen Zeltdächern, andere versteckten sich hinter von Moos und Flechten überzogenen Holzpalisaden. Es wirkte nicht so, als ob sie jemandem am Herzen lägen.

Gerade als Pia die Überreste des Wohnwagens erreicht hatte, hinter dem die geschwärzten Stämme von fünf Fichten wie Finger einer Hand aus der Asche ragten, wurden am Waldrand Stimmen laut. Drei Feuerwehrleute und zwei Kollegen von der Schutzpolizei tauchten aus dem Unterholz auf, gefolgt von einem in Jägergrün gekleideten Mann und Bodenstein, der seine Tochter hinter sich her zog. Ihr wütendes Protestgeschrei überhörte er mit stoischer Miene. Nicht zum ersten Mal, seitdem Pia die jüngere Tochter ihres Chefs kannte, bedauerte sie ihn aufrichtig. Das Kind hatte sich zu einer echten Nervensäge entwickelt.

»Warum hast du mich nicht angerufen?«, fragte sie nach einer kurzen Begrüßung. »Ich hätte das hier übernommen.«

»Du bist in der letzten Zeit schon oft genug für mich eingesprungen«, entgegnete Bodenstein und wandte sich an Sophia. »Du bleibst jetzt hier in der Nähe, verstanden? Ich fahre dich gleich in die Schule.«

»Aber ich will …«, begann Sophia mit erhobener Stimme.

»Schluss jetzt«, schnitt Bodenstein ihr barsch das Wort ab. »Ich will keinen Mucks mehr von dir hören.«

Sophia stampfte wütend mit dem Fuß auf und brach daraufhin in lautes Geheul aus.

»Was habe ich gerade gesagt?« Bodenstein sprach leise und drohend. »Das war das allerletzte Mal, dass ich dich irgendwohin mitgenommen habe.«

»Aber ich hab mir weh geta-han! Aua!«, jammerte das Kind und setzte sich heulend ins nasse Gras. »Ich glaub, mein Fuß ist gebrochen!«

Bodenstein ignorierte das Theater seiner Tochter und stellte Pia Wieland Kapteina vor, den Förster, der für diesen Teil des Taunuswaldes zuständig war. Er war groß und hager, hatte ein kantiges Gesicht mit tiefen Nasolabialfalten, melancholische dunkle Augen und einen grauen Haarkranz.

»Die Schwester der Pächterin, eine Frau Molin, will eine Person gesehen haben, als das Feuer schon brannte und nachdem sie ein Auto wegfahren hörte«, schloss Bodenstein seine knappe Zusammenfassung der Ereignisse. »Wir haben Blutspuren gefunden, die in den Wald führen. Möglicherweise stammen sie vom Täter oder dieser dritten Person.«

»Dann sollten wir einen Suchhund anfordern.« Pia ließ ihren Wortwechsel mit der Eule unerwähnt. »Vielleicht befindet sich derjenige noch in der Nähe, oder er hat eine Spur hinterlassen, die uns weiterbringt.«

Zwei Fahrzeuge holperten über die Wiese: der blaue VW-Bus der Spurensicherung, gefolgt vom Transporter der Brandermittler. Sie stoppten etwa fünfzig Meter entfernt. Bodenstein sah auf seine Uhr.

»Ich muss Sophia in die Schule bringen«, sagte er stirnrunzelnd. Ihm war nicht wohl dabei, jetzt, wo die Ermittlungen ins Rollen kamen, wegfahren zu müssen, das war ihm anzusehen.

»Fahr nur«, erwiderte Pia. »Ich kümmere mich hier um alles.«

»Danke.« Bodenstein stieß einen Seufzer aus. »Ich werde eine Lösung für die nächsten Tage finden. Leider ist es nicht so einfach, Sophia irgendwo unterzubringen.«

»Mach dir keinen Stress. Ich bin ja hier.« Pia wusste über die familiäre Situation ihres Chefs Bescheid und auch darüber, dass seine Exfrau immer häufiger Ausreden fand, um sich nicht um ihre jüngste Tochter kümmern zu müssen. Bodenstein hatte schon seine älteren Kinder mehr oder weniger alleine großgezogen, weil Cosima von Bodenstein oft in ferne Länder gereist war, um Dokumentarfilme zu drehen. Seine Beziehung zu seiner Jugendliebe, der Tierärztin Dr. Inka Hansen, war Pias Meinung nach nicht zuletzt an Sophia gescheitert. Und ob Karoline Albrecht, Bodensteins neue Lebensgefährtin, die Nervenstärke besaß, das anstrengende Kind und dessen unzuverlässige Mutter zu ertragen, musste sich erst noch zeigen.

»Kann ich irgendetwas tun?«, erkundigte sich der Förster mit dem Basset-Gesicht, als Bodenstein mit seiner Tochter Richtung Parkplatz abgezogen war.

»Kennen Sie die Leute, denen die Wohnwagen gehören?«

»Leider weder Namen und Adressen«, bedauerte Wieland Kapteina. »Außer von der Pächterin und ihrem Mann ist mir nur der eine oder andere Spitzname bekannt.«

»Hm.« Pia schob die Hände in die Taschen ihrer Daunenweste und berührte dabei den Zettel, den ihr die Eule eben in die Hand gedrückt hatte.

»Entschuldigen Sie mich. Ich bin gleich wieder da«, sagte sie zu dem Förster, dann spurtete sie hinter ihrem Chef her, der von Kröger aufgehalten worden war. Sie begrüßte den Leiter des Erkennungsdienstes der RKI Hofheim und die anderen Kollegen, die gerade damit beschäftigt waren, ihr Equipment auszuladen, das sie für die Tatortarbeit brauchten.

»Hier sieht's ja aus, als hätten sie die Schlacht von Waterloo nachgespielt! Ist doch echt zum Kotzen!«, meckerte Christian Kröger verärgert. »Ich frage mich, ob die von der Feuerwehr auch nur einen *einzigen* Gedanken daran verschwenden, dass wir noch Spuren sichern müssen!«

Bodenstein und Pia waren Tiraden dieser Art gewohnt. Kröger war ein Perfektionist und hätte am liebsten jeden Verbrechensschauplatz für sich und seine Leute allein gehabt, bevor jemand Spuren zerstören oder verändern konnte.

»Es kommt noch schlimmer«, sagte Bodenstein trocken. »Aufgrund des Zustands der Leiche habe ich Kirchhoff angefordert.«

»Ein echter Glückstag also«, murrte Kröger. »Wenigstens bin ich diesmal vor ihm da.«

»Ihr seid echt kindisch, Henning und du!« Pia schüttelte den Kopf über den skurrilen Wettstreit zwischen ihrem Ex und dem Chef des Erkennungsdienstes.

»Ich führe aktuell 11:3.« Kröger grinste mit einem Anflug von Triumph. »Uneinholbar. Das wurmt den Doc gewaltig.«

Er und Pias Exmann Henning Kirchhoff pflegten seit vielen Jahren eine von Herzen kommende Feindschaft, die manchmal geradezu groteske Züge annahm, wenn sie sich an einem Leichenfundort wegen einer Kleinigkeit in die Haare gerieten. Ihre Streitereien waren legendär, doch da ihre Animositäten der Gründlichkeit ihrer Arbeit keinen Abbruch taten, ertrugen alle Beteiligten die ständigen Kabbeleien der beiden mit Gleichmut.

»Ach, Oliver, den hat mir die Eule für dich gegeben.« Pia reichte Bodenstein den Zettel. »Eine Telefonnummer, die du von ihr haben wolltest.«

»Danke.« Bodenstein warf einen Blick auf den Zettel. »Das ist wohl die Nummer des Campingplatzbetreibers. Ich rufe vom Auto aus an und erfahre hoffentlich, wem der Wohnwagen gehörte.«

Er ging mit einer theatralisch humpelnden Sophia an der Hand davon. Pia blieb bei Kröger stehen, weil ihr Handy an dieser Stelle Empfang hatte. Sie rief den KvD an, forderte einen Suchhund und Verstärkung für die Suche nach der Person an, die entweder der Brandstifter oder ein möglicher Augenzeuge war. Danach informierte sie den zuständigen Staatsanwalt.

Unterdessen waren weitere Autos eingetroffen. Zwei Streifenwagen, der silberne Mercedes-Kombi von Dr. Henning Kirchhoff und ein ziviler Opel aus der Dienstwagenflotte der RKI, mit dem drei von Krögers Leuten und der Neue vom K11 gekommen waren. Außerdem ein weißer Smart mit dem auffällig bunten Logo eines privaten Fernsehsenders.

»Da ist der Doc ja schon«, stellte Kröger missvergnügt fest und zog sich die Kapuze des Overalls über den Kopf, als Dr. Henning

Kirchhoff mit seinem Metallkoffer in der Hand quer über die Wiese auf sie zustrebte.

»Und die Presse auch«, ergänzte Pia. »Ich kümmere mich darum, dass alles weiträumig abgesperrt wird.«

***

Schluchzend vor Scham und Zorn riss Felicitas eine Küchenschublade nach der anderen auf. Es war erst acht Uhr morgens, aber sie hätte am liebsten jetzt schon ein Glas Rotwein getrunken. Daran war nur diese blonde Polizistin mit ihrer herablassenden Art schuld! Und die anderen Bullen, die sich über sie lustig gemacht hatten. Sie hatte genau gesehen, wie sie gegrinst hatten! Ein Kürbis-Windlicht, herrje! Wie peinlich, dass sie sich so hysterisch aufgeführt hatte! Was musste der Kommissar wohl von ihr denken? Der war eigentlich ziemlich sympathisch. Ein Liam-Neeson-Typ mit Dreitagebart und grauen Schläfen. Felicitas hielt inne und presste ihre Stirn an das kühle Fensterglas. Ein attraktiver Mann: groß, schlank, breitschultrig, umweht von einer anziehenden Aura des Geheimnisvollen. Er hatte eine schöne Stimme, einen angenehmen, sonoren Bariton und eine saubere Aussprache ohne jede hessische Färbung. Leider war er mit einem vorlauten Kind gestraft. War seine Ehe in die Brüche gegangen, weil er zu viel den bösen Buben nachjagte? Oder war er fremdgegangen, hatte seine langweilige Vorstadt-Polizisten-Ehefrau mit einer anderen betrogen? Und wenn schon. Wahrscheinlich hielt er sie für eine armselige, versoffene Zicke.

Sie stieß sich vom Fensterbrett ab, marschierte entschlossen in Manus Büro und setzte sich an den Schreibtisch. Methodisch durchwühlte sie eine Schublade nach der anderen. Irgendwo musste das Ding doch sein! Endlich, in der hintersten Ecke des Wandschrankes, fand sie, wonach sie gesucht hatte. Vorsichtig nahm sie die Holzkiste heraus, stellte sie auf die verkratzte Schreibtischplatte und klappte den Deckel zurück. Manuela hatte ihr vor einer Weile beiläufig von dieser Pistole erzählt, die Jens besaß, seitdem sie hier mitten im Wald wohnten. Ob ihr Schwager überhaupt einen Waffenschein hatte? Egal. Felicitas nahm die Pistole vorsichtig aus der Kiste. Mattglänzender schwarzer Stahl.

Es war Jahre her, seitdem sie eine Waffe in der Hand gehabt hatte, auf einem Schießstand, für die Recherche zu einem Artikel. Nachdenklich wog sie die Waffe in der Hand. Sie war geladen. Leichtsinnig und typisch für Jens. Auf jeden Fall fühlte sie sich damit schon erheblich sicherer. Ihr Blick fiel auf die Hunde, die hinter ihr hergeschlichen waren und jede ihrer Bewegungen verfolgten.

»Ihr seid ja auch kein echter Schutz«, brummte sie und steckte die Pistole hinten in den Bund ihrer Jeans. »Mehr als kläffen könnt ihr nicht.«

Durch das Fenster konnte Felicitas ein Stück der Wiese sehen. Rotweißes Absperrband und eine Menge Leute. Offenbar war da Schlimmeres passiert als nur ein Wohnwagenbrand. Sie setzte sich an Manus Schreibtisch, klappte ihren Laptop auf und checkte ihre Mails. Vier Artikel hatte sie geschrieben und an mehrere Redaktionen geschickt, allmählich musste sie doch mal eine Antwort kriegen! Nichts. Nur ein paar Spam-Mails. Keine Einladungen zu Jury-Sitzungen, Galas, Buchpremieren oder Autorenlesungen mehr, wie sie sie früher täglich erhalten und beiläufig gelöscht hatte. Von Woche zu Woche bekam sie weniger Mails, und seit gestern war keine einzige mehr gekommen. Einfach nichts. Man hatte sie vergessen. Wo war ihr Leben hin? Warum wurde sie nicht mehr eingeladen und angerufen? Mit einem Knall schlug sie den Laptop zu. Was zum Teufel tat sie hier überhaupt, in dieser mäuseverseuchten Drecksbude mitten im Wald? Sie mochte keine Tiere. Sie hasste den Wald. Sie ekelte sich vor dem verwohnten, schmutzigen Haus. Es war eine Demütigung, dass ihr keine andere Wahl geblieben war, als bei ihrer jüngeren Schwester unterzukriechen.

***

»Wusstest du, dass im 19. Jahrhundert hier oben kaum ein Baum stand?« Kriminalkommissar Tariq Omari stapfte quer über die Wiese, blieb vor Pia stehen und schlug den Kragen seines olivgrünen Fieldjackets hoch. »Angeblich konnte man von Frankfurt aus bei guter Sicht die keltischen Ringwälle auf dem Altkönig sehen. Heutzutage ist alles komplett bewaldet.«

»Woher weißt du bloß solche Sachen?« Nicht zum ersten Mal wunderte Pia sich über den neuen Kollegen, der seit knapp zwei Monaten das Team des K11 verstärkte. Nachdem Kathrin Fachinger Anfang August überraschend verkündet hatte, sie sei schwanger und gehe im November in Mutterschutz, hatte Kriminalrätin Dr. Engel den Neuen quasi über Nacht aus dem Hut gezaubert.

»Hab ich irgendwo gelesen«, erwiderte Tariq nun achselzuckend. »Ich habe ein fotografisches Gedächtnis und vergesse nie etwas, was ich einmal gehört oder gelesen habe.«

Pia warf ihm einen raschen Blick zu, um festzustellen, ob er sie auf den Arm nehmen oder gar Bewunderung wollte, aber er hatte das ganz ernsthaft und in aller Bescheidenheit gesagt.

Tariq Omari war achtundzwanzig Jahre alt und kam direkt von der Polizeischule in Wiesbaden, wo er das Studium mit Bestnoten abgeschlossen hatte. Im Umgang mit dem Computer konnte er Kai Ostermann problemlos das Wasser reichen, außerdem wusste er erstaunlich viel und hielt mit diesem Wissen nur selten hinter dem Berg, was ihm in der Regionalen Kriminalinspektion Hofheim bereits den Spitznamen »Einstein« eingebracht hatte.

Sie erreichten die Brandstelle. Löschwasser und Nieselregen hatten die Asche in grauschwarzen Brei verwandelt, aus dem geschwärzte und verbogene Stahlstreben ragten. Hier und da kräuselten sich dünne Rauchfahnen empor. Zwei von Krögers Leuten errichteten ein Zelt zum Schutz vor dem Regen und legten Metallplanken rings um die Wohnwagenreste aus. Die Techniker von der Spurensicherung begannen mit ihrer Arbeit, spannten ein Fadennetz über die Leiche und kennzeichneten die Stellen, an denen sie potentielle Beweisstücke sicherstellten, mit nummerierten Markierungen. Einer von ihnen fotografierte jedes Detail der Brandstelle, des verbrannten Autos und des Opfers aus allen erdenklichen Perspektiven. Jeder noch so kleine und unbedeutend erscheinende Gegenstand wurde eingesammelt, die Berge von Asche mussten sorgfältig gesiebt werden, damit kein Knochensplitter und kein Zahn verlorenging. Die meisten Dinge würden sich später zwar als irrelevant erweisen, aber in diesem frühen Stadium der Ermittlungen konnte man noch nicht beurteilen, was wichtig war und was nicht, deshalb wurde alles eingetütet und ins Labor geschickt. Die Arbeit würde umso mühseliger sein, weil die Asche klebrig und durch Kunststoff- und Gummireste zäh war. Henning und Christian hockten neben den verkohlten menschlichen Überresten und diskutierten erstaunlich sachlich ihre Vorgehensweise.

»Am Waldrand sind übrigens Blutspuren gefunden worden«, bemerkte Pia. »Und eine Augenzeugin hat eine Person beobachtet. Wir müssen die Wiese also nach Fußspuren absuchen lassen.«

Kröger wandte sich zu ihr um und schüttelte den Kopf.

»Wir sind nur zu sechst«, antwortete er ruppig. »Ich brauche hier jeden Mann.«

»Dann lasse ich alles absperren, bis wir Verstärkung kriegen.« Pia zog ihr Handy hervor. »Sieht nicht so aus, als ob hier jemand bloß mit einer Zigarette in der Hand eingeschlafen wäre.«

»Es muss eine extreme Hitzeentwicklung gegeben haben«, bestätigte Tariq und schnupperte. »Unverkennbar Benzin.«

»Und ein Hauch von Bratengeruch.«

»Was?«

»Verbranntes Fleisch. Ein bisschen wie eine Weihnachtsgans, die zu lange im Ofen war.«

»Tatsächlich.« Tariq nickte. »Bislang hatte ich nur theoretisches Wissen über Brandleichen, weil ich noch nie eine in natura gesehen habe, aber das hier bestätigt, was ich gelesen habe.«

»Und das wäre?«, erkundigte Pia sich, ein wenig amüsiert.

»Der menschliche Körper besteht zu 70 Prozent aus Wasser«, erwiderte ihr Kollege. »Bei starker Hitzeentwicklung beginnen die Körperflüssigkeiten zu kochen. Angeblich riecht eine Brandleiche verkohlt und nach Feuer, aber auch nach angebrannten Muskeln und Fett.«

Pia war beeindruckt. Henning Kirchhoff hatte den Dialog mit einem nachsichtigen Lächeln verfolgt.

»Sie sind der Neue, oder?«, fragte er.

»Ja, das stimmt. Kriminalkommissar Tariq Omari.« Der junge Mann nickte. »Und Sie sind Professor Kirchhoff, Leiter des Instituts für Rechtsmedizin und forensischer Anthropologe.«

»Korrekt.« Henning Kirchhoff klappte seinen Koffer auf, in dem sich die Grundausrüstung für seine Arbeit befand. »Ist das Ihre erste Leichensache?«

»Ja.«

»Sie haben Glück. Von Frau Sander können Sie eine Menge lernen. Sie hatte einen fabelhaften Lehrer.«

»Puh! Eigenlob stinkt, Henning«, erwiderte Pia spöttisch.

»Ich rieche nichts. Mein Geruchssinn ist total abgestumpft«, entgegnete der ungewöhnlich gut gelaunt. Dann richtete er sich auf und blickte Pia prüfend an.

»Was ist?«, fragte sie argwöhnisch.

»Isst du etwa immer noch Nutella zum Frühstück?«

»Wieso?« Pia spürte, wie sie rot anlief. Sie war nie superschlank gewesen, und in den letzten Monaten hatte sie ein paar Kilo zugelegt, was daran lag, dass sie es einfach nicht fertigbrachte, sich selbst zu kasteien und auf Kohlenhydrate und Süßigkeiten zu verzichten. Es wäre typisch für ihren Ex, sie vor allen Leuten deswegen aufzuziehen.

»Weil du hier einen Nutella-Fleck hast«, sagte Henning jedoch und tippte sich grinsend an den Mundwinkel.

Tariq Omari hatte den Wortwechsel irritiert verfolgt.

»Das ist mein Exmann«, beeilte Pia sich zu erklären und fuhr sich verstohlen mit Daumen und Zeigefinger über ihre Mundwinkel. »Und da er mehr mit seiner Arbeit als mit mir verheiratet war, musste ich die Sektionssäle des Rechtsmedizinischen Instituts aufsuchen, wenn ich ihn mal sehen wollte.«

»Der Fleck ist weg.« Henning zwinkerte Pia zu. »Im Übrigen übertreibst du. So schlimm war es auch nicht.«

»Ach ja? Du hast erst nach vierzehn Tagen bemerkt, dass ich ausgezogen war«, erinnerte Pia ihn. Zehn Jahre war es her, seitdem sie Henning verlassen hatte. Die Wunden waren längst verheilt. Gefühlt hatte sie während ihrer Ehe mehr Zeit im Institut verbracht als in ihrer Wohnung in Sachsenhausen. Doch auch wenn sie sich etwas Schöneres hätte vorstellen können als unzählige Wochenenden und Abende in der Gesellschaft von verwesten, verbrannten, mumifizierten und skelettierten Leichen, so konnte sie nicht leugnen, dass sie auf diesem Wege eine hilfreiche

Zusatzqualifikation erworben hatte. Immerhin war Henning einer der wenigen forensischen Anthropologen Deutschlands, eine international anerkannte Koryphäe auf seinem Spezialgebiet, und Pia hatte ihm sechzehn lange Jahre mehr oder weniger freiwillig assistiert. Darüber hinaus hatte sie Hennings chaotische Manuskripte für unzählige wissenschaftliche Artikel und mehrere Fachbücher transkribiert, ebenso wie seine Doktorarbeit. Sämtliche rechtsmedizinischen Fachausdrücke waren ihr also geläufig, und es gab in Bezug auf die Untersuchung von Leichen nichts, was sie nicht schon gesehen und gerochen hatte.

»Warst du schon mal bei der Obduktion einer Brandleiche dabei?«, riss Tariqs Stimme sie aus ihren Gedanken.

»Ja, ein paarmal«, erwiderte Pia. Sie balancierten über die Metallplanken und betrachteten stumm das, was das Feuer von dem Menschen übrig gelassen hatte. Die Leiche lag auf dem Bauch. Sie war völlig verkohlt, die Extremitäten waren fast komplett weggebrannt. In der Hitze hatten sich die Sehnen zusammengezogen, deshalb waren Arme und Beine der Leiche angewinkelt und der Mund aufgerissen wie zu einem verzweifelten Schrei.

»Hm, das sieht wirklich so schlimm aus, wie ich es mir vorgestellt hatte.« Tariq ging in die Hocke.

»Und?«, fragte Pia. »Was siehst du?«

»Da ist ein Loch im Schädel des Opfers«, antwortete er. »Aber da bei großer Hitze auch das Gehirn zu kochen beginnt, kann man eine Hitzesprengung des Schädels mit einem Impressionsbruch verwechseln. Erst bei der Autopsie kann man genau feststellen, ob eine Gewalteinwirkung von außen stattfand oder dieses Loch durch eine Explosion von innen entstanden ist.«

»Eine glatte Eins für diesen Vortrag«, kommentierte Henning, dann wedelte er ungeduldig mit der Hand. »Und jetzt würde ich hier gerne in Ruhe arbeiten.«

»Kannst du schon sagen, ob es ein Mann oder eine Frau war?«, wollte Pia wissen.

»Was würden Sie sagen?«, wandte sich Henning an Tariq und nahm ein paar Gegenstände aus seinem Koffer. Dieser betrachtete die menschlichen Überreste intensiver.

»Ich würde sagen ein Mann«, antwortete er, ohne sich umzudrehen. »Der Os femoris – oder auch das Femur – erscheint mir zu lang und zu massiv, als dass er weiblich sein könnte.«

»So, so.« Henning richtete sich auf und fixierte Pias neuen Kollegen mit einer Mischung aus Neugier und Skepsis.

»Wenn durch äußere Einwirkungen die Geschlechtsmerkmale einer Leiche nicht mehr deutlich erkennbar sind, kann ein fluoreszenzoptischer Nachweis des y-Chromosoms erfolgen.«

»Mit welcher Methode?«, wollte Henning wissen.

»Nach Anfärbung mit *Quinacrine mustard.*« Tariq balancierte über die Metallplanke zurück. »Haare und Knorpel haben sich als optimales Untersuchungsgut erwiesen. Das habe ich übrigens in einem Artikel aus dem Jahr 1979 von Tröger, Spann und Tutsch-Bauer im Internet gelesen. Aber in Ihrem Buch *Rechtsmedizin in der Praxis für Juristen und Polizisten* beschreiben Sie auf Seite 241 in Kapitel 14 Absatz 2 auch die individualtypischen Merkmale von nicht sicher identifizierten Brandleichen.«

Pia musste grinsen, als sie sah, wie Henning für den Bruchteil einer Sekunde die Gesichtszüge entgleisten.

»Sie haben mein Buch offenbar sehr aufmerksam gelesen«, stellte er fest. »Das würde ich mir von meinen Studenten manchmal wünschen. Nicht schlecht.«

»Er hat ein fotografisches Gedächtnis«, merkte Pia an.

»Danke.« Hennings Lob ließ Tariq Omari erröten. »Ihre Bücher sind gut verständlich geschrieben, im Gegensatz zu vielen anderen fachmedizinischen Standardwerken.«

»Wollen Sie sich bei mir einschmeicheln?«, fragte Henning argwöhnisch.

»Nein!« Entrüstet über diese Unterstellung, schüttelte Tariq den Kopf.

Henning starrte ihn mit unergründlicher Miene an.

»Grau ist alle Theorie«, brummte er, zog die Kapuze über den Kopf und wandte sich ab. Die Kollegen von der Spurensicherung, die das Gespräch verfolgt hatten, grinsten.

»Ist er jetzt sauer auf mich?«, fragte Tariq Pia verunsichert.

»Wieso sollte er das sein?« Pia musste lächeln. Sie hatte nur sehr selten erlebt, dass ihr Exmann beeindruckt war. »Ich denke, er ist ziemlich geschmeichelt. Aber bevor er das zugibt, würde er sich lieber die Zunge abbeißen.«

Ihr Handy klingelte. Sie machte ein paar Schritte und nahm den Anruf entgegen. Der Suchhund und sein Führer von der Rettungshundestaffel Rhein-Main würden in Kürze eintreffen, der Staatsanwalt aus Frankfurt ebenfalls. Und in Mainz-Kastel hatte sich eine Hundertschaft der Bereitschaftspolizei auf den Weg in den Taunus gemacht. Allmählich kam Bewegung in die Sache.

* * *

»Ja, natürlich, das kann ich machen.« Karolines Stimme drang aus dem Lautsprecher von Bodensteins Auto. »Ich hole Sophia um drei von der Betreuung ab und bleibe dann bei dir zu Hause, bis du kommst.«

»Ich danke dir. Du bist ein Schatz.« Bodenstein, der seine Tochter gerade an der Grundschule in Eppenhain abgesetzt hatte, war erleichtert, eine so rasche Lösung für sein Problem gefunden zu haben. Doch dann fiel ihm etwas ein. »Hast du heute nicht einen Besichtigungstermin für das Haus?«

Schon vor einer Weile hatte Karoline beschlossen, ihr Elternhaus in Oberursel zu verkaufen, doch das gestaltete sich erheblich schwieriger als zunächst angenommen. Mehrere Kaufinteressenten waren abgesprungen, nachdem sie erfahren hatten, was in dem Haus passiert war. Andere Leute wiederum hatten einen Besichtigungstermin zum Vorwand genommen, um den Schauplatz eines Mordes aus der Nähe sehen zu können. Schließlich hatte Karoline die Verkaufsanzeige aus allen Online-Portalen entfernt. Die Leute, die heute kommen sollten, hatten kein Interesse an dem Haus selbst, sondern nur am Grundstück.

»Der Termin war gestern«, erwiderte Karoline leicht belustigt.

»Ach, stimmt ja.« Bodenstein wurde heiß. Im Büro war gestern viel los gewesen, dann hatte er Sophia von einem Kindergeburtstag abholen und noch etwas einkaufen gehen müssen. Darüber hatte er diesen für sie so wichtigen Termin schlicht vergessen. Hoffentlich wertete Karoline das nicht als Desinteresse. »Wie ist es gelaufen?«

»Das erzähle ich dir heute Abend, okay?«

»Ja, natürlich. Und danke schon mal für deine Hilfe.«

»Keine Ursache. Bis später.«

Bodenstein beendete das Gespräch und verfluchte sich für sein schlechtes Gedächtnis.

Er war Karoline im Dezember vor zwei Jahren unter denkbar ungünstigen Umständen begegnet, und eigentlich waren die Voraussetzungen für eine Beziehung alles andere als optimal gewesen. Dennoch hatte sich alles Schritt für Schritt in die richtige Richtung entwickelt. Da war die wunderbare, herzklopfende Anziehung, das körperliche Verlangen nacheinander, das sie mitunter zu kichernden Teenies mutieren ließ, aber auch Vertrauen, Respekt und eine grundlegende Übereinstimmung von Werten und Ansichten, die eine gute Basis für eine Partnerschaft verhießen. Das Problem war Greta, die vom ersten Moment an mit extremer Eifersucht auf ihn, den neuen Mann im Leben ihrer Mutter, reagiert hatte. Für Karoline stand ihre Tochter an erster Stelle; sie hatte ein schlechtes Gewissen, weil sie sie so lange ihres Berufes wegen vernachlässigt hatte, und versuchte jetzt, das Versäumte nachzuholen. Bodenstein beobachtete Gretas Entwicklung mit Sorge, aber Karoline reagierte auf die allerkleinste Kritik von seiner Seite überempfindlich, deshalb hielt er sich zurück und ging dem Mädchen so gut wie möglich aus dem Weg. Da er sein eigenes Leben außerdem mehr und mehr nach Sophias Bedürfnissen ausrichten musste, blieb ihnen nur wenig Zeit für Zweisamkeit. Karoline fand, er ließe sich von seiner Exfrau als Babysitter ausnutzen, er wiederum hielt ihre Überfürsorglichkeit in Bezug auf Greta für maßlos übertrieben. Jede Menge Konfliktpotential also, aber trotz aller Widrigkeiten wollte Bodenstein die Hoffnung auf eine gemeinsame Zukunft nicht aufgeben.

Sein Telefon klingelte, und er nahm das Gespräch entgegen.

»Wer ist denn da?«, erkundigte sich eine dunkle Frauenstimme, die nach Zehntausenden gerauchten Zigaretten klang.

Bodenstein wiederholte seinen Namen.

»Hier ist Hildegard Indenhock. Sie haben mir auf die Mailbox gesprochen«, sagte die Frau, und Bodenstein begriff, dass es sich um die Vorsitzende des Waldfreunde-Vereins handelte, deren Nummer die Schwester der Pächterin ihm gegeben hatte.

Rasch erklärte er, was sich in der vergangenen Nacht auf der Waldwiese ereignet hatte, und beschrieb die Lage des Stellplatzes, auf dem der Wohnwagen abgebrannt war.

»Großer Gott, das ist ja entsetzlich!«, stieß Frau Indenhock hervor und hustete. »Ich kann leider nicht kommen, ich warte auf den Klempner, der eigentlich um acht Uhr hier sein wollte.«

»Das macht nichts«, antwortete Bodenstein. »Wir müssen nur wissen, wem der Wohnwagen gehört hat.«

»Der letzte auf der rechten Seite, sagen Sie? Der mit dem grünen Vorzelt und dem Sichtschutzzaun?«

»Von einem Zelt und einem Zaun ist leider nichts mehr übrig. Direkt hinter dem Wohnwagen standen ein paar Fichten, die leider auch verbrannt sind.«

Er hörte das Klicken eines Feuerzeugs und einen tiefen Atemzug.

»Dann ist es der von der Rosie«, sagte Frau Indenhock nach kurzem Überlegen. »Rosemarie Herold.«

Bei der Nennung des Namens zuckte Bodenstein zusammen.

»Rosemarie Herold aus Ruppertshain?«, vergewisserte er sich mit einem mulmigen Gefühl im Magen.

»Ja, genau«, erwiderte die Vorsitzende der Waldfreunde im Taunus und hustete wieder. »Ich kann Ihnen ihre Adresse und Telefonnummer geben.«

»Nicht nötig«, sagte Bodenstein. »Ich kenne Frau Herold.«

Frau Indenhock sagte noch irgendetwas, aber Bodenstein hörte nicht mehr richtig zu. In all den Jahren, in denen er Mordermittler bei der Kriminalpolizei war, hatte er zum Glück noch nie im Fall eines getöteten Bekannten ermitteln müssen. Sollte dies nun etwa eine traurige Premiere werden? Rosemarie Herold war die Mutter von Edgar, einem von Bodensteins Klassenkameraden aus der Grundschule, darüber hinaus war sie in jungen Jahren als Haushaltshilfe Bodensteins Mutter zur Hand gegangen. Seit Generationen hatten Männer und Frauen aus Ruppertshain Arbeit auf dem nahe gelegenen Gutshof, den Ländereien und in den Wäldern der Familie von Bodenstein gefunden, denn es hatte früher nicht viele Alternativen gegeben. Ruppertshain war ein armes Dorf gewesen, bis Ende des neunzehnten Jahrhunderts die Lungenheilstätte erbaut worden war und sich zum wichtigsten Arbeitgeber etabliert hatte.

Nach der vierten Klasse waren Bodenstein und seine Geschwister auf Gymnasien in Königstein gewechselt, statt auf die Gesamtschule nach Fischbach, wie die meisten anderen Kinder aus Ruppertshain. Trotzdem waren sie dem kleinen Ort verbunden geblieben: Bodensteins Vater war über Jahrzehnte hinweg Jagdpächter in den umliegenden Wäldern und Feldern gewesen, seine Mutter hatte sich in Kirche und Kindergarten engagiert. Insofern hatte sich sein Umzug nach Ruppertshain vor nunmehr drei Jahren wie eine Heimkehr angefühlt.

Am Zauberberg bog er rechts ab und nahm die scharfe Kurve, die nach Ruppertshain hineinführte. Bevor er an den Schauplatz des nächtlichen Brandes zurückkehrte, wollte er beim Bäcker Frühstück für seine Leute holen, außerdem brauchte er selbst dringend eine Dosis Koffein. Fünfhundert Meter weiter setzte er den Blinker und wollte schwungvoll auf den kleinen Parkplatz der Gaststätte »Zum Grünen Wald« einbiegen, dabei hätte er um ein Haar einen Geländewagen gerammt, dessen Fahrerin dasselbe vorhatte. Erschrocken trat er auf die Bremse. Erst dann erkannte er die Frau hinter dem Steuer des Geländewagens.

***

Auf dem Forstweg hinter dem rostigen Maschendrahtzaun, der die Waldlichtung umgab, war ein Fernsehteam in Position gegangen. Die Kamerafrau versuchte, möglichst spektakuläre Bilder einer menschlichen Tragödie für ihren Sender einzufangen. Weitere Vertreter der Presse waren bereits auf dem Weg. Sie waren an den Schauplätzen von Verbrechen so unvermeidlich wie Fliegen.

»Woher wissen die bloß schon, dass es hier was zu sehen gibt?«, wunderte sich Tariq.

»Polizeifunk«, erwiderte Pia knapp. Sie hatte zwei Streifenbeamte zu den Presseleuten geschickt, damit keiner von ihnen auf die Idee kam, über den Zaun zu klettern, dann steuerte sie auf den Förster zu. Wieland Kapteina lauschte mit ausdrucksloser

Miene einer pummeligen jungen Frau, die ziemlich aufgebracht zu sein schien.

»... kann es echt nicht fassen!«, hörte Pia sie voller Empörung sagen, als sie näher kam. »Jemand hat einfach den Lockstock herausgerissen und sogar mitgenommen! Das ist doch Sabotage!«

»Was ist Sabotage?«, erkundigte Pia sich.

Die junge Frau flog herum und starrte Pia erbost an. Sie war klein und stämmig, höchstens Anfang bis Mitte zwanzig. Obwohl es alles andere als warm war, trug sie nur ein enganliegendes weißes T-Shirt mit V-Ausschnitt. Die gefleckte Tarnhose, bis zu den Knien hochgekrempelt, ließ muskulöse Waden sehen, ihre Füße steckten in derben Wanderstiefeln.

»Das, was diese Penner mit unseren Lockstöcken machen!«, stieß sie hervor, bebend vor Zorn. Sie fuhr mit dem Daumen unter den Rand ihres T-Shirts und richtete mit einem Ruck ihren BH. Es war eine unbewusste Bewegung ohne jede Koketterie, die Tariq prompt die Röte ins Gesicht trieb.

»Wer macht mit was etwas?«, fragte Pia.

»Mit den Lockstöcken«, wiederholte die junge Frau nun geringschätzig und rollte die Augen, als habe sie es mit einem Kleinkind zu tun. Sie hatte bemerkenswert leuchtend grüne Augen, umkränzt von dichten Wimpern, ein hübsches Gesicht mit einer Stupsnase und eine makellos blasse Haut, typisch für echte Rothaarige. Alles an ihr wirkte prall und weich wie ein reifer Pfirsich: die vollen Wangen, der Ansatz eines Doppelkinns und die gerundeten Schultern. Ihr kupferrotes Haar hatte sie zu einem strengen Knoten auf dem Kopf zusammengebunden und ihren Mund mit den vollen Lippen missbilligend verzogen.

Tariq bemühte sich, nicht auf ihre Brüste zu starren, aber es war schlicht unmöglich, sie zu übersehen.

»Das ist Pauline Reichenbach«, mischte sich Wieland Kapteina ein. »Sie arbeitet ehrenamtlich für den Naturschutzbund und betreut ein Nachweisprojekt für Wildkatzen im Taunus. Es handelt sich dabei um eine Kooperation von mehreren Naturschutzverbänden, der unteren Naturschutzbehörde und dem Senckenberg-Institut für Wildtiergenetik.«

»Für das Monitoring haben wir an verschiedenen Stellen

Wildkameras aufgestellt«, sprudelte es nun aus Pauline heraus. »Natürlich kommen die Katzen nicht einfach so vorbeigelatscht und gucken – *kuckuck!* – in die Kameras, deshalb stellen wir sogenannte Lockfallen auf, die mit einem für Wildkatzen attraktiven Duftstoff präpariert sind. Können Sie mir folgen?«

»Ja. Ich denke schon.« Pia nickte. Ein Gedanke flackerte in ihrem Hinterkopf auf.

»Ist das denn so tragisch, wenn einer von den Stöcken verschwindet?«, wollte Tariq von der jungen Frau wissen.

»Hallo? Wissen Sie, was so ein beschissener Lockstock kostet?«, explodierte Pauline und stemmte die Hände in die molligen Hüften. »Und wissen Sie, was es für ein Akt ist, die Stöcke anzubringen? Wir machen das alles ehrenamtlich, in unserer Freizeit! Und ganz abgesehen davon, könnte letzte Nacht eine Katze da gewesen sein, und wir haben sie verpasst!«

»Ach, die wird schon wieder mal vorbeikommen.« Tariq schlug einen gönnerhaften Tonfall an, der die junge Frau auf hundertachtzig brachte. In diesem Moment gelang es Pia, den Gedanken, der ihr durch den Kopf geschossen war, festzuhalten.

»Beruhigen Sie sich«, beschwichtigte sie Pauline. »Wo befinden sich die Wildkameras? Und wie viele gibt es?«

»Drei. Eine steht etwa hundertfünfzig Meter unterhalb der Lichtung, die zweite am Eichkopf und die dritte in der Nähe vom Landsgraben.« Pauline Reichenbachs Miene wurde misstrauisch. »Wieso wollen Sie das wissen? Wer sind Sie überhaupt?«

»Mein Name ist Pia Sander von der Kriminalpolizei Hofheim. Das ist mein Kollege Tariq Omari. Heute Nacht hat es hier einen Brand gegeben, bei dem ein Mensch ums Leben gekommen ist.«

Die junge Frau schien erst jetzt zu begreifen, was die Polizeibeamten, die Techniker in den weißen Overalls, das Feuerwehrauto und die rotweißen Absperrbänder, die mittlerweile rings um die Wiese gespannt waren, zu bedeuten hatten.

»Oh, ich wusste nicht … ich dachte, da wär nur ein Wohnwagen abgefackelt.« Sie machte ein betretenes Gesicht. »Das … äh … ist ja ziemlich blöd.«

»Es würde uns interessieren, ob die Kamera hier in der Nähe heute Nacht vielleicht etwas aufgezeichnet hat, was für uns hilfreich sein könnte«, sagte Pia zu der jungen Frau. »Ist es möglich, dass Sie das checken?«

»Ja. Ähm ... klar. Logo.« Pauline schien sich zu schämen, weil sie ein solches Theater gemacht hatte. Sie ging zu ihrem Auto hinüber, einem alten, von Rostflecken übersäten Toyota, fischte einen Tablet-Computer vom Beifahrersitz und platzierte ihn auf der Motorhaube. Mit konzentrierter Miene, die Zungenspitze zwischen den Zähnen, wischte sie auf dem Touchscreen hin und her.

»Kamera 14 hat letzte Nacht um 3:07 Uhr tatsächlich etwas aufgezeichnet! Und zwar kein Tier!«, verkündete sie aufgeregt. Ihre Augen weiteten sich. Ihre blasse Hand mit schwarz lackierten Fingernägeln fuhr zum Mund. »Oh, shit!«

»Was ist? Darf ich mal sehen?« Pia trat neben sie und beugte sich über das Tablet. Die Wildtierkamera arbeitete mit Infrarot, deshalb war der Film grobkörnig und leicht unscharf, aber das, was er zeigte, war zweifellos eine erste Spur.

***

»Hallo, Inka«, sagte Bodenstein zu seiner ehemaligen Lebensgefährtin, die auf dem Parkplatz des »Grünen Wald« gegenüber der Bäckerei stand. Obwohl Inka die Schwiegermutter seines Sohnes Lorenz war und ihr die Pferdeklinik unten im Tal gehörte, war es eine Weile her, seitdem er mit ihr gesprochen hatte. Auch Inka legte keinen gesteigerten Wert auf Begegnungen mit ihm und blieb daher allen Familienfesten fern, es sei denn, es war klar, dass er nicht kommen würde.

»Hallo«, erwiderte sie kühl. »Wie geht's?«

Das war eine bloße Floskel. Er bezweifelte, dass es sie interessierte, wie es ihm ging.

»Gut«, erwiderte er. »Und dir?«

»Bestens.« In ihr kinnlanges naturblondes Haar mischte sich erstes Grau. Sie war immer sehr schlank gewesen, aber jetzt wirkte sie auf eine unvorteilhafte Weise ausgezehrt. Bodenstein bemerkte Falten an ihrem Hals und erschrak.

›Sie wird alt‹, schoss es ihm durch den Kopf, und im nächsten Moment korrigierte er sich selbst: ›*Wir* werden alt.‹ Inka war schließlich nur drei Monate jünger als er. Sie blickten sich einen Moment an, wussten beide nicht, was sie sagen sollten. Das Klingeln von Inkas Handy erlöste sie aus der unbehaglichen Situation.

»Da muss ich drangehen«, sagte sie nach einem kurzen Blick aufs Display.

»Ich muss auch los«, entgegnete er. Sie nickten sich zu, er überquerte die Straße, und sie setzte sich wieder in ihr Auto.

Das war also alles, was übrig geblieben war von ihrer langen Freundschaft, nach mehr als vierzig Jahren: verlegenes Schweigen, alberne Floskeln und ein leiser Groll. Bodenstein seufzte, stieg die beiden Treppenstufen hoch und betrat die Bäckerei. Eine altmodische Glocke bimmelte, der appetitliche Hefeduft warmen Brotes strömte ihm entgegen. Falls Inka auch vorgehabt hatte, zum Bäcker zu gehen, so hatte sie es sich nun anders überlegt. Sie fuhr vom Parkplatz und am Bäckerladen vorbei, ohne ihm noch einen Blick zuzuwerfen.

»Ei, gude Morsche!«, begrüßte ihn Sylvia Pokorny, die Frau des Bäckers, freundlich. »Dich hab ich ja lang net mehr gesehe. Was darf's denn sein?«

»Ein Kaffee, bitte. Schwarz«, sagte Bodenstein. »Und zehn belegte Brötchen und zehn Kaffee zum Mitnehmen.«

»Na, du hast's ja gut vor.« Sie zwinkerte ihm zu und wandte sich zu dem chromblitzenden Kaffeeautomaten um. »Haste schon geheert, dass die Stadt vorhat, e neu Straß' zu baue? Von hier aus bis nunner in die Erle. Weesche der Erschließung für des Baugebiet. Damit geht's doch ebe los.«

»Ach ja?«, machte Bodenstein nur. Er hatte im Augenblick kein Ohr für die städteplanerischen Spekulationen der Bäckersfrau. Die Information, die er gerade von der Waldfreunde-Chefin bekommen hatte, war ihm an die Nieren gegangen. Was, wenn es sich bei der verkohlten Leiche im Wohnwagen um Rosie Herold handelte? Er hatte im Laufe der Jahre viel zu häufig Menschen die Nachricht vom Tod eines Angehörigen überbringen müssen und hasste die Vorstellung, dies bei einem Bekannten tun zu müssen.

Sylvia hatte die ganze Zeit weitergeredet, und Bodenstein schaltete sein Gehirn wieder auf Empfang, als sie seinen Kaffee auf den Tresen stellte.

»Sag emol, stimmt des, was die Leut' saache?« Die Frage klang beiläufig, aber das wissbegierige Funkeln in ihren leicht hervorstehenden Augen war nicht zu übersehen. »Obbe beim Waldfreundehaus soll's die letzt' Nacht gebrennt habbe? Dem Kuhne-Michel sei Bub, der is doch bei der Feuerwehr. Und der hat's vonnem Kolleesch aus Königstein geheert.«

Es hatte wenig Sinn, irgendetwas abzustreiten, das wusste Bodenstein, denn spätestens morgen würde es ohnehin in allen Zeitungen und im Internet stehen.

»Ja, das stimmt«, erwiderte er deshalb. »Ich war vorhin da.«

»Jesses, naa!« Sylvia Pokorny riss die Augen noch ein bisschen weiter auf und hielt inne. »Ich hab aach geheert, es hätt 'n Tote gebbe.«

Bodenstein hob nur die Schultern und wünschte, Sylvia würde sich etwas beeilen. Doch er war gerade der einzige Kunde im Laden, und sie schien fest entschlossen, mehr von ihm zu erfahren.

»Ei, komm schon! Mir kannste's ruhisch verrate, isch kann schweische wie 'n Grab.«

Bodenstein musste schmunzeln. Wenn ein Mensch auf der Welt ganz sicher nicht wie ein Grab schweigen konnte, dann Sylvia Pokorny. Nicht umsonst galt die Bäckerei als *die* Nachrichtenbörse des Ortes. Wollte man etwas über aktuelle Gerüchte, Skandale und Sensationen erfahren, dann musste man nur hierherkommen. Obwohl er in Ruppertshain wohnte, hatte Bodenstein nur wenig mit den Leuten im Ort zu tun. Er war keiner, der abends in einer Kneipe am Tresen saß und sich bei ein paar Bierchen den neuesten Dorfklatsch anhörte.

Als sie merkte, dass sich Bodenstein nichts entlocken ließ, begann Sylvia damit, den Kaffee in Pappbecher zu zapfen. Das Rattern des Mahlwerks machte ein Gespräch glücklicherweise unmöglich. Sylvias Mann kam mit einem Backblech in den Händen aus der Backstube in den Laden.

»Ei, Oliver«, brummte er.

»Grüß dich, Konni«, erwiderte Bodenstein.

Konstantin Pokorny war schon als Junge vierschrötig und maulfaul gewesen, mittlerweile war er so dick, dass er nur noch mit Müh und Not durch die Tür passte, die von der Backstube in den Laden führte.

»Na, biste widder am dumm Zeug schwätze?«, sagte er zu seiner Frau und kippte die noch dampfenden Brötchen in einen der Körbe in der Auslage. Die Glasscheibe der Theke beschlug von innen, und der Duft ließ Bodensteins leeren Magen knurren.

»Ei, isch interessier' misch halt für des, was hier so passiert«, erwiderte seine Frau spitz. »Im Geeschesatz zu dir.«

»Du interessierst dich doch genug für zwei«, schnaufte Pokorny und fuhr sich mit einem fleischigen Unterarm über die Stirn. Die karierte Bäckerhose hing unter seinem Schmerbauch, das schweißfleckige T-Shirt war ein Stück hochgerutscht und ließ eine Handbreit behaarter Haut sehen.

»Kannste dir net emol e Schörz' vorbinne, wenn de in den Lade kimmst?« Sylvia Pokorny warf ihrem Göttergatten einen missbilligenden Blick zu.

»Der Oli hat misch früher aach scho innere Unnerhos' gesehe«, erwiderte der unbeeindruckt. »Gell? Is doch so!«

Er lachte dröhnend.

»Da warste abber aach noch 'n bissi knackischer.« Sylvia hatte den Kaffee fertig, steckte die Becher auf ein Papptablett und stellte sie neben die Papiertüten mit den Brötchen auf die Theke.

»En scheene Mensche kann nix entstelle.« Pokorny grinste gutmütig, zwinkerte Bodenstein zu und verschwand wieder durch die Schwingtür in die Backstube.

»Was kriegst du von mir?«, wollte Bodenstein wissen und zückte seine Brieftasche. Die Türglocke bimmelte. Zwei Frauen und ein grauhaariger Mann betraten den Laden: Annemarie Keller, weit über achtzig, mit einem scharfen Habichtblick, den auch das Alter nicht getrübt hatte, ihr Sohn Leo und deren Nachbarin Elfriede Roos, dick, rotgesichtig und kurzatmig. Bodenstein grüßte höflich. Die beiden Frauen scannten ihn neugierig von Kopf bis Fuß, Leo blieb neben der Tür stehen und starrte auf den Fußboden. Vor vielen Jahren war er ein sportlicher junger Mann gewesen, doch ein schwerer Unfall hatte ihn zu einem Invaliden gemacht, der mit sechzig Jahren noch immer bei seiner Mutter lebte und als Hilfsarbeiter bei der Stadt arbeitete.

»Hallo, Leo«, sagte Bodenstein zu ihm.

»Ha…hallo«, stammelte Leo, ohne den Blick vom Fußboden zu wenden. Sein Mund zuckte unkontrolliert, Speichel sickerte aus einem Mundwinkel. Ein bedauernswerter Anblick.

Sylvia wartete ungeduldig darauf, dass Bodenstein endlich verschwand, damit sie die Neuigkeit vom Brand am Waldfreundehaus zum Besten geben und gleichzeitig etwas ausschmücken konnte. Im Nu würde die Geschichte die Runde im Ort machen, und Spekulationen nach sich ziehen. Bodenstein musste zurück an den Schauplatz des Brandes, um in Erfahrung zu bringen, was Kirchhoff über das Geschlecht und Alter des Opfers in Erfahrung gebracht hatte. Handelte es sich bei der Leiche nicht um Rosie Herold selbst, so musste er dringend mit ihr sprechen, bevor der Dorfklatsch bei ihr angekommen war.

»Fuffzehn siebzisch.«

»Gib mir drei zurück.« Er legte einen Zwanzig-Euro-Schein auf den Tresen, nahm das Wechselgeld und ergriff Tüten und Tablett.

»Na, was macht die Mutter?«, erkundigte sich die Keller-Annemie, wie immer, wenn er ihr begegnete, und hielt ihm die Tür auf. Früher hatten sie und ihr Mann ein Lebensmittelgeschäft in der Wiesenstraße betrieben, an das er sich bis heute erinnern konnte. Die übervollen Regale, die bis unter die Decke reichten, und das frische Obst waren für ihn der Inbegriff von purem Luxus gewesen. Besonders die Süßigkeiten an der Kasse hatten es ihm angetan, und Annemie Keller hatte allen Kindern immer einen Lutscher geschenkt, wenn sie nach der Schule in den Laden gekommen waren.

»Der geht's gut, danke.« Bodensteins Antwort fiel so stereotyp aus wie immer. »Und dem Vater auch.«

Noch vor zwanzig Jahren hatte es in dem kleinen Ort eine ganze Reihe von Geschäften gegeben: zwei Metzgereien, zwei Bäckereien, eine Bankfiliale, eine Tankstelle mit Reparaturwerkstatt, einen Kurzwaren- und einen Lebensmittelladen, vier Gaststätten, ein Café und einiges mehr. Doch seitdem die meisten Leute mit dem Auto unterwegs waren und bequem in den Supermärkten der Nachbarorte einkaufen konnten, war der Einzelhandel im Dorf nach und nach ausgestorben. Übrig waren nur noch die Bäckerei Pokorny und die Metzgerei Hartmann. Bodenstein trat hinaus auf den schmalen Bürgersteig, der durch Oma Kellers Rollator blockiert wurde, und wartete, bis die Straße, die an dieser Stelle einen Knick machte, frei war. Zwei Mal am Tag herrschte in Ruppertshain relativ viel Verkehr, nämlich morgens zwischen halb acht und halb zehn, wenn Eltern ihre Kinder in die Schule nach Eppenhain und die Berufstätigen zur Arbeit fuhren, und abends zwischen siebzehn und neunzehn Uhr, wenn die Leute von der Arbeit zurückkamen. Ein älterer, weißhaariger Mann ging auf der anderen Seite den Bürgersteig entlang.

»Hallo, Herr Pfarrer!«, rief Bodenstein.

Der Mann hob den Kopf, starrte ihn an und blieb stehen.

»Oliver«, sagte er.

Unvermittelt, ohne vorher nach rechts oder links zu schauen, betrat er die Fahrbahn. Den Bus, der gerade um die Ecke bog, schien er gar nicht wahrzunehmen. Bodenstein wurde vor Schreck heiß.

»Vorsicht!«, rief er erschrocken. »Stopp!«

Der Busfahrer trat heftig auf die Bremse, doch es war zu spät. Der dumpfe Schlag fuhr Bodenstein durch Mark und Bein, ein zweites Mal an diesem Tag raste sein Herz vor Schreck. Verschwommen nahm er erschrockene Gesichter hinter den Fenstern des Busses wahr, er hörte Reifen quietschen und Geschrei. Hinter ihm wurde die Glastür der Bäckerei aufgerissen, die Türglocke schrillte in seinen Ohren. Hastig legte er das Tablett mit dem Kaffee und die Brötchentüten auf den Rollator und quetschte sich zwischen den querstehenden Autos und dem Bus hindurch.

»Halt!«, sagte er scharf, und hielt die Bäckersfrau davon ab, über die Straße zu stürmen. »Hier stehen bleiben!«

Sein Gehirn war automatisch in den Polizistenmodus gewechselt, was die Angst vor dem entsetzlichen Anblick eines zerquetschten Körpers auf dem Asphalt vorübergehend ausgeschaltet hatte. Das Grauen würde ihn erst später heimsuchen. Nachts, in seinen Träumen.

***

Hinter dem rotweißen Flatterband schwärmten Beamte der Hundertschaft in einer langen Reihe über die Wiese, die Blicke konzentriert auf den Boden gerichtet. Andere waren damit beschäftigt, Presseleute und sogar einige Schaulustige, die sich bis hierher in den Wald verirrt hatten, auf Abstand zu halten. Henning Kirchhoff und Krögers Team arbeiteten unter Hochdruck am Autowrack, an der Leiche und den Resten des Wohnwagens, über denen man zum Schutz vor dem Regen ein Zelt errichtet hatte. Der Mantrailer von der Rettungshundestaffel Rhein-Main, eine belgische Schäferhündin mit Namen Leila, wartete in der Transportbox im Auto der Hundeführerin ungeduldig auf ihren Einsatz.

Bodenstein war noch immer nicht zurück, deshalb übernahm Pia es, den Staatsanwalt auf den aktuellen Stand der Dinge zu bringen. Dr. Jörg Heidenfeld war ein alter Bekannter, mit dem sie schon häufiger zusammengearbeitet hatte. Sie konnte sich noch an dessen allererste Obduktion erinnern. Damals hatte er sich übergeben müssen, als Professor Kronlage der toten Isabel Kerstner Herz und Lunge entnommen hatte. Aber das war neun Jahre her, und mittlerweile war Heidenfeld nicht mehr so leicht zu erschüttern. Alles Forsche und Jungenhafte war längst aus seinen Gesichtszügen verschwunden, ebenso die Neugier aus seinen Augen. Das war das, was die tägliche Konfrontation mit menschlichen Abgründen mit einem machte. Jedes der vielen Opfer, jede Begegnung mit den Tätern, jede Niederlage vor Gericht raubte ein Stückchen der Illusion, mit der sie alle einmal angetreten waren, egal ob Polizist oder Staatsanwalt.

»Mordbrand oder Brandmord?«, erkundigte er sich.

»Das können wir wohl erst nach der Obduktion beurteilen«, antwortete Pia.

»Sehe ich das richtig, dass sich der Täter bei der Brandlegung verletzt hat und in den Wald geflüchtet ist?« Der Staatsanwalt legte die Stirn in Falten.

»Nicht unbedingt.« Pia schüttelte den Kopf. »Die Zeugin hat zuerst ein Auto wegfahren hören, und erst danach will sie die Umrisse einer Person vor dem Feuer gesehen haben. Eine Infrarot-Wildkamera hat unterhalb der Lichtung um 3:07 Uhr eine

Gestalt aufgezeichnet, und es ist gut zu erkennen, dass es sich dabei um einen Mann handelt. Wir haben Blutspuren gefunden, er ist also wahrscheinlich verletzt. Er hat ein etwa ein Meter dreißig langes Vierkantholz, das mit einem Lockstoff präpariert und eigentlich zum Anlocken von Wildkatzen gedacht ist, aus dem Boden gerissen und mitgenommen.«

»Wozu das?«

»Vielleicht, um sich darauf zu stützen«, vermutete Pia. »Oder als Waffe. Keine Ahnung.«

Weiter unten auf der Wiese schienen die Beamten von der Hundertschaft auf irgendetwas Interessantes gestoßen zu sein. Eine Polizistin kam angetrabt und richtete ein wenig atemlos aus, man habe an einem der anderen Wohnwagen Einbruchs- und Blutspuren gefunden. Pia, Tariq Omari und Staatsanwalt Heidenfeld folgten der jungen Frau vorbei an den Wohnwagen bis zum letzten in der Reihe, der unter den weitausladenden Ästen mehrerer Tannen stand. Vor langer Zeit hatte sich hier jemand viel Arbeit gemacht: Ein maroder Jägerzaun zog sich rings um den Wohnwagen, und man hatte eine Art Veranda in pseudo-bayerischem Stil angelegt. Allerdings wirkte alles vernachlässigt, überall lag Unrat herum. Leere Blumentöpfe, ein verrosteter Grill, ein kaputtes Vogelhäuschen, beschädigte Gartenzwerge und allerhand alter Plunder türmte sich auf und neben der morschen Veranda, bedeckt von einer dicken Schicht Tannennadeln. Der Hundertschaftsleiter, Polizeihauptkommissar Ewald Fritsche, und zwei seiner Gruppenführer warteten vor der Treppe. Fritsche begrüßte Pia und den Staatsanwalt mit einem Kopfnicken. Er war Mitte fünfzig, ein erfahrener Polizist mit einem kantigen, geröteten Gesicht und militärisch kurzem Haarschnitt. Sein Ruf als Ausbilder und Scharfschütze war legendär.

»Die Fußspuren auf den Stufen sind noch nicht alt«, erklärte er. »Hier liegen überall Zigarettenkippen herum. Und die Tür des Wohnwagens wurde aufgebrochen.«

Pia nestelte ein Paar Latexhandschuhe aus der Tasche ihrer Weste. Vorsichtig ging sie die morsche Treppe hoch und bewegte sich langsam auf die Tür zu, den Blick auf den Boden gerichtet, um nicht aus Versehen Spuren zu zerstören. Die Tür des Wohnwagens war achtlos aufgehebelt worden, als Stemmeisen hatte der Einbrecher offenbar ein verrostetes Metallstück benutzt, das drinnen neben der Tür lag. Der Wohnwagen war geräumig und, wie vermutet, leer. Es roch nach altem Schweiß und Schimmel. Pia sah sich um. Der abgenutzte PVC-Boden war voller Blutstropfen. Das Bett sah benutzt aus: zerknüllte Decken, ein Kopfkissen, in dem man noch die Kuhle sah, die ein Kopf hinterlassen hatte. Leere Plastikflaschen, Bierdosen und Konservenbüchsen standen herum, eine geblümte Kaffeetasse hatte als Aschenbecher gedient. Pia frohlockte innerlich. Der Einbrecher hatte jede Menge genetische und biometrische Spuren hinterlassen, und sie zweifelte nicht daran, dass Krögers Leute ein paar brauchbare Fingerabdrücke finden würden. Mit etwas Glück gab es einen Treffer in der AFIS-Datenbank des BKA, in der Fingerabdrücke gespeichert wurden, und sie bekamen einen Namen und ein Gesicht, das sie mit der Aufnahme aus der Wildkamera vergleichen konnten. Mit einem zufriedenen Lächeln verließ Pia den Wohnwagen. Dafür, dass es erst kurz nach zehn war, hatten sie schon ziemlich gute Fortschritte gemacht.

***

Vom Fenster aus verfolgte Felicitas das geschäftige Treiben auf der sonst so ruhigen Wiese. Was war dort geschehen? Einen solchen Aufwand betrieb man doch nicht wegen eines abgebrannten alten Wohnwagens! Sogar einen Suchhund hatten sie im Einsatz! Vielleicht sollte sie einfach mal jemanden fragen. Aber nach ihrer Blamage am Morgen hatte sie keine Lust, einen von den Kripoleuten anzusprechen. Die brachten es fertig und machten sich wieder über sie lustig.

Es klingelte an der Tür, und die Hunde bellten los. Vor Schreck zuckte sie zusammen und stieß sich ihr Knie schmerzhaft an dem altmodischen Heizkörper. Fluchend humpelte sie zur Tür. Es klingelte erneut. Felicitas brachte die Hunde zum Schweigen und lugte vorsichtshalber durch den Türspion. Zwei Männer. Dem Aussehen nach keine Polizisten. Sie legte die Sperrkette vor und öffnete.

»Hallo«, sagte der jüngere von beiden mit liebenswürdigem

Lächeln. »Wir sind von HitRadio FFH und wollten fragen, ob Sie mitbekommen haben, was hier letzte Nacht passiert ist. Es hat bei dem Brand offensichtlich einen Toten gegeben. Sie wohnen hier, vielleicht haben Sie ihn ja gekannt.«

Ein Toter? Felicitas spürte, wie ihre Handflächen feucht wurden. Eine Gänsehaut rann ihr über den Rücken. Das erklärte natürlich den ganzen Auftrieb da draußen. Aber wieso hatte ihr die Polizei das verschwiegen? Keine fünfhundert Meter entfernt von ihr war ein Mensch in dem Wohnwagen verbrannt, aber niemand schien es für nötig zu halten, ihr das mitzuteilen. Sie schauderte. Es konnte sich bei dem Opfer eigentlich nur um den Mann mit dem grauen Audi handeln, der meistens erst abends kam und morgens wieder davonfuhr. Er hatte sich ihr nie vorgestellt, ihr nur zugenickt, wenn sie gerade zufällig mit den Hunden draußen gewesen war. Felicitas überlegte, ob Manuela mal den Namen des Mannes erwähnt hatte. Ihre Schwester hatte ihn sicherlich gut gekannt; sie kannte alle Leute vom Campingplatz.

»Davon weiß ich nichts. Verschwinden Sie!«, blaffte sie die beiden Reporter an und knallte die Tür wieder zu. Das Festnetztelefon klingelte. Wahrscheinlich auch jemand von der Presse oder die Tante von den Waldfreunden. Der altmodische Anrufbeantworter sprang an. Felicitas wartete nicht, bis der Anrufer auf das Band sprach. Sie stürmte die Treppe hoch in das Gästezimmer in der Mansarde.

»Mir reicht's!«, sagte sie laut zu sich selbst, öffnete den Kleiderschrank, der nach Mottenkugeln stank. »Hier bleibe ich keine Minute länger!«

Sie zerrte ihre Reisetasche unter dem Bett hervor und stopfte ihre Klamotten hinein. Lieber würde sie ihr letztes Erspartes für ein Hotelzimmer ausgeben, als noch eine Nacht in diesem Horrorhaus zu verbringen! Später konnte sie ihrer Schwester eine E-Mail schreiben, damit sie sich von Australien aus um jemanden bemühte, der sich um die Hunde kümmerte.

Fünf Minuten später schleifte sie die schwere Tasche nach unten, steckte die Pistole in ihre Handtasche und tastete sich die schmale, enge Treppe hinunter in den Keller. Die Stufen waren unregelmäßig hoch und die Glühbirne kaputt, deshalb musste sie aufpassen, um nicht zu stürzen, aber in der Waschküche gab es einen Hinterausgang, von dem aus sie ungesehen die Garage erreichen und verschwinden konnte.

***

»Ist er tot? Oh Gott, oh Gott! Ich hab den gar nicht kommen sehen!«, brabbelte der Busfahrer, ein dicker Glatzkopf mit schweißglänzendem Gesicht, aufgeregt. »Ich war nicht schuld! Nein, ich war nicht schuld, auf keinen Fall!«

»Herr Pfarrer!« Bodenstein berührte den Mann, der reglos auf dem Asphalt lag, vorsichtig an der Schulter. »Können Sie mich hören?«

Ihm wurde vor Erleichterung fast schwindelig, als der alte Mann erst das eine und dann das andere Auge öffnete.

»Oliver! Was ... was ist passiert?«, krächzte Adalbert Maurer und fasste sich mit der Hand an den Hinterkopf.

»Sie sind von einem Bus angefahren worden«, erwiderte Bodenstein. »Sind Sie verletzt?«

»Er ist mir direkt vor den Bus gelaufen!«, rief der Busfahrer aufgebracht. »Ich hab ihn nicht angefahren!«

»Das sagt doch keiner«, sagte jemand aus der Menge der Schaulustigen, die sich auf der Straße sammelten.

»Doch! Der da hat das gerade gesagt! Aber das lass ich mir nicht gefallen! Ich hab noch nie jemanden angefahren, noch nie in meinem Leben! Und ich fahre seit vierzig Jahren Bus! Ich ruf die Polizei!«

Der Bus blockierte die ganze Straße. Immer mehr Autos stauten sich. Passanten blieben stehen. Autotüren schlugen zu. Schritte näherten sich. Im Nu bildete sich ein kleiner Menschenauflauf.

»Können wir helfen?«

»Was ist denn passiert?«

»Der Bus hat den Pfarrer umgefahren!«

»Ach je, der Herr Pfarrer!«

»Ich hab ihn nicht *umgefahren*, Herrgottsakrament! Er ist einfach auf die Straße gelaufen!«, protestierte der Busfahrer.

»Mir ist nichts passiert«, sagte der Pfarrer benommen. »Ich bin nur etwas unsanft mit dem Kopf auf dem Asphalt gelandet.«

»Ich rufe besser einen Krankenwagen.« Bodenstein war besorgt. Adalbert Maurer war Mitte achtzig, zwar noch rüstig, aber ein solcher Sturz konnte fatale Folgen haben, erst recht in diesem Alter.

»Nein, nein, mir geht es gut. Das wird wohl nur eine dicke Beule geben. Hilf mir doch bitte hoch.«

Ein Fenster im oberen Stockwerk der Gaststätte ging auf, und Anita Kern, die Wirtin, lehnte sich heraus, um zu sehen, was sich da auf der Straße vor ihrem Parkplatz abspielte. Auch drüben im Bäckerladen hatte man natürlich beobachtet, was passiert war. Sylvia Pokorny und die kurzatmige Elfriede Roos standen bei den Gaffern. Bodenstein warf einen Blick über seine Schulter, blickte in besorgte und neugierige Gesichter.

»Einen ungünstigeren Ort als ausgerechnet vor dem Bäckerladen hätte ich mir kaum aussuchen können, um vor einen Bus zu stolpern«, scherzte der Pfarrer mit zittriger Stimme, als er wieder auf den Füßen stand und sich den Schmutz von den Hosenbeinen klopfte.

»Da! Er hat selbst gesagt, dass er vor meinen Bus gelaufen ist!«, rief der Busfahrer triumphierend und wandte sich an die gaffenden Leute. »Habt ihr's gehört?«

Niemand achtete auf ihn. Autofahrer versuchten, in der engen Straße zu wenden. Jemand hupte ungeduldig.

»Sie haben mir einen schönen Schrecken eingejagt.« Bodenstein musterte den alten Mann prüfend. Irgendetwas stimmte nicht mit ihm. Es war schon eine Weile her, seitdem er den Pfarrer zuletzt gesehen hatte, und seitdem hatte er sich verändert. Sein munterer Altherrencharme war verschwunden, er wirkte angespannt. Sein Gesicht war schmal geworden, er hatte Ringe unter den Augen, und sein sonst so ansteckendes herzliches Lächeln schien wie erloschen. Lag das an dem Schreck, oder war er vielleicht krank?

Ein paar Frauen machten großes Aufhebens um den Pfarrer, dem das sichtlich unangenehm war.

»Jetzt hört schon auf«, protestierte er. »Es ist nichts passiert.«

»Ich fahre Sie nach Hause«, bot Bodenstein an. »Oder besser zum Arzt. Vielleicht haben Sie eine Gehirnerschütterung.«

»Nein, nein, das ist nicht nö…« Mitten im Satz stockte der

Pfarrer, ein seltsamer Ausdruck huschte über sein Gesicht und war so rasch verschwunden wie der Schatten eines Raubvogels über einer Wiese. Plötzlich wirkte er bestürzt. Aber warum? Bodenstein wandte sich um, sah aber nur die Schaulustigen, die eifrig über den Unfallhergang diskutierten.

Der Busfahrer ließ seine Fahrgäste wieder einsteigen und fuhr davon, nachdem Bodenstein sich als Polizist ausgewiesen und seine Daten aufgenommen hatte. Die Leute kletterten in ihre Autos. Das Spektakel war vorbei, und die Menge zerstreute sich. Es floss kein Blut, niemand war tot. Im Bäckerladen war neue Kundschaft eingetroffen, und Sylvia musste widerstrebend zurück zur Arbeit. Auf ihren Rollator gestützt, wartete die alte Frau Keller auf der anderen Straßenseite darauf, dass Bodenstein seine Einkäufe holte.

»Nicht vor mir sterben, Herr Pfarrer, gell!«, rief sie mit ihrer brüchigen Altfrauenstimme. »Sie haben mir was versprochen, denken Sie dran!«

»Ich gebe mir alle Mühe, Annemie«, erwiderte der Pfarrer, aber sein Lächeln wirkte angestrengt. Mittlerweile war auch Klaus Kroll aufgetaucht, der Ortspolizist, der in Ruppertshain wohnte, und versuchte den Pfarrer davon zu überzeugen, einen Arzt aufzusuchen. Offenbar mit ebenso wenig Erfolg wie zuvor Bodenstein.

»Er will net, der sture Hund«, sagte Kroll schulterzuckend.

»Des Menschen Wille ist sein Himmelreich«, antwortete jemand. Bodenstein wandte sich um und erkannte Jakob Ehlers, den älteren Bruder seines früheren Schulkameraden Ralf, der nur ein paar Häuser entfernt wohnte, in Anzug und Krawatte. Bodenstein blickte dem alten Pfarrer mit einem unguten Gefühl nach.

»Was ist überhaupt passiert?«, erkundigte sich der Ortspolizist.

»Er ist auf die Straße gelaufen, ohne nach links und rechts zu gucken«, erwiderte Bodenstein. »Der Busfahrer konnte gerade noch bremsen und hat ihn wohl nur an der Schulter erwischt.«

Er reichte Kroll den Zettel, auf dem er sich Namen und Telefonnummer des Fahrers notiert hatte.

»Ich kümmere mich darum und schaue später noch mal nach

dem Herrn Pfarrer«, versprach der Ortspolizist. Der Rest der Neugierigen war verschwunden, auch die beiden Omas aus dem Haus neben der Bäckerei, deren Lieblingsbeschäftigung es war, den lieben langen Tag vom Fenster aus die Straße zu beobachten, waren von ihrem Ausguck verschwunden.

»Scheint ja glimpflich ausgegangen zu sein.« Jakob Ehlers warf einen Blick auf seine Uhr. »Na ja. Ich muss los. Wir sehen uns!«

Bodenstein nickte nur. Jakob war seit ewigen Zeiten Leiter des Standesamts der Stadt Kelkheim, auf ihn wartete wahrscheinlich ein aufgeregtes Brautpaar am glücklichsten Tag seines Lebens. Auf ihn hingegen warteten eine verbrannte Leiche und jede Menge unbeantworteter Fragen.

***

Fünf Minuten später holperte Felicitas in dem klapprigen Landrover ihrer Schwester den Waldweg entlang Richtung B8. Im Rückspiegel sah sie einige Autos und Menschen, und kurz vor den Fischteichen kam ihr sogar ein Ü-Wagen eines Fernsehsenders entgegen, gefolgt von ein paar anderen Fahrzeugen. Sie sah nicht ein, auf dem schmalen Weg ins Unterholz auszuweichen oder gar rückwärts zu fahren. Stattdessen blendete sie ein paar Mal ungeduldig auf und zwang den Fahrer schließlich dazu, den Rückwärtsgang einzulegen. Etwa zwanzig Meter weiter, vor dem Vereinsgelände des Angelsportvereins, gabelte sich der Weg, dort konnte sie rechts abbiegen. Sie wusste zwar nicht genau, wohin der Weg führte, aber eigentlich musste sie etwas weiter unten auf die B8 kommen. Befriedigt konstatierte sie den Unmut des Mannes am Steuer des Ü-Wagens, sah, wie er wütend mit den Händen fuchtelte. Lächelnd wartete sie, während die ganze Kolonne zwanzig Meter rückwärts kroch, dann setzte sie den Blinker und trat aufs Gaspedal. Der Motor heulte gequält auf, Schottersteinchen spritzten gegen den Unterboden, und sie hatte Mühe, das Lenkrad einzuschlagen, um das schwere Fahrzeug in den schmalen Weg zu lenken. Ganz gelang es nicht, der Landrover pflügte durch den Graben, und sie krachte unsanft mit der Schläfe gegen die Fensterscheibe. Mit dem linken Kotflügel streifte das Auto den rostigen Maschendrahtzaun, der die Fischteiche umgab. Eigentlich hätte sie besser angehalten und ein Stück zurückgesetzt, aber diese Blöße wollte sie sich vor den Reportern nicht geben, deshalb trat sie das Gaspedal weiter durch.

»Los, weiter!« Felicitas brach der Schweiß aus. »Jetzt komm schon, du elende Schrottkarre!«

Der Landrover bockte wie ein Pferd, und nur der Beckengurt bewahrte sie davor, vom Sitz katapultiert zu werden. Dank des Allradantriebs krabbelte der Wagen mit jaulendem Motor und Schlammsalven feuernd aus dem Graben zurück auf den Weg. Zornig gab sie Gas, der Geländewagen schoss nach vorne und jagte um die Kurve. Sie ärgerte sich über sich selbst. Wieso schaffte sie es einfach nicht, mal nachzugeben und ruhig zu bleiben? Weshalb musste sie sich mit jedem anlegen und sich über jeden kleinen Mist aufregen? Was, zum Teufel, war nicht mit ihr in Ordnung? Und warum fuhr sie überhaupt in dieser schmuddeligen Karre durch den Wald, statt in ihrem Porsche Boxster in der Goethestraße einen Parkplatz zu suchen? Tränen schossen ihr in die Augen, und der Waldweg verschwamm vor ihr. Erst im letzten Moment bemerkte sie die Gestalt, die mitten auf dem Weg stand. Sie trat mit aller Kraft aufs Bremspedal, aber die Räder blockierten, und der Wagen schlitterte auf dem mit feuchtem Laub bedeckten Schotterweg einfach immer weiter.

***

Während der Fahrt zum Waldfreundehaus dachte Bodenstein über den alten Pfarrer nach. Weshalb war Adalbert Maurer so durcheinander, ja, regelrecht verstört gewesen? Obwohl seit mindestens fünfzehn Jahren im Ruhestand, nahm er noch immer rege am gesellschaftlichen Leben in Ruppertshain teil, engagierte sich im Kindergarten, kümmerte sich um die Flüchtlingsfamilien im Ort, machte Hausbesuche und übernahm als Vertretung gelegentlich Gottesdienst und Beichte in der Kirche. Bodenstein nahm sich vor, Maurer am Abend einen kurzen Besuch abzustatten und ihn zu fragen, was er von ihm gewollt hatte. Das Pfarrhaus lag nur wenige Minuten von seinem Haus entfernt.

An der Einmündung des Schotterweges in die B8 kam ihm das Löschfahrzeug der Königsteiner Feuerwehr entgegen, gefolgt vom BMW Staatsanwalt Heidenfelds, der ihm mit einer Geste signalisierte, man würde später telefonieren. Auch die Presse befand sich schon wieder auf dem Rückzug.

Bodenstein stellte sein Auto auf dem Parkplatz ab und ergriff Brötchentüten und Kaffeetablett. Die Beamten der Hundertschaft sammelten sich an der Wegspinne gegenüber dem Parkplatz vor den Mannschaftsbussen, mit denen sie gekommen waren.

Er fand Pia und Kröger im Gespräch mit Ewald Fritsche, dem Einsatzleiter der BePo, am Transporter der Spurensicherung.

»Will jemand Frühstück?«, fragte er und hielt den Kollegen das Papptablett und die Tüten hin. Die Männer griffen zu den Brötchen, Pia nahm sich nur einen Kaffee.

»Hast du die Frau von diesem Waldfreundeverein erreicht?«, erkundigte sie sich.

»Ja, sie hat mich zurückgerufen.« Bodenstein nickte. »Der Wohnwagen gehörte Rosemarie Herold aus Ruppertshain.«

Der Vorfall mit dem Pfarrer hatte seine Sorge um Rosie Herold vorübergehend in den Hintergrund gedrängt, aber jetzt war sie wieder da.

»Na, sie ist auf jeden Fall nicht das Opfer«, entgegnete Christian Kröger kauend. »Der Doc ist sicher, dass unsere Brandleiche männlich ist.«

»Ach?« Für den Bruchteil einer Sekunde war Bodenstein erleichtert, nun doch nicht einen alten Schulkameraden über den Tod seiner Mutter informieren zu müssen. Dann begriff er, was das zu bedeuten hatte. Was, wenn es sich bei der Leiche um Edgar selbst handelte?

»Kennst du die Frau?« Pia warf ihm einen fragenden Blick zu.

»Ja. Von früher.«

Als er seine Bekanntschaft mit Rosemarie Herold nicht näher präzisierte, informierte Pia ihn über die Entdeckung des aufgebrochenen Wohnwagens.

»Die Person muss sich eine längere Zeit dort aufgehalten haben«, sagte sie. »Und damit ist die Aussage der Eule durchaus glaubhaft.«

»Wir haben einen Handflächenabdruck und Fingerabdrücke

sichergestellt«, warf Kröger ein. »Außerdem gibt's genug Material für einen DNA-Abgleich: Haare, Hautschuppen, Speichel.«

»Aller Wahrscheinlichkeit nach handelt es sich um einen Mann zwischen achtzehn und dreißig«, fuhr Pia fort.

»Wie kommst du denn darauf?« Bodenstein war überrascht.

»Eine junge Dame, die ehrenamtlich ein Wildkatzenprojekt betreut, hat uns den Film aus einer Wildtierkamera gezeigt, die unterhalb der Wiese installiert ist«, erklärte Pia. »Die Qualität des Films ist zwar nicht berauschend, aber man erkennt eindeutig einen Mann.«

»Sehr gut.« Bodenstein nickte anerkennend. »Habt ihr euch schon im Wald umgesehen?«

»Nein. Wir wollten den Hund nicht irritieren.«

»Ist der Hund schon da? Und wo ist Omari?«

»Der macht eine Geländeübung unter realen Bedingungen«, erwiderte Pia und grinste. »Er und drei von Ewalds Leuten erkunden mit Leila, der Schäferhündin, und der jungen Dame vom Wildkatzenprojekt Flora und Fauna des Hochtaunus.«

»Was ist denn hier los?« Henning Kirchhoffs verärgerte Stimme ließ sie herumfahren. »Die Polizeiführung veranstaltet ein gemütliches Kaffeekränzchen und lässt unsereins wie Sklaven schuften!«

»Sie meckern doch immer, wenn Sie die Leiche nicht für sich alleine haben«, erwiderte Kröger, der in der offenen Tür des Transporters saß, süffisant.

»Ich meckere nicht«, entgegnete Henning würdevoll. »Ich reklamiere höchstens.«

»Kaffee ist übrigens noch da«, sagte Kröger. »Er ist allerdings fast kalt und schmeckt scheußlich.«

»Egal.« Henning streifte die Handschuhe von den Händen, stopfte sie in den Müllsack, der an der Schiebetür des VW-Busses befestigt war und zog einen der Becher aus dem Papptray. »Auf das Koffein kommt's an. Machen Sie mal Platz, Spurensucher.«

»Mit Vergnügen, Leichenschnippler«, konterte Kröger und rückte ein Stück zur Seite. Henning trank mit wenigen Schlucken den Becher leer, verzog angewidert das Gesicht und griff nach dem zweiten. Pia betrachtete ihren Exmann fasziniert wie ein seltenes Insekt.

»Wo ist denn der Inder hin?« Henning steckte die leeren Kaffeebecher ineinander.

»Welcher Inder?«, fragte Pia verwundert.

»Na, dein neuer Kollege.«

»Tariq ist Syrer«, verbesserte Pia ihn, obwohl sie wusste, dass es nutzlos war. Wenn Henning einmal etwas abgespeichert hatte, dann ließ sich daran nichts mehr ändern. »Besser gesagt: Er ist Deutscher mit syrischen Wurzeln. Der hat dich beeindruckt, was?«

»Pah! Bücherwissen!« Henning winkte ab. »Da braucht es schon mehr, um mich zu beeindrucken.«

»Kannst du schon irgendetwas zu der Leiche sagen?«, wollte Bodenstein von Kirchhoff wissen, bevor es zu einem Wortgefecht zwischen Pia und ihrem Ex kommen konnte.

»Eure Leiche hatte definitiv ein Y-Chromosom.« Henning Kirchhoff setzte seine Brille ab und putzte sie mit einem Lappen, den er aus seiner Tasche gezogen hatte. »Ausgehend von der Länge des Oberschenkelknochens, dürfte er ziemlich groß gewesen sein, mindestens eins fünfundachtzig, eher noch etwas größer. Ist noch ein Brötchen da?«

Kröger hielt dem Rechtsmediziner stumm die zweite Tüte hin, und Kirchhoff nahm sich ein Mettbrötchen.

Bodenstein versuchte sich zu erinnern, wann er seinen ehemaligen Schulkameraden, der nach dem Tod seines Vaters die Schlosserei übernommen hatte, zuletzt gesehen hatte. War Edgar Herold so groß?

Das dunkle, hässliche Gefühl in seinem Innern wurde stärker.

»Außerdem dürfte unser Opfer zu Lebzeiten ziemlich kräftig gewesen sein«, fuhr Henning Kirchhoff fort und biss in das Brötchen. »Die Asche rings um die Leiche ist schmierig, ein Zeichen dafür, dass viel subkutanes Fett verbrannt ist. Der Mann lag auf dem Bauch, deshalb war sein Gesicht vor den Flammen geschützt. Kleidung, Haut, Fettgewebe, Muskeln, Sehnen und die meisten Organe sind verbrannt, aber Reste von Zahnfleisch sind noch vorhanden und sämtliche Zähne.«

»Hat er noch gelebt, als das Feuer ausbrach?«, fragte Pia.

»Die Möglichkeit besteht. Bisher habe ich nichts gefunden, was auf eine letale Stich- oder Schussverletzung hindeutet.« Henning zuckte kauend die Achseln. »Ob der Schädel durch die Hitze explodiert ist oder vorher bereits durch einen Schlag beschädigt wurde, kann ich erst bei einer genaueren Untersuchung feststellen.« Er stieß Kröger mit dem Ellbogen an. »Die Pointe überlasse ich heute ausnahmsweise mal Ihnen.«

»Welche Pointe?« Bodenstein blickte irritiert zwischen dem Rechtsmediziner und dem Chef der Spurensicherung hin und her.

»Von der Tür des Wohnwagens ist nicht mehr viel übrig«, übernahm Christian Kröger nun. »Aber wir haben Türschloss und Zarge gefunden. Im Schloss steckt ein Schlüssel. Die Hitze hat das Metall zwar verformt, doch man kann anhand der Stellung des Riegels deutlich erkennen, dass die Tür abgeschlossen war.«

»Wenn ich nachts auf einem abgelegenen Campingplatz mitten im Wald wäre, würde ich auch die Tür abschließen«, sagte Pia.

»Die Tür war aber nicht von innen, sondern von außen abgeschlossen«, erwiderte Kröger und in seiner Stimme schwang Triumph mit. »Der Mann wurde in dem Wohnwagen eingeschlossen, und dann hat jemand Feuer gelegt.«

***

Leila, die für die Suche nach Personen ausgebildete belgische Schäferhündin, schlabberte einen ganzen Napf Wasser leer und sprang danach in ihre Transportbox. Sie hechelte und wedelte mit dem Schwanz, zufrieden mit der Arbeit, die für den Hund ein aufregendes Spiel war und immer mit einem Erfolgserlebnis, nämlich einer leckeren Belohnung, endete.

Während sich Bodenstein und Pia von der Hundeführerin die Strecke zeigen ließen, die Leila sie geführt hatte, unterhielt sich Tariq auf der gegenüberliegenden Seite des Parkplatzes mit Pauline Reichenbach. Die junge Frau lehnte am Kotflügel ihrer Rostlaube und lauschte Tariq mit schräg gelegtem Kopf. Sie hatte den Haarknoten geöffnet und ihre kupferrote Lockenmähne über die Schultern geschüttelt. Tariq lächelte und redete, dabei gestikulierte er mit beiden Händen, Pauline nickte und kicherte hin und wieder. Es war Pia nicht klar, wer da von wem mehr fasziniert war, aber die Körpersprache der beiden jungen Leute ließ darauf schließen, dass sie über etwas anderes als verbrannte Leichen in Wohnwagen sprachen.

»Hier sind wir überall lang gelaufen.« Die Hundeführerin hatte aus ihrem Auto einen Rhein-Main-Atlas geholt, die betreffende Doppelseite aufgeschlagen und fuhr mit neongrün lackiertem Fingernagel über die Karte. Der verletzte Mann war zwischen der B8 von Königstein nach Glashütten und der L3369, die von Königstein nach Ruppertshain führte, kreuz und quer durch den Wald geirrt. Er war die sogenannte »Rodelbahn« entlanggelaufen, am Stoltze-Plätzli und dem ehemaligen Dr. Bethmann'schen Wasserhochbehälter vorbei bis hinunter ins Tal nach Königstein, wo sich die Fischteiche der Fischzüchterei Reinhardt am oberen Ölmühlweg befanden. Dann war er ein Stück am Rand der Straße durch die Nepomuk-Kurve gelaufen und ein paar Meter weiter in den Waldparkplatz eingebogen, nur um die ganze Strecke wieder zurückzulaufen. Auf dem Rückweg hatte er sich in nordwestlicher Richtung orientiert – ob absichtlich oder unabsichtlich – und war unterhalb des Campingplatzes auf den Victoriaweg gelangt, der ein Stück weiter oben, bei den Teichen des Angelsportvereins, in den Schotterweg zwischen B8 und Waldfreundehaus mündete. »Und genau hier hat Leila die Spur verloren.« Die Hundeführerin tippte auf einen bestimmten Punkt auf der Karte. Sie war enttäuscht. »Ich hab sie ein Stück zurückgeführt und die Umgebung absuchen lassen, aber die Witterung brach an dieser Stelle ab.«

»Das ist eine enorme Strecke für jemanden, der so viel Blut verloren hat.« Bodenstein runzelte nachdenklich die Stirn.

»Die Strecke ist auch enorm, wenn man *kein* Blut verloren hat«, bemerkte Tariq, der seinen Flirt mit Pauline Reichenbach beendet hatte. Die junge Frau stieg in ihren Toyota, ließ den Motor an und fuhr davon, nicht ohne ihm einen letzten glutvollen Blick zuzuwerfen.

»Da sich ein Mensch nicht in Luft auflösen kann, wird er dort vermutlich in ein Auto gestiegen sein«, sagte Pia und musterte ihren Kollegen, der nicht bei der Sache war. »Fragt sich nur, ob das freiwillig geschah oder nicht. Was denkst du, Tariq?«

»Äh ... was? Ich hab gerade nicht zugehört«, stotterte der verlegen.

»Hat er ein zufällig vorbeikommendes Auto angehalten oder wurde er gezwungen, einzusteigen?«, wiederholte Pia.

Tariq bemühte sich um Konzentration und legte die Stirn in Falten.

»Du meinst, derjenige, der das Feuer gelegt hat, könnte ihn verfolgt haben?«

»Das halte ich für eher unwahrscheinlich. Ich denke an eine dritte Person.« Pia klappte den Rhein-Main-Atlas zusammen und reichte ihn der Hundeführerin. »Vielen Dank für Ihre Hilfe.«

»Tut mir leid, dass wir nicht mehr tun konnten.« Die Frau hob bedauernd die Schultern. »Manchmal soll's halt nicht sein.«

Bodenstein, Pia und Tariq Omari sahen zu, wie die Frau die Kofferraumklappe schloss, ins Auto stieg und davonfuhr.

»Wo ist der Mann hin?«, überlegte Pia laut und knabberte an ihrer Unterlippe.

»Warum war er überhaupt hier und ist in den Wohnwagen eingebrochen?«, ergänzte Bodenstein ihre Überlegung.

»Wie geht's jetzt weiter?«, erkundigte sich Omari.

»Wir fahren zu Rosie Herold und fragen sie, wer einen Schlüssel für den Wohnwagen haben könnte«, sagte Bodenstein. »Möglicherweise kommen wir so der Identität des Opfers näher.«

Sein Blick fiel auf Omaris lehmverkrustete Schuhe.

»Tariq, Sie sprechen noch einmal mit der Schwester der Pächterin und nehmen zu Protokoll, was sie in der letzten Nacht beobachtet hat.« Bodenstein übersah den enttäuschten Ausdruck auf Omaris Gesicht. »Danach fahren Sie zurück nach Hofheim. Ostermann wird als Hauptsachbearbeiter die Fall- und die Spurenakten anlegen und führen. Schauen Sie ihm dabei etwas über die Schulter.«

»Okay.« Tariq nickte.

»Und lassen Sie sich auf keinen Fall von den Presseleuten zu irgendwelchen Äußerungen hinreißen, klar?«

»Glasklar, Chef.«

Pia holte ihren Rucksack aus dem Dienstwagen, mit dem sie am Morgen gekommen war, und reichte Tariq den Autoschlüssel.

»Was spricht übrigens Frau Reichenbach?«, erkundigte sie sich beiläufig und beobachtete interessiert, wie sich Tariqs Wangen röteten.

»Äh, nichts, eigentlich. Aber sie hat mir ihre Nummer gegeben und ich ihr meine. Für alle Fälle.« Er zuckte die Schultern. »Sie kennt hier alle und jeden. Das könnte vielleicht ganz hilfreich sein.«

»Schon klar.« Pia grinste, dann stieg sie zu ihrem Chef ins Auto.

***

»Woher kennst du Rosemarie Herold?«, erkundigte sich Pia.

Bodenstein erklärte ihr, dass sie früher auf Gut Bodenstein gearbeitet hatte und ihr Sohn Edgar in der Grundschule sein Klassenkamerad war. Pia begriff sofort.

»Könnte es sein, dass der Sohn unser Toter ist?«

Sie passierten das Schild mit den *Wildun*fällen, dann tauchte auf der linken Seite schon der Zauberberg auf.

»Ich hoffe nicht«, sagte er. »Aber auszuschließen ist es natürlich nicht.«

Die Schlosserei Herold lag schräg gegenüber der Metzgerei Hartmann auf der linken Straßenseite der Wiesenstraße. Der Urgroßvater des jetzigen Besitzers war der Dorfschmied gewesen und hatte das Haus gegen Ende des 19. Jahrhunderts erbaut. Wie das so üblich war, hatten die nachfolgenden Generationen immer dann, wenn Geld zur Verfügung gestanden hatte, erweitert, angebaut und vergrößert, so dass im Laufe von hundert Jahren eine verschachtelte Ansammlung von Gebäuden auf dem kleinen Grundstück am Hang entstanden war, unpraktisch und wahrscheinlich allen Vorschriften des Brandschutzes trotzend. Bodenstein parkte auf der Straße, denn der Hof war vollgestellt mit allerhand Zeug: Teile von Treppen, Fenstergittern und Zäunen, ein zerbeultes, angerostetes Garagentor, Paletten mit originalverpackten Türen und Fenstern und Gitterboxen voller Metallschrott und Gasflaschen. Eine schwarzweiß gefleckte Katze hockte auf einem Stapel Paletten und beobachtete aus halb geschlossenen Augen, wie sich Bodenstein und Pia an dem Pritschenwagen vorbeizwängten, der zentimetergenau zwischen den ganzen Krempel in den Hof passte. In einem flachen Anbau befand sich die Werkstatt, aus den ehemaligen Stallungen waren Garagen geworden, die wohl als Materiallager dienten, denn mit einem Auto konnte man nicht mehr durch den Hof fahren.

Aus der Werkstatt drang das Kreischen einer Flex, durch die blinden Fenster war ein Funkenregen zu sehen. Bodenstein klopfte an die Tür, die einen Spaltbreit offen stand.

»Tür ist offen!«, rief eine Männerstimme von drinnen, und Bodenstein fühlte sich sofort um vierzig Jahre in die Vergangenheit versetzt, als er die Werkstatt betrat. Es war alles unverändert, nur der Mann, der an einer Werkbank stand und nun aufblickte, war ein anderer als früher. Als Kind war ihm der Raum damals düster und gewaltig groß erschienen, die Maschinen und Geräte bedrohlich. Die Erwachsenenperspektive rückte die Dimensionen zurecht. Eine Dorfschlosserei, etwas altmodisch und vollgestopft, aber sauber.

»Hallo, Edgar.« Bodenstein war erleichtert, ihn lebendig und unversehrt zu sehen.

»Oliver!« Überrascht legte der Schlosser den Winkelschleifer aus der Hand. »Was machst du denn hier? Kommst du wegen deinen Fenstergittern?«

Edgar Herold war mittelgroß und gedrungen, buschige Augenbrauen wölbten sich über schweren Augenlidern, und ein dicker Schnauzbart verdeckte seine Oberlippe. In seinem Blick lag ein Anflug schlechten Gewissens.

»Nein, wir sind dienstlich da.« Jedermann in Ruppertshain wusste, dass Edgar mitunter Jahre brauchte, um Aufträge auszuführen, bei denen die Kunden keinen Druck machten. Bodenstein hatte längst vergessen, dass er bei ihm kurz nach seinem Einzug in sein neues Haus vor etwa zweieinhalb Jahren Gitter für die Fenster im Untergeschoss bestellt hatte. »Das ist meine Kollegin, Hauptkommissarin Sander. Wir …«

Das Kreischen der Flex setzte wieder ein, aus der Nähe war es ohrenbetäubend laut. Herold verzog das Gesicht und wandte sich zu dem jungen Mann mit Gehörschutz und Schutzbrille um, der konzentriert an einem Geländerteil arbeitete.

»He!«, brüllte er. Keine Reaktion. Herold ergriff ein kleines Stück Metall und warf es quer durch die Werkstatt. Es traf den jungen Mann an der Schulter, woraufhin der irritiert den Kopf hob und den Hörschutz absetzte.

»Was'n?«, schnauzte er seinen Chef ungehalten an. »Ich dachte, ich sollt' des fertischmache!«

»Sollst du auch, aber jetzt ist Pause«, knurrte Herold. »Lad draußen den Kram für die Verzinkerei auf.«

Murrend knallte der junge Mann seine Schutzbrille auf die Werkbank und zog mit grimmigem Gesicht ab.

»Heut mach ich pünktlich Feierabend«, verkündete er.

»Kannst auch gleich deinen Kram packen und verschwinden, wenn's dir hier nicht passt!«, rief ihm sein Chef hinterher.

Pia ließ sich nicht anmerken, was sie von dem Umgangston hielt, und auch Bodenstein verzog keine Miene.

»Letzte Nacht ist auf dem Campingplatz beim Waldfreundehaus ein Wohnwagen abgebrannt«, sagte er. »Wir haben erfahren, dass er deiner Mutter gehört hat.«

Diese Nachricht schien den Schlosser nicht sonderlich zu erschüttern.

»So? Na ja. Das alte Scheißding.« Er blickte Bodenstein mit einer Mischung aus Misstrauen und Aggressivität an. »Was hab ich damit zu tun?«

»Ich hoffe, nichts.«

Schweigen.

Herolds Blick schnellte zu Pia und zurück zu Bodenstein.

»Und was wollt ihr dann von mir?«

»Eigentlich wollen wir mit Rosie sprechen. Ist sie da?«

»Nee, ist sie nicht«, erwiderte Herold. »Sie ist im Hospiz seit ein paar Wochen. Krebs. Geht wohl bald zu Ende mit ihr.«

»Was? Das habe ich ja gar nicht gewusst.« Diese Neuigkeit traf Bodenstein völlig unerwartet, und er wusste nicht, was ihn mehr schockierte: die Tatsache, dass Rosie im Sterben lag, oder die Gleichgültigkeit, mit der Edgar ihm das mitgeteilt hatte.

»Weißt du, ob sie jemandem den Wohnwagen überlassen hat?«, fragte er, als er sich von der schlechten Nachricht erholt hatte.

»Nee, keine Ahnung.«

»Was ist mit Clemens und Sonja?«

»Was soll mit denen sein?« Herolds Gesicht verdunkelte sich, er griff nach einer Ratsche und drehte sie zwischen seinen Fingern.

»Haben die beiden vielleicht Schlüssel für den Wohnwagen?«

»Woher soll ich das wissen?«, sagte Herold griesgrämig. »Die Sonja lässt sich nur hier blicken, wenn sie was von mir will. Und den Clemens hab ich zuletzt bei der Beerdigung von unserem Alten vor fünfzehn Jahren gesehen. Da ist er auch nur hingekommen, weil er sein Erbe wollte. Ich musste 'nen Kredit aufnehmen, um ihn auszubezahlen, den Faulenzer. Und der macht sich ein schönes Leben auf meine Kosten! Seitdem hab ich nichts mehr von ihm gehört. Ich bin nicht traurig darum.«

Es fiel Bodenstein nicht schwer, diesen verbitterten Misanthropen mit dem Jungen von damals in Verbindung zu bringen. Schon immer war Edgar der festen Überzeugung gewesen, vom Leben benachteiligt zu sein. Es entbehrte nicht einer gewissen Ironie, dass er seinem Vater, den er gehasst hatte, so ähnlich geworden war.

Draußen im Hof schepperte und krachte es, aber Herold kümmerte sich nicht darum.

»Herr Herold«, mischte sich Pia nun ein. »Beim Brand des Wohnwagens ist ein Mensch ums Leben gekommen. Deshalb ist für uns wichtig zu wissen, wer Zugang zu dem Wohnwagen hatte. Bitte denken Sie nach.«

Herold starrte Pia ausdruckslos an, ein bitteres Lächeln zuckte um seine Mundwinkel, erlosch jedoch gleich wieder.

»Ich. Weiß. Es. Nicht!« Sein Gesicht rötete sich, er ließ die Ratsche in seine Handfläche sausen. »Der Wohnwagen interessiert mich nicht. Meine Mutter hat lieber in dem Ding gehaust als hier bei uns, in ihrer Wohnung. Frei wollte sie sein, für sich, um in Ruhe *lesen* oder *nachdenken* zu können, ha! Dabei hat jeder gewusst, was sie dort in ihrem ... Bumsmobil getrieben hat! Wenn mein Vater das wüsste, der würde sich im Grab umdrehen!«

Karl-Heinz Herold hatte viele Jahre die Schmiede auf Gut Bodenstein betrieben, Bodenstein erinnerte sich an den großen, kräftigen Mann. Jähzornig war er gewesen und rechthaberisch, besonders dann, wenn er etwas getrunken hatte, und das war häufig der Fall gewesen. Andererseits war er ein guter Schlosser und Schmied gewesen, pünktlich und zuverlässig, darüber hinaus ein Vereinsmensch mit Leib und Seele. Die Leute hatten ihn gleichermaßen respektiert und gefürchtet. Rosie hatte an seiner Seite sicherlich kein besonders angenehmes Leben gehabt, und Bodenstein konnte es ihr nicht verdenken, dass sie sich nach seinem Tod in den Wald geflüchtet hatte, um Edgar und seiner streitsüchtigen Frau Conny für eine Weile zu entkommen.

»In welchem Hospiz lebt Ihre Mutter?«, erkundigte sich Pia.

»Abendrot heißt es. In Hornau«, erwiderte Herold und lachte gallig. »Wenn ihr mit ihr reden wollt, dann solltet ihr euch beeilen. Sie ist nämlich schon auf'm Sprung. Ob in den Himmel oder in die Hölle, wer weiß.«

***

»Was für ein ekelhafter Typ«, regte Pia sich auf, als sie aus Ruppertshain hinaus Richtung Königstein fuhren. »Wie kann man so über seine eigene Mutter reden, die im Sterben liegt?«

Sie waren zu der Adresse von Sonja Schreck gefahren, die ihr Bruder ihnen genannt hatte, aber auf ihr Klingeln hatte niemand geöffnet, deshalb hatte Bodenstein nur sein Kärtchen in den Briefkasten geworfen.

»Der Kerl ist unmöglich.« Pia schüttelte den Kopf. »Wie er seinen Mitarbeiter angeraunzt hat, obwohl wir dabeistanden!«

»Die alten Ruppscher sind schon ein spezielles Völkchen«, gab Bodenstein zu.

»Und dieser Edgar war echt ein Freund von dir?« Pia konnte sich kaum vorstellen, dass ihr wohlerzogener, verbindlicher Chef in jüngeren Jahren mit einem solch ungehobelten Menschen Umgang gepflegt hatte.

»Freund ist zu viel gesagt. Wir waren zusammen in der Grundschule bis zur vierten Klasse, hatten mit ein paar anderen Jungs eine Art Bande«, erinnerte Bodenstein sich. »Wirklich eng befreundet war ich nur mit Wieland Kapteina.«

»Dem Förster?«

»Ja, genau.« Bodenstein nickte. »Seine Eltern sind nach dem Krieg aus Ostpreußen geflüchtet, und sein Vater wurde Stallmeister auf dem Gut, seine Frau war Hauswirtschafterin.«

Obwohl Pia seit fast zehn Jahren mit ihrem Chef zusammenarbeitete, seine Eltern und den großen Gutshof zwischen Schneidhain und Ruppertshain kannte, erschien ihr die Welt der Aristokratie nach wie vor wie ein skurriler Anachronismus mit ihren antiquierten Sitten, Wertvorstellungen und Pflichten. Bodensteins Eltern und auch sein jüngerer Bruder Quentin, der die Leitung des Hofes vor einigen Jahren von seinem Vater übernommen hatte, waren bescheidene, fleißige Leute und alles andere als wohlhabend. Reitstall und Landwirtschaft warfen gerade genug ab, um den Betrieb am Laufen zu halten, und liefe das Restaurant im Schloss, das Bodensteins geschäftstüchtige Schwägerin führte, nicht so gut, dann hätte die Familie ihres Chefs ernsthafte finanzielle Sorgen.

»Wer kann der Tote im Wohnwagen sein?«, dachte Pia laut.

»Ich hoffe, das gleich von Rosie zu erfahren.« Wie üblich konnte Bodenstein Pias Gedankensprüngen problemlos folgen.

»Was ist mit dem anderen Sohn? Kennst du den auch?«

»Clemens. Ja, natürlich. Allerdings habe ich ihn zuletzt bewusst vor vielleicht dreißig Jahren gesehen.« Bodenstein hielt an der roten Ampel am Königsteiner Kurbad. »So, wie es sich angehört hat, hat er sich aus der Familie ausgeklinkt. Er war ein paar Jahre älter als wir. Sonja ist wiederum erheblich jünger als Edgar.«

Der Verkehr bewegte sich zwischen hohen Betonwänden im Schneckentempo auf den Kreisel zu.

»Das Opfer oder der Täter muss einen Schlüssel gehabt haben, also hatte wenigstens einer von ihnen Kontakt zu Rosemarie Herold«, überlegte Pia. »Es sei denn, sie bewahrte den Schlüssel leichtsinnigerweise unter der Fußmatte auf oder unter einem Blumentopf. Dann hätte jeder, der das wusste, Zugang gehabt.«

Eine Weile hingen sie beide ihren Gedanken nach.

»Im Moment sieht es für mich so aus«, sagte Pia dann, »als ob derjenige, der in diesen anderen Wohnwagen eingebrochen ist, den Wohnwagen von Rosemarie Herold angezündet und sich dabei verletzt haben könnte. Vielleicht sind sie in Streit geraten. Oder es gab irgendwelche Begehrlichkeiten.«

»Und wer ist mit dem Auto weggefahren, das die Schwester der Pächterin gehört haben will?«, fragte Bodenstein.

»Gab es das wirklich, oder hat sie sich das nur eingebildet?«, fragte Pia zurück. »Ich halte Frau Molin nicht für eine besonders zuverlässige Zeugin.«

»Ich auch nicht«, stimmte Bodenstein zu. »Außerdem muss das Auto nicht zwangsläufig mit dem Brand zu tun gehabt haben. Es fahren ständig irgendwelche Leute durch den Wald. Vielleicht war es sogar jemand von diesen Wildkatzenleuten.«

»Möglich.« Pia nickte. »Das lasse ich Tariq mal überprüfen. Er scheint sich ja mit Fräulein Wildkatze angefreundet zu haben.«

Bodenstein hatte die festinstallierte Blitzersäule hinter dem Königsteiner Kreisel hinter sich gelassen und beschleunigte. Laut Google befand sich das Hospiz Abendrot im Mainblick, gegenüber dem Kelkheimer Kloster. Sie fuhren die B519 Richtung Kelkheim, passierten die Abfahrten zum Johanniswald und nach Altenhain und verließen die Bundesstraße ein paar Kilometer weiter am Kelkheimer Hauptfriedhof.

»Da geht's lang!« Pia zeigte auf ein dezentes Schild. Fünfhundert Meter weiter stand ein weiteres Hinweisschild, das nach links wies. Sie folgten der Straße vorbei am Sportpark. Versteckt hinter einer Baumreihe, lag das Hospiz. Bodenstein hielt vor der Schranke des Parkplatzes, zog ein Parkticket und reichte es Pia.

»Hier, nimm du das besser, bevor ich es verliere«, sagte er und gab Gas, als sich die Schranke hob.

Es war diese an und für sich bedeutungslose, aber so vertraute Bemerkung, die in Pia urplötzlich ein heftiges, schmerzliches Gefühl des Verlustes auslöste. Wie viele Male waren Bodenstein und sie in den vergangenen zehn Jahren zusammen unterwegs gewesen? Wie oft hatte er ihr ein Parkticket, eine Quittung oder ein Beweisstück mit genau diesen Worten gegeben? Auch wenn ihr Chef nur eine Auszeit nehmen wollte, so ahnte Pia, dass er nicht in seinen Job zurückkehren würde. Dies hier war womöglich ihr letzter Fall, ihre letzte Zusammenarbeit, das Ende ihrer Partnerschaft, die ihr viel wichtiger war als die Aussicht, vielleicht Leiterin des K11 zu werden. Es mochte albern sein und kindisch, aber sie fühlte sich plötzlich im Stich gelassen.

»Alles in Ordnung?«, erkundigte Bodenstein sich.

»Ja, klar.« Sie durfte sich auf keinen Fall anmerken lassen, was in ihr vorging, und ihr gelang tatsächlich ein Lächeln, obwohl ihr in diesem Moment eher nach Weinen zumute war.

* * *

Das Hospiz Abendrot befand sich in einem freundlichen einstöckigen Gebäude, umgeben von frisch angelegten Blumenbeeten, Rasenflächen und kleinen Bäumen, die noch von Hanfstricken und Stützpfählen gehalten wurden. In ein paar Jahren, wenn sich die Pflanzen erst etabliert hatten, würde sicher alles sehr idyllisch aussehen. Bodenstein und Pia betraten das Foyer. Das Innere des Hauses war hell und in kräftigen, mediterranen Farbtönen gehalten. Parkettfliesen und bodentiefe Fenster, durch die man in ein großes Atrium mit einem Springbrunnen schauen konnte, frische Blumen überall und leise Musik aus unsichtbaren Lautsprechern vermittelten den Eindruck eines netten Landhotels.

Es gibt wahrhaftig tristere Orte, um zu sterben, dachte Pia und erinnerte sich mit Schaudern an das deprimierende Altersheim, in dem ihre geliebte Großmutter bis zu ihrem Tod vor sich hin vegetiert war – dement, einsam und ohne jede Ansprache.

Sie meldeten sich an der Rezeption und baten darum, Rosemarie Herold sprechen zu dürfen.

»Ich schaue gerade mal, ob sie Besuch empfangen kann«, sagte die Empfangsdame, eine heitere Brünette in den späten Vierzigern mit Sommersprossen und einem Grübchen im Kinn. Ein Namensschild an ihrem sonnengelben Kittel wies sie als Luzia Landenberger aus. »Sie schläft viel. Bitte warten Sie einen Moment.«

»Einen Augenblick.« Bodenstein zückte seine Brieftasche und entnahm ihr eine Visitenkarte. Er ergriff einen Kugelschreiber, der auf dem Tresen der Rezeption lag und notierte seine Handynummer auf der Rückseite der Karte. »Geben Sie ihr doch bitte mein Kärtchen.«

»Natürlich. Gerne.« Frau Landenberger lächelte mit Zähnen,

mit denen sie Werbung für Zahnpasta hätte machen können. Ungeniert las sie den Aufdruck auf der Karte. »Ach, Sie sind von der Polizei?«

»Ich kenne Rosie schon mein Leben lang«, beeilte Bodenstein sich zu sagen. »Wir sind alte Bekannte.«

»Frau Herold geht es seit ein paar Tagen wieder ein klein wenig besser.« Die Empfangsdame war skeptisch. »Sie soll sich auf keinen Fall aufregen.«

»Wir brauchen nur eine Auskunft von ihr.« Bodenstein schenkte ihr jenen treuherzigen Dackelblick, der nur selten seine Wirkung verfehlte. Luzia Landenberger seufzte.

»Na gut.« Sie steckte die Karte in die Tasche ihres Kittels. »Ich schaue mal, ob sie wach ist.«

»Danke, das ist sehr freundlich von Ihnen.«

Sie verschwand auf lautlosen Gummisohlen in einem der Flure.

»Das klang aber nicht so, als ob sie schon im Sterben läge«, meinte Pia. »Beim netten Edgar ist wohl eher der Wunsch der Vater des Gedankens.«

»Hospize nehmen nur Patienten auf, die austherapiert sind und bei denen keine Hoffnung mehr auf Genesung besteht«, entgegnete Bodenstein. »Aber vielleicht hat Rosie hier noch ein paar schöne Wochen. Das würde ich ihr gönnen.«

Nach wenigen Minuten kehrte Luzia Landenberger zurück.

»Frau Herold schläft tief und fest«, teilte sie ihnen mit. »Vielleicht können Sie später noch mal vorbeikommen? Sie freut sich über jeden Besuch.«

»Kümmert sich jemand aus ihrer Familie um sie?«, wollte Bodenstein wissen.

»Oh ja! Ihr Sohn kommt beinahe jeden Tag«, erwiderte die Schwester. »Und sie hat auch Besuch von Nachbarn und alten Freunden. Ihr geht es gut bei uns.«

»Daran habe ich keinen Zweifel.« Bodenstein lächelte. »Es ist wirklich schön hier.«

»Danke.« Frau Landenberger war sichtlich erfreut. »Wir geben uns große Mühe, damit sich unsere Gäste für die Dauer ihres Aufenthalts bei uns so wohl fühlen wie möglich.«

Bodenstein wollte schon gehen, aber Pia hatte noch eine Frage.

»Welcher Sohn kümmert sich denn um Frau Herold?«, fragte sie.

»Ihr Ältester, Clemens«, erwiderte die Empfangsdame und lächelte mit ehrlicher Zuneigung. »So einen Sohn kann man sich wirklich nur wünschen, wenn man alt und krank wird.«

Pia bedankte sich für die Auskunft. Sie verließen das Hospiz, überquerten den Parkplatz und setzten sich ins Auto. Bodenstein hatte kaum den Motor angelassen, als sein Telefon klingelte. Er nahm das Gespräch entgegen, und Kai Ostermanns Stimme drang aus den Lautsprechern.

»Treffer in der AFIS-Datenbank«, verkündete er. »Die Fingerabdrücke passen zu Elias Lessing, 19 Jahre alt, derzeit wohnsitzlos. Mehrfach auffällig geworden mit kleineren Delikten: Verstöße gegen das Betäubungsmittelgesetz, Hausfriedensbruch, Ladendiebstahl, Einbruchdiebstahl und so weiter. Drei Monate Jugendarrest wegen eines Raubüberfalls, momentan auf Bewährung. Es gibt auch noch eine Jugendstrafakte, aber die kann ich ohne Genehmigung nicht einsehen.«

»Klingt nach klassischer Beschaffungskriminalität«, bemerkte Pia. »Ein Junkie also. Vielleicht wollte er die Wohnwagen ausräumen und stieß auf Widerstand. Er könnte unser Mann sein.«

»Eine Adresse gibt es sicher nicht, oder?«, wollte Bodenstein wissen.

»Also echt, Chef, wie lange kennst du mich?« Ostermann klang gekränkt. »Elias Lessing hat eine Bewährungshelferin in der Bockenheimer Landstraße in Frankfurt. Er selbst hat bei seiner letzten Festnahme im März ebenfalls eine Adresse in Bockenheim angegeben, aber das war ein Abrisshaus, in dem Junkies illegal gewohnt haben und ...«

»Dann scheint die Bewährungshelferin wohl diejenige zu sein, mit der wir reden müssen.«

»Wenn du mich ausreden lassen würdest, könnte ich dir noch mehr Informationen geben, denn ich war nicht untätig«, erwiderte Ostermann hoheitsvoll, und Pia musste grinsen.

»Natürlich. Entschuldige bitte, Kai.«

»Elias Lessing«, fuhr Ostermann fort, »stammt aus Kelkheim, Ortsteil Ruppertshain. Und dort ist er auch offiziell noch gemeldet, nämlich bei seinen Eltern: Dr. Peter und Henriette Lessing. Herlenstückshaag 48.«

Darauf erwiderte Bodenstein nichts, aber Pia bemerkte die Veränderung, die mit ihm vorging.

»Danke, Kai«, sagte er nur. »Pia und ich waren gerade im Hospiz in Kelkheim, um mit der Eigentümerin des Wohnwagens zu sprechen. Bitte mach doch mal eine EMA-Anfrage* zu einem Clemens Herold.«

»Mach ich, Chef. Bis später.«

»Du kennst die Familie Lessing, nicht wahr?«, fragte Pia.

»Ja.«

»Woher?«

»Peter Lessing war auch ein Schulkamerad von mir.«

»Hm. Wenn es dir lieber ist, könnten Tariq und ich mit den Eltern von Elias reden«, schlug Pia vor.

»Nein, das machen wir. Und zwar jetzt gleich«, antwortete Bodenstein und bog nach rechts ab, Richtung Stadtmitte. »Ich wusste gar nicht, dass Peter noch einen Sohn hat. Seine Tochter ist nur etwas jünger als Rosalie.«

Pia kannte ihren Chef gut genug, um sein Unbehagen zu bemerken.

»Was ist dieser Peter Lessing für ein Typ?«, wollte sie deshalb wissen.

»Ich habe seit Jahren nicht mehr mit ihm gesprochen«, antwortete Bodenstein ausweichend. »Beruflich ist er wohl ziemlich erfolgreich. Er ist oder war Investmentbanker, hat eine Weile im Ausland gelebt. In London, glaube ich.«

»Und wie war er früher?«

»Er war der Anführer unserer Bande«, sagte Bodenstein nach einem winzigen Zögern.

»Mochtest du ihn?«

»Gute Frage.« Bodenstein schürzte die Lippen. »Es war eindeutig besser, sein Freund zu sein als sein Feind. Ich war ihm aus irgendwelchen Gründen wichtig, und das war gut für mich.«

Pia wunderte sich über diese seltsame Antwort.

* Einwohnermeldeamtanfrage

»Ich hatte Angst vor ihm«, setzte Bodenstein nach. »Alle hatten das. Vor allem diejenigen, die nicht zur Bande gehörten. Peter war ... nun ja, wie soll ich das sagen? Er konnte einen einschüchtern. Und außerdem ...«

»Außerdem?«

»Ach, nichts.«

»Na, komm schon! Das ist vierzig Jahre her!«

Bodenstein seufzte. »Edgar, Ralf und er haben Spinnen gerne die Beine ausgerissen. Frösche mit einem Blasrohr aufgeblasen, bis sie platzten. Tauben mit der Zwille abgeschossen. Lauter solche Sachen. Eines Tages hat Peter die Katze einer alten Frau aus dem Ort getötet. Das gab eine riesige Aufregung, aber Peter hat standhaft geleugnet, dass er es getan hat. Ralf geriet unter Verdacht, dann Edgar und Konstantin, aber man hatte letztlich keine Beweise.«

»Wer wusste, dass er die Katze getötet hatte?«

»Wir alle.«

»Und niemand hat etwas gesagt?«, fragte Pia erstaunt.

»Nein«, entgegnete Bodenstein. »Hätte einer den Mund aufgemacht, wäre er ein Verräter gewesen. Und ich hatte viel zu viel Angst, dass Peter seine Drohung wahr machen würde.«

»Welche Drohung?«

»Ich hatte damals einen zahmen Fuchs«, sagte Bodenstein nach einer kurzen Pause. »Mein Vater hatte ihn als Welpen im Wald gefunden, und ich hatte ihn mit der Flasche aufgezogen. Er folgte mir überall hin, wie ein Hund. Peter hat gedroht, er würde Maxi die Kehle durchschneiden, wenn ich nicht die Klappe halte.«

»Wow«, sagte Pia. »Das klingt ja fast schon mafiös.«

»Im Prinzip funktionieren Kinderbanden ja auch nach demselben System wie die Mafia«, antwortete Bodenstein, den Blick auf die Straße gerichtet. »Der Stärkste hat das Sagen, alle anderen gehorchen und schweigen. Und ähnlich wie bei der Mafia kann man aus einer solchen Bande nicht einfach austreten, wie aus einem Verein.«

»Wie alt warst du, als das mit der Katze passierte?«, erkundigte Pia sich.

»Neun oder zehn.«

Pia erwiderte daraufhin nichts. Tierquälerei war ein ernstzunehmendes Symptom in der Entwicklung von gewalttätiger Kriminalität, und nicht selten waren Menschen, die Tieren Leid zufügten, selbst Opfer von Gewalt geworden.

Der Rest der Fahrt durch Kelkheim und Fischbach nach Ruppertshain verlief schweigend. Bodenstein war in Gedanken versunken. Welchen Einfluss würde die enge Bekanntschaft ihres Chefs mit möglichen Verdächtigen auf den Lauf der Ermittlungen in ihrem Fall haben? An seiner Professionalität zweifelte Pia keine Sekunde lang, aber war Oliver von Bodenstein in der Lage, Menschen, die er von früher kannte und vielleicht sogar mochte, unvoreingenommen zu beurteilen?

***

Das Haus der Lessings, ein flacher grauer Betonklotz mit schmalen Fenstern wie Schießscharten, lag am Ende einer Sackgasse. Überwachungskameras und Bewegungsmelder an den Hausecken verstärkten den Eindruck eines Bunkers noch. Auf der gegenüberliegenden Straßenseite parkte zu Pias Verwunderung ein von Rostflecken und Aufklebern übersäter Toyota – das Auto von Pauline Reichenbach. Was machte die denn wohl hier?

Nur Sekunden nachdem Bodenstein geklingelt hatte, öffnete ein Mann die Haustür, eigentlich riss er sie geradezu auf. Bei ihrem Anblick wirkte er verblüfft, ganz so, als hätte er jemand anderen erwartet. Sein von Aknenarben zerfurchtes Gesicht war rot vor Zorn oder irgendeiner mindestens ebenso heftigen Gefühlsaufwallung.

»Oliver! Grüß dich!« Peter Lessing gelang mit Mühe ein Lächeln. Niemand reagierte erfreut, wenn die Kripo unerwartet vor der Haustür stand, doch Lessing hatte sich unter Kontrolle. »Was führt dich hierher?«

»Hallo, Peter«, erwiderte Bodenstein. »Das ist meine Kollegin, Pia Sander. Wir würden gerne mit dir und deiner Frau sprechen.«

Pia rieselte eine Gänsehaut über den Rücken, als Lessing sie ansah. Der Katzenmörder von einst überragte sie um mindestens einen Kopf, er war schlank, aber muskulös, mit hoher Stirn, einer vorspringenden Adlernase und einem markanten Kinn. Sein

Haar, mehr grau als blond, war kurz geschnitten und mit Gel in Form gezupft, wohl um die Stellen, an denen die Kopfhaut rosig durchschimmerte, zu kaschieren.

»Haben Sie gerade Besuch?«, fragte Pia, die sich plötzlich an die Reaktion von Pauline Reichenbach erinnerte, als sie die Person auf dem Film der Überwachungskamera gesehen hatte. Es konnte kein Zufall sein, dass ihr Auto ausgerechnet vor dem Haus von Lessings stand. Zweifellos hatte sie Elias erkannt. Aus welchem Grund hatte sie ihnen das vorhin verschwiegen?

»Wie kommen Sie darauf?« Misstrauen schlich sich in Lessings ungewöhnlich hellgraue Augen. Pia wies auf den alten Toyota auf der anderen Straßenseite.

»Ach so!« Er lachte auf und schüttelte den Kopf. »Pauline stellt ihre alte Rostlaube immer dort ab. Reichenbachs sind unsere Nachbarn. Du kennst Simone und Roman doch noch, oder?«

Die Frage war an Bodenstein gerichtet, und der nickte.

»Kommt herein.« Lessing trat einen Schritt zu Seite, und sie betraten das Haus, das erheblich größer war, als es von außen den Anschein hatte.

»Was ist mit dem Haus deiner Eltern passiert?«, wollte Bodenstein wissen. »Das stand doch genau hier, nicht wahr?«

»Stimmt.« Lessing nickte. »Ich wollte es ursprünglich umbauen, aber es hatte Schwamm in den Wänden und noch andere Probleme. Als meine Mutter gestorben war, stand es leer. Wir haben es dann abgerissen und auf dem alten Keller neu gebaut.«

Während sich die Männer unterhielten, blickte sich Pia neugierig um. Glas, Stahl und Beton dominierten die Inneneinrichtung, an den Wänden hingen dezent beleuchtete großformatige Bilder in grellen Farben. Eine breite Holztreppe führte vom Foyer hinunter in einen Raum mit einer bis zum Boden reichenden Fensterfront. Der Ausblick über Ruppertshain und das Rhein-Main-Gebiet war spektakulär. Vergeblich suchte sie Gegenstände, die Rückschlüsse auf die Menschen zuließen, die in diesem Haus lebten: Es gab kein Sideboard mit Familienfotos, keine persönlichen Accessoires. Pia fühlte sich an einen Showroom erinnert: Alles wirkte stylish, teuer und seelenlos.

»Worum geht's?«, erkundigte sich Lessing nun. Er trug Jeans, einen grauen Kaschmirpullover mit V-Ausschnitt und war barfuß. Seine Körperhaltung strahlte das Selbstbewusstsein eines Mannes aus, der es gewohnt war, dass andere seinen Befehlen gehorchten. Bis heute war er ein Anführer geblieben.

»Letzte Nacht ist beim Waldfreundehaus an der Billtalhöhe ein Wohnwagen abgebrannt«, entgegnete Bodenstein. »Dabei kam ein Mensch ums Leben.«

»Aha.« Lessings Augenbrauen zuckten hoch.

»In einen anderen Wohnwagen wurde eingebrochen. Dort haben wir Fingerabdrücke gefunden, die einem jungen Mann namens Elias Lessing gehören. Eine Einwohnermeldeamtsanfrage hat ergeben, dass er unter dieser Adresse gemeldet ist.«

»Ja, das stimmt.« Lessing furchte die Stirn. »Unser Sohn. Er hat leider nichts als Unsinn im Kopf.«

»›Unsinn im Kopf‹ ist wohl kaum der passende Ausdruck«, sagte Pia. »Er ist ein Mehrfachstraftäter und wurde zu einer Gefängnisstrafe verurteilt, die auf Bewährung ausgesetzt ist. Was das bedeutet, ist Ihnen doch klar, oder?«

Lessing verzog das narbige Gesicht zu einem Lächeln, von dem er wohl annahm, es sei gewinnend.

»Hui, deine Kollegin ist aber tough.« Er warf Bodenstein einen »Kannst einem echt leidtun, alter Freund«-Blick zu, der Pia verärgerte. »Selbstverständlich weiß ich, was das zu bedeuten hat, Frau Kommissarin. Unser Sohn ist allerdings vor dem Gesetz erwachsen, wir haben keinen Einfluss auf das, was er tut.«

»Wann hast du Elias zuletzt gesehen oder Kontakt mit ihm gehabt?«, schaltete Bodenstein sich ein.

»Ich habe meinem Sohn untersagt, dieses Haus zu betreten«, antwortete Lessing. »Falls meine Frau mich nicht belügt, hat er sich bisher daran gehalten. Ich habe ihn seit dem 17. September 2013 nicht mehr gesehen.«

»Woher wissen Sie das so genau?«, fragte Pia.

»Weil ich ihm an diesem Tag Hausverbot erteilt habe. Es reichte mir mit ihm. Er hielt sich an keine unserer Regeln.« Lessings Ausdrucksweise war knapp, präzise und ohne jede Emotion. Anscheinend berührte es ihn nicht, was mit seinem Sohn los war.

»Wir suchen Ihren Sohn, weil er möglicherweise in ein Gewaltverbrechen verwickelt oder ein wichtiger Zeuge ist.« Pia erwiderte seinen starren Reptilienblick, ohne mit der Wimper zu zucken. »Hat Pauline Reichenbach Ihnen gerade etwas über ihn gesagt? Waren Sie deshalb so wütend?«

»Nein«, entgegnete Lessing schroff und trat an die Brüstung. »Henriette! Komm mal bitte! Wir haben Besuch.«

Am Fuß der Treppe erschien eine hochgewachsene, schlanke Frau. In ihr glattes, dunkles Haar, das sie zu einem schlichten Pferdeschwanz gebunden hatte, mischten sich vereinzelte silberne Strähnen, doch selbst Fältchen um Augen und Mund konnten der Symmetrie ihres Gesichts nichts anhaben. Henriette Lessing war eine schöne Frau.

»Die Kriminalpolizei vom *Morddezernat* ist da«, sagte Lessing. »Sie suchen unseren Sohn.«

»Morddezernat?«, wiederholte seine Frau beklommen, ihre Augen wurden groß wie die eines Rehs im Scheinwerferlicht.

»Hallo, Frau Lessing.« Bodenstein stellte Pia und sich vor. »Die Fingerabdrücke von Elias wurden am Tatort eines Verbrechens gefunden. Wir müssen dringend mit ihm sprechen.«

»Ich ... ich weiß nicht, wo er ist.« Henriette Lessing griff nach dem kleinen silbernen Kreuz, das sie an einer dünnen Kette um ihren Hals trug. Ihr Blick suchte den ihres Mannes.

»Vielleicht können Sie uns ein paar Fragen beantworten«, sagte Bodenstein besänftigend. »Sie müssen das nicht tun, da es um einen Familienangehörigen geht, aber es wäre hilfreich.«

»Ja, natürlich. Darf ich Ihnen etwas anbieten? Kaffee oder lieber einen Tee?« Obwohl sie sichtlich aufgewühlt war, wahrte Frau Lessing Haltung. Ein Zeichen für Stärke, oder wollte sie Zeit gewinnen, um nachdenken zu können?

»Ich nehme gerne einen Kaffee.« Bodenstein lächelte liebenswürdig. »Schwarz.«

Pia lehnte höflich ab. Sie folgten der Frau die Treppe hinunter in einen einzigen großen Raum, der aus einer hypermodernen offenen Küche und einem Esszimmer bestand. Direkt vor der Fensterfront stand ein Katzenkletterbaum, und Pia dachte unwillkürlich an das, was ihr Chef zuvor über Peter Lessing erzählt hatte.

Sie setzten sich an einen Esstisch aus Glas, Frau Lessing servierte Kaffee und nahm dann auch Platz. Ihr Mann blieb mit verschränkten Armen hinter dem Stuhl stehen, der ihrem gegenüber stand. Bodenstein wiederholte, was er eben bereits gesagt hatte.

»Und Elias soll etwas damit zu tun haben?« Henriette Lessings Finger spielten mit dem Kreuzanhänger ihrer Halskette und verrieten ihre Nervosität.

»Nicht unbedingt. Aber es kann sein, dass er etwas beobachtet hat.«

»Hast du in letzter Zeit mit ihm gesprochen?«, wandte Lessing sich an seine Frau. Wie mochte er als Kind ausgesehen haben, bevor die Akne sein Gesicht zerfressen und ihn für immer entstellt hatte? War er ein hübscher Junge gewesen, der in der Pubertät darunter gelitten hatte, plötzlich hässlich zu sein? Die Katze hatte er davor getötet, also hatte er eine gewisse Aggressivität wohl schon immer in sich getragen.

»Nein«, antwortete seine Frau und sah Bodenstein an. »Elias … hat Probleme. Mit Drogen. Wir haben immer versucht, ihm zu helfen, aber er wollte unsere Hilfe nicht. Es ist unerträglich für mich zu wissen, dass er irgendwo auf der Straße lebt und kein Dach über dem Kopf hat. Früher bin ich oft durch die Gegend gefahren und habe ihn gesucht. Da wusste ich wenigstens noch, wo er ist.«

»Er ist ein Versager. Labil, mit einem schwachen Charakter«, sagte Peter Lessing grimmig. »Er war schon als Kind zu weich und ist immer den Weg des geringsten Widerstandes gegangen. Von drei Schulen ist er geflogen, weil er geschwänzt und seine Mitschüler bestohlen hat. Manchmal kam er tagelang nicht nach Hause, ohne uns zu verraten, wo er gewesen ist. Er hat seine Schwester beklaut, seine Mutter, schließlich hat er das ganze Haus ausgeräumt, als wir übers Wochenende verreist waren. Da war Schluss. Es ist mir egal, was mit ihm ist.«

Er hat es gewagt, mir nicht zu gehorchen, hörte Pia heraus.

Henriette Lessings Reaktion ließ darauf schließen, dass sie all diese Vorwürfe nicht zum ersten Mal hörte. Sie saß aufrecht da, ihr durchgedrückter Rücken berührte die Stuhllehne nicht. Bei jedem bitteren Wort ihres Mannes zuckte sie zusammen wie unter einem Peitschenhieb. Hinter der beherrschten Fassade tobten Kummer und Angst. Pia war völlig klar, was sich hier in den letzten Jahren abgespielt hatte. Elias war das Problemkind einer Familie, in der Unvollkommenheit und Schwächen nicht toleriert wurden.

»Frau Lessing, wo könnte Elias jetzt sein?«, erkundigte sich Bodenstein. »Zu wem hat er Vertrauen? Können Sie uns die Namen seiner Freunde sagen?«

»Was ist mit Pauline Reichenbach?«, fragte Pia. »Kennt Elias sie?«

Sie bemerkte den raschen Blickwechsel der Eheleute.

»Natürlich kennt er sie«, antwortete Peter Lessing anstelle seiner Frau rasch. »Reichenbachs sind unsere Nachbarn.«

»Haben Sie eine Handynummer von ihm?«, versuchte Bodenstein einen neuen Anlauf bei Frau Lessing.

»Er hat kein Handy mehr.« Wieder war es ihr Mann, der antwortete. »Das hat er längst versetzt.«

Bodenstein ließ sich nicht irritieren.

»Haben Sie Kontakt zu Elias' Bewährungshelferin?«, fragte er geduldig.

»Ich habe früher hin und wieder mit ihr …«, begann Frau Lessing, aber ihr Mann ließ sie nicht ausreden.

»Die kann man doch vergessen«, sagte er verächtlich. »Diese idealistische Tussi lässt sich von ihm belügen und an der Nase herumführen.«

»Wann haben Sie zum letzten Mal mit Ihrem Sohn gesprochen, Frau Lessing?«, fragte Bodenstein unbeirrt höflich.

»Er … er hat mir vor ein paar Tagen eine E-Mail geschrieben, dass er einen Entzug macht«, erwiderte Henriette Lessing nach kurzem Zögern. Unsicher sah sie ihren Mann an, seine Reaktion fürchtend, wie ein Hund einen Tritt. Der Schimmer eines hoffnungsvollen Lächelns huschte über ihr Gesicht, erlosch aber sofort wieder. Sie presste die Lippen aufeinander, Tränen glänzten in ihren Augen. Peter Lessing ließ sich nicht anmerken, ob ihn diese Nachricht überraschte oder nicht.

»Elias ist kein schlechter Junge.« Henriette Lessings Tonfall klang Verständnis heischend. »Er ist mit dem Druck nicht klargekommen, den wir auf ihn ausgeübt haben.«

»Wie lange willst du dir noch etwas vormachen?«, fragte

Lessing seine Frau mit mühsamer Beherrschung. »Er hat möglicherweise einen Wohnwagen angezündet, in dem ein Mensch gestorben ist.«

Das Versagen seines Sohnes nagte an ihm. Es kränkte ihn.

»Nein! Das glaube ich nicht«, flüsterte seine Frau und schüttelte heftig den Kopf. »Elias kann keinem Lebewesen etwas zuleide tun. Das konnte er noch nie! Er hat sogar Spinnen und Käfer gerettet …«

Sie verstummte. Eine Träne rann über ihre Wange und tropfte von ihrem Kinn, dann noch eine, und Pia fragte sich nicht zum ersten Mal, ob sie mehr Verständnis für eine Frau wie Henriette Lessing aufbringen würde, wenn sie selbst Kinder hätte. Alle Eltern dieser Welt fanden Ausreden und Entschuldigungen für das Tun ihrer Sprösslinge, vor allen Dingen die Mütter. Pia hatte schon Mütter von notorischen Schlägern, Brandstiftern, Vergewaltigern und Mördern erlebt, die nicht glauben wollten, wozu ihr eigenes Fleisch und Blut fähig war.

»Darf ich die E-Mail sehen, die Elias Ihnen geschrieben hat?«, bat Bodenstein sanft.

»Sie hat sie gelöscht«, sagte Lessing. »Das stimmt doch, oder?«

Seine Frau wischte sich mit dem Handrücken die Tränen von der Wange und nickte. Da reichte es Pia.

»Wieso können Sie Ihre Frau nicht selbst antworten lassen?«, fuhr sie Lessing an. »Haben Sie Angst, sie könnte uns etwas erzählen, was Ihnen nicht passt?«

Peter Lessing starrte sie an.

»Nicht im Geringsten«, erwiderte er frostig. »Plaudern Sie ruhig noch etwas mit ihr. War nett, Sie kennenzulernen, Frau …?«

»Sander.«

»Ach? Wie der Direktor des Opel-Zoos?« Lessing tat überrascht, aber Pia hätte wetten können, dass er sich ihren Namen vorhin gemerkt hatte.

»Ja. Das ist mein Mann.«

»Wie schön! Dann grüßen Sie ihn bitte von mir. Wir kennen uns gut. Mein Unternehmen hat die größeren Zooprojekte immer gerne und großzügig unterstützt.« Er hob eine Augenbraue. »Bis jetzt, auf jeden Fall.«

Pia glaubte zuerst, sich verhört zu haben. Dieser Nachsatz war eine glatte Drohung, zumindest aber eine offensichtliche Dominanzgebärde. Sie legte den Kopf schräg und lächelte harmlos.

»Ach, tatsächlich? Tun Sie das aus purem Altruismus oder etwa als Buße für die Tierquälereien in Ihrer Jugend? Wo ist übrigens Ihre Katze? Sie haben doch noch eine, oder?«

Lessings Gesicht versteinerte, sein Hals rötete sich. Etwas Grausames, Gnadenloses flackerte in seinen Augen auf. Peter Lessing hasste es, eine Situation oder andere Menschen nicht hundertprozentig kontrollieren zu können. Vielleicht hasste er aus genau diesem Grund auch den Sohn, der sich ihm entzogen hatte.

***

Der rostige Toyota von Pauline war verschwunden, als sie das Haus der Lessings verließen. Pia überquerte die Straße und klingelte trotzdem bei Reichenbachs, aber niemand öffnete.

»Das hättest du eben nicht sagen sollen«, meinte Bodenstein säuerlich, als sie zum Auto zurückgingen. »Damit hast du ihn unnötig gegen uns aufgebracht und mich bloßgestellt. Er kann sich schließlich denken, woher du so etwas weißt.«

»Hallo? Er hat mir *gedroht*!«, entgegnete Pia aufgebracht. »Der Kerl ist ein Psychopath wie aus dem Bilderbuch. Kein Wunder, dass sein Sohn versucht, diesem Vater zu entkommen!«

»Das war trotzdem nicht in Ordnung.« Bodenstein drückte auf die Fernbedienung, und das Auto öffnete sich mit einem Blinken. »Ich habe einen Fehler gemacht, als ich dir das vorhin erzählt habe. Du warst voreingenommen.«

»Vielleicht ein bisschen«, räumte Pia ein. Sie ließ sich auf den Beifahrersitz fallen und angelte nach dem Sicherheitsgurt. »Aber ich kenne Typen wie ihn. Es interessiert ihn nicht die Bohne, was mit seinem Sohn los ist und ob der möglicherweise einen Menschen umgebracht hat! Ihm geht es nur darum, den schönen Schein nach außen zu wahren. Sie haben uns angelogen, alle beide! Ich bin mir sicher, dass Pauline bei ihnen war, kurz bevor wir kamen. Sie hat Elias auf dem Film erkannt. Und ich wette, Mami weiß genau, wo ihr Söhnchen ist! Wahrscheinlich hat er sich bei ihr gemeldet. Er ist verletzt, ihm geht es schlecht, und er weiß nicht, wohin. Das würde auch erklären, warum seine Spur mitten im Wald aufhört: Sie hat ihn abgeholt und irgendwo versteckt.«

»Das sind doch alles Spekulationen!« Bodenstein schüttelte den Kopf. »Jetzt komm mal wieder runter.«

Pia wusste selbst nicht, weshalb sie so wütend auf Peter Lessing war. In den letzten Jahren war sie bei Ermittlungen immer wieder selbstherrlichen und geltungssüchtigen Menschen wie ihm begegnet, Soziopathen und Narzissten, die felsenfest davon überzeugt waren, im Sinne Darwins die Krone der Schöpfung zu sein. Sie hatte gelernt, dass Menschen mit einer psychopathischen Persönlichkeit auf den ersten Blick vollkommen unauffällig wirkten, sogar über eine hohe soziale Kompetenz verfügten. Oft waren sie charmant, eloquent, erfolgreich im Job, aber gleichzeitig chronische Lügner, Meister der Manipulation und hatten eine übertriebene Anspruchshaltung. Sie selbst war vor vielen Jahren einmal Opfer eines solchen Mannes geworden, und seitdem war sie auf der Hut, wenn sie bestimmte Verhaltensweisen bemerkte.

Auf der Fahrt nach Hofheim googelte Pia Dr. Peter Lessing. Seine Vita überraschte sie nicht: Studium der Betriebswirtschaft an Eliteunis in England und Amerika, Promotion, dann eine kometenhafte Karriere bei internationalen Investmentbanken in New York und London, deren Namen sogar Pia kannte: Goldman Sachs, Lehman Brothers, J.P. Morgan Chase.

Eine SMS poppte auf dem Display auf. Pia kannte die Nummer nicht, tippte aber auf die Nachricht.

»Na, schau einer an«, murmelte sie. Sie hatte Henriette Lessing nicht umsonst ihre Visitenkarte dagelassen.

»Elias besitzt doch ein Handy«, verkündete sie ihrem Chef. »Frau Lessing hat mir gerade seine Nummer geschickt. Außerdem entschuldigt sie sich für das Verhalten ihres Mannes. Und ... na hallo! Elias hat eine Freundin namens Nike, die schwanger ist. Wegen ihr und dem Baby will er clean werden und ein neues Leben anfangen.«

»Hm«, brummte Bodenstein nur.

Pia schickte die Information an Ostermann und bat ihn, das Handy orten zu lassen. Für den Rest der Fahrt sagte Bodenstein nichts mehr, und auch Pia war nicht nach Reden zumute, denn allmählich wurde ihr bewusst, dass sie mit ihrem impulsiven Verhalten womöglich Christoph geschadet hatte. Das schlechte Gewissen nagte an ihr. Der Zoo war auf Spenden angewiesen, vor allen Dingen auf große, regelmäßige Spenden. Was, wenn Lessing in Zukunft tatsächlich sein finanzielles Engagement zurückziehen würde? Aber durfte sie sich bei ihrer Arbeit von solchen Gedanken leiten lassen? Musste sie nicht vielmehr eigene Gefühle und Anliegen ignorieren, damit diese ihre kriminalistische Intuition und ihren Scharfsinn nicht beeinflussten? War Rücksichtnahme nicht schon der erste Schritt hin zur Bestechlichkeit?

Als Bodenstein in den Hof der Regionalen Kriminalinspektion einbog, beschloss sie, gleich am Abend mit Christoph darüber zu sprechen.

Im Besprechungsraum des K11 waren Ostermann und Omari mit den Vorbereitungen für die neue Leichensache beschäftigt. Die Whiteboards an den Wänden waren noch leer, Kai hatte lediglich einige Fotos der Brandleiche mit Magneten an die äußerste linke Seite geheftet und BRAND WFH KÖNIGSTEIN darüber geschrieben. Auf dem Tisch stand sein Laptop, daneben stapelten sich Blätter. Es roch nach Knoblauch und Frittierfett, und Pia, die außer einem Nutella-Toastbrot zum Frühstück noch nichts gegessen hatte, spürte, wie hungrig sie war.

»Ah, da seid ihr ja.« Ostermann sprach mit vollem Mund, in der linken Hand hielt er den Rest eines in Alufolie gewickelten Dürüm. Cem kam mit einem Kaffeebecher in der Hand hereingeschlendert. Damit war das K11 fast komplett.

»Hier müffelt's ja wie in einer Dönerbude.« Pia warf ihren Rucksack auf einen leeren Stuhl, dann kippte sie zwei Fenster, um frische Luft hereinzulassen und setzte sich auf die Tischkante.

»Hat Frau Sander schlechte Laune?«, erkundigte Cem sich.

»Nein, hat sie nicht«, schnappte Pia gereizt. »Wo ist Kathrin?«

»Beim Arzt. Vorsorgeuntersuchung.« Cem setzte sich an den Tisch, schlug die Beine übereinander und zupfte die schneeweißen Manschetten seines Hemdes gerade. Mit seinem gut geschnittenen Gesicht, einem gepflegten Dreitagebart und dem dichten schwarzen Haar, das durch einen perfekten Kurzhaarschnitt gezähmt war, wirkte er eher wie ein Schauspieler als ein Kripobeamter. »Ich stehe übrigens jetzt voll zur Verfügung. Der tödliche Fenstersturz im Seniorenheim war eindeutig ein Suizid.«

»Hast du mit der Schwester der Pächterin gesprochen?«, wandte Pia sich an Tariq, der sich die fettigen Finger an einem Stück Küchenrolle abwischte.

»Sie hat nicht aufgemacht«, erwiderte er kauend. »Ich habe aber eine Visitenkarte mit der Bitte um einen Anruf unter der Tür durchgeschoben.«

»Ich hätte gerne die Telefonnummer von Pauline Reichenbach.«

»Wieso?«

»Weil ich sie haben will.« Pia funkelte den jungen Kollegen an. »Muss ich das begründen?«

»Nein, natürlich nicht«, erwiderte Tariq kleinlaut. »Ich schick sie dir sofort.«

»Es gibt Erkenntnisse über das Fabrikat des verbrannten Autos«, begann Ostermann und blickte in die Runde. »Die Spezialisten glauben, dass es sich um einen Audi handelte. Außerdem konnte ich Clemens Herold ausfindig machen und habe ein paar Infos zu seiner Schwester Sonja gekriegt.«

»Lass hören.« Bodenstein stand im Türrahmen, die Hände in den Jackentaschen, und machte keine Anstalten, sich zu setzen.

»Clemens Herold, geboren 1956, verheiratet, wohnhaft in Idstein-Niederrod. Ist beruflich viel unterwegs als Servicemonteur für Windanlagentechnik. Manchmal sogar ein paar Wochen am Stück, oft in ganz Europa«, rekapitulierte Ostermann aus dem Gedächtnis. »Letzteres stand natürlich nicht im Melderegister, aber ein Telefonat mit seiner Frau Mechthild war in dieser Hinsicht aufschlussreich.«

»Inwiefern?«

»Herold ist gelernter Elektriker und war mit einem Kompagnon selbständig, bis sie Insolvenz anmelden mussten. Danach hat er sich zum Mechatroniker weitergebildet, wurde Spezialist für Windräder. In dem Job verdient er ziemlich gut, ist aber auch viel unterwegs. In der letzten Zeit hat er sich intensiv um seine Mutter gekümmert, die wohl krank ist. Auf dem Handy war er nicht erreichbar, aber das kann passieren, sagt seine Frau. Wenn er auf einem Windrad ist, schaltet er sein Handy ab.«

»Was ist mit Sonja?«, erkundigte sich Bodenstein.

»Geboren 1973, geschiedene Ehlers, verheiratete ...«

»Was?« Bodenstein richtete sich auf.

»Was?«, fragte Ostermann verwirrt zurück.

»Sonja war mit einem Mann namens Ehlers verheiratet?«, vergewisserte Bodenstein sich. Zwischen seinen Augenbrauen erschien eine steile Falte.

»Ja, offensichtlich.« Ostermann war durch die Unterbrechung aus dem Konzept geraten und musste in seine Notizen schauen, um fortfahren zu können. »Jetzt heißt sie ... Moment ... Schreck. Wohnt in Kelkheim-Ruppertshain. Friseurmeisterin mit eigenem Laden. Telefonisch war sie um 15:17 Uhr nicht erreichbar, nur Anrufbeantworter.«

»Ehlers«, murmelte Bodenstein. »So was.«

Er verließ kommentarlos den Besprechungsraum, und Kai warf Pia einen konsternierten Blick zu. Auch Cem und Tariq blickten Bodenstein verwundert nach.

»Was ist denn mit dem Chef los?«, wollte Kai wissen. »Ich war noch gar nicht fertig.«

»Er kennt Rosemarie Herold und ihre Familie«, klärte Pia, die sich auch über Bodensteins seltsame Reaktion wunderte, ihre Kollegen auf.

»Worum geht's hier eigentlich genau?«, erkundigte sich Cem.

Pia fasste für ihn die Geschehnisse der vergangenen Nacht auf dem Campingplatz im Wald zusammen. Sie berichtete von den Gesprächen mit Edgar Herold und dem Ehepaar Lessing und ihrem ergebnislosen Besuch im Kelkheimer Hospiz. Nachdem Jürgen Becht und Christian Kröger bestätigt hatten, dass eindeutig ein Fall von Brandstiftung vorlag und die Tür des Wohnwagens zweifelsfrei von außen abgeschlossen worden war, wurde die Angelegenheit als Mord behandelt. Die Staatsanwaltschaft hatte einer Fahndung nach Elias Lessing zugestimmt, für die Ausstellung eines Haftbefehls hatten dem Vorermittlungsrichter die bisherigen Erkenntnisse jedoch nicht ausgereicht.

»Elias Lessings Handy ist ausgeschaltet und lässt sich deshalb nicht orten«, sagte Kai. »Ich habe ein Bewegungsprofil bei seinem Provider angefordert, aber das kann dauern.«

»Wir müssen mit seiner Bewährungshelferin sprechen und seine Freundin finden«, sagte Pia. »Und wir müssen uns mit Clemens Herold unterhalten. Vielleicht weiß er, wer einen Schlüssel für den Wohnwagen hatte, abgesehen von seiner Mutter.«

»Das kann ich übernehmen«, bot Cem an.

»Fragst du den Chef, ob er mitfährt?«, fragte Pia.

»Geht klar.«

»Und was mache ich?«, wollte Omari wissen.

»Kopien.« Ostermann deutete auf den Stapel Papier.

»Och nö!« Tariq Omari zog ein langes Gesicht.

»Lehrjahre sind keine Herrenjahre«, grinste Ostermann.

»Ich bin Kriminalkommissar, kein Lehrling«, erinnerte Omari ihn nachdrücklich und ergriff die Papiere. »Ich habe das Studium mit Bestnoten abgeschlossen.«

Wenig begeistert machte er sich auf den Weg zum Kopierer.

»Die Obduktion der Brandleiche ist übrigens für morgen früh um 10 Uhr angesetzt«, informierte Ostermann die Runde. »Wer übernimmt das?«

»Ich.« Pia zwinkerte ihrem jungen Kollegen zu. »Und Tariq.«

Sie wartete, bis er und Cem den Besprechungsraum verlassen hatten, dann stand sie auf und schloss die Tür zum Flur.

»Ich hab vorhin einen blöden Fehler gemacht«, sagte Pia und erzählte Kai von dem Gespräch mit Lessing. »Jetzt ist der Chef sauer auf mich, weil er sich vor seinem alten Kumpel bloßgestellt fühlt.«

»Wäre ich an seiner Stelle auch«, erwiderte Kai und machte es damit für Pia nicht besser.

»Lessing hat mich absichtlich provoziert«, rechtfertigte sie sich. »Er ist seiner Frau permanent ins Wort gefallen. Und der Chef hat sich das alles gefallen lassen. Irgendwie war er diesem Typen gegenüber so … so willfährig.«

»*Willfährig?* Unser Chef?«

»Na ja, vielleicht ist das der falsche Ausdruck.« Pia seufzte. »Unterwürfig?«

»Das ist ja noch schlimmer.« Kai schüttelte grinsend den Kopf.

»Ach, ich weiß auch nicht!« Sie sprang auf und trat ans Fenster. Wie konnte sie Kai ihre Befürchtung, Bodensteins alte Freundschaft könne womöglich seinen kriminalistischen Scharfsinn trüben, erklären, ohne dass er sie für illoyal hielt? »Ist auch egal.«

»Weißt du eigentlich schon, wer sein Nachfolger wird?«, wechselte Kai das Thema.

»Nein. Du?« In den letzten Stunden hatte Pia die Tatsache, dass dies ihr letzter gemeinsamer Fall sein würde, erfolgreich verdrängt. Jetzt kehrte das Gefühl des Verlassenseins mit aller Macht zurück und verstärkte ihr schlechtes Gewissen. Warum hatte sie sich bloß zu dieser unbedachten Äußerung hinreißen lassen?

»Keine Ahnung.«

»Ich denke mal, du wirst die neue Chefin.«

»Da bin ich mir nicht so sicher.« Pia zog einen Stuhl heran und setzte sich wieder. »Ehrlich gesagt, will ich den Job gar nicht. Mir wäre es lieber, der Chef würde bleiben.«

»Er kommt ja wieder«, sagte Kai. »Aber seit der Sache mit dem Sniper ist er schon verändert. Das hat ihn ziemlich mitgenommen.« Er setzte nachdenklich seine Brille ab und massierte mit Daumen und Zeigefinger den Nasenrücken. »Außerdem hat er eine verlockende Alternative. Vielleicht würde ich das an seiner Stelle auch machen. Manchmal ist unser Job schon ziemlich frustrierend.«

»Ich verstehe ihn ja auch«, räumte Pia ein. »Trotzdem tut's mir leid. Ich glaube nämlich irgendwie nicht, dass er nach einem Jahr zurückkommt. Er versucht es sich nicht anmerken zu lassen, aber er hat keine Lust mehr.«

»Und genau deshalb will er ja auch mal ein Jahr aussteigen.« Kai setzte seine Brille auf, die sogleich in die tiefe Furche rutschte, die das Gestell auf seinem Nasenrücken hinterlassen hatte. »Du darfst seine Entscheidung nicht persönlich nehmen, Pia.«

»Tue ich auch nicht. Ich gönn's ihm.« Pia stemmte die Ellbogen auf die Tischplatte und legte ihr Kinn in die Handflächen. Das entsprach nicht ganz der Wahrheit, doch so gut sie sich auch mit Kai verstand, sie konnte ihm nicht sagen, was in ihrem Inneren vor sich ging bei der Vorstellung, dass Bodenstein sich in ein Leben zurückzog, mit dem sie nichts mehr zu tun haben würde. Er hätte es falsch interpretieren können. »Mir graut nur bei der Vorstellung, wen sie uns hier wohl vor die Nase setzen.«

»Cem wäre auch ein Kandidat«, gab Kai zu bedenken.

»Oder du. Du bist am längsten von uns allen hier.«

»Oh nein, nein, nein!«, wehrte Kai entschieden ab und klopfte auf seine Unterschenkelprothese. »Ich bin der Quoten-Behinderte in dem Laden hier und damit außen vor bei der Sache.«

Pia musste grinsen.

»Ich fahre mit Tariq zu der Bewährungshelferin.« Sie erhob sich von ihrem Stuhl und angelte nach ihrem Rucksack. »Kannst du ihn hier entbehren?«

»Klar.« Kai nickte und klappte seinen Laptop auf. »Ach, Pia?«

»Ja?« Sie blieb stehen, die Hand auf der Türklinke.

»*Tempora mutantur, nos et mutamur in illis.*«

»Deine Weisheit ist an mich verschwendet, Klugscheißer«, sagte sie trocken. »Ich kann kein Latein.«

»Ich bin erschüttert.« Er riss in gespieltem Entsetzen die Augen auf. »Und das, obwohl du auf einer katholischen Mädchenschule warst.«

»Krieg ich noch eine Übersetzung oder lässt du mich unwissend?« Pia musste grinsen.

»Die Zeiten ändern sich und wir uns in ihnen«, übersetzte Kai und zwinkerte ihr zu. »Oder auf Hessisch: Lebbe geht weiter!«

***

Das Dörfchen Niederrod bestand aus einer Ansammlung von Häusern entlang einer Hauptstraße. An der Stelle, an der die Straße einen scharfen Knick machte, ging es links in die Steinchenstraße. Zwei Häuser auf der linken Straßenseite, drei Häuser auf der rechten, das war alles. Ein Kinderspielplatz, dahinter führte ein asphaltierter Feldweg in die Felder und Wiesen. Das Haus von Clemens Herold war das letzte auf der linken Seite, ein Fertighaus mit einem Carport aus hellem Holz davor und Solarkollektoren auf dem Dach. Unter dem Carport stand ein kanariengelber Mini mit Rüdesheimer Kennzeichen. Niederrod gehörte bereits zum Rheingau-Taunus-Kreis.

»Idyllisch hier«, kommentierte Cem, als sie das Auto am Spielplatz abstellten und die Straße überquerten. »Kein Fluglärm, kaum Verkehr und gute Luft.«

Auf den Wiesen, die sich den Hang hochzogen, grasten ein paar Pferde. Irgendwo im Dorf bellte ein Hund, andere fielen in das Gebell ein und verstummten wieder. Die Wolkendecke war aufgerissen, und am Abendhimmel kreiste ein Mäusebussard, der ab und zu einen klagenden Schrei von sich gab.

Die Haustür öffnete sich, bevor Bodenstein auf die Klingel drücken konnte. Eine rundliche Frau Ende vierzig, deren Gesicht von einer schlimmen Rosacea gezeichnet war, erschien im Türrahmen. Sie hatte ein Portemonnaie in der Hand, unter ihrem Arm klemmte eine Einkaufstasche.

»Frau Herold?« Bodenstein überlegte, ob er Clemens' Frau von früher kannte, aber ihr Gesicht war ihm fremd.

»Ja. Und wer sind Sie?«

»Bodenstein, Kripo Hofheim.« Er zückte seinen Ausweis. »Das ist mein Kollege, Cem Altunay. Wir möchten gerne mit Ihrem Mann sprechen.«

»Mein Mann ist dienstlich unterwegs«, sagte Mechthild Herold. »Das habe ich doch vorhin schon Ihrem Kollegen am Telefon gesagt, deshalb hätten Sie nicht extra herkommen müssen.«

»Wann erwarten Sie ihn denn zurück?«, wollte Cem wissen.

Am Zaun zum Nachbargarten erschien zwischen hohen, fast verblühten Sonnenblumen und dem feurigen Rot einer Berberitze das neugierige Gesicht einer älteren Frau.

»Kommen Sie lieber rein, bevor das ganze Dorf große Ohren kriegt«, sagte Frau Herold, die ihre Nachbarin auch gesehen hatte. Cem öffnete das Törchen, und sie durchquerten den gepflegten Vorgarten, in dem Herbstblumen blühten.

»Ein schöner Garten«, bemerkte Bodenstein. »Machen Sie das alles selbst?«

»Ja.« Mechthild Herold lächelte mit bescheidenem Stolz. »Ich habe wohl das, was man einen grünen Daumen nennt.«

Sie betraten einen dämmerigen Flur. Im Haus wurde renoviert, es roch nach frischer Farbe.

»Ich streiche gerade das Esszimmer«, erklärte sie und legte die Einkaufstasche auf eine Anrichte. »Mein Mann will das schon seit Monaten machen, aber er kommt momentan nicht dazu, vor allen Dingen, seitdem seine Mutter so krank ist.«

»Wir haben schon gehört, wie intensiv er sich um sie kümmert«, bestätigte Bodenstein.

»In jeder freien Minute ist er bei ihr.« Schwang da ein vorwurfsvoller Unterton in ihrer Stimme mit? War sie eifersüchtig auf eine Sterbende?

»Wann erwarten Sie ihn zurück?«

»Eigentlich wollte er gestern Abend kommen«, antwortete Frau Herold. »Aber manchmal kriegt er noch einen Auftrag rein, dann wird es schon mal einen Tag später. Das bin ich gewohnt.«

»Und sein Handy war den ganzen Tag nicht eingeschaltet?«

»Das kommt hin und wieder vor.« Sie nickte nach einem kurzen, unbehaglichen Zögern. »Wenn er an einem Windrad arbeitet, schaltet er das Handy aus.«

»Wann haben Sie zuletzt mit ihm gesprochen?«, fragte Cem.

»Gestern Abend, so gegen 22 Uhr.« In ihre Augen schlich sich Besorgnis. »Er rief an, nachdem er vom Abendessen in sein Hotelzimmer gekommen war.«

»Wo war er im Hotel?«

»Im Sauerland, in der Nähe von Meschede. Warum stellen Sie solche Fragen? Ist ihm etwas zugestoßen?«

»Das heißt, Sie haben heute noch gar nicht mit ihm gesprochen?« Cem überhörte ihre Frage.

»Nein. Das ist ja nicht so ungewöhnlich, wenn man fast dreißig Jahre verheiratet ist.« Frau Herold zwang sich zu einem Auflachen, aber sie war nun unübersehbar in Sorge.

»Frau Herold«, übernahm Bodenstein. »Gestern Nacht ist der Wohnwagen Ihrer Schwiegermutter abgebrannt.«

»Ja, das sagte Ihr Kollege bereits.«

»In dem Wohnwagen hielt sich zum Zeitpunkt des Brandes ein Mann auf. Neben dem Wohnwagen war ein Auto abgestellt, das auch verbrannt ist. Es ist sehr wichtig für uns, zu erfahren, wer einen Schlüssel für diesen Wohnwagen hatte. Hat Ihre Schwiegermutter ihn an jemanden untervermietet?«

»Das kann ich mir nicht vorstellen. Mit dem Wohnwagen ist sie sehr eigen. Soweit ich weiß, sind mein Mann und seine

Schwester die Einzigen, die einen Schlüssel haben.« Frau Herold wurde blass, als sie nun begriff, was das bedeuten konnte. »Mein Mann sieht dort gelegentlich nach dem Rechten, seitdem Rosie so schwer krank ist. Ich versuche noch mal, ihn zu erreichen.«

Sie nahm das Festnetztelefon aus der Ladestation von der Anrichte im Flur und tippte auf Wahlwiederholung, den Blick starr auf Bodenstein gerichtet. Den beschlich ein ungutes Gefühl. Niemand, der beruflich unterwegs war und erreichbar sein musste, ließ einen ganzen Tag lang sein Handy ausgeschaltet.

»Seltsam. Ich verstehe das nicht.« Frau Herold schüttelte den Kopf. Ihre Hand zitterte, als sie das Telefon zurückstellte.

»Was für ein Auto fährt Ihr Mann?«

»Einen anthrazitgrauen Audi A4. Kennzeichen HB-VK 391, ein Geschäftswagen.«

War Clemens Herold wirklich im Sauerland gewesen, oder hatte er seine Ehefrau angelogen? Hatte er vielleicht eine heimliche Geliebte, mit der er sich auf dem Campingplatz im Wald traf? So etwas kam leider nicht gerade selten vor, auch – oder erst recht – in einer langen Ehe, das wusste Bodenstein aus eigener Erfahrung.

»Wie heißt das Hotel, in dem Ihr Mann gestern übernachtet hat?«, fragte Cem höflich. »Außerdem brauchen wir seine Handynummer, auch die Nummern von seiner Firma und Arbeitskollegen. Er arbeitet doch sicher nicht alleine an den Windrädern, oder?«

»Der Kollege, mit dem er am engsten zusammenarbeitet, heißt Thomas Polzin«, flüsterte Frau Herold. »Wieso bin ich nicht eher auf die Idee gekommen? Ich rufe ihn an!«

»Es wäre besser, wenn Sie das uns überließen«, entgegnete Bodenstein, der es für möglich hielt, dass Clemens seinen Kollegen instruiert hatte, für ihn zu lügen, wenn seine Frau anrief.

»Glauben Sie, dass … dass …?« In ihren Augen stand blanke Angst, aber Frau Herold brachte es nicht über sich, das Undenkbare in Worte zu fassen.

»Wir können es nicht ausschließen«, sagte Bodenstein ernst.

»Oh mein Gott!« Sie griff sich an die Kehle, schwankte, fand aber Halt an der Anrichte, bevor Bodenstein ihr zu Hilfe eilen konnte. »Es geht schon, danke.«

»Gibt es jemanden, der Ihnen Gesellschaft leisten könnte?«, erkundigte er sich mitfühlend. »Sie sollten jetzt nicht allein sein.«

»Ja, ich … ich rufe unseren Sohn an«, antwortete sie tonlos. »Er und seine Frau wohnen in Heftrich.«

Bodenstein wartete bei Frau Herold, bis Sohn und Schwiegertochter eingetroffen waren, dann verließ er das Haus. Draußen war es mittlerweile dunkel geworden. Cem hatte vom Auto aus ein paar Telefonate geführt, seine Miene verriet, dass er schlechte Nachrichten hatte.

»Herold war gestern Abend nicht in dem Hotel«, verkündete er. »Er war seit über einem Jahr nicht mehr dort. Sein Kollege hat ihn zuletzt am vergangenen Freitag gesehen, danach hatte Herold vierzehn Tage Urlaub, angeblich, um sich um seine kranke Mutter zu kümmern. Klingt für mich nicht nach einer intakten Ehe.«

Bodenstein schüttelte frustriert den Kopf. Die ganze Welt war voller Lügen und Unwahrheiten. Früher hatte er das als Gegebenheit hingenommen, doch heute zermürbte es ihn. Er warf einen Blick hinüber zum Haus, sah die Silhouette von Frau Herold hinter einem der Fenster. Wie schmal doch der Grat war, der den Alltag von einer Tragödie trennte! Schlimm genug, wenn sich seine Ahnung bestätigen und es sich bei dem verbrannten Toten um Clemens handeln sollte. Doch darüber hinaus würde seine Frau niemals erfahren, wann ihr Mann zuletzt wirklich ehrlich zu ihr gewesen war. Für den Rest ihres Lebens würden die aufgedeckten Lügen einen Schatten über alles werfen, was gut und schön gewesen war.

***

Es war kalt. Und dunkel. Stockdunkel. Schmerz pochte in ihrem Schädel, ihr Mund war trocken. Felicitas berührte ihren Kopf und erfühlte eine dicke Beule an ihrer Stirn. Was war passiert? Wo war sie? Mit weit geöffneten Augen starrte sie in die Schwärze. Um sie herum herrschte Totenstille. Das Einzige, was sie hörte, war ihr eigener hektischer Herzschlag und das Geräusch ihres Atems. Sie wollte sich aufrichten, stieß aber mit dem Kopf gegen etwas Hartes.

»Oh nein«, flüsterte sie und ließ sich wieder auf den Rücken sinken. Vorsichtig streckte sie die Hand aus und zuckte zusammen, als sie eine Wand berührte. »Oh nein, nein! Bitte nicht.«

Sie musste die Arme nicht einmal strecken, um die Decke zu berühren. Links und rechts von ihr feste, kalte Wände. Zu glatt für Beton oder Ziegelsteine. Ihr Herzschlag beschleunigte sich, Panik kroch in ihr empor, breitete sich in ihrem Innern aus. Ihre Muskeln begannen zu zittern, sie schwitzte. Keine Fugen. Kalt. Glatt. Metall! Felicitas schob ihre Hand unter ihren Körper. Eine Fleecedecke. Erst jetzt nahm sie den muffigen Geruch wahr. Den Geruch von Hunden. Sie zitterte am ganzen Körper, als sie plötzlich begriff, wo sie war. Die Metallbox stand in der Garage, wenn ihr Schwager sie nicht auf die Ladefläche des Landrovers lud, um damit irgendetwas zu transportieren. Wie war sie in diese Kiste gelangt? Wer hatte sie hier eingesperrt? Und warum?

Panik drohte sie zu überwältigen, schnürte ihr die Luft ab und ließ ihr Herz rasen. Sie litt unter extremer Platzangst, seitdem ihre Schwester sie in ihrer Jugend einmal in der Sauna im Keller ihres Elternhauses eingesperrt und den Saunaofen eingeschaltet hatte. Es hatte ein Spaß sein sollen, aber dann hatte Manu sie vergessen, angeblich, weil eine Freundin angerufen hatte. Danach hatte sie es nie mehr ertragen, sich in engen Räumen aufzuhalten. Sie mied Aufzüge, kleine Autos, Umkleidekabinen, und einmal hatte sie sogar ein Routine-MRT abbrechen müssen, weil sie in der engen Röhre eine heftige Panikattacke bekommen hatte.

War das ein Alptraum, aus dem sie gleich aufwachen würde?

»Hallo!«, sagte sie laut und zwang sich, tief durchzuatmen. »Hallo? Hört mich jemand?«

Ihre Stimme klang dumpf. Sie lauschte in die Stille. Nichts. Nicht das leiseste Geräusch. Tränen der Verzweiflung sprangen ihr in die Augen. Sie stemmte ihre Knie gegen den Deckel der Kiste, in der Hoffnung, die Metallriegel sprengen zu können. Aber so fest sie auch drückte, es tat sich gar nichts. Das massive Metall bewegte sich keinen Millimeter. Die mühsam unterdrückte Angst flutete durch jede Zelle ihres Körpers. Was, wenn demjenigen, der sie eingesperrt hatte, etwas zustieß? Sie hatte einmal ein Buch gelesen, in dem genau das geschehen war und der Eingesperrte jämmerlich verhungert und verdurstet war. Kalter Schweiß brach ihr aus allen Poren. Niemand wusste, wo sie war. Manu und Jens kamen erst Mitte November aus Australien zurück, und bis dahin würde sie keiner vermissen.

***

Auf der Rückfahrt durch den Taunus bemühte Bodenstein sich, Ordnung in den Wust von Informationen zu bringen, die im Laufe des Tages auf ihn eingeprasselt waren. Normalerweise wurde man bei Ermittlungen nach und nach mit Opfern, Angehörigen und Bekannten konfrontiert, aus denen sich Tatverdächtige herauskristallisierten; man konnte sich neue Namen und Gesichter einprägen und das Beziehungsgeflecht der beteiligten Personen begreifen und einordnen. Diesmal war es für ihn jedoch völlig anders. Dadurch, dass er all die Menschen schon sein Leben lang kannte, genauso wie die Gerüchte, Geheimnisse und den Dorfklatsch, die sich um jeden Einzelnen von ihnen rankten, fiel es ihm schwerer als sonst, den Durchblick zu behalten.

Sie hatten gerade den Königsteiner Kreisel hinter sich gelassen, als Bodensteins Handy klingelte. Eine unbekannte Mobilnummer. Vielleicht war das der Rückruf von Rosie!

»Herr Kommissar, hier ist die Luzia vom Abendrot in Kelkheim. Sie waren doch heute hier, weil Sie mit Frau Herold sprechen wollten.«

»Ja, stimmt. Können Sie mich zu ihr durchstellen?«

»Nein, leider nicht.« Schwester Luzia zögerte. »Frau Herold ist heute Nachmittag ganz überraschend ... verstorben.«

Bodenstein richtete sich auf.

»Wie bitte?«, fragte er bestürzt. »Sie haben doch gesagt, es gehe ihr eigentlich ganz gut!«

Er bemerkte Cems prüfenden Blick und bedeutete ihm, rechts ran zu fahren.

»Ich weiß nicht, ob es richtig war, Sie anzurufen«, erwiderte Luzia Landenberger mit besorgter Stimme. »Aber ich habe irgendwie das Gefühl, dass hier etwas nicht stimmt. Frau Herold hat sich riesig gefreut, als sie Ihr Visitenkärtchen gesehen hat. Sie wollte Sie gleich am Nachmittag anrufen. Dann hat sie ihr Mittagessen gegessen und sich ein bisschen raus auf ihre Terrasse gesetzt. Und als meine Kollegin vorhin nach ihr geschaut hat, da lag sie tot neben dem Stuhl.«

Cem setzte den Blinker und lenkte das Auto in Höhe der Eisenbahnerklinik in die Bushalteparkbucht.

»Haben Sie ihre Familie schon informiert?«, wollte Bodenstein wissen.

»Nein, das macht immer unsere Chefin.« Schwester Luzia senkte die Stimme zu einem angespannten Flüstern. »Wissen Sie, für uns ist es nicht ungewöhnlich, dass unsere Gäste sterben. Deshalb sind sie ja bei uns. Aber die Frau Herold, die war noch nicht so weit.«

Bei diesen Worten überlief es Bodenstein kalt. Es war schon eine Weile her, seitdem er Rosie gesehen hatte, aber plötzlich schien es ihm, als sei es erst gestern gewesen. Sie hatte in ihrem Leben nicht viel zu lachen gehabt, dennoch war sie immer herzlich, gütig und fröhlich gewesen.

»Sind Sie noch im Hospiz?«, fragte er.

»Ja.«

»War schon ein Arzt da?«

»Die Hausärztin von Frau Herold ist auf dem Weg hierher.«

»Bitte sorgen Sie dafür, dass niemand etwas an der Leiche verändert, auch die Ärztin nicht«, sagte Bodenstein mit Nachdruck. »Wir sind in zehn Minuten da.«

***

Bodenstein hätte Rosemarie Herold nicht mehr erkannt, wenn er ihr zufällig begegnet wäre. Er hatte sie als recht füllig in Erinnerung gehabt, aber die schwere Krankheit hatte sie völlig ausgezehrt. Frau Landenberger war es gelungen, ihre Kollegen davon abzuhalten, den Leichnam von Rosie Herold ins Zimmer zu tragen und auf das Bett zu legen, und so war bei Bodensteins Eintreffen die ursprüngliche Auffindesituation tatsächlich unverändert. Rosie hatte eines der Zimmer im Erdgeschoss bewohnt, die kleine, kaum einsehbare Terrasse ging in Richtung Feld, und in der Ferne konnte man die glitzernde Skyline von Frankfurt sehen. Die Leiche der alten Frau lag neben dem Stuhl, auf dem sie wohl gesessen und eine Zigarette geraucht hatte. In einem Terrakotta-Aschenbecher befanden sich drei Kippen der Marke, die zu dem Zigarettenpäckchen auf dem Tisch passten.

»Wir gestatten unseren Gästen, liebgewonnene Angewohnheiten beizubehalten«, erklärte Luzia Landenberger, als sie Bodensteins erstaunten Blick bemerkte. »Die meisten haben nur noch kurz zu leben, und wir wollen, dass sie sich in dieser Zeit so wohl wie möglich fühlen.«

Frau Landenberger und ihre Kollegin, die die Tote gefunden hatte, standen in der geöffneten Terrassentür. Bodenstein streifte sich Latexhandschuhe über und ging neben der Leiche in die Hocke. Kein Puls. Die Haut fühlte sich bereits kühl an. Er drehte Rosies ausgemergelten Körper ein Stück auf die Seite, dabei verrutschte die Perücke, die sie getragen hatte. Im Nacken- und am seitlichen Halsbereich bemerkte Bodenstein dunkle Flecke.

»Siehst du das?«, fragte er Cem. Erste Totenflecken bildeten sich 20 bis 30 Minuten nach Eintreten des Todes.

»Ja. Schon ziemlich ausgeprägt.«

»Und die Totenstarre tritt bereits ein.« Bodenstein versuchte vergeblich, die Kiefer der Toten zu öffnen, um sich die Zunge anzusehen. »Sie ist also ungefähr zwei bis vier Stunden tot. Hast du eine Taschenlampe dabei?«

»Ja, hab ich.« Cem reichte ihm eine Mini Mag-Lite. Bodenstein klappte eines der Augenlider der Verstorbenen nach außen und erkannte im Licht der Taschenlampe, was er befürchtet hatte: punktförmige Stauungsblutungen, sogenannte Petechien, ein deutliches Erstickungszeichen.

»Was ist denn hier los?«, ertönte eine Frauenstimme von der Terrassentür aus. »Wer sind diese Männer?«

Bodenstein hatte genug gesehen. Er richtete sich auf und wandte sich um. Eine schlanke Frau von etwa sechzig Jahren mit kurzgeschnittenem schneeweißem Haar hatte sich an Luzia Landenberger und ihrer Kollegin vorbeigedrängt.

»Können Sie mir bitte erklären, was hier vor sich geht?«, fragte sie scharf. Bodenstein und Altunay präsentierten ihre Ausweise.

»Kriminalpolizei? Wieso das denn?«

»Es besteht der Verdacht, dass Frau Herold nicht auf natürliche Weise gestorben ist«, sagte Bodenstein. »Sind Sie Rosies Ärztin?«

»Ja, ich bin Dr. Renate Basedow.« Die Weißhaarige war bestürzt. »Nicht auf natürliche Weise? Was soll das heißen?«

»Es sieht so aus, als sei sie erwürgt oder erstickt worden.«

»Mein Gott.« Frau Dr. Basedow schüttelte betroffen den Kopf. »Als mich Frau Landenberger anrief, sagte sie nichts davon, und ich nahm an, Rosie sei an den Folgen ihrer Krankheit gestorben.«

»Leider nicht.«

»Soll ich … Möchten Sie, dass ich die Leichenschau vornehme?«

»Das müssen Sie nicht«, antwortete Bodenstein freundlich. »Der Rechtsmediziner ist schon unterwegs. Aber vielleicht können Sie mir Ihre Telefonnummer geben, falls wir später noch Fragen an Sie haben.«

»Selbstverständlich.« Frau Dr. Basedow öffnete ihre Arzttasche und entnahm ihr eine Visitenkarte. »Ich habe meine Praxis im Zauberberg in Ruppertshain, aber Sie können mich jederzeit auf dem Handy erreichen.«

Eine übergewichtige Blondine mit einer schwarzen Designer-Kastenbrille und einem praktischen Kurzhaarschnitt schob sich in das Zimmer. Sie trug eine schwarze Hose, eine schwarze Bluse und darüber einen Longblazer in grellem Pink.

»Das ist Frau Reichenbach, die Geschäftsführerin«, stellte Luzia Landenberger ihre Chefin vor, die keinen Hehl daraus machte, wie wenig sie sich über die Anwesenheit der Kripo in ihrem Haus freute.

»Du erkennst mich nicht mehr, stimmt's?«, fragte sie, halb gekränkt, halb belustigt. »Na ja, ich hab mich ja auch verdoppelt, seitdem wir uns zuletzt gesehen haben.«

Bodenstein überlegte angestrengt, wo er das Gesicht der Frau hinstecken sollte, aber er kam nicht darauf.

»Simone«, half sie ihm auf die Sprünge. »Heute Reichenbach, früher Ohlenschläger? Na, klingelt's jetzt bei dir?«

Beinahe wäre ihm ein »Oh mein Gott!« herausgerutscht, er konnte sich im letzten Augenblick auf die Zunge beißen. Es klingelte tatsächlich, und er war regelrecht erschrocken, so gewaltig war die Diskrepanz zwischen der Simone aus seiner Erinnerung und dem Koloss, der jetzt vor ihm stand. Sie war die beste Freundin von Inka Hansen gewesen und, genau wie ihr Mann, eine Schulkameradin von Bodenstein aus der Grundschule.

»Ach, das ist ja eine Überraschung«, sagte er lahm. »Ich glaube, ich habe dich das letzte Mal bei eurer Hochzeit gesehen. Wann war das noch mal?«

»Juli 1983.« Sie betrachtete kritisch sein Gesicht. »Du hast dich kaum verändert.«

»Du dich auch nicht«, erwiderte er, woraufhin sie abwinkte.

»Charmant wie eh und je, der Herr von Bodenstein.« Dann besann sie sich auf den Grund seiner Anwesenheit. »Warum bist du hier? Ist das ein Zufall? Luzia sagte mir, du hättest schon heute Nachmittag zu Rosie gewollt.«

»Ihr Wohnwagen ist letzte Nacht abgebrannt, und in den Überresten haben wir eine Leiche gefunden«, sagte er.

»Ach ja, der Brand am Waldfreundehaus. Meine Tochter hat mir davon erzählt.« Simone Reichenbach legte die Stirn in Falten. »Das war also Rosies Wohnwagen.«

»Deine Tochter?«

»Ja. Pauline, unsere Jüngste. Sie studiert Biologie und betreut ein Wildkatzenprojekt. Wieland hatte sie angerufen.«

Bodenstein erinnerte sich flüchtig an ein pummeliges Mädchen in Tarnhosen und an das rostfleckige Auto, das später vor dem Haus von Lessings gestanden hatte.

»Spusi und Rechtsmedizin sind unterwegs«, informierte Cem ihn.

»Glaubst du wirklich, die Rosie ist *umgebracht* worden?«, fragte Simone Reichenbach mit gesenkter Stimme. »Ich meine, sie war sehr krank und hatte nicht mehr lange zu leben.«

»Ich fürchte, dass jemand nachgeholfen hat«, erwiderte Bodenstein. »Hast du schon die Angehörigen benachrichtigt?«

»Clemens habe ich nicht erreicht, nur seine Frau, aber die kann nicht kommen. Sonja und Edgar müssten jeden Augenblick hier sein.«

Simone Reichenbach war es gewohnt, dass ihre Gäste früher oder später starben, aber Bodenstein war trotzdem verwundert, wie unberührt sie sich angesichts des Mordes an einer Frau gab, die sie ihr ganzes Leben lang gekannt hatte. Ihre Sorge galt einzig dem Ruf des Hospizes. Die Neuigkeit, dass die Kripo im Hause war, hatte natürlich längst die Runde gemacht, und da um diese Uhrzeit viele Bewohner Besuch von Angehörigen und Freunden hatten, würde es nicht lange dauern, bis die Nachricht von einem Mord im Hospiz Abendrot nach außen getragen wurde. Keine besonders gute Werbung für die noch recht neue Einrichtung.

Bodenstein blickte sich auf der kleinen Terrasse um. Es war kein Problem, ungesehen auf das Grundstück zu gelangen. Das Gelände war von einem Zaun eingefasst, der mehr Zierde als Schutz war; um ihn zu überwinden, musste man nicht besonders sportlich sein. Büsche und Bäume, hinter denen man sich verbergen konnte, gab es mehr als genug, und dazu waren die Terrassen der Erdgeschosszimmer zum Schutz der Privatsphäre zu beiden Seiten mit massiven Holzpalisaden eingefasst.

»Wir würden uns gerne die Aufnahmen der Überwachungskameras ansehen«, sagte Bodenstein. »Wie ich gesehen habe, gibt es außen am Gebäude und auch an der Rezeption welche.«

»Das sind bisher leider nur Attrappen«, räumte Simone Reichenbach ein, ging aber sofort in die Offensive, um ihr schlechtes Gewissen wegen dieser Täuschung zu überspielen. »Ich hoffe nicht, dass uns daraus jetzt ein Strick gedreht wird. Die Kameras und die Software dafür hatten nicht unbedingt oberste Priorität. Ich meine, wer kann denn schon ahnen, dass hier so etwas passiert?«

Bodenstein erlebte nicht zum ersten Mal, dass Sicherheitsaspekte zugunsten anderer Anschaffungen vernachlässigt wurden. Ihm stellte sich die Frage, ob dem Täter die örtlichen Gegebenheiten bekannt gewesen waren. Hatte er gewusst, dass die Kameras nicht funktionierten und er ohne großes Risiko auf das Grundstück des Hospizes gelangen konnte?

»Kann man nachvollziehen, wer Rosie in den letzten Tagen und Wochen besucht hat?«, wollte er wissen.

»Wohl kaum. Man muss sich bei uns nicht anmelden.« Simone Reichenbach schüttelte den Kopf. Sie heuchelte nicht einmal Bedauern. »Rosie hatte ziemlich viel Besuch. Halb Ruppertshain war im Laufe der letzten Wochen da. Das hat ihr gutgetan.«

Cem deckte die Leiche mit einer dünnen Decke ab, denn erste

Neugierige näherten sich bereits mit gereckten Hälsen und gezückten Smartphones über den Rasen.

»Seit wann war Rosie bei euch?«, erkundigte Bodenstein sich.

»Sie kam Mitte September«, antwortete Simone Reichenbach. »Ihr ging es sehr schlecht, die letzte Chemo hat nicht mehr angeschlagen. Sie wäre zwar am liebsten in ihrem Wohnwagen geblieben, aber das war in ihrem Zustand nicht zu verantworten. Hier hat sie sich recht gut erholt, das ist typisch bei einer Krebserkrankung. Meistens kommt das Ende nach einer trügerischen Phase der Besserung ganz schnell.«

»Wer bezahlte ihre Unterbringung?«

»Ihre Krankenkasse. Wieso fragst du?«

»Reine Routine«, beruhigte Bodenstein sie. »Kennst du ihre Hausärztin?«

»Ja, schon lange. Frau Dr. Basedow hat eine Praxis in Ruppertshain und betreut viele unserer Gäste.«

Wer konnte ein Interesse an Rosies Tod haben? Sie war todkrank gewesen, sehr lange hätte sie nicht mehr zu leben gehabt. Aber irgendjemandem war das nicht schnell genug gegangen. Sollte Rosie tatsächlich ermordet worden sein und sich morgen überdies herausstellen, dass es sich bei dem Toten im Wohnwagen um Clemens Herold handelte, dann würde die Frage lauten, wer vom Tod der beiden profitierte. Die naheliegendste Antwort war zu leicht, und Bodenstein schon zu lange Polizist, um an Zufälle zu glauben.

***

Trotz ihrer prekären Lage war sie eingeschlafen, und im ersten Moment nach dem Aufwachen hatte ihr Gehirn ihr einen gemeinen Streich gespielt, denn für ein paar Sekunden hatte sie geglaubt, alles sei in Ordnung. Zum ersten Mal seit Monaten war sie ohne die Hilfe von Alkohol eingeschlafen, hatte sie in einem Anflug von Galgenhumor gedacht. Der Zorn über ihre Hilflosigkeit war jedoch schnell wieder der Angst gewichen. Ihr Mund war staubtrocken. Sie hatte Hunger und musste pinkeln. Längst war ihr jedes Zeitgefühl abhandengekommen. Wenigstens hatte die Kiste Luftlöcher, so dass sie nicht ersticken musste. Wie lange hatte sie geschlafen? War es draußen hell oder dunkel? Wer hatte sie hier eingesperrt? Warum? Was hatte er mit ihr vor? Würde er sie einfach sterben lassen, oder würde er sie irgendwann aus dieser Kiste herausholen, um sie zu schänden, zu foltern und dann zu töten? Felicitas' Phantasie entwarf wahre Horrorszenarien, eines grausamer als das andere. Hätte sie doch bloß nur nicht so viele Thriller gelesen, dann wüsste sie jetzt nicht, wozu kranke Psychopathen in der Lage waren!

Die Ungewissheit war nicht weniger schlimm als das Wissen darum, dass niemand sie vermisste. Abgesehen von Bear und Rocky, die irgendwann auch nichts mehr zu fressen und zu saufen hatten, wenn sie hier drin starb. Bis Manu und Jens aus Australien zurückkehrten, waren die Köter verhungert. Zweifellos, dachte Felicitas voller Bitterkeit, würde ihre Schwester mehr um ihre Hunde trauern als um sie. Falls man eines Tages ihre verweste Leiche finden sollte, würde wohl kaum einer zu ihrer Beerdigung kommen, höchstens diejenigen, deren Karrieren sie mit spitzer Feder und wollüstiger Missgunst zerstört oder sogar verhindert hatte. *Warum bist du nur so bösartig, verbittert und neidisch? Was hat dich bloß so werden lassen?* Die Worte ihrer Schwester klangen ihr in den Ohren, und sie krümmte sich innerlich zusammen. Sie selbst hatte alles zerstört. Sie hatte einen guten Mann gehabt, einen, der geduldig ihre Launen erduldet und nie an ihr herumgekrittelt hatte. Es schmerzte, an die Enttäuschung in seinen Augen zu denken, als sie ihm mitgeteilt hatte, dass sie ausziehen werde. »Du machst einen Fehler«, hatte Stefan gesagt. »Der Typ ist ein Hallodri. Er ist zwanzig Jahre jünger als du. Der will doch nur deine Kohle und von deinen Beziehungen profitieren.«

Sie hatte nicht auf ihn gehört, war wie besessen gewesen von diesem Sascha! Als sie irgendwann auch kein Geld mehr von den Banken bekommen hatte, weil ihre Wohnung quasi der Bank gehörte, war es aus gewesen mit der Zärtlichkeit und dem Gesäusel. Manu und Jens hatten keine Ahnung, wie schlimm es um sie bestellt war und dass sie sich bei ihnen vor ein paar wirklich unangenehmen Gläubigern versteckte. In ihrer Verzweiflung hatte sie Geld bei einem echten Kredithai aufgenommen, und wenn der sie in die Finger bekam, hatte sie nichts mehr zu lachen.

Felicitas hasste es, über ihr Scheitern nachzudenken, aber in ihrem Gefängnis gab es nichts, was sie ablenken und auf andere Gedanken bringen konnte.

»Ich will hier raus!«, brüllte sie in aufwallendem Zorn und trat gegen die Wände der Metallkiste. »Hilfe! Hört mich denn keiner? Hilfe!«

Sie tobte und schrie, trat um sich und pinkelte sich dabei in die Hose. Tränen rannen über ihr Gesicht. Dann lag sie reglos da, wartete darauf, dass jemand kommen würde, aber nichts geschah. Die einzigen Geräusche, die sie hörte, waren ihr pochender Herzschlag und das Knurren ihres Magens.

Freitag, 10. Oktober 2014

Auf dem Weg nach Frankfurt war Tariq ungewöhnlich schweigsam, aber das war Pia ganz recht. Gestern Abend hatte Bodenstein noch spät angerufen, um ihr mitzuteilen, dass Rosemarie Herold eines gewaltsamen Todes gestorben war. Cem und er waren, von einer Mitarbeiterin alarmiert, ins Hospiz gefahren, und es war zu einem mittelschweren Eklat gekommen, als Bodenstein darauf bestanden hatte, Rosies Leiche in die Gerichtsmedizin bringen zu lassen. Edgar Herold hatte heftig dagegen protestiert, ebenso die Hospiz-Leiterin, die um den Ruf ihres Hauses fürchtete. Bodenstein hatte sich jedoch nicht beirren lassen, die Leiche beschlagnahmt und die Staatsanwaltschaft eingeschaltet. Der Staatsanwalt hatte Bodensteins Zweifel an einem natürlichen Tod der alten Dame geteilt, genauso wie der zuständige Richter, und heute Morgen war bereits die Anordnung zur gerichtlichen Leichenöffnung gekommen. Im K11 wurde oft gleichzeitig an verschiedenen Fällen gearbeitet, doch zwei Morde innerhalb von zwei Tagen waren in einem kleinen Ort wie Kelkheim schon ungewöhnlich. Kathrin würde in Kürze in Mutterschutz gehen und Bodenstein in unbezahlten Urlaub, Tariq war noch unerfahren – die Personaldecke war also ausgesprochen dünn.

Pauline Reichenbach war gestern nicht an ihr Handy gegangen und hatte sich erst auf eine SMS von Pia gemeldet. Sie hatte behauptet, den Mann auf dem Film der Wildkamera nicht erkannt zu haben. Auf die Frage, weshalb sie bei Lessings gewesen sei, hatte sie nach einem winzigen Zögern erwidert, sie und Letizia Lessing seien Freundinnen, und sie habe ihr nur etwas sagen wollen. Pia hatte Zweifel, ob das stimmte, aber ihr fiel kein Grund ein, aus dem Pauline hätte lügen sollen. Was blieb, war ein komisches Bauchgefühl.

In Höhe des Radisson Blu, dessen markante Form an eine blaue Scheibe erinnerte, gerieten sie in zähfließenden Verkehr. Der Höhepunkt des Berufsverkehrs war um diese Uhrzeit zwar schon überschritten, aber während der Buchmesse war rings um das Frankfurter Messegelände erheblich mehr los als üblich. Pia dachte daran, dass sie Christoph heute Abend unbedingt von ihrem Zusammenstoß mit Peter Lessing erzählen musste. Gestern war er noch später nach Hause gekommen als sie, dann hatte Bodenstein angerufen, und sie hatte es vergessen.

»Warum bist du eigentlich beim K11?«, fragte Tariq plötzlich.

Pia zögerte. So direkt hatte sie das noch nie jemand gefragt. Irgendwie hatte es sich im Laufe der Jahre so ergeben. Nach dem traumatischen Erlebnis, das ihr ganzes Leben aus den Angeln gehoben und ihr für immer die Unbeschwertheit geraubt hatte, hatte sie ihr Studium abgebrochen und sich bei der Polizei beworben. Ihre Schwester Kim, die es nie lassen konnte, ihre Mitmenschen zu analysieren, behauptete, diese Entscheidung sei ihrem unbewussten Wunsch nach Sicherheit entsprungen: Als Polizistin fühlte sie sich nicht länger hilflos. Vielleicht war das tatsächlich so, aber darüber hatte Pia nie wirklich nachgedacht. Die Ausbildung hatte ihr gefallen. Dann hatte sie Henning kennengelernt und durch ihn die Welt von Mord und Totschlag.

»Es hat mich schon immer fasziniert, knifflige Rätsel zu lösen«, antwortete sie. »Außerdem galt das K11 früher als die Königsklasse bei der Kripo. Jeder wollte dorthin, deshalb war es mein Ehrgeiz, das zu schaffen. Und dann hat es ziemlich schnell geklappt. Es war allerdings ganz anders, als ich es mir vorgestellt hatte, und meine Kollegen waren üble Machos, die mir das Leben schwergemacht haben. Ich war die einzige Frau und dann auch noch die Ehefrau eines Rechtsmediziners. Irgendwann hatte ich die Nase voll und habe eine Pause eingelegt.« Das entsprach nicht ganz der Wahrheit, aber über den wahren Grund für diese Jobpause hatte Pia noch nie mit jemandem gesprochen. »Ein paar Jahre lang war ich im Prinzip nur Hausfrau, aber dann hat man mir einen Job im neu gegründeten K11 in Hofheim angeboten, und ich habe sofort zugesagt.«

»Hm.« Tariq nickte nachdenklich. »Wie kannst du das alles ertragen? Die Grausamkeit, den Umgang mit den Angehörigen, die Gewalt?«

»Man muss lernen, innerlich Abstand zu wahren, ohne dabei gleichgültig zu werden oder abzustumpfen«, erwiderte Pia. »Ich versuche, eine gewisse Distanz zu entwickeln, um objektiv bleiben zu können. Und ich betrachte meinen Job auch nicht als Mission gegen das Böse auf dieser Welt. Der Grund, weshalb ich ihn gerne mache, auch wenn es oft frustrierend und schlimm ist, ist das Gefühl, dass ich den Toten mit der Aufklärung ihrer Todesumstände ein Stück ihrer Menschenwürde zurückgeben kann. Und nicht nur das. Für die Angehörigen, die automatisch auch Opfer werden, ist die Verurteilung eines Täters eine große Erleichterung. Deshalb bin ich beim K11 und möchte auch nie woanders hin.«

»Berühren dich die Fälle, an denen du arbeitest, trotzdem?«

»Natürlich«, erwiderte Pia. »Vor allen Dingen, wenn die Identität eines Opfers nicht feststeht oder wenn es sich um Kinder oder Jugendliche handelt. Das geht mir echt unter die Haut. Für mich gibt es nichts Traurigeres als eine namenlose Leiche, die irgendwo vergraben oder liegengelassen wurde und die niemand vermisst. Und genau deshalb mache ich meinen Job gerne.«

Hinter der Messe löste sich der Stau auf. Wenn jetzt nichts mehr dazwischenkam, würden sie es schaffen, pünktlich zu Beginn der Obduktion im Institut zu sein.

»Wie ist es bei dir?«, fragte Pia. »Warum wolltest du zum K11?«

»Als ich an der Uni war, ist eine Kommilitonin von mir verschwunden. Sie lebte in derselben WG wie ich«, antwortete Tariq. »Ihre Leiche wurde erst achtzehn Monate später gefunden. Sie wurde missbraucht, erdrosselt und zerstückelt. Es war schrecklich, wie ihre Familie unter der Ungewissheit gelitten hat. Die Polizei hat nie lockergelassen, bis sie den Fall aufgeklärt hatte. Das hat mich total beeindruckt. Deshalb bin ich Polizist geworden.«

»Tja. So hat jeder von uns seine Gründe, aus denen er sich

entschieden hat, Mordermittler zu werden«, sagte Pia. Sie fuhren am Hauptbahnhof vorbei, über die Friedensbrücke hinüber nach Sachsenhausen. Der Main glitzerte im Sonnenlicht mit den Glasfassaden der Bankentürme um die Wette.

»Warum will der Chef aufhören?«

»Wir sind alle engagiert, hochmotiviert und stehen oft unter extremer Anspannung. Damit gehören wir zu einer Hochrisikogruppe.« Auf der rechten Seite tauchte der Gebäudekomplex der Universitätsklinik auf. »Irgendwann ist bei vielen von uns ein Punkt erreicht, an dem man das alles nicht mehr ertragen kann. Vielleicht ist das beim Chef so. Wir hatten in den letzten Jahren ein paar wirklich schlimme Fälle, die uns alle an die Substanz gegangen sind.«

»Ich find's schade, dass er weggeht«, sagte Tariq.

»Ich auch.« Pia seufzte. »Er ist der mit Abstand beste Chef, den ich jemals hatte.«

»Glaubst du, er kommt nach einem Jahr wieder?«

»Ich weiß es nicht, Tariq. Ich hab leider wirklich keine Ahnung.«

***

»Ich kann mir beim besten Willen nicht vorstellen, wer der Mama so was hat antun können.« Sonja Schreck war noch immer fassungslos. Ihre Finger umklammerten einen abgestoßenen Kaffeebecher, auf dem das Logo von Eintracht Frankfurt prangte, ihre Augen waren gerötet und verquollen. »Jeder hat sie doch gemocht!«

»Ich hätte mir ja an ihrer Stelle kein Zimmer im Erdgeschoss ausgesucht.« Detlef, Sonjas Mann, saß mit gespreizten Beinen da, die Arme vor der Brust verschränkt. »So viel Gesocks, wie sich überall rumtreibt, da würd's mich nicht wundern, wenn's irgendeiner war, der nur schnell was abgreifen wollte.«

»Es wurde nichts gestohlen«, entgegnete Bodenstein. »Ihre Armbanduhr lag auf dem Nachttisch und ihr Portemonnaie offen auf der Anrichte.«

Sie saßen zu dritt am Küchentisch in einer unaufgeräumten Küche, und Bodenstein hatte eine Tasse Kaffee vor sich stehen, den er nach einem Schluck als ungenießbar eingestuft hatte und lieber kalt werden ließ, bevor er sich den Magen verdarb. Das helle Holz der Tischplatte war von Kaffeeringen übersät, er registrierte billiges Furnierholz, abgesprungene Kanten und schiefe Schranktüren.

»Jeder kann da rein und raus marschieren, ohne Kontrolle.« Detlef winkte unwirsch ab. »An allem haben sie gespart, aber es beschwert sich auch niemand, weil die ja alle nicht lange dort sind. Und die Angehörigen sind froh, dass ihnen einer die Arbeit abnimmt. Die Simone macht sich schön die Taschen voll! 'ne richtige Goldgrube wär' das Ding, das hat sie neulich erst erzählt. Da kann man natürlich leicht so 'n Protzpalast im Herlenstückshaag bauen.« Er schnaubte missgünstig. »Und es ist nicht das erste Mal, dass da was passiert, stimmt's, Sonny?«

Sein aufgedunsenes Rattengesicht war vor Empörung rot angelaufen, er schnappte kurzatmig nach Luft. Aus dem pickligen Jugendlichen von einst war ein stämmiger Mann geworden. Ein Seehundschnauzbart verbarg die Hasenscharte, die ihn in jungen Jahren entstellt und dafür gesorgt hatte, dass kein Mädchen mit ihm ausgehen wollte. Die strähnigen aschblonden Haare waren einer Glatze gewichen, den Haarkranz und ein letztes verbliebenes Haarbüschel oberhalb der Stirn hatte er abrasiert. Früher hatte sich Detlef Schreck im Dunstkreis von Clemens Herold, Jakob Ehlers, Leo Keller und deren Kumpel herumgetrieben. Richtig dazugehört hatte er nie, war eher Handlanger der coolen Jungs gewesen. Er hatte sich bei ihnen angebiedert, indem er sie an der Tankstelle seiner Eltern heimlich ihre Mopeds hatte betanken lassen, bis sein Vater davon Wind bekommen und seinen Filius grün und blau geprügelt hatte. Was hatte der hübschen Sonja bloß an diesem Kerl gefallen?

»Weißt du, wer einen Schlüssel zum Wohnwagen deiner Mutter hatte?«, grätschte Bodenstein in eine Atemholpause von Detlef.

»Ach, der Wohnwagen. Da war Mama am glücklichsten.« Sonjas Augen wurden wieder feucht. Sie wickelte eine Locke ihres Haares um den Zeigefinger. Ihr dunkler Nagellack war abgeblättert, ihre Nagelhäute entzündet. »Clemens und ich haben Schlüssel. Edgar wollte keinen.«

»Hat jemand in letzter Zeit den Wohnwagen benutzt?«

»Ja, Clemens. Er war oft dort, weil er da seine Ruhe hatte. Er wollte eine Familienchronik schreiben. Für Mama, zum 75. Geburtstag. Den wird sie jetzt ja nicht mehr erleben.«

»Dass du dem so was glaubst! 'ne Chronik, da lachen ja die Hühner!« Ihr Mann lachte abfällig. »Der bumst in dem Ding irgendeine Alte, und die Mechthild ist zu blöd, um das zu raffen!«

»Hör endlich auf damit!«, kreischte Sonja so unvermittelt los, dass Bodenstein vor Schreck beinahe seinen Kaffeebecher umgestoßen hätte. »Das stimmt doch gar nicht!«

»Wirst schon sehen, was am Ende rauskommt!«, murrte ihr Mann gekränkt und stand auf. »Ich fahre in die Werkstatt. Muss mich hier nicht von dir anschreien lassen.«

Er stapfte aus der Küche, hochrot im Gesicht. Wenig später fiel die Haustür ins Schloss.

»Tut mir leid«, sagte Sonja zu Bodenstein. »Detlef ist eigentlich nicht so, aber Clemens ist für ihn ein rotes Tuch. Ich weiß auch nicht, warum.«

Bodenstein hatte den Eindruck, dass der Schwager nicht der Einzige war, mit dem Detlef Probleme hatte.

»Ich wusste gar nicht, dass ihr verheiratet seid.«

»Im Juni siebzehn Jahre. Kaum zu glauben, wie die Zeit vergeht.« Sonja pflückte ein Taschentuch aus einer Box und putzte sich die Nase. »Eben noch war man jung und hatte alle Chancen – und dann merkt man, dass das halbe Leben rum ist.«

»Du warst schon einmal verheiratet, oder?«

»Ja.« Sonja lachte auf, es klang alles andere als froh. Ihr Blick verdüsterte sich. »Ich war jung und dumm und hab gedacht, ich hätte mir den tollsten Mann aus dem Dorf geangelt.«

»Was ist passiert?«, fragte Bodenstein. Er hatte lange nicht mehr an ihn gedacht, aber jetzt erinnerte er sich an Ralf Ehlers und dessen unberechenbare Art. Die Tatsache, dass Ralf nie gewusst hatte, wann eine Grenze überschritten und etwas genug war, war ihm früher oft unangenehm gewesen. Nicht selten hatte Ralf mit seinen verrückten Ideen die ganze Bande in die Klemme gebracht. Zum Leidwesen seiner spießigen Eltern hatte er sich zu einem Luftikus entwickelt, der nicht viel von regelmäßiger Arbeit gehalten hatte. Was er heute machte und wo er lebte, wusste Bodenstein nicht.

»Ach, direkt passiert ist nichts«, erwiderte Sonja nach kurzem Zögern. »Ich hatte mir halt alles anders vorgestellt. Ich wollte eine Familie, Kinder, ein Häuschen, aber der Ralf hatte nur Phantastereien und Unsinn im Kopf. Nach Asien wollte er! Um die ganze Welt reisen! Woher das Geld dafür kommen sollte, das war ihm egal. Er fand mich spießig, und wahrscheinlich hatte er recht. Ich war zu feige, das hier alles zurückzulassen. Die Mama, die hat mich doch gebraucht.« Ein wehmütiges Lächeln huschte über ihr Gesicht. »Also hab ich mich für ein sicheres Leben entschieden: Ausbildung, Ehemann, Häuschen, drei Kinder, ein eigener Friseursalon. Hin und wieder Urlaub in Österreich oder in Italien. Na ja. Nützt nichts, wenn man sich im Nachhinein fragt, was besser gewesen wäre.«

Sonja war nicht glücklich geworden in ihrer zweiten Ehe, und es war bedrückend zu sehen, dass sie resigniert hatte.

»Ach, es ... es macht mich ganz fertig, dass die letzten Worte, die ich mit Mama gewechselt hab, nicht besonders nett waren. Und jetzt ... jetzt kann ich mich nicht mal mehr bei ihr entschuldigen.«

Bildhübsch war Sonja als junges Mädchen gewesen, ein lebenslustiger, zarter Schmetterling. Ganz sicher waren der gutaussehende Ralf und sie rein optisch ein Traumpaar gewesen. Jetzt, mit Anfang vierzig, sah sie verbraucht aus. Die Unzufriedenheit mit ihrem Leben hatte ihre Mundwinkel nach unten gezogen, ihre Augen waren glanzlos.

»Wann hast du zuletzt mit ihr gesprochen?«, fragte Bodenstein.

Eine Weile starrte Sonja stumm vor sich hin, dann überkam die Trauer sie erneut, und sie schluchzte auf.

»Am Montag, glaub ich. Ja, Montag, da hab ich ja den Laden zu. Ich hatte Mama versprochen, dass ich komme und ihr die Haare mache. Dabei hatte sie zuletzt gar keine Haare mehr. Ich habe ihr eine Perücke besorgt. Sie wollte immer hübsch aussehen.«

»Worum ging es bei eurem letzten Gespräch?«, forschte Bodenstein vorsichtig nach. Sonja kämpfte einen Moment mit sich, dann brach es aus ihr hervor.

»Sie hat mir gesagt, dass Papa nicht mein leiblicher Vater war. Einfach so, aus heiterem Himmel. Toll, was?« Ihre erbsengrünen Augen füllten sich wieder mit Tränen. »Ich war total geschockt, und dann bin ich wütend geworden. Wieso hat sie mir das nicht schon längst mal erzählt?« Sie schüttelte bei der Erinnerung an dieses Gespräch empört den Kopf. »Als ich wissen wollte, wer denn mein Erzeuger ist, hat sie nur gesagt, das würde sie mir beim nächsten Mal erzählen, ihr ginge es nicht gut. Da bin ich explodiert! Ich meine, sie lag in einem *Hospiz*, mit Krebs im Endstadium. Weiß ich, ob's überhaupt noch ein nächstes Mal gibt? Das hab ich ihr ins Gesicht gesagt, und auch, dass sie mir mein Leben versaut hat, weil sie mich immer festgehalten hat. Ach, dafür schäme ich mich jetzt in Grund und Boden!«

Bodenstein verzog mitfühlend das Gesicht. Es war nicht ungewöhnlich, dass Menschen im Angesicht des Todes ihr Gewissen erleichterten und plötzlich lebenslang gehütete Geheimnisse preisgaben, ohne Rücksicht darauf, welche Wirkung ein solches Geständnis auf die Betroffenen hatte.

»Hat sie sonst noch etwas zu dir gesagt?«, fragte er. »Hattest du den Eindruck, sie war bedrückt oder würde sich vor irgendetwas oder irgendwem fürchten?«

»Nee. Sie war gut drauf.« Sonja trompetete in ein Taschentuch, zerknüllte es, schnippte es in Richtung Mülleimer, verfehlte diesen jedoch. »Mein ganzes Leben lang hab ich befürchtet, sie würde sich eines Tages was antun. Deshalb hab ich mich ja auch nie getraut, aus Ruppsch wegzuziehen. Ich hatte das Gefühl, ich müsste auf sie aufpassen. Seitdem ich denken kann, war sie depressiv. Manchmal ist sie tagelang nicht mal aufgestanden.«

»Ach?« Bodenstein, der Rosie nur als fröhliche, extrovertierte Frau kannte, war perplex. Davon hatte er nie etwas gehört.

»Nach außen hat sie immer so getan, als wäre alles in bester Ordnung, aber ohne ihre Tabletten hätte sie sich sicherlich längst aufgehängt«, sagte Sonja bekümmert. »Ich sag dir, deshalb hat sie auch Krebs gekriegt. Das schlechte Gewissen hat sie innerlich zerfressen.«

»Weshalb sollte sie ein schlechtes Gewissen haben?«, fragte Bodenstein, der vermutete, dass es die Seitensprünge waren, die Rosie belastet hatten. »Etwa, weil sie dir nie gesagt hat, wer dein Vater ist?«

»So wichtig war ihr das nicht.« Sonjas Stimme wurde bitter. »Meine Mutter hat noch ganz andere Geheimnisse mit sich herumgeschleppt. Sie hat mir gesagt, sie allein wäre schuld an dem Fluch. Weil sie ein Menschenleben auf dem Gewissen hätte.«

***

Es war fünf vor zehn, als sie das Institut für Rechtsmedizin in der Kennedyallee endlich erreichten, und Pia fand zum Glück einen Parkplatz im Hof. Henning konnte es nicht leiden, wenn man sich verspätete. Sie hasteten den holzgetäfelten Flur entlang, vorbei an mehreren Bürotüren. Die Türen zum Hörsaal, in dem die Vorlesungen für Medizinstudenten stattfanden, standen weit offen, der Saal war leer. Ronnie Böhme, der dienstälteste Autopsiehelfer am Institut, kam aus dem Keller, in dem sich die beiden Sektionsräume befanden.

»Hi, Pia«, grüßte er.

»Grüß dich, Ronnie«, erwiderte Pia. »Mit wem fangen wir an?«

»Die Herren Doktoren haben sich dazu entschlossen, parallel zu arbeiten.« Ronnie musterte Tariq kurz. »Ihr seid ja zu zweit, dann ist das kein Problem.«

»Ist der Staatsanwalt schon da?«

»Nein. Kommt auch keiner.« Ronnie ging weiter, und Pia dirigierte ihren neuen Kollegen Richtung Treppe. Die Sektionsräume befanden sich im Keller des Gebäudes.

»Laut § 87 Absatz 2 StPO beziehungsweise Nr. 33 Absatz 4 RiStBV ist die Staatsanwaltschaft nicht mehr zur Teilnahme an einer Leichenöffnung verpflichtet, sondern es ist ihrem pflichtgemäßen Ermessen überlassen, ob sie von ihrem Anwesenheitsrecht Gebrauch machen will«, zitierte Tariq den Gesetzestext auf dem Weg nach unten.

»Gut aufgepasst, Einstein.« Pia grinste, klopfte an die angelehnte Tür der Kaffeeküche und trat ein. Henning und sein Kollege Dr. Frederick Lemmer lehnten kaffeetrinkend an der Arbeitsplatte, bereits umgezogen für die vor ihnen liegende Aufgabe.

»Guten Morgen«, grüßte Pia. »Die Kriminalpolizei meldet sich zur Stelle.«

»Ah, du hast Verstärkung mitgebracht.« Henning fixierte Tariq Omari über den Rand seiner Brille. »Ihre erste Sektion?«

»Ja. Und ich bin wahnsinnig gespannt«, erwiderte Tariq mit leuchtenden Augen. »Wie Sie gestern schon sagten: Grau ist alle Theorie.«

»So ist es.« Henning trank seinen Kaffee aus, und Frederick Lemmer grinste. Jedermann im Institut wusste, welch diebische Freude es Henning bereitete, wenn jemand bei einer Obduktion grün im Gesicht wurde und würgend aus dem Sektionssaal wankte. Er pflegte Polizisten und Staatsanwälte, denen ein solches Missgeschick widerfahren war, noch Jahre später genüsslich damit aufzuziehen. Tariq schien allerdings kein neues Opfer zu sein.

»Drüben ist alles bereit, Boss. Die Brandleiche in der 1, die andere in der 2«, verkündete Ronnie. »Sie können loslegen.«

»Ah ja, danke. Wir haben den Wohnwagenbrand übrigens gestern noch durchgeröntgt«, sagte Henning zu Pia. »Dabei haben wir eine interessante Entdeckung gemacht.«

»Wir, wir, wir! Wenn ich das schon höre!«, murrte Ronnie. »Kann mich nicht erinnern, dass noch jemand beim Röntgen dabei war außer mir.«

»*Wir* haben ein Hüftimplantat festgestellt, was uns sicherlich bei der Identifizierung hilfreich sein wird.« Henning überhörte seinen Assistenten geflissentlich, betonte das Personalpronomen aber besonders nachdrücklich. »Außerdem haben *wir* ... aber komm, schau es dir selbst an.«

Er ging in Sektionsraum Nr. 2, Pia und Tariq folgten ihm. Die Leiche aus dem Wohnwagen lag in der charakteristischen Fechterstellung, die durch die hitzebedingte Schrumpfung von Muskeln und Sehnen hervorgerufen wurde, auf dem Tisch aus poliertem Edelstahl in der Mitte des Sektionsraumes. Pia musste beim Anblick dieses Körpers, der kaum noch etwas Menschliches an sich hatte, schlucken. Die extreme Hitze hatte binnen weniger Minuten einen ehemals großen und kräftigen Mann, der geatmet, gefühlt, gelacht, Pläne geschmiedet und geliebt hatte, in einen unförmigen Klumpen aus Geweberesten und Knochen verwandelt. Dieser wartete nun im grellen Neonlicht darauf, zerschnitten und zerlegt zu werden, damit sie herausfänden, ob sein Tod vor Ausbruch oder erst im Verlauf des Brandes eingetreten war.

Pia betrachtete die menschlichen Überreste und ballte die Hände in ihren Taschen zu Fäusten. Was waren seine letzten Gedanken gewesen? Hatte er die Hitze gespürt, die Aussichtslosigkeit seiner Lage erkannt und begriffen, dass er sterben musste, oder hatte er vorher das Bewusstsein verloren? *Wie fühlt es sich an, wenn man weiß, dass der Tod unausweichlich ist? Was würde ich in einem solchen Moment denken? An wen würde ich denken? Was habe ich versäumt zu tun, bevor ich sterbe?* Pia presste die Kiefer aufeinander und kämpfte gegen das Mitgefühl an, das sie zu überwältigen drohte. Und das, nachdem sie Tariq vorhin im Auto noch großspurig etwas von innerem Abstand und Abstraktion erzählt hatte. Die Wahrheit war, dass es ihr, je älter sie wurde, immer weniger gelang, die notwendige Distanz zu wahren.

Hennings Stimme drang an ihr Ohr, und sie wandte sich um. Der Moment der Schwäche war vorbei. Tariq betrachtete die Leiche mit respektvollem Interesse aus der Nähe und machte nicht den Eindruck, als ob er kollabieren würde.

»Hier, schaut euch das an!« Henning war an die Bildschirme getreten, die den Leuchtkasten ersetzten, an den man früher Röntgenbilder geklemmt hatte. Heutzutage waren Röntgenbilder digital. »Das hier links ist der Status *post mortem*, gestern festgestellt. Und dies hier ist das antemortale Odontogramm, das uns ein Zahnarzt aus Königstein heute Morgen gemailt hat.«

Er deutete auf eine markante Gebissfehlstellung der unteren Vorderzähne und mehrere Kronen und Füllungen. Es bestand kein Zweifel, dass es sich um ein und dieselbe Person handelte. Bodensteins Verdacht war damit bestätigt: Bei dem Mann, der im Wohnwagen am Waldfreundehaus verbrannt war, handelte es sich um Clemens Herold.

* * *

»… siebenundfünfzig, achtundfünfzig, neunundfünfzig, sechzig.«

Eine Stunde. Oder hatte sie sich verzählt? Der Durst machte sie beinahe wahnsinnig. Wie spät mochte es wohl sein? Wie lange lag sie schon hier drin? Sie hatte in die Hose gemacht, es stank so unerträglich wie in einem Raubtierkäfig, ihre Kopfhaut juckte. Ihr ganzes Leben lang hatte Felicitas penibel auf ihr Äußeres geachtet, Stefan hatte ihre Ordnungsliebe früher sogar spöttisch als »milde Zwangsstörung« bezeichnet, was sie regelmäßig auf die Palme gebracht hatte. Es war eine Ironie des Schicksals, dass man sie als vollgeschissene, stinkende Pennerin in Erinnerung behalten würde, wenn man sie eines Tages fand. Was würde wohl im Polizeibericht stehen? Sie schauderte bei diesem Gedanken, aber irgendwie half es ihr, der wachsenden Verzweiflung zu entkommen. Wenigstens für eine Weile. Ihr linkes Bein war eingeschlafen und kribbelte, als sie es bewegte.

Welcher Tag war der letzte, an den sie sich erinnerte? Dienstag, nein, Mittwoch. Oder Donnerstag? Es hatte gebrannt, draußen auf dem Campingplatz, mitten in der Nacht. Felicitas rieb sich die Schläfen. Ihr Kopf schmerzte höllisch, und die Beule an ihrer Stirn war so groß wie ein Hühnerei. Außerdem taten ihr Rücken und Hüften vom Liegen auf dem harten Metall weh. Was war geschehen? Was war das Letzte, an das sie sich erinnern konnte? Sie zwang sich zur Ruhe und konzentrierte sich. Das Motorengeräusch mitten in der Nacht. Die Explosion. Die wie rasend bellenden Hunde. Der gutaussehende Kommissar mit seiner kleinen Tochter. Der Kürbis am Fenster, durch den sie sich zur Lachnummer gemacht hatte. Dann war sie der blonden Kommissarin begegnet, die sie so herablassend behandelt hatte, diese dumme Kuh. Anschließend hatte sie geduscht, die Haare gewaschen und ihre Tasche gepackt, weil sie rauswollte aus dem Haus im Wald. Es hatte an der Tür geklingelt. Und dann? Der Filmriss machte Felicitas schier wahnsinnig. Wie sehr sie sich auch bemühte, die Lücke in ihrer Erinnerung ließ sich einfach nicht schließen. Plötzlich hörte sie ein schabendes Geräusch und erstarrte. Ihr Herz hämmerte wie rasend gegen ihre Rippen. Sollte sie um Hilfe rufen oder besser nicht? Was, wenn ihr Entführer nun gekommen war, um sie zu töten? Sie hatte nichts, womit sie sich zur Wehr setzen konnte!

»Lieber Gott, bitte hilf mir!«, flüsterte sie voller Panik. »Ich verspreche dir, ich werde …«

Wieder ein Geräusch, als ob ein Riegel zur Seite geschoben wurde. Und ein Lichtschimmer!

»Vater unser im Himmel, geheiligt werde dein Name«, betete sie verzweifelt und voller Inbrunst, zum ersten Mal seit Jahren.

Ein Knirschen.

»Dein Reich komme. Dein Wille geschehe.« Die Angst explodierte in ihrem Innern.

Schaben von Metall auf Metall.

»Wie im Himmel, so auf Erden.«

Wie konnte sie erwarten, dass Gott ihr aus ihrer misslichen Lage half, nachdem sie ihn ihr halbes Leben lang ignoriert hatte? Aber waren es nicht gerade die Sünder, die Abtrünnigen und Beladenen, die verlorenen Söhne, derer er sich erbarmte?

»Bitte, lieber Gott«, flüsterte sie wie von Sinnen. »Ich will alles, alles, alles tun, wenn du mich …«

Mit einem ohrenbetäubenden Quietschen öffnete sich der Deckel der Kiste, grelles Licht flutete ihr Gefängnis. Sie musste blinzeln. Todesangst schlug wie eine schwarze Welle über ihr zusammen, denn sie blickte direkt in den Lauf einer Pistole.

***

Bodenstein legte den Telefonhörer auf, stützte das Kinn in seine Handflächen und stieß einen Seufzer aus. Der Tote aus dem Wohnwagen war anhand seiner Zähne eindeutig als Clemens Herold identifiziert worden. Die Seriennummer seines Hüftimplantats würde das zusätzlich bestätigen. Und Rosie war erwürgt worden. Damit war die bis dahin hypothetische Frage zu einem Fakt geworden: Wer hatte ein Interesse am Tod von Clemens und Rosemarie Herold?

Nach seinem derzeitigen, ausgesprochen dürftigen Wissensstand lautete die Antwort: Edgar oder Sonja. Beide schienen nicht gerade in Geld zu schwimmen und konnten auf ein Erbe oder eine Versicherungssumme spekuliert haben. War die Lösung so simpel? Handelte es sich überhaupt um ein und denselben Täter? Immerhin hatten sie es mit komplett unterschiedlichen Tötungsarten zu tun. Sonja strich er in Gedanken gleich wieder. Er hielt sie nicht für fähig, Mutter und Bruder zu töten. Bei ihrem Mann Detlef und Edgar sah es schon anders aus. Hatten diese gemeinsame Sache gemacht? Beide hatten Clemens nicht leiden können, Edgar hatte sich darüber hinaus für den Lebenswandel seiner Mutter geschämt. Aber reichte das als Motiv? Bodenstein war schon oft Menschen begegnet, die nicht glauben wollten, dass jemand, den sie kannten, fähig gewesen war, einen Mord zu begehen. Und nun ertappte er sich dabei, genauso zu schlussfolgern.

Seine Gedanken schweiften in die Vergangenheit. Er erinnerte sich daran, wie er mit Edgar, Ralf, Peter und den anderen, die zu ihrer »Bande« gehört hatten, durch Wiesen, Felder und den Wald gestreift war. Sie hatten gespielt und gestritten, sich geprügelt und wieder vertragen. Nur wenn es gegen die Fischbacher oder die Eppenhainer ging, waren alle internen Rivalitäten vergessen, und sie hatten zusammengehalten wie Pech und Schwefel. In Bodensteins Kopf öffneten sich geheimnisvolle Türen zu längst vergessen geglaubten Ereignissen. Seit Jahrzehnten hatte er nicht mehr daran gedacht, aber auf einmal erinnerte er sich an ihr »Hauptquartier«, eine halb zerfallene Hütte mitten im Wald, in der sie ihre Trophäen und Schätze aufbewahrt, wo sie Pläne geschmiedet oder einfach nur herumgelungert hatten. Eines Tages hatten sie festgestellt, dass die älteren Jugendlichen dieses Zentrum ihres heimlichen Paralleluniversums entweiht hatten. Sie hatten sich dort mit Mädchen getroffen, geraucht, Alkohol getrunken und alles verwüstet. Clemens, Jakob, Detlef und die anderen mussten etwa fünfzehn oder sechzehn gewesen sein, Clemens fuhr damals eine knallrote Kreidler Florett, auf die er sehr stolz gewesen war. Peter, Ralf und Edgar hatten auf Rache gesonnen. Wessen Idee war es gewesen, die Bremsschläuche der Mopeds zu zerschneiden? Schaudernd erinnerte Bodenstein sich an die boshafte Vorfreude, mit der sie sich ausgemalt hatten, wie ihre Brüder und Detlef verunglücken und vielleicht sogar sterben würden. Jakob und Detlef hatten die Manipulation bemerkt, Clemens nicht. Er war am nächsten Morgen losgefahren und an der Einmündung in die Hauptstraße ungebremst auf die Vorfahrtsstraße gerauscht, direkt vor ein Auto. Mit Knochenbrüchen und Kopfverletzungen war er ins Krankenhaus eingeliefert worden, sein Moped hatte nur noch Schrottwert gehabt. Das war weitaus mehr als nur ein Dummer-Jungen-Streich gewesen, und Bodenstein erinnerte sich, dass keiner der drei Rädelsführer auch nur die geringste Reue gezeigt hatte. Zwar hatten die älteren Jungen geahnt, wer hinter dem Anschlag gesteckt hatte, deshalb waren sie allesamt von ihren Eltern und sogar von der Polizei befragt worden, aber die Wahrheit war nie herausgekommen, denn sie hatten alle eisern geschwiegen.

Nachdenklich lehnte Bodenstein sich in seinem Stuhl zurück, verschränkte die Hände hinter dem Kopf und blickte aus dem Fenster in den blauen Oktoberhimmel. Fünfundvierzig Jahre waren seitdem vergangen. Konnte man daraus den Schluss ziehen, dass Edgar seinen ungeliebten Bruder auf eine solch bestialische Weise umgebracht haben könnte? Je länger er darüber nachdachte, desto mehr unangenehme Situationen kamen Bodenstein in den Sinn, die er im Laufe der Zeit verdrängt hatte. Ihm wurde bewusst, dass seine Kindheit von einer allgegenwärtigen Angst überschattet gewesen war, von der er sich erst befreit hatte, als er in die fünfte Klasse und damit auf eine andere Schule gekommen war. Von Natur aus eher ein Einzelgänger, hatte er sich in der Bande nie wohl gefühlt, besonders Peter und Edgar hatte er als bedrohlich empfunden. Doch jeder zaghafte Versuch, sich dem Gruppendruck zu entziehen, war gescheitert. Wenn er nicht an einem verabredeten Treffpunkt gewesen war, waren sie bei ihm aufgetaucht, in den Ställen und Scheunen des Gutes herumgestreunt, mit kalten, abschätzenden Blicken alles musternd, so, als ob sie auskundschaften würden, wo sie Schaden anrichten konnten, wenn er nicht parierte. Es war eine grässliche Zeit gewesen, und damals hatte er begriffen, dass es Menschen gab, die von Natur aus grausam und skrupellos waren. Als seine einzige Verbündete hatte er Inka betrachtet, obwohl er nicht genau wusste, weshalb. Sie hatte nie offen seine Partei ergriffen oder gar versucht, die grausamen Streiche der Bande zu verhindern. Sie hatte ihn nur immer angeschaut, aus ihren unergründlichen blauen Augen, und kein Wort gesagt.

Die Sache mit der Katze hatte seine unbeschwerte Kindheit beendet. Peters Drohung, Maxi etwas anzutun, falls er ihn verraten würde, war seine erste Begegnung mit Grausamkeit und Terror gewesen, und er hatte oft vor Sorge wach gelegen. Dass sie dazu fähig waren, hatte er schließlich gewusst. Aus Angst um Maxis Leben hatte er den Fuchs wochenlang nachts in sein Zimmer geschmuggelt und in seinem Bett schlafen lassen, trotzdem hatte er ihn letztendlich nicht beschützen können.

Die Kinder von einst waren heute erwachsene Männer. Sie hatten Familien, engagierten sich in Vereinen und gingen ihren Berufen nach, aber die Persönlichkeit eines Menschen, der grundlegende Kern seines Wesens, änderte sich nicht, im Gegenteil. Negative Charaktereigenschaften verstärkten sich im Laufe der Jahre sogar tendenziell stärker als positive.

Das Klingeln seines Handys riss Bodenstein aus seinen Gedanken.

»Hallo, Mama«, sagte er, als er die Nummer im Display erkannte.

»Hallo, Oliver.« Die Stimme seiner Mutter klang besorgt. »Ich hoffe, du hältst mich nicht für neugierig, aber … stimmt es, dass die Rosie *umgebracht* worden ist?«

»Wer sagt das?«

»Der Gemüselieferant hat es Marie-Louise vorhin erzählt.«

Es war müßig, darüber zu spekulieren, woher der Kelkheimer Gemüsehändler, der das Schlossrestaurant seiner Schwägerin belieferte, wohl diese Information hatte. Gestern Abend im Hospiz hatten eine Menge Leute mitbekommen, dass Polizei und Spurensicherung die Umgebung abgesucht hatten, man hatte den Rechtsmediziner gesehen und das Fahrzeug der Pietät, das die Leiche von Rosie in die Rechtsmedizin transportiert hatte.

»Ja, das stimmt«, erwiderte Bodenstein also.

»Ach, die Welt ist ein böser Ort«, sagte seine Mutter betroffen. »Wir haben sie erst kürzlich im Hospiz besucht, nachdem Clemens uns erzählt hatte, dass sie nun dort untergebracht ist, weil es keine Hoffnung auf Heilung mehr gab.«

»Wo und wann hat Clemens euch das gesagt?« Bodenstein griff nach Stift und Schreibblock, um sich Notizen zu machen. »Kannst du dich daran erinnern?«

»Ja, natürlich. Ich bin zwar alt, aber nicht verkalkt.«

»Entschuldigung, so habe ich das nicht gemeint.«
»Beim Erntedankfest bei uns auf dem Hof. Am 4. Oktober.«
»Weißt du, mit wem Clemens dort war?«
»Nein. Es war so viel los, darauf habe ich nicht geachtet.«
»Und wann seid ihr bei Rosie gewesen?«
»Zwei, drei Tage später.«
»Also diese Woche?«
»Ja, warte mal. Es war am Montagnachmittag. Dein Vater hatte einen Termin beim Hautarzt im Gesundheitszentrum, und ich bin zu Fuß zum Kloster hochgelaufen. Er hat mich dort später abgeholt.«
»Welchen Eindruck hattest du von Rosie?«
»Sie war schwach, aber erstaunlich guter Dinge«, antwortete Gräfin Leonora von Bodenstein. »Das Wetter war ja herrlich, und ich habe ihr nach draußen geholfen. Sie wollte unbedingt eine Zigarette rauchen.«
»Hm. Und weiter?«
»Wir haben halt etwas geplaudert. Über früher. Du weißt schon, wie das alte Leutchen so tun.«
»Geht's etwas genauer?«
»Was genau willst du wissen?«
»Das weiß ich leider auch nicht«, gab Bodenstein zu. »Ich versuche herauszufinden, warum es jemand für nötig hielt, Rosie zu töten, obwohl sie nicht mehr lange zu leben hatte.«
»Sie machte auf jeden Fall nicht den Eindruck, als ob sie wegen irgendetwas besorgt wäre«, sagte Bodensteins Mutter. »Im Gegenteil: Sie war ganz heiter und entspannt und sagte, es sei ein gutes Gefühl, endlich die Last los zu sein und dass sie jetzt in Frieden sterben …«
»Die Last los zu sein?« Bodenstein, der sich an das erinnerte, was Sonja ihm vorhin erzählt hatte, unterbrach seine Mutter und notierte den Satz. »Genau das hat sie gesagt?«
»Ja, ich glaube schon.«
»Wusstest du, dass sie depressiv war?«, fragte er.
»Ja, das wusste ich. Ich denke, das wusste jeder. Man sprach nur nicht darüber«, antwortete seine Mutter. »Sie war über Jahrzehnte in Behandlung.«

»Komisch. Auf mich hat sie immer einen ausgesprochen stabilen Eindruck gemacht.« Bodenstein überlegte, ob er seine Mutter danach fragen sollte, was Sonja wohl mit dem Fluch gemeint haben könnte, den Rosie ihr gegenüber erwähnt hatte.

»Hat sie über Edgar, Clemens und Sonja gesprochen?«, fragte er stattdessen.

»Nein. Sie erwähnte nur, dass Clemens sich rührend um sie kümmern würde. Warum ist das wichtig?«

Bodenstein entschloss sich dazu, ihr die Wahrheit zu sagen.

»Clemens ist auch tot«, sagte er. »Er kam vorletzte Nacht beim Brand von Rosies Wohnwagen am Waldfreundehaus ums Leben.«

»Das ist ja entsetzlich!«, entfuhr es der Gräfin. »Denkst du, da gibt es einen Zusammenhang?«

»Ich habe mir abgewöhnt, an Zufälle zu glauben«, erwiderte Bodenstein.

»Dahinter kann doch eigentlich nur Edgar stecken. Er hatte schon immer so etwas Inquisitorisches an sich«, sagte seine Mutter. »Genau wie sein Vater früher.«

Diese spontane Verdächtigung überraschte Bodenstein.

»Wie kommst du darauf?«, fragte er.

»Ach, es war vor ein paar Jahren beim Pfarrfest. Damals ging das Gerücht, Rosie habe ein Techtelmechtel mit einem verheirateten Mann.« Die Gräfin senkte die Stimme. »Sie fragte mich, ob ich auch davon gehört habe, und ich antwortete, ich würde mir nichts aus Gerede machen. Da sagte sie, Edgar sei auf hundertachtzig und habe gesagt, alte Hexen wie sie müsse man steinigen oder auf den Scheiterhaufen binden.«

Bodenstein konnte kaum glauben, was er da hörte.

»War etwas dran an dem Gerücht?«, fragte er neugierig.

»Möglich wär's«, erwiderte seine Mutter zurückhaltend. »Rosie war ja immer … hm … lebenslustig. Sie mochte es, umschwärmt und bewundert zu werden.«

Bodenstein verstand die sehr freundliche Umschreibung für die Tatsache, dass Rosie fleißig fremdgegangen war.

»Kann es sein, dass Sonja nicht die leibliche Tochter von Rosies Mann ist?«, fragte Bodenstein, einer plötzlichen Eingebung folgend und ohne schlechtes Gewissen. Seine Mutter war schließlich so etwas wie eine Zeitzeugin.

»Tatsächlich gab es damals Gerede, als Rosie wieder guter Hoffnung war«, sagte sie nach kurzem Zögern. »Die Buben waren ja schon groß und Karl-Heinz angeblich nicht mehr in der Lage ... nun ja ... Stammtischgeschwätz. Darauf gebe ich nichts.«

Das war Bodenstein Bestätigung genug. Es hatte also vor vierzig Jahren schon Gerüchte gegeben, und kurz vor ihrem Tod hatte Rosie es ihrer Tochter gebeichtet. Zu dumm, dass sie die Identität von Sonjas Vater nicht gelüftet hatte.

Nachdem er das Gespräch mit seiner Mutter beendet hatte, betrachtete Bodenstein nachdenklich seine Notizen und überlegte, was davon unter die Rubrik Dorfklatsch fiel, was subjektive Meinung und was eine echte Information war.

* * *

Die Situation war grotesk. Der junge Mann, der vor ihr auf einem Stuhl saß und mit weit aufgerissenen Augen die Pistole auf sie gerichtet hielt, bebte am ganzen Körper. Wer hatte hier mehr Angst vor wem? Obwohl sie nicht weniger zitterte und ihre Beine weich wie Gummi waren, wäre es sicherlich eine Leichtigkeit gewesen, ihm die Waffe zu entwinden und wegzulaufen, aber sie tat es nicht. Wohin hätte sie auch laufen sollen? Zur Polizei etwa? Man würde sie wahrscheinlich auslachen, ihr nicht glauben und sie für eine hysterische Wichtigtuerin halten. Oder, schlimmer noch, ihr Gesicht würde in der Zeitung landen, dann würden ihr innerhalb weniger Stunden die Geldeintreiber von diesem Kredithai auf den Fersen sein. Deshalb saß sie nur da, benommen vor Erleichterung, drehte eine leere Wasserflasche in den Händen und starrte den Jungen an, dem sie die mit Abstand schlimmsten Stunden ihres Lebens verdankte. Die alte Felicitas wäre auf ihn losgegangen und hätte ihn beschimpft, aber ihre Wut und der latent brodelnde Hass auf alles und jeden waren erloschen. Die vierundzwanzig Stunden, in denen sie fest davon überzeugt gewesen war, sterben zu müssen, hatten sie geläutert.

»Es tut mir leid, wirklich«, wiederholte der Junge nun. »Ich wollte das nicht. Aber ich hab plötzlich voll die Panik gekriegt, weil Sie wieder aufgewacht sind und was von den Bullen gelabert haben.«

Felicitas berührte die Beule unter ihrem Haar und seufzte. Sie verspürte tatsächlich Mitleid mit dem Jungen.

»Ich wollt Sie nicht fesseln oder so, deshalb hab ich Sie einfach in die Kiste in der Garage gelegt. Eigentlich hatte ich nicht vor, Sie so lange da drin zu lassen. Ich hab mich nur kurz auf die Couch gesetzt, um nachzudenken, aber dann bin ich … irgendwie voll eingepennt.«

Der Junge verzog das Gesicht. Obwohl es in der Küche nicht besonders warm war, schwitzte er stark. Seine Augen waren gerötet und lagen in tiefen Höhlen. Das eigentlich gut geschnittene Gesicht war auf einer Seite geschwollen und blau verfärbt, ansonsten war es von einer wächsernen Blässe. Fettiges dunkelblondes Haar fiel ihm bis auf die Schultern, und als er es jetzt mit einer kraftlosen Bewegung zurückstrich, bemerkte sie eine verkrustete Wunde an seiner linken Schläfe.

»Was hast du für Probleme mit der Polizei?«, erkundigte sie sich.

»Ach, ist ’ne lange Geschichte«, wich er aus. »Im Moment ist es besser, wenn die nicht wissen, wo ich bin.«

Er spielte mit der Pistole herum.

»Könntest du das Ding wohl bitte weglegen? Keine Angst, ich werde nicht ans Telefon rennen und die Polizei anrufen.«

Tatsächlich schien er ihr zu vertrauen, denn er legte die Waffe vor sich auf den Tisch, dann erzählte er ihr, was passiert war. Sie hatte ihn im Wald beinahe über den Haufen gefahren. Erst im letzten Moment hatte sie das Steuer des Landrovers herumgerissen und war in einen Stapel Baumstämme gerauscht. Dabei war sie mit dem Kopf gegen die Seitenscheibe gekracht und hatte das Bewusstsein verloren.

»Ich hab gewusst, woher Sie gekommen sind, weil ich das Auto kenne.«

»Ach ja? Woher denn das?«

»Ich hab mal als Kommis hier in der Gaststätte gejobbt. So bin ich ja überhaupt nur auf die Wohnwagen gekommen.«

»Die Wohnwagen?« Es fiel Felicitas schwer, sich das schmuddelige Bürschchen als Kellner vorzustellen, allerdings war die Kundschaft der Waldgaststätte nicht besonders pingelig.

»Ich hab einen Entzug gemacht«, erwiderte der Junge freimütig, und eine feine Lebhaftigkeit flackerte in seinen stumpfen Augen auf. »Meine Freundin kriegt nämlich 'n Baby.«

»Aha.«

»Deswegen will ich clean sein. Und ich dachte mir, hier oben ist um die Zeit keine Sau, deshalb bin ich in einen von den Wohnwagen rein. Hin und wieder bin ich mal raus, frische Luft schnappen, aber nur abends oder nachts, weil da noch jemand in einem anderen Wohnwagen war. Sie hab ich übrigens auch ein paar Mal gesehen. Von weitem, mit den Hunden.«

Großer Gott, Manus Hunde! An die hatte Felicitas gar nicht mehr gedacht! Wo waren sie wohl?

»Irgendwann mitten in der Nacht gab's 'ne Explosion. Ich dachte, ey, Scheiße, was is 'n da los, und bin raus. Plötzlich stand dieser Typ vor mir und glotzt mich an, und ich glotz ihn an, und dann rennt er weg, und der Wohnwagen fliegt in die Luft.« Der Junge hielt inne und presste die Handfläche auf seine Schläfe.

»Du bist verletzt«, stellte Felicitas fest, und im selben Moment blitzte in ihr eine Erinnerung auf. Die Silhouette eines Mannes vor dem Schein des Feuers! War er das gewesen?

»Irgendwas hat mich voll am Kopf getroffen. Ich hab geblutet wie ein Schwein. Aber ich hatte Mega-Schiss wegen diesem Typen und bin losgerannt, in den Wald rein. Da kenn ich mich ziemlich gut aus.«

Adrenalin. Wahrscheinlich hatte er die Verletzung zuerst gar nicht bemerkt und einiges an Blut verloren. Das, in Kombination mit dem Drogenentzug, erklärte sein ungesundes Aussehen.

»Ich hab gegen meine Bewährungsauflagen verstoßen, weil ich aus Frankfurt weg bin, obwohl ich das eigentlich nicht darf«, fuhr er nach einer Weile fort. »Die Bullen suchen mich hundertpro. Und dieser Typ vielleicht auch. Ich dachte, hier bin ich sicher, bis es mir 'n bisschen bessergeht.«

»Du bist ja ein ganz schönes Früchtchen«, stellte Felicitas fest. »Und was jetzt?«

»Keine Ahnung.« Der Junge zuckte die Schultern. »Wenn Sie die Bullen rufen, bin ich dran.«

Felicitas glaubte ihm die Geschichte. Er hätte sie beklauen, bewusstlos im Wald liegen lassen und mit dem Auto verschwinden können.

»Wenn ich dich verstecke, bin womöglich *ich* dran«, entgegnete sie.

»Ja, wahrscheinlich.« Er nickte resigniert.

Aber was hätte sie davon, wenn sie die Polizei informierte? War es nicht viel besser, Gesellschaft zu haben, solange Manu und Jens noch in der Weltgeschichte umherreisten? Felicitas erhob sich von dem Stuhl und rümpfte die Nase. Sie stank wie ein Iltis und ihre Hose war im Schritt steif von getrocknetem Urin.

»Weißt du was«, schlug sie vor. »Ich dusche jetzt und ziehe mir was Sauberes an. Dann mach ich uns was zu essen, und wir überlegen, wie es weitergeht, okay?«

»Okay.« Der Schimmer eines Lächelns flog über sein Gesicht. »Danke, dass Sie mich nicht an die Bullen verraten.«

Schöne Augen hatte er, dunkel und seelenvoll. Er benutzte zwar das typische Vokabular der Jugend, doch hin und wieder schlichen sich Ausdrücke ein, die darauf schließen ließen, dass er aus gutem Hause stammte. Ein Ausgestoßener, der nicht wusste, wohin er gehen sollte. Genau wie sie.

»Schon gut«, erwiderte Felicitas. »Ich bin auch nicht sonderlich scharf auf die Polizei. Wie heißt du eigentlich?«

»Elias«, antwortete er. »Und Sie?«

»Felicitas«, sagte sie und lächelte. »Du kannst ruhig du zu mir sagen.«

***

»Clemens Herold hat möglicherweise noch gelebt, als das Feuer im Wohnwagen ausgebrochen ist«, nahm Pia bei der nachmittäglichen Besprechung die Ergebnisse der beiden Obduktionen vorweg, bevor sie ins Detail ging. »Seine Mutter, Rosemarie Herold, wurde erstickt beziehungsweise erwürgt.«

Zwei Mordfälle innerhalb von vierundzwanzig Stunden hatten Kriminalrätin Dr. Nicola Engel dazu veranlasst, alle Beamten der Regionalen Kriminalinspektion, die nicht an aktuellen Fällen arbeiteten, zusammenzutrommeln, deshalb drängten sich im Besprechungsraum im ersten Stock vierzehn Leute und lauschten Pias Bericht. Sie hatte diese Entscheidung getroffen, ohne zuvor Rücksprache mit Bodenstein zu halten, und daran merkte er, dass sie an seine Personalie bereits einen Haken gemacht hatte. Wäre dieser Fall nicht sein letzter als Leiter des K11 gewesen, dann hätte er sie deswegen zur Rede gestellt, aber er war der ständigen kleinen Scharmützel, zu denen sie ihn in den vergangenen Jahren immer wieder provoziert hatte, müde. Demnächst würde sich sein Nachfolger mit Nicolas Einmischungen auseinandersetzen müssen.

»Clemens Herold wurde mit einem stumpfen Gegenstand der Schädel eingeschlagen«, sagte Pia gerade. »Durch den Brand kam es zwar zu einer Hitzesprengung des Schädels, dennoch konnte eindeutig festgestellt werden, dass es sich um eine Impressionsfraktur im Schädeldach handelte, die von einem Schlag verursacht wurde, wahrscheinlich mit einem Hammer. Im Innern des Schädels wurde ein Knochenstück gefunden, das der Größe des Loches entspricht, und das spinnennetzartige Frakturbild ist typisch für einen Globusbruch.«

Am Whiteboard und den Korkpinnwänden hingen Fotos beider Tatorte und der Opfer, außerdem ein Foto von Elias Lessing, von dem es trotz intensiver Fahndung keine Spur gab.

»Nach einer solch heftigen Explosion kann man aus der Lage des Opfers nichts mehr herleiten, aber die Tür des Wohnwagens war von außen abgeschlossen, und das lässt den Rückschluss zu, dass der Brand zur Vertuschung einer Straftat gelegt worden sein könnte«, referierte Pia, wie sie es schon oft getan hatte. Sie würde das K11 gut im Griff haben. Eigentlich hatte Bodenstein bislang keinen Zweifel daran gehabt, dass Pia seine Nachfolge antreten würde, aber es gab noch immer keine offizielle Erklärung dazu. Würde die Kriminalrätin Pia nur nicht berücksichtigen, um seinen Vorschlag zu sabotieren? Eine letzte Machtdemonstration, weil Nicola ihm das Sabbatical insgeheim nicht gönnte?

»Clemens Herold war eins neunzig groß und wog ungefähr einhundertzehn Kilo, er war also körperlich durchaus in der

Lage, sich gegen einen Angriff zu wehren, was er aber offenbar nicht getan hat. Deshalb nehme ich an, dass er keinen Angriff erwartete und den Täter kannte.«

»Wie konnte es zu einer so heftigen Hitzeentwicklung kommen?«, erkundigte sich Nicola Engel, die am anderen Ende des Raumes mit verschränkten Armen an der Fensterbank lehnte und bisher schweigend zugehört hatte.

»Wir haben Überreste von Propangasflaschen sichergestellt«, antwortete Christian Kröger an Pias Stelle und trat an das Whiteboard. Er skizzierte den Wohnwagen mit Vorzelt und markierte die Stellen, an denen die Gasflaschen gestanden haben mussten. »Der Täter ließ das Gas vermutlich in das Vorzelt und in den Wohnwagen strömen, legte eine Lunte aus Benzin und zündete diese aus einer Entfernung von 48,7 Metern an.«

»So ein Zelt ist doch nicht hundertprozentig dicht«, gab Kathrin Fachinger zu bedenken. »Wie kann das funktionieren?«

»Er hat schnell und geplant gehandelt«, erwiderte Kröger. »Ich vermute, nachdem er sein Opfer niedergeschlagen hatte, drehte er im Innern des Wohnwagens die Campinggasflasche auf, dann tat er dasselbe mit den Flaschen, die er zuvor rings um das Zelt deponiert hatte. Flüssiggase haben niedrige Zündgrenzen. Es genügen schon kleinste Mengen flüssig ausströmenden Gases, um in Verbindung mit Luft ein zündfähiges Gemisch zu bilden. Ein Liter flüssiges Propan verdampft zu 260 Litern Propangas, das demnach in Mischung mit Luft 12 400 Liter explosionsfähige Atmosphäre ergibt. In unserem Fall wurden sechs Flaschen mit je elf Kilo Füllung verwendet, das entspricht 6050 Litern Gas, und wenn ihr das mit sechs malnehmt, dann haben wir 36 300 Liter Gas.«

»Machen Sie es kurz, Kröger«, sagte Nicola Engel und warf einen demonstrativen Blick auf ihre Uhr. »Niemand hier braucht eine Lehrstunde in Chemie.«

»Wenn schon, dann in Physik«, entgegnete Kröger spitz. »Die Verbrennungstemperatur von Propan mit Luft beträgt ungefähr 1825 Grad Celsius, in Verbindung mit reinem Sauerstoff ungefähr 2850 Grad Celsius. Zum Vergleich: Krematorien arbeiten mit 900 bis maximal 1200 Grad Celsius.«

»Dazu wurde Brandbeschleuniger in erheblichem Umfang benutzt«, bemerkte Pia. »Der Täter wollte ganz sicher sein, dass wirklich alles restlos verbrennt.«

»Es war ein Inferno«, bestätigte Kröger. »Außer diversen geschmolzenen Metallteilen haben wir so gut wie nichts mehr sicherstellen …«

»Was wissen wir über das zweite Opfer?«, würgte Nicola Engel den Chef des Erkennungsdienstes ab und erntete dafür einen bösen Blick.

»Rosemarie Herold wurde erwürgt und gleichzeitig erstickt.« Pia faltete den Zettel auseinander, auf dem sie sich ein paar Stichworte notiert hatte. »Petechien in den Bindehäuten der Augen, im Mundraum, am Zahnfleisch und an den Brustorganen, Einblutungen im Unterhautfettgewebe am Hals, an den vorderen geraden Halsmuskeln und an den Kehlkopfgelenken. Frakturen des Zungenbeinhorns und der Schildknorpeloberhörner sowie grobe Weichteilblutungen des Kehlkopfes. Ferner wurden Stofffasern in Nase und Mundhöhle gefunden, die darauf schließen lassen, dass das Opfer nicht nur gewürgt wurde, sondern außerdem durch die Bedeckung von Mund und Nase daran gehindert werden sollte, zu schreien. Würgemarken oder Abdrücke von Fingernägeln sind nicht zu finden, auch weist die Leiche keine Abwehrverletzungen auf. Dazu ist zu sagen, dass die Frau todkrank war.«

»Warum hat sich der Täter dann noch die Mühe gemacht, sie umzubringen?«, fragte jemand.

Pia warf Bodenstein einen Blick zu, aber der bedeutete ihr mit einem Kopfnicken, dass sie weitermachen sollte.

»Genau das ist die Frage, mit der wir uns beschäftigen müssen«, sagte sie deshalb. »Wer profitiert vom Tod von Rosemarie und Clemens Herold? Wer konnte sich den beiden nähern, ohne Misstrauen hervorzurufen? Wer hatte die Mittel und die Gelegenheit, sie zu töten?« Sie ging zum Whiteboard und tippte auf einen der Namen, die Ostermann an die Tafel geschrieben hatte. »Unser Hauptverdächtiger ist Edgar Herold, 54, Schlossermeister, wohnhaft in Kelkheim-Ruppertshain, Sohn beziehungsweise Bruder unserer Opfer. Es ist davon auszugehen, dass er und seine Schwester ihre Mutter im Falle ihres Ablebens beerben. Geld ist immer ein starkes Motiv. Darüber hinaus arbeitet Edgar Herold in seiner Schlosserei mit Propangas, und er besitzt ein Fahrzeug, mit dem er Gasflaschen transportieren kann. Außerdem hat er uns gegenüber ziemlich unverblümt seine Abneigung gegen seinen Bruder artikuliert.«

Wieder machte Pia eine Pause und schaute ihn an, aber Bodenstein blieb stumm.

»Auch wenn Herold unser Verdächtiger Nummer eins ist, dürfen wir uns nicht zu früh auf ihn festlegen«, fuhr sie nach einem kurzen Zögern fort. »Wir überprüfen seine Alibis für die Tatzeiten und den finanziellen Background von Rosemarie, Clemens und Edgar Herold. Wir sprechen mit Nachbarn, Bekannten und Verwandten. Und wir müssen die letzten Stunden im Leben von Clemens Herold nachvollziehen, dazu werden sein Bewegungsprofil, seine Telefonate und Aktivitäten im Internet überprüft. Darüber hinaus beschäftigen wir uns mit seinem privaten und beruflichen Umfeld. Er hatte seiner Frau nicht erzählt, dass er vierzehn Tage Urlaub hat, und hat sie belogen, was seinen Aufenthaltsort betraf. Wir müssen also eine außereheliche Beziehung in Betracht ziehen, die Grund für den Mord gewesen sein kann.«

»Suchen wir auch weiterhin nach Elias Lessing?«, erkundigte sich ein Kollege vom Betrug.

»Auf jeden Fall.« Pia nickte. »Er ist ein wichtiger Zeuge. Wir haben vorhin mit seiner Bewährungshelferin gesprochen. Sie hat zum letzten Mal vor einer Woche von ihm gehört. Er hat ihr mitgeteilt, dass er einen Drogenentzug machen will. Eigentlich hätte er sich längst wieder bei ihr melden müssen, das gehört zu seinen Bewährungsauflagen, aber sie wollte ihn nicht in Schwierigkeiten bringen. Elias Lessing hat ihrer Meinung nach eine günstige Sozialprognose, deshalb hat sie den Verstoß bisher nicht gemeldet.«

»Wenn ich das schon höre!« Die Kriminalrätin schüttelte missbilligend den Kopf. »Manipulierbare Gutmenschen gehören einfach nicht in solche Jobs. Aber es wäre ja nicht das erste Mal, dass Blauäugigkeit ein Verbrechen begünstigt. Steht Lessing unter Tatverdacht?«

»Nicht unbedingt, aber als Täter können wir ihn zum jetzigen Zeitpunkt nicht ausschließen«, erwiderte Pia. »Es bedarf einiger logistischer Planung und eines geeigneten Fahrzeugs, um Gasflaschen und Brandbeschleuniger auf die Waldwiese zu transportieren. Dazu war Elias Lessing in unseren Augen nicht in der Lage. Er besitzt nicht einmal einen Führerschein.«

»Das heißt doch gar nichts«, sagte Nicola Engel herablassend. »Wollen Sie das etwa als Unschuldsbeweis gelten lassen?«

»N...nein.« Pia war verunsichert. »Natürlich nicht. Das war nur eine Feststellung.«

Just in diesem Moment bemerkte Bodenstein den Blick, den Nicola mit Cem Altunay wechselte. Ihm entging weder das kurze, spöttische Hochschnellen ihrer Augenbraue noch das stumme Einverständnis, das zwischen den beiden herrschte. Was hatte das zu bedeuten? Lief hier etwa ein abgekartetes Spiel zu Pias Ungunsten?

»Gehen wir an die Öffentlichkeit?« Cems Frage war an ihn gerichtet, aber Bodenstein, noch mit der Analyse seines Verdachts beschäftigt, antwortete nicht sofort.

»Was meinen Sie dazu, Herr von Bodenstein?« Nicola Engel stieß sich von der Fensterbank ab und sah ihn herausfordernd an. Sofort spitzten alle die Ohren. Jeder wusste, dass er und die Kriminalrätin eigentlich per du waren.

»Hm«, machte er nur und runzelte die Stirn.

Die Öffentlichkeit konnte eine große Hilfe sein, aber auch ein großes Risiko darstellen. Ihr einziger Augenzeuge war bislang unauffindbar, doch solange seine Identität nicht allgemein bekannt war, war er vor dem Mörder von Clemens Herold relativ sicher. Auf der anderen Seite waren die Chancen, Elias Lessing zu finden, erheblich größer, wenn sein Foto und sein Name durch die Presse verbreitet wurden.

»Hätten Sie heute noch die Güte, mir zu antworten?« Nicola klang ungehalten. Sie war angefressen. Das musste nicht unbedingt etwas mit ihm persönlich zu tun haben, aber sie ließ es an ihm aus, und das ärgerte ihn.

»Ich denke gerade darüber nach.« Bodenstein ließ ihren Versuch, ihn vor versammelter Mannschaft zu düpieren, an sich abprallen.

»Dann teilen Sie das Ergebnis Ihres Denkprozesses bitte umgehend meiner Assistenz mit«, schnappte sie. »Ich habe noch Termine außer Haus und nicht ewig Zeit.«

Der schnelle Abgang nach einer solchen Verbal-Ohrfeige war eine Spezialität von ihr; so hatte sie die Gewissheit, die Bühne als Siegerin zu verlassen. Die meisten Kollegen fürchteten diese Bloßstellungen und waren deshalb in ihrer Gegenwart gehemmt, was natürlich nicht sonderlich konstruktiv war.

Für Bodenstein spielte es keine Rolle mehr, ob ihm die Kriminalrätin wohlgesinnt war oder nicht, er hatte ihre Spielchen satt. Mit einem Schritt zur Seite verstellte er Nicola Engel den Weg hinaus in den Flur.

»Was soll das?« Sie blieb vor ihm stehen. Bodenstein wusste, wie sehr sie es hasste, zu jemandem aufblicken zu müssen. Ihre Augen schossen zornige Blitze.

»Dein Büro oder meins?«, fragte er knapp. Die Anwesenden hielten den Atem an.

»Meins!«, zischte die Kriminalrätin, und er trat zur Seite. Sie rauschte von dannen, ließ die Tür demonstrativ offen.

»Wie gehen wir jetzt vor?«, brach Cem das angespannte Schweigen, als ihre Schritte im Flur verklungen waren.

»Ich bin in zehn Minuten zurück«, entgegnete Bodenstein. »Ihr könnt bis auf weiteres alle wieder an eure Arbeit gehen. Ich brauche hier momentan nur mein Team.«

***

»Wie kommst du dazu, dich ungefragt in meinen Fall einzumischen?« Bodenstein war einfach an Nicolas Assistentin vorbei und direkt in das Büro seiner Chefin marschiert, die sich bereits hinter ihrem Schreibtisch verschanzt hatte.

»Ich weiß nicht, wovon du sprichst«, entgegnete Nicola eisig. »Ich weiß nur, dass ich mir eine solche ... Insubordination von dir nicht gefallen lasse. Das hat Konsequenzen.«

Bodenstein überhörte die Drohung.

»Du setzt eine SoKo ein, ohne dich mit mir abzustimmen. Du kanzelst meine Mitarbeiter ab und behandelst sie wie Lehrlinge im ersten Lehrjahr. Darf ich erfahren, was das soll?«

»Setz dich.« Nicola funkelte ihn zornig an.

»Ich stehe lieber.«

»Auch gut.«

Sie starrten sich an wie zwei Pitbulls, die nur auf eine falsche Bewegung des Gegners lauerten, um ihm an die Kehle zu gehen.

»Du bist doch im Geiste sowieso schon im Urlaub«, behauptete Nicola. »Während der ganzen Besprechung vorhin hast du nicht ein Wort gesagt.«

»Das ist ja wohl lächerlich!« Bodenstein konnte über diesen ungerechtfertigten Vorwurf nur den Kopf schütteln. »Dir geht es doch um etwas ganz anderes. Du willst Pia nur deshalb nicht als meine Nachfolgerin, weil *ich* sie vorgeschlagen habe und du mir eins auswischen willst.«

»Wie kommst du denn darauf?«

»Ich habe Augen im Kopf.« Er zuckte die Achseln. »Du bevorzugst jemand anderen aus meinem Team, nämlich Cem Altunay.«

›Von dem du glaubst, dass du ihn besser kontrollieren kannst als Pia‹, fügte er in Gedanken hinzu.

»Die Stelle wird auf jeden Fall intern besetzt. Herr Altunay ist in der engeren Wahl«, gab Nicola zu.

Cem war ein guter Polizist, unaufgeregt, scharfsinnig und teamfähig, außerdem besaß er ein gutes Urteilsvermögen und scheute sich nicht davor, Entscheidungen zu treffen. Bodenstein zweifelte nicht an Cems Fähigkeiten. Aber wie würde Pia damit umgehen, als Dienstälteste der Abteilung einfach übergangen zu werden?

»Wann wirst du es publik machen?«

»Sobald es offiziell entschieden ist, und das ist es bisher nicht.« Nicola setzte ihre Lesebrille auf, schob einige Papiere zu einem Stapel zusammen und richtete sie akkurat im rechten Winkel zu einem anderen Aktenstapel aus. »Gibt es sonst noch etwas?«

»Nein, das war's.« Bodenstein wandte sich zum Gehen, darauf gefasst, dass sie noch etwas nachsetzen würde.

»Ach, Oliver.«

Sie musste einfach immer das letzte Wort haben.

»Ja?« Er blieb stehen und drehte sich um.

»Ich war sehr erstaunt, als mich der Polizeipräsident anrief und mir erzählte, wie du ihm die Ohren vollgejammert hast!«

»Wie bitte? Ich habe ihm nicht die Ohren vollgejammert«,

widersprach Bodenstein, verärgert über diese kränkende Formulierung.

»Wie würdest du es denn sonst nennen?« Nicola hob ihre sorgfältig gezupften Augenbrauen. »Für mich klingt das so, als ob du dich nicht mehr in der Lage fühltest, deinen Job zu machen. Oder leidest du unter der heutigen Modekrankheit, *Burn-out*?«

Aus ihrem Mund klang das Wort abfällig, geradezu lächerlich.

»Ich habe ihm dargelegt, warum ich ein Jahr unbezahlten Urlaub haben will«, sagte Bodenstein. »Genau wie dir auch.«

»Anderen kannst du vielleicht weismachen, dass du eine Auszeit brauchst, aber mir nicht!« Nicola schnaubte. »Wieso sagst du nicht die Wahrheit? Du bist nicht mehr auf dein Beamtengehalt angewiesen, weil du deine reiche Schwiegermutter beerbst. Statt das zuzugeben, erzählst du diesen Unsinn! Was wirft das für ein Licht auf meine Behörde? Und auf mich?«

Gekränkte Eitelkeit und Neid – da lief also der Hase lang!

»Ich weiß nicht, wie du auf die seltsame Annahme kommst, ich würde meine Exschwiegermutter beerben«, entgegnete Bodenstein frostig. »Sie ist putzmunter, und das hoffentlich noch sehr lange. Ich bin vierundfünfzig und seit dreißig Jahren Polizist. Ich möchte einfach ein bisschen mehr Zeit für meine Tochter haben und brauche Abstand zu diesem Job. Warum kommst du jetzt überhaupt damit um die Ecke? Du hattest doch meinem Antrag zugestimmt!«

»Was blieb mir auch anderes übrig.« Nicola furchte die Stirn und presste die Lippen so fest zusammen, dass sie einen Strich in ihrem Gesicht bildeten.

»Ach, verdammt, Oliver.« Plötzlich entglitt ihr die eiserne Beherrschung, mit der sie ihre Emotionen normalerweise unter Kontrolle hielt. »Wieso hast du bloß so wenig Ehrgeiz? Seit Jahren wird dein Name immer wieder gehandelt, wenn es um höhere Aufgaben geht, und jetzt machst du dir jede Chance kaputt, weil du so einen emotionalen Quark dahergeredet hast! Das wird in deiner Personalakte stehen!«

Bodenstein begriff, was wirklich hinter ihrem Zorn steckte. Nicola war ein Machtmensch und hatte es noch nie ertragen können, irgendetwas nicht unter Kontrolle zu haben. Höchstwahrscheinlich hatte sie irgendwelche Karrierepläne für ihn geschmiedet, von denen sie in strategischer Hinsicht profitieren wollte, und die hatte er nun durchkreuzt. Ihr Pech, wenn sie nicht mit offenen Karten spielte.

»Du weißt doch genau, dass ich keine Lust auf einen Job wie deinen habe«, sagte er. »Ich war immer gerne Ermittler und schließe auch nicht aus, das eines Tages wieder zu sein. Für die Politik und die ganzen Ränkespielchen, die du so liebst, bin ich eben nicht geschaffen.«

Nicola musterte ihn aus schmalen Augen.

»Tja. Das muss ich wohl akzeptieren.« Sie seufzte. »Du weißt, dass ich dich schätze, aber du hast mich ziemlich enttäuscht, Oliver. Löse die beiden Fälle. Mach ein Jahr Urlaub. Und komm danach zurück.« Zu seiner Überraschung lächelte sie plötzlich. »In Wiesbaden ist man darüber im Bilde, dass derjenige, der die Leitung des K11 übernimmt, dies nur interimsweise tun wird.«

* * *

Als Bodenstein in den Besprechungsraum zurückkehrte, hatte sich die Runde reduziert. Außer Pia, Cem, Kathrin und Kai saßen nur noch Tariq Omari und Christian Kröger dort, und ihre Gespräche verstummten bei seinem Erscheinen wie ein Orchester, wenn der Dirigent das Podium betritt. Jemand hatte zwei der Fenster geöffnet; frische Herbstluft strömte herein und vertrieb den Mief, den die Körperausdünstungen von fünfzehn Menschen auf engstem Raum produziert hatten.

»So«, begann Bodenstein. »Cem und ich werden jetzt zur Ehefrau von Clemens Herold fahren. Pia, du und Tariq, ihr fragt Edgar Herold nach seinen Alibis und überprüft sie. Christian, du fährst mit deinen Jungs gleich mit. Ihr durchsucht Haus, Werkstatt und sein ganzes Grundstück, auch die Wohnung von Rosie Herold.«

»Ohne Durchsuchungsbeschluss?«

»Den kriegen wir«, versicherte Bodenstein ihm.

»Ich kümmere mich gleich drum«, sagte Kai.

»Was ist mit der Befragung der Nachbarschaft von Herold?«, erkundigte Cem sich.

»Unbedingt!« Bodenstein nickte. »Nehmt so viele Leute mit wie nötig. Befragt jeden, der in der Straße wohnt. Vielleicht hat ja jemand Mittwochnacht etwas beobachtet. Und sprecht bitte auch mit Sonja, der Schwester von Clemens und Edgar. Sie weiß noch nicht, dass ihr Bruder tot ist.«

»Okay.« Pia nickte.

»Wie steht es mit dem Bewegungsprofil von Elias Lessings Handy?«

»Ich rechne jeden Moment damit«, erwiderte Kai. »Übrigens auch mit denen der Herold-Brüder. Um die Kontenabfragen kümmert sich Kathrin.«

»Gut. Hat Elias' Bewährungshelferin etwas über diese Freundin gewusst?«

»Die Bewährungshelferin hat von einem Mädchen namens Nike gehört, weiß aber nichts Näheres«, erwiderte Pia. »Sie hört sich um und meldet sich, falls sie etwas erfährt. Übrigens macht sie sich wirklich große Sorgen, weil Elias wieder in den Bau wandert, wenn sie meldet, dass er gegen seine Bewährungsauflagen verstoßen hat. Das will sie verhindern und hat uns deshalb darum gebeten, vorerst nicht öffentlich nach ihm zu fahnden. Sie will ihm noch die Chance geben, sich bei ihr zu melden.«

»Das ist zwar durchaus löblich, aber völlig inakzeptabel«, sagte Bodenstein und dachte kurz daran, wie Peter Lessing die Bewährungshelferin seines Sohnes charakterisiert hatte. »Die Presse wird informiert. Fahndungsaufruf nach Elias Lessing in Rundfunk und Fernsehen. Haltet den Text so vage wie möglich. Gibt es sonst noch etwas?«

»Ja, ich hab noch was.« Kröger stand auf. »Wir haben im Umkreis von einem Kilometer rings um das Hospiz sämtlichen Müll, jedes Fetzchen Papier und jede Zigarettenkippe eingesammelt. Dabei haben wir unter anderem einen dunkelgrauen Wollschal gefunden, der noch nicht sehr lange dort gelegen haben kann.« Er trat an ein Luftbild von der Umgebung des Hospizes, das am Whiteboard hing, und deutete auf eine Stelle. »Und zwar ungefähr … hier. Dieser Pfad führt vom Kloster aus direkt zum Kreisel, und dort befindet sich der Parkplatz des Hauptfriedhofs. Falls sich herausstellt, dass der Schal das Mordwerkzeug war, dann könnte der Täter dort unten sein Auto geparkt haben und durch die Wiesen zum Hospiz gelaufen sein.«

»Das bedeutet, er besitzt gute Ortskenntnis und wusste, dass Frau Herold ein Zimmer im Erdgeschoss hatte«, folgerte Cem.

»Korrekt.« Kröger nickte. »Der Schal ist im Labor. Bis morgen dürften wir ein Ergebnis haben.«

»Wie viele Leute wussten wohl, dass Rosemarie Herold im Hospiz war?«, fragte Cem.

»Ziemlich viele, fürchte ich. Sie war in Ruppertshain bekannt wie ein bunter Hund«, erwiderte Bodenstein, dem das Gespräch mit seiner Mutter wieder in den Sinn kam. »Auf dem Rückweg von Niederrod fahren wir noch mal bei der Schwester der Pächterin und im Hospiz vorbei und befragen dort die Mitarbeiter. Und jetzt an die Arbeit. Wir treffen uns hier um fünf wieder.«

***

Auf der Fahrt nach Ruppertshain grübelte Pia darüber nach, warum Bodenstein Cem gebeten hatte, mit ihm zu Frau Herold zu fahren, und nicht sie. War er noch sauer auf sie wegen gestern? Oder wollte er sie daran gewöhnen, ohne ihn zurechtzukommen? Zuzutrauen wäre ihm das, so feinfühlig und selbstlos, wie er mitunter sein konnte. Zweifellos war Bodenstein in den vergangenen zehn Jahren ein wichtiger Bestandteil ihres Lebens geworden, und Pia konnte sich nicht vorstellen, wie es sein würde, ohne ihn zu arbeiten. Mit wem würde sie sich besprechen, wer konnte ihn ersetzen? Er war für sie weitaus mehr als nur ein Chef, mit dem man gut zurechtkam. Gemeinsam hatten sie Höhen und Tiefen erlebt, knifflige Fälle gelöst und gefährliche Situationen gemeistert, sie hatten sich in schwierigen Zeiten aufeinander verlassen können. Sie waren Freunde geworden, die auch über private Dinge miteinander sprachen, und Bodenstein hatte sich im Laufe der Jahre zu Pias engstem Vertrauten entwickelt.

In der Schlosserei Herold wurde gearbeitet, als sei nichts geschehen. Entweder kompensierte Edgar Herold seine Trauer über den gewaltsamen Tod seiner Mutter mit Arbeit, oder er empfand keine. Er wirkte nicht sonderlich überrascht, als Pia und Tariq die Werkstatt betraten.

»Hab mir schon gedacht, dass ihr hier aufkreuzt«, brummte er nur, ohne von seiner Arbeit aufzusehen. »Was gibt's?«

»Wir haben etwas mit Ihnen zu besprechen.« Pia hatte schon seltsamere Reaktionen von Angehörigen erlebt. »Können wir uns vielleicht woanders unterhalten?«

Herold zuckte die Schultern und legte das Metallstück, an dem er gearbeitet hatte, zur Seite. Nachdem er seinen Mitarbeitern ein paar knappe Anweisungen gegeben hatte, folgte er Pia und Tariq hinaus auf den Hof. Seine Miene verfinsterte sich beim Anblick von Kröger und seinen Leuten, die sich gerade ihre weißen Overalls anzogen.

»Was soll denn das?« Herold furchte die Stirn, so dass seine buschigen Augenbrauen eine einzige Linie bildeten. Sicherlich registrierte er auch die beiden älteren Frauen, die auf der gegenüberliegenden Straßenseite standen und ungeniert in den Hof gafften. In einem kleinen Ort wie diesem blieb kein Ereignis lange unbemerkt.

»Wir haben einen Durchsuchungsbeschluss für Ihr Anwesen«, sagte Pia und ließ die übliche Belehrung folgen.

»Wieso das, wenn ich fragen darf?«

»Vorgestern Nacht kam Ihr Bruder Clemens beim Brand des Wohnwagens ums Leben«, erwiderte Pia. »Es handelte sich eindeutig um Brandstiftung.«

»Und das soll ich gewesen sein, oder was?« Sein Argwohn schlug in Feindseligkeit um.

»Müssen wir das hier auf dem Hof klären?«, fragte Pia. Die Alten auf der anderen Straßenseite hatten Verstärkung von einem weißhaarigen Mann und einer dicken Frau in einer Kittelschürze bekommen.

»Na, Edgar!«, rief die Dicke. »Haste was ausgefressen, he?«

Herold presste die Lippen zusammen und machte eine obszöne Geste.

»Kommen Sie mit«, knurrte er.

Pia und Tariq folgten ihm eine schmale Treppe hinauf, die um das Haus führte. Die Eingangstür war offen. Eine Gummiwurst, die am inneren und äußeren Türgriff befestigt war, hielt sie davon ab, zuzufallen.

»Schließen Sie nachts die Haustür und das Hoftor ab?«, erkundigte sich Tariq.

»Die Haustür natürlich.« Herold steuerte auf die Wohnungstür zu, die sich auf halber Treppe befand. »Aber das Hoftor nicht.«

»Und was ist mit der Werkstatt? Da befinden sich doch ziemlich wertvolle Maschinen und Werkzeuge, oder?«

»Sind alle längst abgeschrieben«, sagte Herold, ohne sich umzudrehen, und führte sie in einen Raum, der offenbar als Büro diente. Ein heillos überladener Schreibtisch, der von einem altmodischen Kasten von Computermonitor dominiert wurde, ein Laserdrucker auf dem Fußboden, Regale voller Aktenordner. Auf einem Sideboard standen überquellende Ablagekörbchen, auf jeder Fläche und dem Fußboden stapelten sich Kataloge und Musterbücher.

»So, was ist jetzt?« Herold postierte sich mit dem Rücken zum Fenster, durch das man in den Hof blicken konnte. »Hab nicht ewig Zeit.«

Das Kreischen der Metallsäge war verstummt, die drei Mitarbeiter Herolds nutzten die Abwesenheit des Chefs für ein Päuschen. Sie standen im Hof herum und rauchten.

»Was haben Sie in der Nacht vom 8. auf den 9. Oktober gemacht?« Pia hatte beschlossen, Edgar Herold direkt anzugehen und nicht zu schonen. Auf einen groben Klotz gehörte ein grober Keil. »Und wo waren Sie außerdem gestern Nachmittag gegen 17 Uhr?«

Der Mann begriff sofort, worauf sie hinauswollte, und lief rot an.

»Ich glaub, es hackt!«, polterte er empört los. »Meine Mutter und mein Bruder sind tot, und Sie kommen mit solchen Unterstellungen um die Ecke! Wo ist Bodenstein? Mit Ihnen und dem Schwarzhaarigen da rede ich nicht.«

»Ich fürchte, Sie müssen mit uns vorliebnehmen. Herr von Bodenstein ist bei Ihrer Schwägerin«, erwiderte Pia kühl. »Also, wo waren Sie zu den fraglichen Uhrzeiten?«

»Nachts schlafe ich normalerweise«, schnappte der Schlosser wütend.

»Und vorletzte Nacht?«

»Na, auch! Das kann meine Frau bestätigen.«

»Sonst noch jemand, abgesehen von Ihrer Ehefrau?«

»Leider hat meine Frau was dagegen, dass meine Freundin bei uns übernachtet.«

»Ach, Sie haben eine Freundin?« Pia, die dem Schlosser diese Schlagfertigkeit gar nicht zugetraut hätte, gab sich humorlos. »Das ist ja interessant. Wie heißt sie, und wo wohnt sie?«

»Das war ein Witz!«, schnaubte Herold zornig.

»Wir verstehen keinen Spaß, wenn es um Mord geht«, antwortete Pia frostig. »Ich würde Ihnen raten, das hier ernst zu nehmen. Wo waren Sie gestern gegen 17 Uhr?«

»Bei 'nem Kunden. Was ausliefern und montieren. Da können Sie meinen Mitarbeiter fragen.«

»Das werden wir tun«, versicherte Pia ihm. »Welcher von den Männern da unten war mit Ihnen unterwegs?«

»Keiner von denen«, behauptete Herold mürrisch. »Der Leo schafft bei der Stadt und geht mir ab und zu mal zur Hand, wenn er freihat.«

»Leo?«, fragte Tariq nach. »Und wie weiter? Geben Sie uns bitte den Namen, die Adresse und seine Handynummer.«

»Keller, Leonard«, rückte Herold widerwillig mit dem Gewünschten heraus. »Wohnt hier in Ruppsch. Bei seiner Mutter, auch in der Wiesenstraße.«

»Wo haben Sie gestern Nachmittag gearbeitet?«, fragte Pia.

»In Kelkheim unten«, brummte Herold. »Beethovenstraße 102. Ein Balkongeländer montieren.«

Tariq tippte auch diese Information in sein Smartphone.

»Danke.« Pia lächelte dünn. »Das war's erst mal. Und jetzt würden wir gerne die Wohnung Ihrer Mutter sehen.«

»Wenn Sie glauben, dass es was bringt.« Herold zuckte die Schultern. Er schob sich an ihnen vorbei ins Treppenhaus, stieg gemächlich zwei Treppen hoch und öffnete eine Tür. Im Treppenhaus war seit den fünfziger Jahren des vergangenen Jahrhunderts die Zeit stehengeblieben: Glasbausteine, das Treppengeländer mit einem Handlauf aus olivfarbenem Kunststoff und ausgetretene rostbraune Steinstufen. An den mit einer verblichenen Strukturtapete tapezierten Wänden hingen gestickte Tierbilder und ein gerahmtes Luftbild des Herold'schen Anwesens, das sicherlich sechzig Jahre alt war.

Herold schloss die linke Tür im ersten Stock auf. »Bitte sehr.« Er machte eine ausladende Armbewegung und lächelte mit kaum verhohlener Schadenfreude. »Schauen Sie sich um. Lassen Sie sich ruhig Zeit.«

Pia verzog keine Miene und betrat den Rohbau, in den die ehemalige Wohnung von Rosie Herold bereits verwandelt worden war. An den Wänden hingen noch Tapetenreste, und hier und da waren Rückstände von Teppichkleber auf dem nackten Estrich zu sehen.

»Sie hatten es ja eilig mit dem Renovieren.« Sie trat an eines der Fenster. Der Ausblick reichte bis hinauf zum Zauberberg und zum Wald. Unter dem Fenster standen drei Container, gefüllt mit Schutt, Holz und gemischtem Müll. »Wo sind die persönlichen Dinge Ihrer Mutter?«

»Das, was sie nicht mitnehmen wollte, haben wir entsorgt«, antwortete Herold vom Flur aus. Dies mitzuteilen schien ihn mit tiefer Befriedigung zu erfüllen. Pia musterte ihn. Rosie Herold war seit ein paar Wochen im Hospiz gewesen, und ihre Familie hatte nichts Besseres zu tun gehabt, als alle Spuren ihres Lebens zu tilgen, noch bevor sie gestorben war. Sie hatte schon viele unsympathische Menschen getroffen, aber Edgar Herold landete unter den Top Ten der absoluten Kotzbrocken. Ihr Handy klingelte. Kröger. Sie ging in eines der anderen Zimmer.

»Sieben Propangasflaschen fehlen«, sagte Christian Kröger ohne lange Vorrede. »Die Mitarbeiter wissen nicht, wo sie sind. Manchmal verleiht Herold Gasflaschen an Vereine, aber dann gibt's einen Lieferschein, und die Leute müssen fünfzig Euro Pfand hinterlegen. Im Büro haben sie eine Kladde, in die so etwas eingetragen wird. Es gibt aber keine aktuellen Einträge.«

»Danke, Christian«, erwiderte Pia mit gesenkter Stimme. »Wir sind gerade oben in der Wohnung von Rosie Herold. Leider haben sie alles ausgeräumt. Hinter dem Haus stehen drei Container. Bitte durchsucht sie nach den persönlichen Sachen von Frau Herold. Ach ja, und schick doch bitte die Kollegen von der Streife zu uns hoch. Wir nehmen Herold mit.«

»Geht klar.«

Pia steckte ihr Handy weg und ging zurück in den Flur.

»Ich denke, unser Chef sollte sich doch besser persönlich mit Ihnen unterhalten«, sagte sie und lächelte.

»Warum nicht gleich so?« Herold fühlte sich sehr überlegen. »Ich bin unten in der Werkstatt. Er weiß ja, wo er mich findet.«

»Sie haben mich falsch verstanden, Herr Herold. Sie begleiten uns jetzt nach Hofheim aufs Kommissariat.« Pia beobachtete, wie das selbstgefällige Grinsen auf Herolds Gesicht erlosch, als die beiden uniformierten Kollegen die leere Wohnung betraten. »Und damit die Leute im Ort auch was zu reden haben, dürfen Sie sogar mit dem Streifenwagen fahren. Auf der Rückbank.«

***

Bodenstein hatte schon jede denkbare Reaktion erlebt, wenn er den Angehörigen eines Opfers die Nachricht überbrachte, die ihr Leben aus den Fugen heben würde. Manche brachen weinend zusammen, andere wurden regelrecht katatonisch oder verfielen in sinnlosen Aktionismus, wieder andere weigerten sich schlicht, zu glauben und zu begreifen, was sie gehört hatten. Er war schon als Lügner beschimpft worden, man war ihm schluchzend um den Hals gefallen, und einmal hatte eine Frau sogar allen Ernstes von ihm wissen wollen, ob er von der »Versteckten Kamera« käme, nachdem er ihr mitgeteilt hatte, dass ihr Mann bei einem Autounfall ums Leben gekommen war.

Mechthild Herold und ihr Sohn hatten sehr gefasst reagiert, als Cem und er ihnen das Ergebnis der Obduktion mitgeteilt hatten. Die grausigen Details hatten sie wohlweislich verschwiegen. In den Schmerz und die Trauer der beiden mischte sich Zorn, als sie begriffen, dass ihr Ehemann und Vater ein Doppelleben geführt hatte, und das wohl schon seit geraumer Zeit. Für den Rest ihres Lebens würde sich Mechthild Herold mit der Frage quälen müssen, was ihr Mann wirklich getan hatte, wenn er angeblich geschäftlich unterwegs gewesen war. Wann hatte er ihr die Wahrheit gesagt, was war gelogen? Hatten seine Arbeitskollegen und Freunde gewusst, was er tatsächlich trieb?

Sie hatte nichts dagegen einzuwenden gehabt, dass sie den

Computer und einen Terminkalender ihres Mannes mitnahmen, und ihnen auch bereitwillig gestattet, sein kleines Büro im Keller in Augenschein zu nehmen.

Nun waren Bodenstein und Cem auf dem Weg zurück nach Hofheim, wo Edgar Herold auf seine Vernehmung wartete, doch an der Billtalhöhe bogen sie von der B8 zum Waldfreundehaus ab. Die ganze Zeit wartete Bodenstein insgeheim darauf, dass Cem das Thema Nachfolge im K11 anschneiden würde, aber sein Kollege verlor kein einziges Wort darüber. Vielleicht, weil es nichts zu reden gab und schon längst eine Entscheidung gefallen war?

Als sie auf den Parkplatz des Waldfreundehauses einbogen, wuchtete Felicitas Molin gerade zwei prall gefüllte Einkaufstaschen von der Ladefläche eines ramponierten Landrovers. Sie sah frischer aus als gestern Morgen und roch auch bedeutend besser.

»Es tut mir leid, dass ich so ruppig war.« Sie lächelte zerknirscht und blickte zwischen Bodenstein und Cem hin und her. »Ich war etwas durcheinander.«

»Das kann ich verstehen.« Bodenstein nickte verständnisvoll. »Es ist sicherlich nicht schön, mitten in der Nacht von einer Explosion aus dem Tiefschlaf gerissen zu werden.«

»Normalerweise trinke ich nicht so viel Alkohol, dass ich Kürbisse für Menschen halte«, gab sie zu und lachte verlegen.

»Sie müssen sich nicht entschuldigen.« Bodenstein war von der Verwandlung, die mit Felicitas Molin vor sich gegangen war, angenehm überrascht. Die Frau trug eine enge Jeans und hochhackige Stiefel, dazu eine kurze beigefarbene Daunenjacke mit einem Webpelzkragen, außerdem war sie dezent geschminkt. Zwar war der erste Eindruck der wichtigste, aber manchmal verdiente ein Mensch auch eine zweite Chance.

»Bei dem Brand ist jemand ums Leben gekommen, stimmt's?« Sie tippte auf eine Zeitung, die aus einer der Einkaufstaschen ragte. »Steht heute groß im Lokalteil.«

»Ja, bedauerlicherweise«, bestätigte Bodenstein. »Es handelte sich um Brandstiftung, und wahrscheinlich gab es einen Zeugen, denn in einem der anderen Wohnwagen hat sich ein junger Mann aufgehalten, nach dem wir momentan fahnden.«

»Habe ich gehört.« Frau Molin nickte. »Was kann ich noch für Sie tun?«

»Sie haben uns erzählt, dass es zwei Explosionen gegeben hat. Dann hörten Sie ein Auto wegfahren, und später haben Sie eine Person in der Nähe des Feuers gesehen.«

»Richtig.«

»Die zeitliche Abfolge ist sehr wichtig für unsere Ermittlungen«, sagte Cem. »Erinnern Sie sich, ob Sie das Motorengeräusch vor oder nach der zweiten Explosion gehört haben?«

»Davor«, erwiderte Frau Molin, ohne zu zögern. »Ich bin von der ersten Explosion aufgewacht und ans Fenster gegangen. Leider bin ich blind wie ein Maulwurf, deshalb habe ich das Fernglas meines Schwagers geholt. Und da habe ich das Auto gehört.«

»Wann haben Sie die Person gesehen?«

»Danach. Richtig gesehen habe ich nichts, eigentlich nur eine Silhouette vor den Flammen.«

»Konnten Sie erkennen, was die Person anhatte oder wie sie aussah?«

»Nein, tut mir leid.« Felicitas Molin schüttelte bedauernd den Kopf. »Zuerst dachte ich, ich hätte mich geirrt, aber dann habe ich durchs Fernglas die Umrisse eines Menschen gesehen. Er lief weg, Richtung Wald.«

»Okay, danke.« Cem nickte und lächelte. »Das hilft uns weiter.«

»Was ist mit Ihrem Auto passiert?«, erkundigte sich Bodenstein. Der Landrover war alt und nicht besonders gepflegt, die Dellen am linken Kotflügel wirkten aber ziemlich frisch.

»Das Auto gehört meiner Schwester«, antwortete Frau Molin. »Meins steht momentan in der Werkstatt, deshalb benutze ich ihres, solange sie verreist ist.«

Bodenstein schaute ins Innere des Landrovers und bemerkte dunkle Flecken auf dem Fahrersitz. War das Blut?

»Haben Sie in den Tagen vor dem Brand irgendetwas beobachtet, was Ihnen verdächtig vorkam?«, fragte er.

»Nicht dass ich wüsste.« Frau Molin zog einen Kasten Cola von der Ladefläche und schloss die Kofferraumklappe mit einem Knall. »Hier oben ist um diese Zeit wenig los. Hin und wieder kommt mal ein Jogger vorbei, ein Mountainbike-Fahrer oder ein Reiter.«

»Sollen wir Ihnen beim Tragen helfen?«, bot Cem an und lächelte charmant. »Sie haben ja einen richtigen Großeinkauf gemacht.«

»Wenn man mitten in der Pampa wohnt, bleibt einem nichts anderes übrig.« Frau Molin lächelte zurück. »Der Supermarkt ist ja nicht gerade um die Ecke. Vielen Dank, aber das schaff ich schon.«

Sie schloss das Auto ab, ergriff zwei der Taschen und stöckelte Richtung Gaststätte.

»Fahren wir?«, fragte Cem.

»Moment noch.« Bodenstein wartete, bis die Frau um die Hausecke gebogen war, dann schaltete er die Kamerafunktion seines Handys ein und machte rasch ein paar Bilder vom Innenraum des Landrovers und von dem beschädigten Kotflügel. Am Griff der Fahrertür war Blut. Es war schon angetrocknet und sah auf den ersten Blick aus wie Schmutz.

»Achtung, sie kommt zurück«, warnte Cem ihn, und er ließ das Telefon in seine Jackentasche gleiten.

»Gibt's noch was?«, wollte sie wissen.

»Nein, nein. Wir fahren gleich«, erwiderte Bodenstein. »Soll mein Kollege Ihnen wirklich nicht helfen?«

Felicitas Molin legte den Kopf schief und musterte Cem amüsiert.

»Na, bevor ich Sie von Ihrer täglichen guten Tat abhalte – bitte schön.« Sie nickte in Richtung der Getränkekisten. »Wenn Sie die vor die Gaststätte stellen könnten, wäre ich Ihnen dankbar.«

Cem packte den Cola- und den Wasserkasten und folgte ihr. Bodenstein nutzte die Gelegenheit, um eines der Speichelprobensets, die er aus Gewohnheit bei sich trug, aufzuschrauben und mit dem Wattestäbchen über die Blutflecken am Türgriff zu fahren. Irgendetwas am Verhalten von Felicitas Molin weckte seinen Argwohn. Das freundliche Lächeln, die Bereitwilligkeit, mit der sie kooperierte, die aufgesetzte Fröhlichkeit – irgendwie machte das auf ihn den Eindruck, als wolle sie etwas verbergen. Hatte er sie falsch eingeschätzt, oder war es das übliche Misstrauen, das sein Beruf zwangsläufig mit sich brachte? Sollte er Kai bitten, Informationen über die Frau einzuholen? Nein, das war unnötig. Sie war nur eine Zeugin und hatte ihnen anstandslos Auskunft gegeben, es gab also keinen plausiblen Grund für seinen Argwohn. Außer seinem Bauchgefühl.

* * *

Es war halb neun, als Pia den asphaltierten Feldweg parallel zur Autobahn Richtung Birkenhof entlangfuhr. Tage wie diese waren glücklicherweise die Ausnahme und nicht die Regel, und vielleicht würden sie die beiden Mordfälle in Rekordzeit aufgeklärt haben. Edgar Herold war zwar weit davon entfernt, ein Geständnis abzulegen, aber die Indizien, die für ihn als Täter sprachen, häuften sich. Der Schal, den Krögers Leute auf dem Trampelpfad in den Wiesen unterhalb des Kelkheimer Klosters sichergestellt hatten, gehörte Herold, das hatte dieser bestätigt. Im Labor waren Speichelspuren und Hautpartikel festgestellt worden, die nun mit der DNA von Rosemarie Herold verglichen wurden. Herold hatte weder eine schlüssige Erklärung für das Fehlen der sieben Propangasflaschen noch dafür, wie sein Schal, den er seit Jahren nicht mehr benutzt haben wollte, nach Kelkheim auf einen Feldweg in der Nähe eines Tatortes geraten war. Das Alibi für den Donnerstagnachmittag war ziemlich wackelig. Leonard Keller, der städtische Arbeiter, der mit gelegentlicher Hilfsarbeit bei Herold seinen Lohn aufbesserte, war ein wenig einfältig und nicht gerissen genug, um zu lügen. Die Befragung hatte beinahe eine Stunde gedauert, denn Keller konnte sich nur mühsam artikulieren und brauchte immer eine Weile, um eine Frage zu verstehen. Schließlich war herausgekommen, dass Herold ihn am Vortag etwa gegen 15:30 Uhr bei dem Kunden in der Beethovenstraße abgesetzt hatte und weggefahren war. Erst gut anderthalb Stunden später sei »der Eddy« wieder aufgetaucht, mit Material, das er beim Baumarkt gekauft hatte. Das mussten sie trotz der Baumarkt-Quittung noch überprüfen, schließlich konnte jeder dort eingekauft haben. Herolds Alibi für die Nacht von Mittwoch auf Donnerstag war auch nicht viel wert, denn Ehepartner waren gemeinhin dafür bekannt, parteiisch zu sein.

Im Container für den gemischten Müll hatten die Kollegen von der Spurensicherung den kompletten Hausrat von Rosie Herold gefunden, darunter eine große Menge Medikamente, die zum Teil schon lange abgelaufen waren. Was aber gefehlt hatte, waren persönliche Dinge wie Fotoalben, Bilder und der typische Krimskrams, der sich in einem Menschenleben ansammelte und für andere keine Bedeutung besaß. Die Herzlosigkeit, vor allen Dingen aber die Geschwindigkeit, mit der Herold sämtliche Erinnerungen an seine Mutter im Müll entsorgt hatte, stieß Pia am meisten auf. Er hatte seine Mutter verachtet, sich für ihr angebliches Lotterleben geschämt, ja, möglicherweise hatte er sie sogar gehasst. War es da nicht beinahe logisch, dass er den Wohnwagen, der ihm ein Dorn im Auge gewesen war, zu vernichten suchte – und den ungeliebten Bruder praktischerweise gleich mit? Doch genau an diesem Punkt hatte Pia Zweifel. Der Mann war zwar keine Intelligenzbestie, aber ihm musste klar gewesen sein, dass er unter Verdacht geraten würde, schließlich hatte er aus seiner Abneigung gegen Mutter und Bruder nie einen Hehl gemacht. Würde er tatsächlich Spuren hinterlassen, die so eindeutig und auffällig zu ihm hinführten wie eine hell erleuchtete Autobahn? Der Mord an Clemens Herold war akribisch geplant und mit erheblicher krimineller Energie und absolutem Vernichtungswillen durchgeführt worden. Die Planung und Durchführung dieser Tat traute Pia dem Schlosser nicht zu.

Vor dem Tor des Birkenhofs betätigte sie die Fernbedienung, und der linke Torflügel schwang zur Seite. Erst als sie die geschotterte Auffahrt entlangfuhr und ein fremdes Auto neben Christophs Pick-up stehen sah, fiel ihr wieder ein, dass sie Kim für heute Abend zum Essen eingeladen hatte. Durch die Hektik heute hatte sie völlig vergessen, ihre Schwester anzurufen und ihr abzusagen. Kim war lange stellvertretende Direktorin einer forensisch-psychiatrischen Gefängnisklinik in der Nähe von Hamburg gewesen, und die Schwestern hatten über viele Jahre so gut wie keinen Kontakt mehr gehabt. Vor zwei Jahren hatte Kim beschlossen, Weihnachten wieder einmal bei ihren Eltern in Wiesbaden zu verbringen. Die Feier im trauten Familienkreis war ein Fiasko gewesen, aber seitdem waren Kim und Pia in Verbindung geblieben, was dadurch erleichtert wurde, dass Kim, die einen Lehrstuhl für Forensische Psychiatrie in München angenommen hatte, die Lebensgefährtin von Kriminalrätin Nicola Engel war und deshalb zwischen München und Frankfurt pendelte.

Eigentlich war es gar nicht so schlecht, dass sie Kim nicht abgesagt hatte, dachte Pia bei sich, als sie ihr Auto neben dem ihrer Schwester abstellte und ausstieg. Immerhin war Kim als Gutachterin für Gerichte und Staatsanwaltschaften tätig und beriet die Spezialisten der Operativen Fallanalyse beim BKA. Sie hatte einige Jahre bei der Verhaltensanalyseeinheit des FBI in Quantico gearbeitet und war eine erfahrene forensische Psychiaterin, die Erstellung von Tat- und Täterprofilen war ihr Spezialgebiet. Vielleicht konnte sie ihr die beiden Fälle schildern und Kim nach ihrer Meinung dazu fragen.

Der appetitliche Duft von Knoblauch und Salbei drang Pia in die Nase und ließ ihr das Wasser im Mund zusammenlaufen, als sie die Haustür aufschloss. Sie streifte im Windfang die Schuhe von den Füßen und schlüpfte in ihre froschgrünen Crocs. Früher waren die Hunde schon aus ihren Körbchen gesprungen und wild bellend vor der Tür des Windfangs herumgehüpft, wenn sich das Tor unten an der Auffahrt öffnete, doch mittlerweile waren sie beide in die Jahre gekommen und hörten nur noch schlecht. Schwanzwedelnd kamen sie angetrottet, die zwei alten Herren mit ihren grauen Schnauzen, und freuten sich diskreter als früher. Pia liebkoste sie beide, dann ging sie in die Küche. Christoph und Kim saßen am Küchentisch, auf dem noch ein Gedeck stand, und erhoben sich, als Pia hereinkam.

»Tut mir leid, dass es so spät geworden ist«, entschuldigte sie sich, gab Christoph einen Kuss und umarmte ihre Schwester. »Das riecht ja himmlisch! Ich hab heute nur ein Brötchen gegessen und einen Riesenhunger.«

»Genau das habe ich mir schon gedacht.« Christoph stellte einen Teller in die Mikrowelle und schaltete sie ein.

»Dein Mann hat dein Abendessen verteidigt wie ein Wolf«, grinste Kim und setzte sich wieder. »Sonst hätte ich wahrscheinlich alles weggeputzt, so lecker wie das war. Er ist wirklich ein genialer Koch!«

Pia wusch sich die Hände und grinste in sich hinein, als sie verräterische Aluschalen im gelben Sack erspähte.

»Tortelloni mit Spinat-Ricotta-Füllung in einer Butter-Salbei-Sauce mit viel Knoblauch, wie meine Süße es liebt«, schmunzelte Christoph, nahm den Teller aus der Mikrowelle und stellte ihn Pia augenzwinkernd hin. »Dazu ein feines Gläschen Sancerre.«

»Danke, mein Schatz.« Pia faltete die Serviette auseinander, streute etwas geriebenen Parmesankäse über die Pasta und warf Christoph eine Kusshand zu. »Du bist der Beste!«

»Ich soll dir schöne Grüße von Giuseppe ausrichten. Er will wissen, wann er dich mal wieder sieht.«

»Giuseppe?« Kim blickte zwischen Schwester und Schwager hin und her, kombinierte richtig und riss in gespielter Empörung die Augen auf. »Wie? Was? Das hast du gar nicht selbst gekocht? Du bist mir ja einer!«

»Immerhin bei unserem Lieblingsitaliener selbst gekauft«, grinste Christoph und wollte Kim Wein nachschenken, aber sie legte ihre Hand auf das Glas.

»Danke, eins ist genug«, lehnte sie ab. »Ich muss noch fahren.«

»Dann lass ich euch Mädels mal in Ruhe schnacken«, sagte Christoph und schnappte sich sein Weinglas. »Ich muss sowieso noch einen Vortrag fertigschreiben.«

»Sag mal, kann ich dich etwas Berufliches fragen?«, erkundigte sich Pia bei ihrer Schwester. »Wir haben seit gestern einen neuen Fall, oder besser gesagt zwei.«

»Klar.« Kim war sofort neugierig. »Schieß los.«

Rasch skizzierte Pia die beiden Mordfälle und fasste ihre bisherigen Erkenntnisse für Kim zusammen.

»Es könnte sich um denselben Täter handeln«, schloss Pia kauend und genoss das himmlische Aroma von Salbei und Knoblauch, das ihre Geschmacksknospen zum Jubilieren brachte. »Allerdings sind die Tatmuster komplett unterschiedlich.«

»Hm.« Kim blickte nachdenklich. »Was macht dich so sicher, dass der Schlosser nicht der Täter ist?«

Pia beschrieb Herold und erklärte ihre Zweifel, was die Brandstiftung am Wohnwagen anging.

»Im Augenblick belasten ihn alle Indizien und er hat keine sonderlich guten Alibis. Trotzdem glaube ich ihm, wenigstens teilweise. Möglicherweise hatte er einen Komplizen.«

»Habt ihr schon eine Ahnung, welche Motive dahinterstecken könnten?«

»Nein. Um Geld kann es nicht gegangen sein, denn Rosemarie Herold hatte gerade mal knapp fünftausend Euro auf der Bank und keine Lebensversicherung. Ihren Anteil am Haus und an der Schlosserei hatte sie schon vor Jahren auf ihre drei Kinder überschrieben. Sie besaß nur noch diesen alten Wohnwagen.«

»Du sagtest, die Frau sei todkrank gewesen?«

»Ja. Krebs im Endstadium. Die Ärzte hatten sie zum Sterben nach Hause geschickt. Wir fragen uns jetzt, wieso jemand eine Person erwürgt, die höchstens noch ein paar Tage zu leben hat«, entgegnete Pia und wischte ihren Teller mit einem Stück Brot aus.

»Der eklatanteste Unterschied ist der, dass in einem Fall das Opfer berührt wurde, in dem anderen Fall die Tötung jedoch aus einiger Distanz erfolgte«, sagte Kim. »Speziell das Erwürgen deutet darauf hin, dass der Täter in irgendeiner Beziehung zum Opfer stand. Jemandem mit eigenen Händen den Hals zuzudrücken und ihm dabei in die Augen zu schauen erfordert nicht nur Kraft, sondern auch eine Wut, die man kaum gegenüber einer völlig fremden Person empfindet.«

»Das würde für Edgar Herold sprechen.«

»Nicht ausschließlich«, widersprach Kim. »Es könnte auch ein Bekannter gewesen sein, ein früherer Freund, ein ehemaliger Geschäftspartner …«

»Auch eine Frau?«

»Eine kräftige Frau, durchaus. Das Opfer war geschwächt, konnte also keinen großen Widerstand leisten. Neunzig Prozent aller Morde sind Beziehungsdelikte, bei denen sich Opfer und Täter kannten.«

»Ich weiß.« Pia kannte die Statistiken. »Die Sache mit dem Brand war allerdings komplett anders. Die Gasflaschen, die Lunte, die gelegt wurde, das alles war akribisch geplant.«

»Und dem Opfer wurde der Schädel eingeschlagen, oder?«

»Ja, richtig.«

»Auch dafür braucht man Kraft.«

»Aber es ist keine Affekttat.«

»Die darauffolgende gut vorbereitete Brandlegung spricht zumindest dagegen«, bestätigte Kim. »Diese Tat ist eine Mischung aus emotionalem und rationalem Vorgehen des Täters. Wahrscheinlich hatte er nur vor, den Wohnwagen anzuzünden, dann gab es eine Komplikation. Zum Beispiel, weil jemand im Wohnwagen war, den er dort nicht erwartet hatte. Er musste eine Entdeckung oder das Scheitern seines Planes befürchten. Womöglich war er aber auf alle Eventualitäten vorbereitet und hatte deshalb vorsorglich ein Tötungswerkzeug dabei. Und er war spontan dazu bereit und in der Lage, seinen ursprünglichen Plan zu modifizieren.«

»Du meinst, er könnte es gar nicht unbedingt auf Clemens Herold abgesehen haben?«

»Ich würde vermuten, dass seine Entschlossenheit in erster Linie der Vernichtung des Wohnwagens galt.«

»Dann muss man die großen Mengen Brandbeschleuniger und gleich sechs Propangasflaschen, die er benutzt hat, nicht als eine Art Übertötung interpretieren?«

»Nein. Das Feuer in dieser Intensität war nicht unbedingt primär gegen das Opfer gerichtet. Vielleicht war der Tote sogar nur ein Kollateralschaden, den der Täter billigend in Kauf genommen hat. Ich denke, er wollte einfach sichergehen, dass von dem Wohnwagen und seinem Inhalt absolut nichts mehr übrig bleibt.«

»Das führt uns doch wieder zu Edgar Herold zurück.« Pia seufzte. »Er hat uns gegenüber geäußert, jeder in Ruppertshain habe gewusst, was seine Mutter in ihrem Wohnwagen ›getrieben‹ habe. Ich gehe davon aus, er sprach von Liebesbeziehungen oder sexuellen Kontakten. Er missbilligte das, was seine Mutter in diesem Wohnwagen tat, in höchstem Maße.«

»Dass er den Wohnwagen als verhasstes Symbol für den Lebenswandel seiner Mutter vernichten wollte, ist nachvollziehbar. Aber nicht, dass er seinen Bruder erschlägt und ihn darin verbrennen lässt. Das passt nicht.« Kim schüttelte den Kopf und warf einen Blick auf die Uhr. »An eurer Stelle würde ich nach einem Täter im Umfeld der Opfer suchen. Jemanden, der die Familie Herold gut kennt und Zugang zu Herolds Haus und Gelände hat, ohne Aufsehen zu erregen.«

»Na klasse. Da kommt wohl die Hälfte der männlichen Bevölkerung von Ruppertshain in Frage!« Pia verzog das Gesicht. »Herold ist Schlosser und in zig Vereinen aktiv. Seine Mutter war überall beliebt und bekannt.«

»Beiden Morden liegt keines der üblichen Mordmotive wie Neid, Rache oder Eifersucht zugrunde. Habgier scheidet auch aus. Tja, Schwesterchen, ich würde dir gerne etwas anderes sagen, aber meiner Meinung nach sucht ihr einen Mann, der entweder eine Rechnung begleicht oder Mitwisser tötet. Und es würde mich wundern, wenn es bei den zwei Morden bliebe.«

»Ein Serienkiller?« Das Unbehagen, das Pia bereits den ganzen Tag über unterschwellig geplagt hatte, wurde stärker.

»Nein«, erwiderte Kim bestimmt. »Serienmörder töten, um ihre krankhaften Phantasien in die Realität umzusetzen. Ihre Taten haben eine sadistische Komponente, die hier fehlt, genauso wie die typische Abkühlungsphase.«

»Hm.« Pia drehte das Weinglas in den Fingern. »Was meintest du damit, dass er Mitwisser töten könnte? Mitwisser wovon?«

»Wenn ihr das herausfindet«, antwortete Kim, »dann seid ihr eurem Täter ganz nah.«

Samstag, 11. Oktober 2014

Zum ersten Mal seit vielen Jahren wurde Bodenstein in dieser Nacht von einem Alptraum heimgesucht, der ihm in seiner Kindheit und Jugend nicht selten die Nächte zur Qual gemacht hatte: Er war auf der Flucht vor einer Bedrohung, die er zwar nicht sehen konnte, von der er aber wusste, dass sie ihm dicht auf den Fersen war. Genau wie früher ging es jedoch nicht nur um ihn, sondern er musste jemanden retten oder beschützen, was die ganze Situation noch furchtbarer machte. Schweißgebadet schreckte er aus dem Schlaf hoch, wie immer kurz bevor ihn das Unheil einholte. Das Herz hämmerte gegen seine Rippen, und er brauchte eine ganze Weile, um sich von der bedrohlichen Atmosphäre dieses Traums, dem Gefühl von Panik und Machtlosigkeit, zu befreien. Die Konfrontation mit seiner Vergangenheit, ausgelöst durch die Morde an Rosie und Clemens, hatte irgendetwas in seinem Innern in Aufruhr versetzt, deshalb war es kaum verwunderlich, dass ihm sein Unterbewusstsein plötzlich wieder diesen Traum schickte.

Es war kurz nach fünf und an Schlaf nicht mehr zu denken, deshalb ging er nach unten, kochte sich einen Kaffee und machte sich auf die Suche nach seinem iPad. Er fand es im Wohnzimmer auf der Couch. Aus den kleinen Fingerabdrücken auf dem Touchscreen und den Krümeln in einem Radius von fünf Metern rings um den Couchtisch schloss er, dass Sophia wohl irgendwelche Spiele auf dem Gerät gespielt hatte, obwohl er ihr verboten hatte, das Gerät zu benutzen. Als er gestern Abend spät nach Hause gekommen war, hatte sie bereits im Bett gelegen und geschlafen.

Bodenstein nippte an seinem Kaffee und rief seine E-Mails auf. Cosima hatte sich endlich dazu herabgelassen, ihm zu antworten, ohne Betreff allerdings und sehr knapp. Sie sei gerade mit dem kompletten Filmteam auf dem Weg nach Gaziantep in der Türkei, um im türkisch-syrischen Grenzgebiet einen Beitrag fürs Fernsehen zu drehen, und sicherlich nicht vor Ende nächster Woche zurück. Das war alles. Kein Gruß an Sophia, erst recht kein Gruß an ihn. Cosima war noch nie ein Muttertier gewesen und nur dann in ihrem Element, wenn sie auf Reisen war, am besten in irgendwelchen Krisengebieten oder in Gegenden, in die noch keine weiße Frau je ihren Fuß gesetzt hatte. Früher, vor den Zeiten von Mobiltelefon und Internet, hatte sie manchmal wochenlang nichts von sich hören lassen und ihm damit häufig Sorgen bereitet.

Pia hatte ihm auch geschrieben. Sie hatte gestern Abend noch mit ihrer Schwester über die beiden Fälle gesprochen und die Ergebnisse dieses Gesprächs für ihn kurz zusammengefasst. Dr. Kim Freitag hatte sie vor zwei Jahren bei einem schwierigen Fall schon einmal unterstützt, ihre Meinung konnte durchaus hilfreich sein. Als er las, was die Profilerin über ihren Täter gesagt hatte, spürte Bodenstein, wie sich seine Nackenhaare aufstellten. Zu dem Schluss, dass Edgar, allen Indizien zum Trotz, wohl eher nicht der Mörder seiner Mutter und seines Bruders war, waren sie gestern nach der Vernehmung bereits gekommen. Da keine Fluchtgefahr bestand, hatten sie ihn nach Hause geschickt.

Er las ein zweites Mal den letzten Satz von Pias Mail. *Kim meint, wir müssen nach jemandem suchen, der entweder eine Rechnung begleicht oder Mitwisser tötet. Und es würde sie wundern, wenn es bei den zwei Morden bliebe.*

Mitwisser. Nicht selten geschahen Morde aus Gründen, die auf Außenstehende wie Lappalien wirkten, von den Betreffenden selbst aber als existenzielle Katastrophe empfunden wurden. Welches Geheimnis mochten Rosie und Clemens gekannt, welche Schuld konnten sie auf sich geladen haben, die schlimm genug war, dass beide sterben mussten? Und warum ausgerechnet jetzt? Rosie hatte nur noch ein paar Tage gehabt, ein paar Wochen höchstens, dann hätten Krankheit und Tod dem Mörder die Arbeit abgenommen. Hatten sie und Clemens jemanden gemeinsam erpresst und dadurch so sehr in die Enge getrieben, dass er keine andere Lösung gesehen hatte als Mord? Wer hatte gewusst, dass Clemens den Wohnwagen seiner Mutter genutzt hatte, um an der Familienchronik zu arbeiten? Was, wenn Pias Schwester recht hatte und die beiden Morde nur der Auftakt einer Serie waren? Solange sie das Motiv nicht kannten und kaum Fakten in der Hand hatten, ließ sich ein Täterkreis nur schwerlich eingrenzen, und es gab keine Möglichkeit, zu verstehen, worum es eigentlich ging. Die Wahrheit zeigte sich nie als Ganzes, sie war wie ein Puzzle mit tausend Teilen, die sich allesamt ähnlich sahen, und obwohl sie nach Kim Freitags düsterer Prognose eigentlich keine Zeit hatten, so mussten sie jetzt Geduld haben und auf Ergebnisse aus dem Kriminallabor, von den verschiedenen Telefonanbietern und den IT-Spezialisten des LKA warten. Nichts war gefährlicher, als sich zu einem so frühen Zeitpunkt der Ermittlungen in hypothetischen Szenarien zu verstricken und auf einen Verdächtigen festzulegen.

Nachdenklich rieb Bodenstein sein unrasiertes Kinn, dann tippte er eine kurze Antwortmail an Pia und bestätigte den Termin für eine Besprechung um 10:00 Uhr, bei der auf Pias Wunsch hin auch Kim anwesend sein würde. Der Einfachheit halber kopierte er gleich das ganze Team, inklusive Nicola Engel und Christian Kröger, ein. Vielleicht konnte Kim ihnen wertvolle Impulse geben, die ihre Suche nach dem Täter eingrenzten. Sie mussten ihm auf die Spur kommen, bevor er noch weitere Menschen ermordete.

Sophia tauchte um kurz vor sieben auf, marschierte direkt zum Fernseher und schaltete ihn ein. Karoline hatte gestern Abend gewartet, bis er gegen neun nach Hause gekommen war. Bodenstein hatte gehofft, sie würde über Nacht bleiben, aber sie war recht bald aufgebrochen. Greta hatte mal wieder Ärger bei der Klassenfahrt gehabt, Karolines Exmann hatte das Mädchen in München abholen müssen, und Karoline hatte prompt alle Termine verschoben, um Greta zu beglucken. Die Leute, die sich das Haus ihrer Eltern angesehen hatten, schienen ernsthaft interessiert zu sein, allerdings nicht zu dem Preis, den sie verlangte. Als Karoline gegangen war, hatte Bodenstein im Fernsehprogramm herumgezappt, zwei Gläser Wein getrunken und darüber nachgegrübelt, warum er sich immer wieder zu Frauen hingezogen fühlte, für die er nur die Nummer zwei war. Bereits in seiner Ehe war er derjenige gewesen, der eindeutig mehr liebte, als er geliebt wurde. Oft schien er Cosima regelrecht lästig gewesen zu sein; sie hatte den größeren Teil ihres Lebens ohne ihn geführt und ihm dadurch ein stetes Gefühl der Unsicherheit vermittelt. Die flüchtige Affäre mit Annika Sommerfeld, die ihn nur benutzt hatte, war auch nicht gerade zur Steigerung seines Selbstwertgefühls geeignet gewesen, und bei Inka war er sich nicht sicher, ob das zwischen ihnen überhaupt jemals Liebe gewesen war oder nur der Versuch, an eine dreißig Jahre alte Vertrautheit anzuknüpfen. Und nun Karoline.

An den Wochenenden, die sie für sich hatten, war alles wunderbar und fühlte sich richtig und gut an. Aber auf jede schöne Zeit folgte unweigerlich die Ernüchterung. Seit ein paar Wochen hatte Bodenstein das Gefühl, dass Karoline sich von ihm zurückzog. Er hatte keine Erklärung für ihr Verhalten, klärenden Gesprächen wich sie aus. Angeblich hatte Greta Alpträume, Greta wurde im Reitstall gemobbt, Greta zankte sich mit ihren Halbgeschwistern, Greta schwänzte die Schule, Greta war beim Haschrauchen erwischt worden – immer gab es neue Probleme, und wenn er den Namen des Mädchens nur hörte, erfüllte ihn ein leiser Groll. Schob Karoline ihre Tochter mitsamt ihren pubertären Problemen nur vor? Steckte eigentlich etwas anderes dahinter? Wenn ja, was? War es ein Fehler, nicht nach ihren Gründen für diesen Rückzug zu fragen? Sollte er sich offensiver verhalten, insistieren, wenn sie sich herausredete, ihr gar ein Ultimatum stellen? Würde sich etwas ändern, wenn er demnächst mehr Zeit hatte?

»Machst du mir einen Kakao, Dad?« Sophia kam in die Küche. Der Fernseher lief mit voller Lautstärke. Piepsige Synchronstimmen irgendwelcher Comicfiguren wechselten sich ab mit nerviger Musik.

»Ja, klar.« Bodenstein erhob sich vom Küchentisch, holte die Milch aus dem Kühlschrank und stellte einen Topf auf den Herd. »Machst du bitte den Fernseher aus, wenn du nicht mehr guckst?«

»Ich guck gleich weiter. Um 7-4-0 fängt ›Bibi und Tina‹ an.«

»Dafür ist keine Zeit mehr«, erinnerte er seine Tochter. »Ich muss dich um acht zu Darcy bringen.«

Glücklicherweise konnte Sophia heute bei einer Freundin bleiben und auch dort übernachten. Ab nächster Woche war seine Schwiegermutter zurück aus Italien und würde Sophia für den Rest der Herbstferien zu sich nehmen. Danach musste er weiterschauen, falls Cosima noch länger wegblieb.

»Gestern Abend war übrigens so ein alter Opa hier«, erzählte Sophia beiläufig, während sie zwei Scheiben Toastbrot in den Toaster steckte. »Der hat mindestens zehn Mal geklingelt.«

Bodenstein horchte auf.

»Aha«, sagte er. »Warum ist Karoline nicht zur Tür gegangen?«

»Die war grad beim Rewe und bei der Post.« Sophia fischte ein Messer aus der Schublade neben dem Herd.

»Und was wollte der Mann?« Bodenstein nahm den Topf mit der Milch vom Herd und rührte Kakaopulver hinein. Die Toastscheiben sprangen mit einem Klacken aus dem Toaster, und Bodenstein legte sie auf das Arbeitsbrett.

»Keine Ahnung. Hab ihm nicht aufgemacht.« Sophia strich konzentriert Butter auf die Toasts. »Du hast doch gesagt, dass ich keinen reinlassen soll, wenn du nicht da bist.«

»Stimmt. Hast du den Mann denn gekannt?«

»Glaub schon. Aus der Kirche.«

Bodenstein fiel ein, dass er gestern eigentlich noch bei dem alten Pfarrer hatte vorbeischauen wollen. Das hatte er glatt vergessen!

»War es vielleicht der alte Pfarrer Maurer?«

»Kann sein.«

»Hast du mit ihm gesprochen?«

»Nur über die Sprechanlage.«

»Und was hat er gesagt?«

»Dass er dir was sagen wollte.«

»Nur das?«

»Jaaaa.« Sie sah ihn so treuherzig an, dass er Zweifel bekam. Er würde rasch duschen, Sophia bei Darcy abliefern und danach am besten kurz bei Maurer vorbeischauen, bevor er zur Arbeit fuhr.

***

Zu ihrer Überraschung gefiel es Felicitas, die nie eigene Kinder gewollt und auch nicht vermisst hatte, den Jungen zu bemuttern. Er hatte so etwas Verletzliches. Hätte er nicht einen solchen Raubbau an seinem Körper betrieben, so wäre er ein hübscher junger Mann gewesen. Aber sie würde ihn schon aufpäppeln. Aus der Apotheke hatte sie Verbandszeug und Paracetamol mitgebracht, sie hatte Elias' Kopfwunde sorgfältig gereinigt und verpflastert, ihm Badewasser eingelassen und eine kräftige Hühnersuppe gekocht, während er gebadet hatte. Er hatte ordentlich gegessen, dann war er ins Bett von Manu und Jens gefallen, das sie frisch für ihn bezogen hatte. Das war vor zwölf Stunden gewesen, und er schlief noch immer. Über sich selbst hatte er nicht viel erzählt, dafür umso mehr von einem Mädchen namens Nike, das er offenbar abgöttisch liebte. Um den Mann, den er bei Brandstiftung und Mord beobachtet hatte, machte er sich keine Gedanken. Viel wichtiger war ihm, seiner Nike endlich mitzuteilen, dass er ihre Bedingungen erfüllt hatte und clean war. Und das war ein Problem, denn Elias traute sich nicht, sein Handy einzuschalten. Er fürchtete, die Polizei könne es orten und dann hier auftauchen, was durchaus denkbar war.

Felicitas glaubte nicht, dass jemand, der sich über Jahre hinweg regelmäßig zugedröhnt hatte, automatisch clean war, nur weil er ein paar Tage lang keine Drogen genommen hatte. Elias war ein Träumer, der sich an die Hoffnung klammerte, durch Nike und ein Baby würde sein verkorkstes Leben schlagartig wieder gut werden. Sie brachte es nicht übers Herz, ihm zu sagen, wie naiv das war.

Felicitas ging die Treppe hinunter. Das Knarren der Holzstufen unter ihren Füßen rief die Hunde auf den Plan. Erwartungsvoll wedelten sie mit den Schwänzen.

»Na, dann lasst uns mal eine Runde drehen.« Sie legte Bear und Rocky die Halsbänder an, nahm die Leinen vom Haken und stieg in die Gummistiefel, die neben der Haustür standen. Die Luft war frisch und kühl. Der Wind rauschte in den Baumwipfeln, es duftete nach Tannennadeln und feuchter Erde. Am faszinierendsten war die Stille. Vögel zwitscherten, das Klopfen eines Spechts hallte durch den Wald. Weit über ihr am hellblauen Oktoberhimmel zog lautlos ein Flugzeug vorbei und hinterließ einen Kondensstreifen. Die Wiese war noch immer abgesperrt, aber Felicitas bückte sich unter dem rotweißen Flatterband hindurch und stapfte in Richtung des verbrannten Wracks. Die Hunde tollten ausgelassen über die Wiese, jagten einem Karnickel hinterher und ließen wieder von ihm ab. Felicitas sah ihnen eine Weile zu. Es war herrlich, die frische Luft zu atmen, den blauen Himmel über sich zu sehen und am Leben zu sein. Im Nachhinein war ihr klar, dass sie nie wirklich in Gefahr gewesen war, aber das hatte sie schließlich nicht wissen können. Die Angst, die Klaustrophobie, die grässliche Ungewissheit ihrer Situation, all das hatte Spuren hinterlassen.

Nach einem kurzen Fußmarsch über die matschige Wiese, deren Grasnarbe von den schweren Feuerwehrfahrzeugen umgepflügt worden war, hatte sie die Überreste des Wohnwagens erreicht. Schaudernd betrachtete sie die Asche und das verkohlte Gestänge. Hier war ein Mensch gestorben. Was hatte Clemens H., 61 Jahre alt, aus Idstein, wie es in der Zeitung gestanden hatte, wohl getan, um auf diese Weise umgebracht zu werden? Qualvoll bei lebendigem Leibe zu verbrennen war wohl eine der entsetzlichsten Todesarten, die Felicitas sich vorstellen konnte. Angeblich verlor man vorher schon durch die Rauchgase das Bewusstsein, aber es war dennoch eine schreckliche Vorstellung, so sterben zu müssen. Das verbrannte Wrack des Autos war längst abtransportiert worden, die Leiche natürlich auch. Alles wirkte wieder ruhig und friedlich, aber trotzdem hatte Felicitas das Gefühl, da draußen im Wald würde etwas Bedrohliches lauern, eine Gefahr, unsichtbar und tödlich wie Radioaktivität.

Plötzlich flackerte eine Erinnerung in ihrem Kopf auf, der sie bisher keine besondere Bedeutung beigemessen hatte. Es war vor ungefähr zwei Wochen gewesen, sie war vom Einkaufen zurückgekommen. Die Sonne war schon untergegangen und das Tageslicht am Schwinden. Gerade als sie in den Parkplatz des Waldfreundehauses einbiegen wollte, war plötzlich ein dunkler Kombi ohne Licht aus dem Weg hinter der Waldwiese geschossen. Erst im letzten Moment hatte sie das unbeleuchtete Fahrzeug wahrgenommen. Sie hatte scharf bremsen und nach rechts ausweichen müssen, aber statt sich zu entschuldigen, war der Typ einfach an ihr vorbeigerauscht. Sie hatte nicht weiter darüber nachgedacht, schließlich war nichts passiert, und das Ereignis war ihr banal erschienen, doch vor dem Hintergrund der schrecklichen Geschehnisse bekam diese Begegnung eine andere Bedeutung. Ihr Herz begann angstvoll zu klopfen, als ihr Gehirn nun die Puzzlestücke zusammenfügte: Der Waldweg, aus dem das Auto gekommen war, führte hinter dem Campingplatz entlang, direkt an dem abgebrannten Wohnwagen vorbei, der nur ein paar Meter vom Zaun entfernt gestanden hatte. Hatte sie den Mörder gesehen, der die örtlichen Gegebenheiten ausgekundschaftet hatte? Musste sie das nicht der Polizei erzählen? Aber vielleicht irrte sie sich auch, und der Mann hatte gar nichts damit zu tun. Was konnte sie der Polizei schon sagen? Sie hatte weder die Automarke noch die Farbe oder gar das Kennzeichen erkannt, und beschreiben konnte sie den Kerl auch nicht.

Felicitas machte sich auf den Rückweg. Wo waren die Hunde?

»Bear!«, rief sie und blickte sich um. »Rocky!«

Keine Spur von den beiden Biestern!

»Rocky! Bear! Hierher jetzt! Sofort!« Ihre Stimme klang schrill.

Der Wald erschien ihr plötzlich feindlich. Die Wohnwagen kauerten wie groteske Riesentiere am Waldrand, ihre Fenster wirkten wie Augen, die sie stumm verfolgten. Eine Bewegung auf der anderen Seite des Zauns erregte ihre Aufmerksamkeit. Die Hunde mussten ein Loch in dem maroden Maschendrahtzaun gefunden haben und hindurch geschlüpft sein. Nun schwänzelten sie auf dem Weg um einen Spaziergänger und seinen Hund herum.

»Rocky! Bear!«, schrie sie und sah, dass der Mann den Hunden etwas fütterte. Was fiel dem Kerl ein? Angst und Zorn explodierten in ihrem Innern.

»He, Sie!« Felicitas rannte los. »Was tun Sie da? Hören Sie sofort auf damit!«

Es war gar nicht so leicht, in den Gummistiefeln, die ihr zwei Nummern zu groß waren, über die matschige Wiese zu rennen, und als sie den Zaun erreicht hatte, war der Mann mit seinem Hund spurlos verschwunden. Rocky und Bear kamen mit gesenkten Köpfen an, leckten sich verlegen die Schnauzen und strichen mit Vergebung heischenden Blicken um Felicitas' Beine.

»Ihr wisst doch genau, dass ihr nichts von Fremden nehmen sollt!«, schimpfte sie halbherzig und blickte besorgt nach links und rechts, aber es war keine Menschenseele mehr zu sehen.

***

Das Pfarrhaus war im Zuge der Erneuerungsarbeiten an der alten Kirche in den zwanziger Jahren des letzten Jahrhunderts erbaut worden. Die Kirche selbst war 1967 einem Neubau gewichen, doch das alte Pfarrhaus auf der gegenüberliegenden Straßenseite war geblieben. Keiner der Pfarrer, die auf Adalbert Maurer gefolgt waren, hatte Interesse daran gehabt, in das unmoderne Häuschen zu ziehen, deshalb wohnte der alte Pfarrer nun seit mehr als fünfzig Jahren in dem von wildem Wein überwucherten Backsteinbau. Bodenstein öffnete das schmiedeeiserne Tor und ging den kurzen Weg zur Haustür entlang. Auf der kleinen, sorgfältig gemähten Rasenfläche lag Herbstlaub, rote und hellgrüne Äpfel glänzten unter knorrigen Apfelbäumen im taufeuchten Gras. Der wilde Wein an der Hausfassade glühte in flammendem Rot, in wenigen Wochen, wenn die ersten Nachtfröste kamen, würde er seine Blätter verlieren.

Bodenstein zog an der antiquierten Klingel neben der Haustür und lauschte dem melodischen Dreiklang im Innern des Hauses. Was hatte Maurer ihm gestern wohl sagen wollen? Es war dringend genug, dass er extra spätabends zu ihm gekommen war. Wieso hatte Sophie Karoline nicht erzählt, dass Maurer bei ihnen geklingelt hatte? Aber konnte er das wirklich von einer Siebenjährigen erwarten? Kinder in diesem Alter lebten im Augenblick und stellten Zusammenhänge völlig anders her als Erwachsene. Für Sophia war die Sendung im Fernsehen weitaus wichtiger gewesen als der alte Mann an der Sprechanlage.

Bodenstein klingelte erneut, doch im Pfarrhaus regte sich nichts. Gerade als er eine Visitenkarte zwischen Tür und Rahmen klemmen wollte, vernahm er das Quietschen des Tores und wandte sich um. Es war jedoch nicht der alte Pfarrer, sondern dessen Schwester, die ihm den Haushalt besorgte und trotz ihres

Alters mit einem uralten Hollandrad jeden Tag bei Wind und Wetter von Fischbach nach Ruppertshain herauf radelte. Die Frau trug pinkfarbene Turnschuhe und eine neongelbe Warnweste über einer ausgeleierten grauen Strickjacke.

»Guten Morgen, Frau Vetter«, grüßte Bodenstein. »Sie sind ja schon früh unterwegs.«

»Der frühe Vogel fängt den Wurm.« Irene Vetter lehnte ihr Fahrrad an die Hausmauer, dann nahm sie ihren Korb vom Gepäckträger und kramte den Hausschlüssel hervor. »Ist der Herr Pfarrer nicht da?«

Sie bewegte sich behände wie ein junges Mädchen, ihre knapp achtzig Lenze merkte man ihr nicht an.

»Nein«, erwiderte Bodenstein. »Ich bin übrigens Oliver von …«

»Ich weiß, wer du bist.« Frau Vetter gackerte amüsiert. »Der Leonora ihr ältester Bub! Meinst du, ich bin schon so alt, dass ich unsere Messdiener nicht mehr kenne?«

Bodenstein war überrascht, immerhin lag seine Messdiener-Zeit mehr als vierzig Jahre zurück. Irene Vetter schloss die Haustür auf und betrat das Haus. Die Gummisohlen ihrer Sneaker quietschten auf dem abgetretenen Dielenboden.

»Das ist ja eigenartig. Normalerweise schließt der Herr Pfarrer immer von innen ab und lässt seinen Schlüssel stecken.«

Sie verschwand im Haus und rief nach ihrem Bruder, doch niemand antwortete. Es klang ungewohnt, sie »Adalbert« rufen zu hören, denn üblicherweise sprach sie von ihm nur als dem »Herrn Pfarrer«. Bodenstein beschlich ein ungutes Gefühl. Vielleicht war Maurer gestürzt und lag irgendwo bewusstlos im Haus. Oder er war gestorben, was in seinem hohen Alter ja durchaus denkbar war. Im Eingangsflur roch es nach Mottenkugeln und verwelkten Blumen. An der Garderobe hingen zwei Mäntel, eine dunkle Jacke und ein Schuhanzieher, auf der Hutablage lagen mehrere Hüte, wie sie heute niemand mehr trug, weil sie längst aus der Mode gekommen waren. Ein Kalender von Misereor hing an der Wand, daneben ein Wandkreuz aus Kupfer mit einem kleinen Weihwassertöpfchen darunter.

»Er ist nicht da.« Irene Vetter kehrte von der Suche zurück und inspizierte mit besorgter Miene Garderobe und Schuhschrank. »Seine blaue Jacke fehlt. Und die braunen Schuhe. Ach herrje, hoffentlich ist ihm nichts zugestoßen!«

»Wie kommen Sie darauf?«, erkundigte Bodenstein sich.

»Wir sind nicht mehr die Jüngsten, und der Herr Pfarrer ist ganz schön tüdelig geworden«, erinnerte sie ihn. »Kürzlich ist er vor der Bäckerei vor einen Bus gelaufen. Er selbst hat's mir natürlich nicht erzählt, aber die Sylvia hat mich deswegen angerufen.« Sie öffnete die Haustür und scheuchte ihn mit einer resoluten Handbewegung ins Freie. »Komm, lass uns drüben in der Kirche nachschauen. Vielleicht ist er ja dort.«

Bodenstein folgte ihr durch den Garten des Pfarrhauses. Sie überquerten die Straße und betraten den Kirchhof. Auf der rechten Seite befand sich der katholische Kindergarten, der am Samstag geschlossen war, dahinter erhob sich die Kirche mit dem spitzen Dach und dem offenen Glockenturm aus Betonfertigteilen, der eher zu einem Feuerwehrgerätehaus gepasst hätte als zu einer Kirche.

»Ach, die Patrizia ist ja da«, stellte Irene Vetter beiläufig fest. Bodenstein fragte sich, woher sie das wusste, doch dann sah er ein Fahrrad, das an die Hausmauer gelehnt war und unter dem wuchernden Efeu fast verschwand. »Kann einem echt leidtun, das arme Mädchen! Die Schwester und den Neffen gleichzeitig zu verlieren, und dann noch so – das ist schlimm.«

Bodensteins irritierter Blick genügte Irene Vetter, um ihm auf den zweihundert Metern bis zur Kirche eine Nachhilfestunde in der Genealogie der alteingesessenen Ruppertshainer Familien zu geben. Patrizia, verheiratet mit Jakob Ehlers, war die Jüngste der ursprünglich neun Köpfe zählenden Kinderschar des fruchtbaren Kroll-Clans; zu ihren Geschwistern gehörten unter anderem Rosie wie auch Ortspolizist Klaus. Drei Minuten später war Bodenstein auf dem aktuellen Stand, was die komplizierten familiären Zusammenhänge der Herolds, Krolls und Ehlers' betraf, und wusste außerdem, dass Patrizia seit der Zusammenlegung der Kirchengemeinden von Fischbach, Ruppertshain und Eppenhain auf 450-Euro-Basis die Sekretariatsarbeiten für Kindergarten und Pfarramt erledigte.

Erst das verschlossene Eingangsportal der Kirche ließ den Redefluss von Irene Vetter versiegen. Jetzt schien sich die Schwester des alten Pfarrers doch Sorgen zu machen.

»Vielleicht macht er ja einen Hausbesuch«, meinte Bodenstein und warf einen Blick auf die Uhr. In einer guten Stunde sollte die Besprechung beginnen, die er selbst einberufen hatte.

»Nein, das wüsste ich«, entgegnete Frau Vetter kopfschüttelnd. »Ich hol rasch den Schlüssel für die Kirche bei der Patrizia.« Sie verschwand auf flinken Sohlen.

Bodenstein stieß einen Seufzer aus, zückte sein Smartphone und schrieb Pia eine Nachricht, dass er sich eventuell etwas verspäten würde. Die Sonne schien von einem wolkenlosen blauen Himmel und versprach einen herrlichen Herbsttag. Vielleicht konnte er am Nachmittag mit Karoline einen Spaziergang unternehmen oder …

»Da bin ich wieder.« Irene Vetter kam in Begleitung von Patrizia Ehlers über den gepflasterten Vorplatz marschiert. Es war eine Weile her, seitdem Bodenstein Jakobs Frau bewusst gesehen hatte, und er musste anerkennend feststellen, dass »das arme Mädchen« noch immer ausgesprochen attraktiv war. Patrizia war ein paar Jahre älter als er, schätzungsweise Ende fünfzig. Statt des praktischen Kurzhaarschnitts, den sich Frauen in den Vierzigern gerne zulegten, trug sie das Haar zu einem weichen Bob frisiert, der ihr Gesicht vorteilhaft umrahmte und ihre feinen Züge betonte. Ob das glänzende Dunkelbraun natürlich oder chemisch erzeugt war, konnte er nicht beurteilen, aber es stand ihr hervorragend.

»Guten Morgen«, grüßte sie ihn. »Lange nicht gesehen.«

»Hallo.« Bodenstein versuchte sich daran zu erinnern, ob man sich siezte oder duzte. »Mein herzliches Beileid.«

»Danke.« Patrizia Ehlers nickte bedrückt. »Wir können es alle nicht fassen. Die arme Rosie hatte doch sowieso nicht mehr lange zu leben und dann so was! Hoffentlich hat sie wenigstens nicht gelitten.«

Ihre Augen waren trocken. Das einzige äußerliche Zeichen ihrer Trauer war ihre schwarze Kleidung, aber Bodenstein konstatierte eine Aura von Schwermut, die sie umgab wie der subtile

Duft eines Parfüms. Irene Vetter hatte unterdessen die Kirchentür aufgeschlossen, und sie betraten die Kirche. Sonnenlicht fiel schräg durch die Fenster des Altarraums und ließ das quadratische Kirchenschiff mit der ungewöhnlichen, spitz zulaufenden Decke wie ein luftiges Zelt erscheinen. Ein Hauch von Weihrauch hing in der Luft.

»Adalbert? Adalbert!« Irene Vetters Stimme hallte von den Kirchenmauern wider. Sie wieselte durch den Mittelgang, Bodenstein und Patrizia Ehlers folgten ihr etwas langsamer. Plötzlich erfüllte ihn eine ungute Vorahnung.

»Stopp, Frau Vetter! Warten Sie!«, rief er, als die Schwester des Pfarrers die Türklinke zur Sakristei ergreifen wollte. Sie zog die Hand zurück, Angst flackerte in ihren Augen auf, und sie trat zur Seite. Bodenstein drückte die Türklinke mit dem Ellbogen hinunter.

»Abgeschlossen«, stellte er fest. »Ist ein Schlüssel da?«

»Ja.« Patrizia Ehlers nahm Frau Vetter den Schlüsselbund aus der Hand, suchte den richtigen Schlüssel heraus und hielt ihn Bodenstein hin. Er schloss auf, öffnete die Tür und hätte sie am liebsten sofort wieder zugeschlagen, um den beiden Frauen den Anblick zu ersparen, der sich ihnen bot. Bodenstein hörte, wie Patrizia Ehlers neben ihm scharf die Luft einzog. Irene Vetter stieß einen schrillen, verzweifelten Schrei aus. Sie wollte sich an ihm vorbeidrängen, aber Bodenstein erwischte gerade noch ihr Handgelenk und hielt sie unsanft zurück. Die Leiche von Adalbert Maurer hing an einem Strick, der durch einen Haken an der Decke geschlungen war, und unter seinen Füßen lag ein umgekippter Stuhl.

»Lass mich!«, schrie die alte Frau und versuchte sich wie von Sinnen Bodensteins Griff zu entwinden, Tränen strömten über die runzeligen Wangen. »Adalbert! Oh mein Gott!«

Bodenstein drängte sie sanft aus der Sakristei hinaus. Irene Vetter gab jeden Widerstand auf und sackte in sich zusammen.

»Bitte geh mit ihr rüber in den Kindergarten«, bat Bodenstein Patrizia Ehlers, die nur mühsam aus ihrer Schockstarre erwachte. »Wir dürfen hier nichts verändern. Und bitte sprecht vorerst mit niemandem.«

»Ja, ja, natürlich«, stammelte Patrizia fassungslos und hielt die alte Frau, die sich schluchzend an sie klammerte, tröstend im Arm. »Ich kümmere mich um sie.«

»Danke.« Bodenstein zog sein Handy hervor, ohne den Blick vom Leichnam des Pfarrers abzuwenden. Maurers Gesicht war blau-violett verfärbt, die Zunge war ihm aus dem Mund gequollen. Aus Nase und Ohren war Blut ausgetreten. Bodenstein war nicht weniger entsetzt als die beiden Frauen. Allerdings war es nicht unbedingt der Anblick der Leiche, der ihn entsetzte, sondern die Tatsache, dass der Pfarrer Selbstmord begangen hatte. Wie verzweifelt musste er gewesen sein, um so etwas zu tun? Und ... hätte er ihn davon abhalten können, wenn er gestern Abend zu Hause gewesen wäre?

***

»Erhängen ist mit fünf- bis sechstausend Todesfällen pro Jahr die häufigste Suizidmethode in Deutschland«, sagte Tariq. »Aber nur in ungefähr der Hälfte der Fälle erfolgt eine rechtsmedizinische Untersuchung. Warum ist das so?«

Henning Kirchhoff war fertig mit der äußeren Leichenschau. Er saß in der vordersten Kirchenbank und füllte den Totenschein aus. Zwei Mitarbeiter des Bestattungsinstitutes waren unter den Argusaugen von Christian Kröger, der wie immer um die Vernichtung wichtiger Spuren fürchtete, damit beschäftigt, den durch die Totenstarre unbeweglichen Leichnam aus der Sakristei zu transportieren, um ihn in einen Leichensack zu stecken. Kein Anblick für Leute mit schwachen Nerven.

»Warum, warum, warum«, knurrte Henning mürrisch. »Warum ist die Banane krumm? In erster Linie liegt's am Geld. Überall werden rechtsmedizinische Institute geschlossen oder zusammengelegt. Tote haben eben keine Lobby.«

Pia wusste, dass Tariqs Frage an ein Thema rührte, über das sich Henning seit Jahren echauffierte. In Deutschland würde schlichtweg zu wenig obduziert, fand er, und mit dieser Meinung stand er nicht alleine da.

»Obduktionen sind in Deutschland leider nur verpflichtend, wenn ein Verdacht auf ein Verbrechen besteht«, sagte Henning. »Und solange Hausärzte, ja, sogar Augenärzte und Orthopäden, die keinerlei Erfahrung mit Verbrechen haben, Totenscheine ausstellen dürfen, wird es weiterhin jede Menge unentdeckte Morde geben.«

»In Bremen ist das anders«, wusste Tariq. »Seitdem man dort den ›vorläufigen Totenschein‹ eingeführt hat, werden 80 Prozent aller Verstorbenen von einem Rechtsmediziner untersucht. Bei Kindern unter sechs Jahren, deren Todesursache unbekannt ist, ist eine Obduktion sogar Pflicht.«

»Stimmt.« Henning musterte den jungen Mann anerkennend. »Auf diese Weise werden pro Jahr etwa 50 unnatürliche Todesfälle entdeckt, die sonst einfach übersehen worden wären. Das sollte einem zu denken geben, oder?«

»Kannst du schon etwas zum Todeszeitpunkt sagen?«, erkundigte Pia sich, bevor Henning sich in Rage reden und zu einem seiner Vorträge über die Notwendigkeit von Sektionen ansetzen konnte.

»Die Leichenflecken sind nicht mehr wegzudrücken, die Leichenstarre ist voll ausgeprägt«, antwortete Henning. »Ich würde sagen, der Tod ist zwischen 21 Uhr und 23 Uhr gestern Abend eingetreten.«

»Also Suizid durch Erhängen«, resümierte Pia.

»Wer sagt das?« Henning kritzelte seine Unterschrift unter den Totenschein und reichte ihn Pia.

»Hatte er nicht einen Strick um den Hals und hing an der Decke?«, entgegnete Pia sarkastisch. »Zu seinen Füßen lag ein umgeworfener Stuhl. Die Kirchentür war von innen abgeschlossen, ebenso die Tür zur Sakristei. Er hatte den Schlüsselbund in seiner Hosentasche.«

»Auf den ersten Blick magst du recht haben«, bestätigte Henning, nahm seine Brille ab und polierte sie in aller Seelenruhe mit seinem Mundschutz aus Papier. »Aus dem Blickwinkel des Rechtsmediziners betrachtet, melde ich allerdings begründete Zweifel an deiner Theorie an.«

Typisch für Henning, sich die entscheidenden Details bis zum Schluss aufzuheben. Und noch typischer, aus der Leichenschau eine Lehrstunde zu machen, weil er in Tariq ein dankbares Publikum gefunden hatte.

»Warum wundert mich das bloß nicht?« Pia verdrehte die Augen. Henning arbeitete nicht wie ein normaler Mensch, darüber regte sie sich schon lange nicht mehr auf. Seine Studenten liebten seine Vorlesungen, die nicht selten zu theaterreifen Inszenierungen gerieten. »Sei so gütig, und erhelle uns Unwissende mit deinen Erkenntnissen.«

»Sofort. Was denken Sie, junger Mann?«, wandte Henning sich an Tariq Omari und setzte die Brille wieder auf, nachdem er sie gegen das Licht gehalten und sorgfältig den Sauberkeitsstatus geprüft hatte. »Warum habe ich wohl auf dem Totenschein ›Anhaltspunkte für einen nicht natürlichen Tod‹ angekreuzt?«

»Äh ... weil Erhängen kein natürlicher Tod ist?«, fragte Tariq verblüfft.

»Im Prinzip richtig.« Henning nickte und lächelte zufrieden. Dann stand er auf und ging zu der Leiche hin. »Kommen Sie, ich zeige Ihnen jetzt etwas, woran Sie immer denken sollten, wenn Sie an den Schauplatz eines Verbrechens kommen. Hören Sie mal einen Moment auf damit.«

Das war an den Bestatter und seinen Gehilfen gerichtet, die sofort eingeschüchtert zurückwichen.

»Wie würden Sie die Gesichtsfarbe des Verstorbenen bezeichnen?«, fragte Henning den jungen Kommissar.

»Hm. Bläulich violett.«

»Korrekt.« Er beugte sich über die Leiche und zog ein Augenlid herunter. »Sehen Sie diese winzigen roten Punkte?«

»Ja.«

»Das sind sogenannte Petechien oder Stauungsblutungen«, erklärte Henning. »Sie entstehen durch Behinderung des Blutabflusses über die Blutadern bei erhaltenem Blutzufluss durch die Schlagadern. Der Druckanstieg in den Kapillaren bewirkt ein Zerreißen der Gefäßwand und es kommt zu diesen Schleimhautblutungen. Diese Erstickungsblutungen entstehen nach 15 bis 20 Sekunden, bei intensiver Blutstauung treten sie in der gesamten Gesichtshaut auf. Verstanden?«

»Ja.«

»Wenn der Blutzufluss durch die Schlagadern zum Kopf ganz plötzlich unterbrochen wird, wie das bei Erhängen der Fall ist, kommt es nicht zu einer Stauungsblutung.« Hennings Augen funkelten, als er auf den Hals des Leichnams wies. »Außerdem steigt die Strangmarke beim typischen Erhängen beiderseits des Halses hinter den Ohren zum Nacken hin an. Eine solche Strangmarke ist hier zwar auch zu erkennen, aber was sehen wir noch?«

»Einen Streifen horizontal um den ganzen Hals herum«, erwiderte Tariq aufgeregt. »Das bedeutet, er wurde eigentlich erdrosselt, oder?«

»Das sinnlose Füllwort ›eigentlich‹ können Sie sich sparen. Hinzu kommt die Platzwunde an der Stirn, die sich das Opfer zwar selbst zugefügt haben könnte, die aber unbedingt unser Misstrauen wecken sollte.« Henning richtete sich wieder auf und gab den Bestattern mit einem Wink zu verstehen, dass sie mit ihrer Arbeit fortfahren konnten. »Auch die Blutungen aus Nase und Ohren weisen auf eine Drosselhandlung hin. Darüber hinaus habe ich Unterblutungen an Oberarmen und Handgelenken des Opfers festgestellt sowie schwach ausgeprägte Blutergüsse im Gesicht. Natürlich kann ich das erst nach einer Obduktion bestätigen, aber nach meinem augenblicklichen Wissensstand würde ich auf Tod durch Fremdeinwirkung plädieren.«

»Wie sicher bist du dir?«, wollte Pia wissen.

»So sicher, dass du es herumerzählen kannst.« Er zwinkerte ihr zu. Diese Formulierung war ein *running gag* zwischen ihnen.

»Danke, Henning.«

»*De rien, ma chère.*«

Pia wandte sich ab und ging durch den Mittelgang, um nach Bodenstein zu suchen.

»Pia!«, rief Kröger hinter ihr her. »Kommst du bitte noch mal?«

Widerstrebend drehte sie sich um und ging zurück.

»Was gibt's?«, fragte sie.

»Komm mit!« Christian war aufgeregt, ein Zeichen dafür, dass er etwas gefunden hatte. Er führte sie und Tariq in die Sakristei und wies auf einen Stuhl neben einem der Schränke, in denen die Messgewänder aufbewahrt wurden. »Seht ihr das?«

»Ich sehe einen Stuhl«, erwiderte Pia ungehalten. »Den habe ich eben schon gesehen. Und?«

»Schau auf den Fußboden!« Kröger strahlte enthusiastisch.

»Mir ist gerade nicht nach Suchspielen zumute«, knurrte Pia.

»Der blutige Abdruck einer Schuhsohle!«, triumphierte ihr Kollege. »Hach, ich liebe Luminol!«

Er schloss die Tür und schaltete das Licht aus. In der Dunkelheit des fensterlosen Raumes erschienen leuchtend hellblaue Flecken auf dem Fußboden.

»Das Opfer ist im Raum herumgekrochen und hat dabei Blut verloren«, ertönte Krögers körperlose Stimme im Dunkeln. »Der Täter ist ihm ausgewichen, schließlich muss er sich auf den Stuhl gesetzt haben, dafür spricht die Fußstellung. Später, nachdem er die Leiche erhängt hat, hat er versucht, das Blut wegzuwischen, das sieht man an den verschmierten Stellen. Den einen Schuhabdruck hat er allerdings vergessen.«

Plötzlich war Pia klar, was sich hier abgespielt hatte. Der Täter hatte nicht im Affekt, sondern überlegt und geplant gehandelt. Er hatte den alten Mann zuerst geschlagen und misshandelt, bevor er ihn mit dem Strick erdrosselt und schließlich zur Vertuschung seiner Tat erhängt hatte, um sie auf eine falsche Fährte zu locken. Eilig hatte er es nicht gehabt. Er war sich ganz sicher gewesen, dass keine Geräusche aus dem kleinen, fensterlosen Raum nach außen dringen konnten. Weil er die Örtlichkeiten kannte. Und weil der Pfarrer ihn gekannt und nichts Böses erwartet hatte. Aber woher hatte er einen Schlüssel, um Sakristei und Kirchentür wieder abschließen zu können? Pia fröstelte unwillkürlich.

»Danke, Christian«, sagte sie. »Das ändert allerdings alles.«

***

Pia brannte darauf, ihrem Chef, der nur einen kurzen Blick auf die Leiche geworfen und dann die Kirche verlassen hatte, von Krögers Entdeckung zu erzählen. Sie fand ihn unterhalb der Kirche auf einer Holzbank in der Sonne sitzend. Er hatte ein Bein über das andere geschlagen, die Hände hinter dem Kopf gefaltet und die Augen geschlossen. Zuerst glaubte sie, er wäre eingenickt, und räusperte sich diskret.

»Ich schlafe nicht.« Bodenstein öffnete die Augen. »Ich denke nach.«

»Worüber?« In der kräftigen Oktobersonne war es an dieser windgeschützten Stelle so warm, dass Pia in ihrer Fleecejacke zu schwitzen begann.

»Ich habe Adalbert Maurer mein ganzes Leben lang gekannt. Ich bin bei ihm zur Kommunion gegangen, war bei ihm Messdiener. Er hat Cosima und mich getraut und unsere Kinder getauft«, sagte Bodenstein. »Er war katholischer Priester. Die katholische Kirche hat Selbstmord lange Zeit verdammt. Nie und nimmer hat er sich das Leben genommen.«

Er stellte die Füße auf den Boden, beugte sich nach vorne und rieb sich mit beiden Händen das Gesicht.

»Hat er auch nicht.« Pia zog den Reißverschluss ihrer Jacke ein Stück herunter und pustete sich den Pony aus der Stirn.

»Ach?« Bodenstein hielt inne und warf ihr einen Blick über die Schulter zu. Pia berichtete ihm, was Henning und Kröger festgestellt hatten. Die Sache mit dem Schuhabdruck sparte sie sich bis zuletzt auf.

Die Erleichterung war Bodenstein deutlich anzusehen, doch dann zog er offenbar dieselben Schlussfolgerungen wie Pia kurz zuvor. »Das wirft allerdings ein ganz neues Licht auf die Morde.«

»Könnte es derselbe Täter gewesen sein, der die Herolds umgebracht hat?«, wollte Pia wissen.

»Drei Tote innerhalb von drei Tagen. Alle Opfer kommen aus Ruppertshain.« Bodenstein runzelte die Stirn. »Es gibt ganz sicher einen Zusammenhang, wir sehen ihn nur nicht. Hast du eine Zigarette für mich?«

»Ich rauche seit zweiundachtzig Tagen nicht mehr«, erinnerte Pia ihn. Dank einer App auf ihrem Smartphone wusste sie immer genau, wie viele Zigaretten und wie viel Geld sie gespart hatte, seitdem sie nicht mehr rauchte.

»Ach so, stimmt ja.« Bodenstein stand auf und streckte sich. »Maurer war gestern Abend bei mir, weil er mir etwas sagen wollte. Ich war noch nicht zu Hause, und Sophia hat ihn nicht hereingelassen, obwohl er sagte, es sei dringend.«

»Du weißt nicht, um was es ging?«

»Nein. Ich hatte vor, ihn das zu fragen, aber ich bin zu spät gekommen.« Er machte eine hilflose Handbewegung. »Wer bringt denn einen fünfundachtzigjährigen Pfarrer um?«

»Und täuscht dann auch noch so dilettantisch einen Selbstmord vor«, ergänzte Pia. »Er hat auf jeden Fall nicht viel Ahnung von Rechtsmedizin, sonst wäre ihm klar gewesen, dass man das sofort feststellen kann.«

»Wir sollten den Täter unbedingt glauben lassen, dass wir von einem Suizid ausgehen«, sagte Bodenstein. »Dann wiegt er sich in Sicherheit und macht vielleicht einen Fehler.«

Pia betrachtete die angespannte Miene ihres Chefs. Man brauchte kein Psychologiestudium, um zu erkennen, wie sehr diese Fälle Bodenstein berührten. Er kannte alle drei Opfer von Kindesbeinen an, außerdem wohnte er in diesem Ort, keine hundertfünfzig Meter Luftlinie von der Kirche entfernt. Es wäre nicht normal, würde ihn das nicht erschüttern.

»Lass Cem und mich das übernehmen, Oliver«, bot sie vorsichtig an. »Du kennst all diese Leute. Ich kann mir vorstellen, wie schwer dir das fallen muss.«

»Denkst du, ich bin nicht objektiv?«, fragte er.

»Ich weiß nicht.« Sie sah ihn an. »Bist du's?«

Er holte tief Luft, hielt sie einen Moment an und stieß sie langsam wieder aus.

»Ich habe mit kaum jemandem Kontakt, seitdem ich hierhergezogen bin«, sagte er dann. »Meine Nachbarn kenne ich nur vom Mülltonnen-Rausstellen. Hin und wieder treffe ich jemanden beim Bäcker oder wenn ich Sophia zur Schule bringe.«

Er machte eine Pause.

»Aber in Wirklichkeit kenne ich sie alle viel besser, als ich dachte«, fuhr er fort. »Und ihnen ist klar, dass ich über viele alte Geheimnisse und Gerüchte Bescheid weiß. Ich bin mir nicht sicher, ob das ein Vorteil ist oder ein Nachteil. Manche trauen mir vielleicht eher, weil sie mich als einen von ihnen betrachten. Andere sehen mich als Außenseiter, und eigentlich war das früher schon so. Der adelige Name, die Tatsache, dass ich auf dem Gut aufgewachsen bin und viele der Älteren bei meinen Eltern in Lohn und Brot standen, weckt in manchen Leuten Neid und Misstrauen.«

»Dadurch haben sie aber Respekt vor dir«, sagte Pia. »Du bist hier jemand. Wir sind nur die Kripo, mit der niemand gerne redet.«

»Ich denke, ich schaffe es, objektiv zu sein«, erwiderte Bodenstein. »Wenn du den Eindruck hast, dass ich es nicht mehr bin, sag es mir. Dann überlasse ich dir die Leitung der Ermittlungen. Okay?«

»Einverstanden.« Pia nickte.

»Lass uns rüber ins Pfarrhaus gehen und mit Maurers Schwester sprechen. Vielleicht hat er ihr irgendetwas erzählt.«

***

»Wo wohnst du normalerweise, wenn du nicht gerade in Wohnwagen einbrichst?«, fragte Felicitas.

»Mal hier, mal da.« Elias saß ihr gegenüber auf der Eckbank am Küchentisch und stocherte geistesabwesend in seinem Essen herum. Aus den Resten des Suppenhuhns hatte Felicitas ein Hühnerfrikassee gekocht, mit Spargel, Champignons, Kapern, Zitrone und Reis, doch das schien dem Jungen nicht zu schmecken.

»Und von was lebst du?«

»Hin und wieder jobbe ich irgendwo. Früher bin ich in Häuser eingebrochen und hab die Sachen, die ich da gefunden habe, vertickt.«

»Was ist mit deinen Eltern?«

»Die haben mich rausgeschmissen«, gab er zu. »Ich hab ziemlich viel Scheiß gebaut. Und meine Alten sind der reinste Alptraum. Selbst wenn sie mich anbetteln würden, würd' ich nie mehr bei denen wohnen wollen.« Seine Stimme wurde bitter. »Ich war für die nie gut genug, nur weil ich nicht so ein Streber bin wie meine Schwester.«

»Hm.«

»Mit meinen ganzen Aktionen hab ich mir selbst viel mehr geschadet als denen.« Er zuckte die Schultern in später Selbsterkenntnis. »Ich hab Fehler gemacht, das weiß ich. Aber ich will mich ändern, und das meine ich ernst.«

»Warst du schon mal im Gefängnis?«, fragte Felicitas neugierig.

»Ja.« Elias spielte mit der Gabel. »Ein paar Monate. Und ich bin auch jetzt nur auf Bewährung draußen. Wenn die Bullen mich schnappen, fahre ich sofort wieder ein und muss den Rest auch noch absitzen.«

»Aber du kannst doch nicht ewig weglaufen und dich irgendwo verstecken!«

»Ja, Scheiße, ich weiß.« Elias stieß einen Seufzer aus. »Wenn unser Baby da ist, stelle ich mich, hab ich mir überlegt.«

Er sah so verloren aus, dass Felicitas Mitleid mit ihm bekam. Dem Jungen ging es nicht viel anders als ihr selbst. Wenn Manu und Jens sie eines Tages hier raus komplimentierten, blieben ihr nur die Alternativen Hartz IV oder ein Leben unter dem Radar des Sozialstaates – ohne Geld, ohne Job, ohne Krankenversicherung. Die Summe, die sie diesem Halsabschneider schuldete, wuchs täglich, und sie würde niemals in der Lage sein, sie ihm zurückzuzahlen.

Trotz allem, was er gerade erzählt hatte, war Felicitas heilfroh über Elias' Gesellschaft. Sie hatte sich in diesem Haus mitten im Wald vom ersten Tag an nicht wohl gefühlt. Gestern Nacht hatte sie in ihrer Euphorie, dem Tod von der Schippe gesprungen zu sein, angenommen, das hätte sich geändert, doch das war ein Trugschluss. Die Angst war noch größer geworden, und sie war nicht mehr bloß ein vages Gefühl, sondern ausgesprochen konkret. Da draußen lief jemand herum, der Wohnwagen in Brand setzte und Leute umbrachte. Hieß es nicht, dass Täter gerne an den Tatort zurückkehren? Was, wenn der Mörder das getan und dabei zufällig Elias gesehen hatte, als er die Hunde nach draußen gelassen hatte? Die Polizei fahndete nach ihm, also kannte er wahrscheinlich seinen Namen.

»Hast du den Mann, der den Wohnwagen angezündet hat, tatsächlich gesehen?«, wollte sie wissen.

»Irgendwie schon.«

»Wie, irgendwie?«

»Ich hab vor dem Wohnwagen gehockt und eine geraucht. Da hab ich Stimmen gehört. Mitten in der Nacht. Zwei Typen, die sich gestritten haben. Ich wusste ja, dass da einer in dem Wohnwagen war, und wollte wissen, mit wem der sich wohl zofft.

Also bin ich am Waldrand lang durchs Unterholz, um näher ranzukommen.«

Sein Blick schweifte unstet hin und her. Ob er wohl die Wahrheit sagte oder ihr gerade eine Märchengeschichte erzählte?

»Als ich ziemlich nah dran war, war plötzlich Ruhe«, fuhr Elias fort. »Der eine ist zu 'nem Auto gegangen, das in der Nähe von dem Wohnwagen stand, und hat was aus dem Kofferraum geholt. Die Tür vom Wohnwagen war zu, von dem anderen war nix mehr zu sehen. Da dachte ich mir, da stimmt was nicht. Ich hab mein Handy rausgeholt. Ich hab hier zwar keinen Empfang, aber die Kamera funktioniert ja trotzdem.«

»Du hast Fotos gemacht?«, fragte Felicitas ungläubig.

»Nee, ich hab gefilmt.«

»Und was ist auf dem Film zu sehen?«

»Weiß nicht. Der Akku ist leer, und ich hab kein Ladekabel.«

»Hat der Mann dich gesehen?« Felicitas war fassungslos.

Elias zögerte. Malte mit dem Zeigefinger Kringel auf die Tischplatte. Kratzte am Pflaster an seiner Schläfe.

»Ich glaub ja«, sagte er dann.

»Dein Name steht fett in allen Zeitungen.« Felicitas lief es abwechselnd heiß und kalt den Rücken hinunter. »Sie fahnden im Radio nach dir, zeigen dein Bild im Fernsehen und im Internet! Wenn der Kerl dich nicht erkannt hat, dann weiß er spätestens jetzt, wer du bist!«

Elias schürzte die Lippen, ließ sich das durch den Kopf gehen.

»Das wäre scheiße, oder?«

»Warst du mal draußen, während du mich in der Kiste eingesperrt hattest?«

»Kann schon sein.« Der Junge nagte an seiner Unterlippe. Allmählich schien ihm zu dämmern, in welcher Gefahr er schwebte. »Ja, war ich. Ich hab die Hunde rausgelassen.«

»Spitze.« Felicitas schüttelte den Kopf und stand auf. »Hol dein Handy. Vielleicht gibt's hier ja irgendwo im Haus ein passendes Ladekabel. Wir müssen rausfinden, was auf dem Film zu sehen ist. Falls man den Mann erkennen kann, müssen wir den Film der Polizei zeigen.«

»Auf keinen Fall!«, protestierte Elias. »Ich will nicht zurück in den Knast! Nicht jetzt!«

»Wäre es dir lieber, wenn dein Kind als Halbwaise auf die Welt kommt?«, fuhr Felicitas ihn an. »Dieser Mann hat einen Mord begangen! So jemand braucht keinen Augenzeugen!«

»Er weiß nicht, dass ich hier bin, oder?« Plötzlich sah Elias ängstlich aus. »Sonst wäre er doch längst hier aufgetaucht.«

»Vielleicht hast du recht«, erwiderte Felicitas, aber sie war nicht besonders überzeugt davon. Sie dachte an den Typen in dem Auto, den sie gesehen hatte. Sie saßen in der Falle, wenn er hier auftauchte und die Holzbude anzündete, während sie schliefen. Doch eine Alternative fiel ihr auch nicht ein.

***

»Nein! Das erlaube ich nicht! Auf gar keinen Fall!« Irene Vetter schüttelte so heftig den Kopf, dass Bodenstein fürchtete, die alte Dame könne ein Schleudertrauma erleiden. »Wie sieht denn das aus? Ein Pfarrer, der Selbstmord begeht!«

»Beruhigen Sie sich doch, Frau Vetter«, sagte Pia sanft. »Wir werden es ja klarstellen, sobald wir den Täter haben.«

»Aber das ist doch eine Lüge!«

»Es wäre keine Lüge, sondern eine gezielte Falschinformation aus ermittlungstaktischen Gründen«, korrigierte Pia. »Wir wollen damit erreichen, dass sich der Täter sicher fühlt und vielleicht einen Fehler macht.«

Sie saßen in der kleinen Teeküche des Kindergartens am Tisch. Kim, die vor einer Viertelstunde eingetroffen war, lehnte am Fensterbrett. Die Wände des winzigen Raumes waren von oben bis unten mit Kinderzeichnungen bedeckt, an einem Korkbrett hingen Arbeitspläne, Flyer für Veranstaltungen und ein Haufen anderer Zettel und Notizen. Patrizia Ehlers, die Irene Vetter Gesellschaft geleistet hatte, war nach Hause gegangen. Bodenstein hatte ihr versprochen, den Schlüssel für den Kindergarten später bei ihr vorbeizubringen. Leider war nicht klar, wie viele Schlüssel für Kirche und Sakristei im Umlauf waren. In den vergangenen dreißig Jahren waren kein einziges Mal die Schlösser ausgewechselt worden, bei Bedarf hatte man einfach Schlüssel nachmachen lassen. Ein Schließplan existierte nicht, genauso wenig wie eine Liste mit den Namen der Leute, die Schlüssel hatten.

Die Spurensicherung durchsuchte das Pfarrhaus vom Keller bis zum Dachboden nach Hinweisen oder hilfreichen Spuren, nachdem sie in der Kirche fertig waren. Cem und Tariq waren dabei, die Nachbarschaft zu befragen, solange die Erinnerung der Leute noch frisch war. Es bestand immerhin die Möglichkeit, dass jemand in der Nacht rein zufällig etwas beobachtet hatte, was ihm nicht wichtig oder ungewöhnlich erschienen war.

»Die Wahrheit interessiert in ein paar Wochen doch keine Menschenseele mehr!«, schnaubte Frau Vetter empört. »Den Leuten brennt sich nur ins Gedächtnis ein, was sie zuerst hören. Und ich lasse nicht zu, dass das Andenken meines Bruders aus *ermittlungstaktischen Gründen* in den Dreck gezogen wird!«

Ihre geröteten Augen funkelten. Bodenstein gab ihr im Stillen recht. Ein Suizid wurde von Angehörigen immer als Schmach empfunden, als ein familiärer Offenbarungseid. Er selbst hatte oft genug erlebt, wie Hinterbliebene von Selbstmördern an ihren Schuldgefühlen zerbrochen waren.

»Wer garantiert mir denn, dass Sie den Mörder überhaupt fassen?« Irene Vetter blickte herausfordernd zwischen Bodenstein und Pia hin und her, das Kinn angriffslustig vorgeschoben. »Soll mein Bruder etwa solange würdelos in irgendeinem Kühlhaus herumliegen? Selbstmord ist eine Todsünde! Selbstmörder kriegen kein katholisches Begräbnis!«

»Aber das stimmt doch gar nicht«, versuchte Bodenstein sie zu beschwichtigen. »Früher war das mal so, aber heutzutage …«

Irene Vetter schlug mit beiden Handflächen auf die Tischplatte.

»Schluss!«, schrie sie aufgebracht. »Ich will nicht, dass behauptet wird, Adalbert hätte sich umgebracht! Habt ihr das verstanden?«

»Ja, das haben wir«, lenkte Bodenstein ein. »Bitte entschuldigen Sie, dass wir diesen Vorschlag gemacht haben. Wir wollten Sie nicht kränken und erst recht nicht das Ansehen des Pfarrers beschädigen.«

Pia warf ihm einen erstaunten Seitenblick zu, schwieg aber. Die alte Frau zog ein Stofftaschentuch aus dem Ärmel ihrer grauen

Strickjacke und schnäuzte sich. Einen Moment saß sie zusammengesunken da und stierte vor sich hin. Überlaut brummte der Kühlschrank in der Stille.

»Soll ich Ihnen einen Tee machen?«, bot Pia an. »Oder wollen Sie ein Glas Wasser trinken?«

»Ich brauche keinen Tee«, wehrte Irene Vetter ab. »Und auch keine Püschologin!«

Sie warf Kim, die von Pia als Psychologin vorgestellt worden war, einen unfreundlichen Blick zu. Tatsächlich hatte Pia der Alten später vorschlagen wollen, einen Arzt kommen zu lassen oder wenigstens eine vertraute Person, die sie nach Hause begleiten und bei ihr bleiben konnte. Die Frau stand unter Schock und schien nicht wirklich realisiert zu haben, was geschehen war. Das Begreifen nach einem solch traumatischen Erlebnis setzte immer erst später ein.

»Wir müssen Ihnen ein paar Fragen stellen, Frau Vetter«, begann Bodenstein nun behutsam, jederzeit auf einen neuen Ausbruch gefasst. »Der Zeitpunkt mag etwas unpassend sein, aber …«

»Frag nur.« Irene Vetter stopfte das Taschentuch zurück in den Strickjackenärmel und seufzte. »Ich hab oft genug ›Tatort‹ und ›Derrick‹ geguckt. Ich weiß, was jetzt kommt.«

»Na dann.« Bodenstein zwang sich zu einem Lächeln, nach dem ihm nicht zumute war, das wusste Pia. Sie kannte ihren Chef gut genug, um zu ahnen, was in ihm vorging. Die Vorstellung, dass jemand den fünfundachtzigjährigen Pfarrer auf eine so brutale Weise ermordet hatte, nur kurz nachdem der alte Mann dringend mit Bodenstein hatte sprechen wollen, hatte etwas Beängstigendes. Was, wenn es einen Zusammenhang gab? Hatte der Mörder Maurer beobachtet, war er ihm vielleicht sogar gefolgt und hatte gesehen, wie er bei Bodenstein zu Hause geklingelt und über die Sprechanlage mit seiner kleinen Tochter gesprochen hatte? Sorgte ihr Chef sich um Sophia?

»Dem Adalbert, dem lag seit ein paar Tagen etwas auf der Seele«, sagte Irene Vetter unvermittelt, bevor ihr überhaupt eine Frage gestellt worden war. »Er war bedrückt.«

Sie blickte aus dem Fenster hinunter auf den leeren Spielplatz, drehte mit dem Daumen gedankenverloren den Ehering an ihrer rechten Hand. Bodenstein und Pia tauschten einen Blick. Jetzt war Geduld gefragt, auch wenn sie eigentlich keine Zeit dafür hatten.

»Ich glaube, es hatte etwas mit der Rosie zu tun«, sagte Frau Vetter plötzlich in die Stille.

»Rosie? Sie meinen Rosemarie Herold?«, vergewisserte Pia sich überrascht.

»Ja. Mein Bruder hat ihr das Sakrament der Letzten Ölung, heute heißt das ja Krankensalbung, gespendet. Und da muss sie ihm etwas gesagt haben, was ihn schwer belastet hat. Er war fix und fertig, als er nach Hause kam.«

»Wann ist Ihr Bruder bei Frau Herold gewesen?«

»Ich glaube, das war am Sonntag.« Frau Vetter überlegte. »Ja, genau, am Sonntag. Ich hatte einen Quetschekuchen gebacken, mit Streuseln. Den mag ... den mochte der Herr Pfarrer am liebsten. Aber als er nach Hause kam, hatte er keinen Appetit, obwohl er sonst schon mal drei Stücke hintereinander wegputzen konnte.«

»Versuchen Sie sich zu entsinnen, was Ihr Bruder Ihnen genau erzählt hat«, bat Pia, bevor sich die Frau in sentimentalen Erinnerungen verlieren konnte. »Es ist wirklich wichtig.«

»Mein Bruder hat das Beichtgeheimnis sehr ernst genommen.«

»Das glaube ich Ihnen. Vielleicht hat er ja auch nur eine winzige Andeutung gemacht, worum es ging und was ihm so sehr zu schaffen gemacht hat.«

Irene Vetter zögerte, ihr Blick zuckte hin und her.

»Ich habe Adalbert versprochen, nie über das zu sprechen, was er mir im Vertrauen erzählt hat«, sagte sie ausweichend, und Pia war sofort klar, dass sie noch mehr wusste als das, was sie nun preisgab.

»Uns würden ein paar Stichworte helfen«, erwiderte Pia. »Sie möchten doch auch, dass wir denjenigen finden, der Ihrem Bruder so etwas Schreckliches angetan hat und wollte, dass es aussieht, als hätte er sich umgebracht, oder nicht?«

»Doch. Natürlich.« Auf dem Gesicht der alten Frau spiegelten sich Unbehagen und Sorge. Ihr Mitteilungsbedürfnis war schließlich stärker als das Versprechen, das sie ihrem Bruder irgendwann einmal gegeben und vielleicht schon des Öfteren gebrochen hatte. »Er hat der Rosie die Beichte abgenommen. Und er war ziemlich schockiert. Immerhin hat er sie so lange gekannt und nicht für möglich gehalten, dass sie … dass sie …«

»… ein Menschenleben auf dem Gewissen hatte?«, ergänzte Bodenstein zu Pias Überraschung.

»Woher weißt du das?«, fragte Frau Vetter argwöhnisch.

»Zu Sonja hat sie das auch gesagt.«

»Na ja, dann wisst ihr's ja schon.« Irene Vetter hob die Schultern und ließ sie wieder sinken. Sie wirkte erleichtert. »Er hat mir nichts Genaues erzählt, nur, dass die Rosie ihm gesagt hätte, sie wüsste, was mit dem Bub passiert ist, der damals verschwunden ist.«

»Mit welchem Bub?«, fragte Pia verwirrt. Ihr Blick streifte Bodensteins Gesicht, und sie erschrak. Er war totenbleich geworden und starrte die alte Frau fassungslos an. Für einen Augenblick herrschte Totenstille.

»Ich muss an die frische Luft«, stieß er hervor und sprang so hastig auf, dass der Stuhl beinahe umkippte.

Irritiert blickten Pia und Kim ihm nach. Die drei Mordfälle nahmen ihn offenbar deutlich mehr mit, als er es sich eingestehen wollte. Er hatte Pia nichts von dem Gespräch mit Rosies Tochter Sonja erzählt. Hatte er auch gewusst, dass der alte Pfarrer Rosie im Hospiz besucht hatte? Vielleicht war es wirklich besser, wenn er ihr die Leitung der Ermittlungen überließ.

»Der Bub, er hieß Artur, verschwand im August 1972. Spurlos.« Die Stimme von Irene Vetter war brüchig geworden. »Ich erinnere mich an diesen Tag. Es war einfach schrecklich. Seine Eltern haben noch ein paar Jahre hier gelebt, dann konnten sie es nicht mehr ertragen. Jedes Jahr am Tag seines Verschwindens kamen sie wieder her und haben mit einem Plakat oben am alten Rathaus gestanden, ohne ein Wort zu sagen. Eine Mahnwache für ihren Sohn.«

Zweiundvierzig Jahre. Pia war kein Ass im Kopfrechnen, aber das bekam selbst sie hin: Bodenstein war jetzt vierundfünfzig, damals musste er also elf Jahre, fast zwölf gewesen sein.

»Kannte mein Chef den verschwundenen Jungen?« Die Frage

war eigentlich unnötig. Bodensteins heftige Reaktion sprach für sich, dennoch wollte Pia eine Bestätigung haben.

»Oh ja.« Irene Vetter nickte und seufzte. »Der kleine Artur war sein bester Freund.«

***

Elias war ein bedauernswerter Junge, der offenbar nie Liebe und Wertschätzung erfahren hatte. Sie wusste, wie es sich anfühlte, kein Zuhause zu haben, keinen Menschen, der einem Wohlwollen entgegenbrachte, aber sie war erwachsen, hatte sich das selbst eingebrockt. Er nicht. Seine Eltern hatten ihn verstoßen, weil er ihren Ansprüchen nicht genügt hatte. So war er in die Drogensucht abgerutscht, aber er kämpfte dagegen an, hatte völlig allein einen Entzug geschafft und wollte etwas aus seinem Leben machen. Das war bewundernswert. Sie würde ihm helfen, so gut sie konnte.

Elias hatte sich nach dem Mittagessen auf die Couch gelegt und den Fernseher eingeschaltet, während Felicitas die Küche aufgeräumt hatte. Nun suchte sie in Manuelas Büro nach einem passenden Ladekabel für sein uraltes iPhone. Vielleicht konnte sie ein Vertrauensverhältnis zu ihm aufbauen und ihn davon überzeugen, dass es besser war, den Film der Polizei zu geben. Dieser Brandstifter war hinter Elias her, nicht hinter ihr. Sie konnte sein Handy zur Polizei bringen und behaupten, sie hätte es irgendwo im Wald gefunden, und mit etwas Glück würde der Typ schnell geschnappt und der Alptraum wäre vorbei.

Felicitas warf einen Blick aus dem Fenster. Jogger, Radfahrer und Spaziergänger nutzten das gute Wetter. Die Sonne schien, und gleich wirkte der sonst so düstere Wald freundlich, aber die Schönheit dieses goldenen Oktobertages ging völlig an ihr vorbei. Solange es draußen hell war, fühlte sie sich einigermaßen sicher. Jetzt war es später Vormittag, es blieben also noch gut sieben Stunden Zeit, bis es dunkel wurde. Bis dahin musste ihr etwas eingefallen sein. Tatsächlich fand sie ein Ladekabel, das zu Elias' Smartphone passte. Felicitas fehlte das technische Verständnis, um zu wissen, wann die Polizei das Handy orten konnte. Reichte es aus, wenn der Akku geladen war, oder musste es eingeschaltet sein? Sollten sie das Risiko eingehen?

Während sie am Schreibtisch saß und aus dem Fenster starrte, begann das Festnetztelefon zu läuten. Unbekannter Anrufer. Felicitas zögerte einen Moment. Was, wenn das ihre Schwester war, die aus dem australischen Busch in die Zivilisation zurückgekehrt war und wissen wollte, wie es hier so lief? Mit unterdrückter Nummer rief auch die Polizei an. Schließlich nahm sie ab und meldete sich mit einem neutralen »Hallo«. Sie hörte jemanden am anderen Ende der Leitung atmen, dann wurde aufgelegt. Die Angst, die konstant in ihrem Innern blubberte, schoss empor wie die Fontäne eines Geysirs. Das war nicht die Polizei gewesen und auch niemand, der sich verwählt hatte. Das war *er* gewesen, der Brandstifter, der sichergehen wollte, dass sie noch hier waren. Irgendetwas würde passieren, wenn sie sich nicht aus dem Staub machte, etwas Schlimmes, das spürte sie.

***

Die Rosie hat ihm gesagt, sie wüsste, was mit dem Bub passiert ist, der damals verschwunden ist. Ein einziger Satz hatte genügt, um die zweiundvierzig Jahre dicke Schutzmauer in Bodensteins Innern mit der Wucht einer Abbruchbirne niederzureißen, und die Erinnerungen an jenen Sommer stürzten auf ihn ein. Plötzlich hatte er alles wieder so lebendig und klar vor Augen, als sei es erst gestern geschehen. Die Angst. Das schlechte Gewissen. Die nagenden Schuldgefühle. *Du hast nicht auf ihn aufgepasst! Du bist schuld, dass ihm etwas zugestoßen ist!* Niemand hatte ihm jemals diesen Vorwurf gemacht – weder seine noch Arturs Eltern. Aber er selbst, er hatte gewusst, dass er die Schuld daran trug. An dem einzigen Abend, an dem er Artur nicht nach Hause begleitet hatte, war ihm etwas zugestoßen. Etwas Schreckliches, Böses.

Bodenstein verbarg sein Gesicht in den Händen. Bilder explodierten in seinem Kopf. Einmal befreit, ließ sich die unerwünschte Flut nicht mehr kontrollieren.

Heiß war er gewesen, dieser Sommer 1972, so heiß, dass die Bäche versiegt und der Wasserspiegel im Löschteich gesunken war. Bodenstein erinnerte sich an den Duft von gemähtem Gras und frischem Schweiß, feuchter Erde, Harz und trockenem Laub. Lauwarme Caprisonne und Dolomiti-Eis, Bazooka-Joe Kaugummi und Muschelschleck. Schwalben am tiefblauen Himmel, Fledermausschreie in der Abenddämmerung. Schieferfarbene Gewitterwolken über gelbem Weizen. Vogelgezwitscher im kühlen Wald. Eiskaltes Wasser, das auf der Haut prickelte wie Nadeln. Brennnesseln und Brombeerranken, das dumpfe Geräusch flinker Füße auf weichem Moos. Myriaden von Fliegen, die um die Pferde herumschwirrten. Lagerfeuer. Gebratene Kartoffeln. Verbrannte Würstchen.

Sie waren unzertrennlich gewesen, Wieland, Artur und er, diesen ganzen, herrlichen Sommer lang bis zu jenem schrecklichen Tag. Hatten sie eine Vorahnung gehabt, dass dieser Sommer ein Ende bringen würde? Waren sie deshalb so lebenshungrig, leichtsinnig und übermütig gewesen? Sie hatten trotz strenger Verbote die Straße überquert und den Wald auf der anderen Seite erkundet, immer begleitet von Maxi, seinem zahmen Fuchs. Sie waren Lederstrumpf, Pfeilspitze und Chingachgook gewesen, Daktari, Mike und Jack, Winnetou, Old Shatterhand und Old Surehand oder Terroristen auf der Flucht vor der Polizei. Bodenstein konnte sie noch hören, ihre hellen Jungenstimmen, die durch den Wald hallten. Aber oft hatten sie auch einfach nur dagelegen und in den Himmel geschaut, der zwischen den Baumkronen zu sehen war. Sie kannten jeden Pfad und jeden Stein, jeden umgefallenen Baum und jede Höhle. Die Welt draußen war blendend hell gewesen, der Wald jedoch kühl und still und geheimnisvoll, bis auf das Summen von Insekten, das Zwitschern der Vögel und das Rascheln von kleinen Tieren im Unterholz.

War es die Erleichterung, endlich dem verstörenden Einfluss von Peter, Ralf und den anderen entronnen zu sein, die diesen Sommer im Nachhinein verklärt hatte? Zweifellos war es eine wundervolle Zeit gewesen, intensiv, unbeschwert und geradezu mystisch. Wieland, Artur und er hatten vom Sonnenaufgang bis zur Abenddämmerung jede Minute miteinander verbracht. Und ganz plötzlich war alles vorbei gewesen. In jener Nacht war nicht nur Artur verschwunden, sondern auch Maxi. Bodenstein hatte versucht, sich seinen Schmerz nicht anmerken zu lassen, aber er hatte wochenlang seinen Fuchs gesucht, war verzweifelt nach ihm rufend durch den Wald gelaufen, bis er irgendwann hatte einsehen müssen, dass Maxi nicht zu ihm zurückkehren würde. Seine Eltern hatten behauptet, der Fuchs sei einfach seinem Instinkt als Wildtier gefolgt und lebe jetzt im Wald. Auf ihre unbeholfene Art hatten sie versucht, ihn zu trösten, und ihn für seine Tapferkeit gelobt. Sie hatten nicht geahnt, wie es in Wirklichkeit in ihm ausgesehen hatte, wie viele Nächte er sich aus Kummer in den Schlaf geweint hatte! Er hatte das Liebste verloren, was er je besessen hatte, und er hatte unter entsetzlichen Schuldgefühlen gelitten, weil er Maxi insgeheim noch viel schmerzlicher vermisst hatte als Artur.

Wieland hatte allerhand Mutmaßungen angestellt, was mit Artur und Maxi passiert sein könnte. War er heimlich nach Kasachstan gefahren, zu seinen Großeltern, die er sehr vermisst hatte, und hatte den Fuchs mitgenommen? Oder hatten ihn die Terroristen von der RAF entführt, weil sie ihn mit irgendjemandem verwechselt hatten?

Bodenstein hatte einen völlig anderen Verdacht gehabt, einen, über den er mit niemandem gesprochen hatte, nicht einmal mit Wieland. Er hatte den mit Blut besiegelten Eid gebrochen, und darauf stand der Tod. Es war die Bande gewesen, die Artur und Maxi etwas angetan hatte, um ihn dafür zu bestrafen, dass er sich ihnen entzogen hatte.

Bodenstein rollte den Ärmel seines Hemdes hoch und betrachtete nachdenklich die schmale weiße Narbe oberhalb seines linken Handgelenks. *Blutsbrüder bis in den Tod* hatte Peter gesagt und ihm in die Augen gesehen. Er hatte die Worte wiederholen müssen, drei Mal, dann hatte Peter ihm mit dem Skalpell, das er seinem Vater stibitzt hatte, in den Arm geschnitten. Tiefer als beabsichtigt, hatte er behauptet, aber vermutlich hatte er es absichtlich getan, weil er ihn hatte weinen sehen wollen. Doch er hatte nicht geweint. Kein Schmerzenslaut war ihm über die Lippen gekommen. Später hatte seine Mutter ihn ins Krankenhaus fahren müssen, um die Verletzung zu nähen, so stark hatte es geblutet. Woher der tiefe Schnitt stammte, hatte Bodenstein nicht verraten.

Er schauderte bei der Erinnerung daran, wie die anderen den Spruch im Chor wiederholt hatten und nacheinander das Blut von seinem Handgelenk geleckt hatten: Peter Lessing. Edgar

Herold. Ralf Ehlert. Andi Hartmann. Simone Ohlenschläger. Roman Reichenbach. Konstantin Pokorny. Und Inka Hansen. »Jetzt gehörst du der Bande«, hatte Peter gesagt, und Bodenstein erinnerte sich an sein Lächeln – zufrieden und drohend zugleich. »Bis in den Tod. Wer uns verrät, wird bestraft und muss sterben.«

Zehn Jahre waren sie damals alt gewesen. Kinder, eigentlich. Aber seit jenem Tag hatte er gewusst, was Todesangst war.

Wieland und er hatten Arturs und Maxis Namen niemals wieder ausgesprochen. Die geheimen Plätze, an denen sie den Zauber dieses Sommers erlebt hatten, hatten sie danach gemieden. Bodenstein hatte noch lange Ausschau nach dem Fuchs gehalten und wider alle Vernunft gehofft, er würde ihn eines Tages wiederfinden. Irgendwann hatte er die schrecklichen Ereignisse und seine Schuldgefühle aus seinem Kopf und seinem Herzen verbannt und im Laufe der Zeit die Frage nach dem »Wer« und »Warum« so erfolgreich verdrängt, dass er nun, beim Gedanken daran, innerlich zurückschreckte. Nur dunkel erinnerte er sich an einen Polizisten in Zivil, der ihn befragt hatte, aber nicht an die Fragen selbst. Nur an sauren Mundgeruch und blutunterlaufene Augen, die ihm Unbehagen eingeflößt hatten, und an seine entsetzliche Angst davor, etwas Falsches zu sagen und sterben zu müssen.

Das Kaleidoskop an Bildern, das sich in seinem Kopf so rasend schnell gedreht hatte, verlangsamte sich und kam zum Stillstand wie das Glücksrad in der Fernsehshow. Der Zeiger blieb auf einem Feld stehen. Und ganz plötzlich und unerwartet war sie da, die Erkenntnis, auf die er seit der Entdeckung von Clemens' Leiche gewartet hatte. Er war wie elektrisiert.

Auf einmal ergab alles einen Sinn: Rosie hatte vierzig Jahre lang ein schreckliches Geheimnis mit sich herumgeschleppt, erst jetzt, im Angesicht des Todes, hatte sie ihr Gewissen erleichtert. Es wäre zumindest eine Erklärung für die Depressionen, unter denen sie gelitten hatte. Hatte sie diese seelische Krankheit als Fluch empfunden, als gerechte Strafe für ihr Schweigen? Clemens war dabei gewesen, als sie Maurer gebeichtet hatte, was damals geschehen war, das hatten Cem und er gestern im Hospiz erfahren. Hatte sie einen Namen genannt? War Clemens auf diese Weise zum Mitwisser geworden und hatte womöglich deshalb sterben müssen? Als Maurer am Donnerstag vor den Bus gelaufen war, hatte Bodenstein ihm angemerkt, wie durcheinander er gewesen war. Warum? Doch nicht wegen eines Jungen, der zweiundvierzig Jahre zuvor verschwunden war! Nein, dahinter steckte etwas anderes, etwas, das dem alten Mann Angst gemacht hatte.

Bodenstein ergriff sein Jackett und sprang auf. Er konnte nicht länger stillsitzen. An dem Morgen vor der Bäckerei war Maurer mitten im Satz verstummt und hatte plötzlich verstört gewirkt. Wen hatte der alte Pfarrer gesehen? Einen Tag später hatte er dringend mit ihm sprechen wollen. Was war in diesen vierundzwanzig Stunden passiert? Wo war Maurer gewesen, was hatte er getan?

Bodenstein beschleunigte seine Schritte und wäre beinahe mit Pia zusammengestoßen, die, gefolgt von Kim, im gleichen Tempo wie er um die Ecke bog.

»Da bist du ja!« Sie warf ihm einen forschenden Blick zu. »Wie geht es dir?«

»Mir geht's gut, danke«, erwiderte er nur und lief weiter.

»Artur war dein bester Freund!«, rief Pia hinter ihm her. »Du kannst mir nicht weismachen, dir ginge es gut.«

Er blieb stehen und drehte sich zu ihr um.

»Das stimmt. Es war für mich tatsächlich ziemlich heftig, nach so vielen Jahren seinen Namen zu hören. Aber ich …«

»Spätestens jetzt ist es keine *Option* mehr, dass jemand anderes die Leitung der Ermittlungen übernimmt, sondern ein *Muss*«, unterbrach Pia ihn. »Du bist in diese Fälle zu sehr persönlich involviert und zu nah dran an all diesen Leuten, Oliver.«

Der Unterton in ihrer Stimme ließ ihn stutzen. Glaubte sie wirklich, er sei überfordert? Er begriff, dass sie die ganze Situation falsch interpretierte. Nach seiner heftigen Reaktion eben war ihr das nicht einmal zu verdenken.

»Nein, nein!« Er hob beschwörend die Hände. »Du verstehst das falsch, Pia! Artur ist der Schlüssel zu unseren Fällen, das ist mir eben klargeworden! Es geht tatsächlich um jemanden aus dem Umfeld der Opfer, der Mitwisser tötet. Wir müssen herausfinden, was damals wirklich mit Artur geschehen ist, und dann haben wir unseren Mörder!«

»Es hat doch 1972 sicherlich Ermittlungen gegeben«, sagte Pia. »Wieso sollten wir jetzt mehr herausfinden als die Kollegen damals?«

»Weil wir jetzt wenigstens wissen, dass Artur tatsächlich hier in der Gegend ermordet wurde«, entgegnete Bodenstein heftig.

Die beiden Frauen wechselten einen raschen Blick.

»Wir wissen gar nichts.« Pia schüttelte den Kopf. »Wir haben lediglich einen vagen Hinweis aus dritter Hand bekommen. Ich verstehe, dass du dir wünschst, nach so vielen Jahren endlich zu erfahren, was mit deinem Freund geschehen ist, aber ich sehe da nicht unbedingt einen Zusammenhang.«

»Aber der liegt doch klar auf der Hand!«, begehrte Bodenstein auf. Pias nachsichtiger Tonfall verärgerte ihn. Warum wollte sie das Offensichtliche nicht begreifen? »Rosie hat dem Pfarrer im Beisein ihres Sohnes den Namen eines Mitwissers verraten, der wusste, dass sie Artur getötet hat! Womöglich haben der Pfarrer und auch Clemens mit demjenigen gesprochen; sie haben Druck auf ihn ausgeübt und vielleicht haben sie deshalb beide sterben müssen!«

Pia betrachtete ihn skeptisch.

»Du hast mich gebeten, dir Bescheid zu geben, wenn ich dich für nicht mehr ausreichend objektiv halte«, sagte sie. »Und das tue ich jetzt. Du solltest die Leitung der Ermittlungen an jemanden abgeben, der mehr Distanz zu alldem hier hat. Deine Kontakte hier im Ort sind wichtig, aber du bist meiner Meinung nach befangen. Was tust du, wenn sich herausstellt, dass einer deiner alten Freunde mit der ganzen Sache zu tun hat?«

Bodenstein blickte zu Pias Schwester hinüber. Kim Freitag ließ sich nicht anmerken, was sie dachte. Stimmte das, was Pia sagte? Es fiel ihm tatsächlich schwer, die Fülle der Informationen zu sortieren und neutral zu beurteilen. Altes vermischte sich mit Neuem, Wichtiges mit Unwichtigem. Und er steckte mittendrin. Aber ihm Befangenheit vorzuwerfen war ungerecht. Er würde niemanden schonen, den er für verdächtig hielt.

»Pia, ich …«, begann er, aber dann besann er sich, verstummte und zuckte die Schultern. Durchatmen. Ruhig bleiben. »Vielleicht hast du recht, vielleicht auch nicht. Mir ist es egal, ob ich der Leiter der Ermittlungen bin oder nicht. Aber eins weiß ich: Ich werde herausfinden, was damals mit Artur geschehen ist. Und mein Bauchgefühl sagt mir, dass das alles zusammenhängt.«

Er ging an Pia und Kim vorbei.

»Wo gehst du hin?«, rief Pia ihm nach.

»Ich rede noch mal mit Frau Vetter«, erwiderte er im Weggehen. »Und dann muss ich mit allen Pflegern im Hospiz sprechen. Wir müssen wissen, von wem Rosie Besuch bekommen hatte. Vorher bringe ich Sophia zu Lorenz. Es ist besser, wenn sie nicht in Ruppertshain ist.«

»Warum?«

»Hier ist ein Mörder unterwegs, der vor nichts zurückschreckt«, erinnerte er sie. »Ich muss mich auf ihn konzentrieren und will mich nicht darum sorgen müssen, dass er meiner Tochter etwas antut, wenn er merkt, dass wir ihm auf die Schliche gekommen sind.«

»Oliver! Es geht hier doch nicht um dich! Du nimmst das viel zu persönlich!«

Bodenstein wandte sich um. Er atmete tief durch, schürzte die Lippen.

»Artur Berjakov war mein bester Freund. Er war mit seiner Familie aus der Sowjetunion gekommen und wurde von den anderen Kindern schikaniert. Ich habe ihn beschützt. Jeden Abend habe ich ihn nach Hause begleitet, weil er Todesangst vor den Dorfjungen hatte.«

Er machte eine kurze Pause, musste mit sich kämpfen, bevor er weitersprechen konnte.

»Eines Tages bekamen wir einen neuen Fernseher. Einen der ersten Farbfernseher in der ganzen Gegend. Ich wollte unbedingt eine Folge von ›Bonanza‹, meiner Lieblingsserie, schauen, deshalb ging Artur irgendwann alleine los, um pünktlich zum Abendessen zu Hause zu sein. Aber dort kam er nie an.«

Jetzt erst gelang es Bodenstein, Pia in die Augen zu sehen.

»Verstehst du, warum ich Arturs Verschwinden persönlich nehme? Ihm ist etwas zugestoßen, weil ich ihn nicht beschützt habe!«

»Aber du warst erst elf Jahre alt«, wandte Pia ein. »Du hättest ihn nicht vor einem Mörder schützen können.«

»Ich war für ihn verantwortlich«, widersprach Bodenstein. »Ich hatte seinen Eltern versprochen, dass ich auf ihn aufpasse. Und das habe ich nicht getan. Weil ich lieber fernsehen wollte.«

***

Lorenz hatte keine Fragen gestellt und sich ohne zu zögern bereit erklärt, Sophia übers Wochenende bei sich aufzunehmen. Es war nicht das erste Mal, dass er als Babysitter für seine kleine Nachzügler-Schwester einsprang, die zur Welt gekommen war, als er schon nicht mehr zu Hause gewohnt hatte. Zu Bodensteins Erleichterung war sein Sohn sogar so nett, die Kleine in Ruppertshain abzuholen. Nachdem Lorenz mit Sophia losgefahren war, ging Bodenstein hinaus auf den Balkon, setzte sich auf die Sonnenliege aus Polyrattan-Geflecht und zündete sich eine Zigarette an. Er rauchte selten, aber jetzt war einer der Momente, in denen er die Wirkung des Nikotins brauchte. Die Aussicht vom Balkon seines Hauses war zu jeder Tages- und Nachtzeit spektakulär. Die ganze Rhein-Main-Ebene lag ihm zu Füßen, der Ausblick reichte von der Frankfurter Skyline bis zum Flughafen. An klaren Tagen konnte man in der Ferne sogar den Odenwald erkennen. Er liebte es, hier zu sitzen und die Gedanken schweifen zu lassen. Er mochte sein Haus, die Ruhe, die klare Luft hier oben am Taunushang. Bis heute hatte er sich hier sicher und wohl gefühlt, in diesem Haus und in dem kleinen Ort. Doch dieses Gefühl war nicht mehr da.

»Artur«, sagte er leise. »Was haben sie mit dir gemacht?«

Nach der vierten Klasse waren Edgar, Ralf, Konstantin, Roman, Simone und Andreas wie die meisten Kinder aus Ruppertshain auf die Gesamtschule nach Fischbach gegangen, er selbst und Wieland auf das humanistische Jungengymnasium, Peter und Inka auf die Taunusschule nach Königstein. Und dann waren die Berjakovs nach Ruppertshain gekommen, die Iwans, wie man sie im Ort verächtlich genannt hatte. Sie waren in den ersten Stock des Fachwerkhäuschens der alten Frau Maier gezogen, die um ein paar Ecken mit ihnen verwandt gewesen war. Bodenstein erinnerte sich daran, wie sich das Klima im Dorf von einem Tag auf den anderen gewandelt hatte. Seine Freunde hatten sich Artur gegenüber vom ersten Moment an feindselig verhalten. Besonders Edgar und Peter hatten Artur gehasst. Die anderen hatten sich mehr aus Loyalität denn aus Überzeugung ablehnend verhalten, aber deshalb nicht weniger gemein. Das ganze Schuljahr hindurch hatten sie Artur das Leben zur Hölle gemacht, und er hatte ihnen nicht entkommen können, schließlich war er auf dieselbe Schule wie sie gegangen. Damals war man nicht sofort zu seinen Eltern gerannt, wenn es Probleme gab. Und Artur hatte seine Eltern, die selbst mit der Ablehnung im Dorf und den neuen Lebensumständen zu kämpfen hatten, nicht zusätzlich beunruhigen wollen. Wäre es anders gekommen, wenn er seine Eltern um Hilfe gebeten hätte?

Über diese Gedanken nickte Bodenstein auf der bequemen Liege ein, die Oktobersonne wärmte seine Glieder. Er schlief nach einer Weile tief und fest, bis das beharrliche Klingeln seines Handys in seinen Traum eindrang und ihn weckte.

»Ja?«, meldete er sich benommen. Sein Herz klopfte, und auf seiner Wange klebte getrockneter Speichel.

»Wo bist du gerade?«, ertönte Nicola Engels Stimme an seinem Ohr. »Hast du geschlafen?«

»Ich bin zu Hause«, antwortete er und richtete sich auf. Die Sonne näherte sich im Westen über den Bergkämmen schon den Baumwipfeln. Wie spät mochte es sein? Er hasste es, am helllichten Tag einzuschlafen, denn das brachte seinen Biorhythmus immer komplett durcheinander.

»Frau Sander war gerade bei mir und hat mich gebeten, dir die Leitung der Ermittlungen zu entziehen«, sagte Nicola. »Sie meint, du seist zu sehr persönlich involviert, weil du die drei Toten gut gekannt hättest. Was sagst du dazu?«

»Vielleicht ist es wirklich das Beste, wenn jemand anderes die Ermittlungen leitet.« Bodenstein versuchte, sich von den flüchtigen Fetzen eines wirren Traumes zu befreien. *Eine Frau, die nackt in einem Teich schwamm.* Zweifellos eine erwachsene Frau, kein junges Mädchen. Blasse Haut, das dunkle Dreieck ihrer Scham und pralle Brüste. Hatte er das nur geträumt, oder war dieses Bild eine Erinnerung, die aus den Tiefen seines Unterbewusstseins aufgestiegen war? Das Rascheln von trockenem Schilf. Der morastige Boden, von den Klauen der Kühe aufgewühlt, die ringsum weideten. Ein fast voller Mond am schwarzen Himmel, asymmetrisch und von einem hellen Hof umgeben in einer dunstigen Nacht. Und überdeutlich das Gefühl von Bedrohung und Angst. Wer war diese Frau? Warum träumte er von ihr?

»Wieso? Was ist da eigentlich los?«, fragte Nicola ungehalten. »Kommst du noch ins Büro? Ich habe für neunzehn Uhr eine Besprechung angesetzt.«

»Natürlich komme ich.« Bodenstein stand auf. Er hatte in der Sonne geschwitzt, jetzt fröstelte er. Auf der Sonnenliege lag ein Schlüsselbund, der ihm wohl aus der Hosentasche gerutscht war. Die Schlüssel von Kindergarten und Kirche, die er Patrizia noch vorbeibringen musste!

»Erkläre mir den Sachverhalt bitte später. Und wenn du wirklich einverstanden bist, übertrage ich Frau Sander die Verantwortung für die Fälle.« Nicola ließ den letzten Satz wie eine Frage klingen. Offenbar hatte sie mit Protest von seiner Seite gerechnet, aber ihm war das eigentlich recht. Dann konnte er sich um die Sache mit Artur kümmern.

»Ja, für mich ist das in Ordnung.« Er schob die Balkontür zur Seite und betrat das Haus. Genau in dieser Sekunde durchfuhr ihn ein zweites Mal an diesem Tag eine Erkenntnis.

»Ich muss Schluss machen«, sagte er eilig, bevor ihm der Gedankenfetzen wieder entglitt, und drückte das Gespräch weg. *Die nackte Frau. Kichernde Erregung. Die Frau war nicht allein gewesen. Da war ein Mann bei ihr gewesen, und er hatte zugeschaut, wie die beiden miteinander Sex gehabt hatten.* Aber jemand war bei ihm gewesen. Artur? Nein. Bodenstein zwang sich zur Konzentration, folgte seinen Gedanken in die Vergangenheit. Und plötzlich begriff er, was diese Traumsequenz zu bedeuten hatte. Aufgeregt scrollte er durch den Anrufspeicher seines Handys und tippte auf die Nummer, die er gesucht hatte.

* * *

»Wir haben mittlerweile drei Tote, die sich alle gut kannten beziehungsweise miteinander verwandt waren.« Pia wies auf das Whiteboard, auf das sie die Namen der drei Opfer geschrieben hatte. Vom Besprechungsraum des K11 waren sie in den Aufenthaltsraum hinter der Wache im Erdgeschoss umgezogen, dem größten Raum im Gebäude der Regionalen Kriminalinspektion Hofheim, der zu Zeiten von Kriminaldirektor Nierhoff regelmäßig für Pressekonferenzen benutzt worden war. Heute war er oft verwaist, die meisten Kollegen nutzten lieber den gemütlicheren Gemeinschaftsraum im Keller, wenn sie Bereitschaftsdienst hatten. Jetzt saßen jedoch zwei Dutzend Beamte aus den verschiedenen Kommissariaten vor ihr, nach dem dritten Mord hielt auch Pia eine SoKo für unumgänglich.

»In der Nacht von Mittwoch auf Donnerstag starb der 61-jährige Clemens Herold beim Brand eines Wohnwagens auf dem Campingplatz des Waldfreundehauses bei Königstein«, sagte Pia mit fester Stimme. »Der Wohnwagen gehörte seiner Mutter, Rosemarie Herold aus Ruppertshain, die am Donnerstagnachmittag im Hospiz Abendrot in Kelkheim erwürgt und erstickt wurde.«

»Erwürgt oder erstickt?«, fragte jemand dazwischen. »Was denn nun?«

»Tatsächlich beides«, erwiderte Pia. »Aber zu den Details komme ich später. Heute Morgen wurde die Leiche des 85-jährigen Pfarrers Adalbert Maurer in der Sakristei der katholischen Kirche in Ruppertshain erhängt aufgefunden. Die Todesursache war jedoch Erdrosseln, durch das Erhängen sollte es offenbar wie ein Suizid aussehen.«

Es war warm in dem Raum, und Pia spürte, wie ihr ein Schweißtropfen über die Schläfe lief und an ihrem Hals hinabrann, während sie redete und redete. Zum ersten Mal lastete die Verantwortung für eine Ermittlung komplett auf ihren Schultern, und es fühlte sich nicht etwa gut an, sondern wie ein verdammter Test. Zwar war Bodenstein noch mit an Bord, aber sie war jetzt die Chefin und durfte sich keine Fehler erlauben, sonst war ihre Chance, Leiterin des K11 zu werden, dahin.

Sie blickte in die aufmerksamen Gesichter ihrer Kollegen und war plötzlich verunsichert. Würde sie dem Druck, der schon jetzt spürbar war, standhalten? Was, wenn sie etwas übersah und einen Fehler machte, der einen weiteren Menschen das Leben kostete oder den Erfolg der Ermittlungen gefährdete?

»Unser drittes Opfer, der Pfarrer, besuchte am vergangenen Sonntag unser zweites Opfer, Rosemarie Herold, im Hospiz in Kelkheim. Von Mitarbeitern des Hospizes haben wir erfahren, dass bei dem Gespräch zwischen Pfarrer Maurer und Rosie Herold auch ihr Sohn Clemens – unser erstes Opfer – anwesend war.«

»Das wissen wir doch schon«, unterbrach Cem sie. »Oliver und ich haben gestern mit Pflegerinnen und der Leiterin der Einrichtung gesprochen, und alle drei haben berichtet, dass der Pfarrer am Sonntagnachmittag bei Frau Herold und ihrem Sohn war.«

»Aha.« Pia schluckte nervös und verspürte einen leisen Groll. Dass Bodenstein vergessen hatte, ihr davon zu berichten, konnte sie verstehen, aber Cem hätte heute Zeit genug gehabt, sie über die Gespräche im Hospiz in Kenntnis zu setzen. Warum hatte er das nicht getan? War er sauer, weil die Engel sie mit der Leitung der Ermittlungen betraut hatte und nicht ihn? Wollte er sie als inkompetent dastehen lassen? Cem war nur schwer zu durchschauen, und obwohl er jetzt schon seit fünf Jahren zum Team gehörte, konnte Pia nicht beurteilen, wie es um seine Loyalität ihr und auch Bodenstein gegenüber bestellt war. Er war ehrgeizig, das wusste sie. Er war im richtigen Alter und ausreichend qualifiziert, um Abteilungsleiter zu werden.

»Wieso erfahre ich das erst jetzt?«, fragte sie und ärgerte sich in derselben Sekunde, diese Frage gestellt zu haben.

»Ich habe gestern den Bericht geschrieben«, erwiderte Cem. »Er ist im ComVor, du hättest ihn lesen können.«

Plötzlich lag eine unterschwellige Anspannung in der Luft. Pia musste sich beherrschen, um nichts zu sagen, was sie noch mehr in die Defensive drängen würde.

»Adalbert Maurer hat seiner Schwester, Irene Vetter, unter dem Siegel der Verschwiegenheit erzählt, dass Rosie Herold ihm gebeichtet hat, im Sommer 1972 einen Jungen ermordet …«

Stopp! Falsch. Das hatte Irene Vetter nicht gesagt. Der Schweiß lief ihr zwischen den Schulterblättern herunter, ihre Kapuzenjacke war unter den Achseln feucht. Alle starrten sie an und warteten ungeduldig darauf, dass sie weitersprach. Es war Samstagabend, Viertel nach sieben. Jeder wollte viel lieber woanders sein, und sie stahl ihren Kollegen, die langsam unruhig wurden, die Zeit mit ihrem Gestammel. Sie hatte den Faden verloren. Die Tür ging auf. Pias Knie wurden weich, als sie Bodenstein hereinkommen sah. Vor Erleichterung und gleichzeitig aus Angst, sich vor ihm zu blamieren. Er blieb neben der Tür bei Kröger stehen, der flüsterte ihm etwas zu. Wieso sprach Christian mit Bodenstein und nicht mit ihr? *Sie* war jetzt die Chefin!

»Was wolltest du uns jetzt eigentlich mitteilen, Pia?«, fragte Cem mit einem genervten Unterton. »Gibt es irgendwelche neuen Erkenntnisse oder nur Spekulationen?«

»Ja, genau«, stimmte ihm jemand zu.

»Nenn doch einfach mal die Fakten«, sagte ein anderer Kollege.

»Warum sitzen wir eigentlich hier rum?«

»Ich will gleich das Länderspiel gucken.«

Unruhe, Gemurmel, Stühlerücken. Wollte Cem sie provozieren? Ihr war die Kontrolle entglitten. Verdammt! Pia warf Nicola Engel einen Blick zu. Gehörte es zu ihrer Strategie, sie hier scheitern zu sehen?

»Reißt euch mal zusammen, Leute!« Bodensteins Stimme ließ das Gemurmel schlagartig verstummen. »Ab heute leitet Pia die Ermittlungen. Ich erwarte, dass ihr sie genauso unterstützt wie mich. Keine Alleingänge, keine Behinderung der Ermittlungen. Es geht um mittlerweile drei Tote. Und es ist zu befürchten, dass unser Täter wieder zuschlägt. Der Tag heute war lang, ich denke, es hat wenig Sinn, jetzt weiterzumachen, oder, Pia?«

»Natürlich«, stimmte sie ihm mit zusammengebissenen Zähnen zu. »Geht heim, guckt Fußball, aber bleibt nüchtern. Alle bleiben in Bereitschaft.«

Die Runde löste sich auf, Stuhlbeine schrammten über den Linoleumboden, die Kollegen schoben sich durch Tische und Stühle Richtung Tür. Pia sammelte ihre Unterlagen zusammen. Ihr Gesicht glühte, und sie vermied den Blickkontakt zu Dr. Engel, die sie für komplett unfähig halten musste. Sollte sie Bodenstein für seine Intervention dankbar sein oder eher wütend auf ihn? Fast beiläufig hatte er ihr das Heft aus der Hand genommen und damit ihre Autorität untergraben. Pias Blick fiel auf Cem, und der Zorn in ihrem Innern explodierte.

»Cem!«, rief sie ohne nachzudenken und drängte sich durch die Stuhlreihen. Er blieb stehen und musterte sie aus seinen dunklen Augen. Seine Gelassenheit machte sie noch wütender.

»Was sollte das denn eben?«, fuhr sie ihn aufgebracht an.

»Was meinst du?« Er tat verwundert.

»Du enthältst mir wichtige Ermittlungsergebnisse vor und stellst mich vor allen Leuten bloß!«, warf sie ihm vor. »Bist du sauer, weil ich jetzt die Ermittlungen leite und nicht du?«

»Ich habe dir gar nichts vorenthalten.« Er hob die Augenbrauen. »Warum bist du so empfindlich?«

»Das stimmt nicht! Du hast ...« Sie verstummte, biss sich auf die Lippen und verfluchte ihre Impulsivität. Er hatte recht. Sie war zu dünnhäutig. Normalerweise reagierte sie auf seine Einwände mit einem Lächeln oder einer flapsigen Bemerkung, und Einwände hatte er grundsätzlich immer. War sie den Herausforderungen, die die Leitung einer Dreifachmord-Ermittlung mit sich brachte, etwa nicht gewachsen?

»Es ... es tut mir leid«, murmelte Pia beschämt.

»Bleib cool.« Cem klopfte ihr auf die Schulter. »Du musst keinem was beweisen. Zieh einfach dein Ding durch.«

Sie ging zurück zu ihrem Tisch, ergriff die Mappe mit ihren Unterlagen und ihren Rucksack. Die Obduktion von Adalbert Maurer, an der sie teilnehmen wollte, war für 20 Uhr angesetzt, sie musste los. Bodenstein wartete an der Tür. Hinter seiner beherrschten Fassade brodelte es, das erkannte sie an dem fiebrigen Glanz seiner Augen.

»Kommst du mit in die Rechtsmedizin?«, fragte sie ihn, seine Antwort bereits vorausahnend. Nach fast zehn Jahren enger Zusammenarbeit kannte sie ihren Chef so gut wie andere Frauen ihre Ehemänner. Wieder versetzte ihr der Gedanke daran, dass dies hier womöglich ihr letzter gemeinsamer Fall sein würde, einen nadelspitzen Stich. Sie wollte nicht, dass er wegging.

»Nein. Ich muss dringend mit jemandem sprechen«, erklärte er mit gesenkter Stimme. »Kann ich dich später anrufen?«

Deshalb hatte er es also so eilig gehabt, die Besprechung zu beenden.

»Hast du gerade nicht selbst gesagt: keine Alleingänge?« Pia legte den Kopf schräg. Er hatte sie nicht gefragt, ob sie ihn begleiten würde. Betrachtete er sie bereits nicht mehr als seine Teampartnerin?

»Stimmt. Was die aktuellen Fälle betrifft.« Ein Lächeln zuckte kurz um Bodensteins Mund. In Gedanken war er längst ganz woanders. »Ich habe mit Nicola besprochen, dass ich mich um den alten Fall kümmere. Natürlich in enger Abstimmung mit dir.«

Hätte er sich an ihrer Stelle eine solche Eigenmächtigkeit gefallen lassen, wortlos akzeptiert, dass sie sich hinter seinem Rücken mit der Engel besprach, und sie einfach alleine losziehen lassen? Am liebsten hätte Pia ihn zurückgehalten, ihn gefragt, was er vorhatte, aber es war nicht der richtige Moment dafür.

»Halt mich auf dem Laufenden«, sagte sie nur.

»Mach ich. Ich melde mich später.«

Sie blickte ihm nach, wie er eilig zum Ausgang ging. Die Panzerglastür zur Schleuse sprang mit einem Summen auf, und Bodenstein verschwand. Hatte er Nicola Engel tatsächlich eingeweiht, oder war er in geheimer Mission unterwegs? Das ungute Gefühl in ihrem Inneren wuchs. *Es ist zu befürchten, dass der Täter wieder zuschlägt.* Was, wenn Bodenstein, besessen von der Frage, was damals mit seinem besten Freund geschehen war, selbst in den Fokus eines Mörders geriet, der bereits drei Mal getötet hatte, um ein Geheimnis zu bewahren?

***

Sie drehte den Zündschlüssel um. Die Lüftung ging an und die Scheinwerfer flackerten, doch der Motor ächzte nur gequält und erstarb wieder. Was war denn das? Gestern war die alte Kiste noch problemlos angesprungen! Felicitas drehte wieder und wieder den Schlüssel im Zündschloss und betätigte das Gaspedal. Zuerst gab der Anlasser noch würgende Geräusche von sich, dann tat sich überhaupt nichts mehr.

»Verdammte Scheiße!«, schrie sie unbeherrscht und hämmerte mit beiden Fäusten auf das Lenkrad. »Das darf doch wohl nicht wahr sein!«

Es dämmerte schon, und eigentlich hatte sie längst nicht mehr hier sein wollen. Ihr Plan war gewesen, bis zum Morgengrauen durch die Gegend zu fahren und dann wieder zum Waldfreundehaus zurückzukehren, denn tagsüber würde der Killer keinen Angriff wagen. Diese dämliche alte Schrottkarre machte ihr nun einen Strich durch die Rechnung.

»Was jetzt?«, fragte Elias beklommen.

»Keine Ahnung. Ich verstehe nichts von Autos«, erwiderte Felicitas deprimiert. »Du vielleicht?«

»Nee. Ich hab ja nicht mal 'n Führerschein.«

Beinahe hätte sie ihn gefragt, wovon er überhaupt etwas verstand, abgesehen von Drogen und vom Kindermachen, aber sie zügelte ihren Sarkasmus gerade noch. Nicht dass er auf die Idee kam, sich aus dem Staub zu machen und sie allein im Wald zurückzulassen. Der anonyme Anrufer von vorhin würde heute Nacht hier aufkreuzen, so viel stand fest. Felicitas tastete nach der Pistole in ihrem Schoß. Plötzlich erinnerte sie sich an all die grässlichen Horrorschocker, die ihr erster Freund damals in den Achtzigern stapelweise aus der Videothek angeschleppt und sich ohne mit der Wimper zu zucken reingezogen hatte, während sie vor Angst beinahe gestorben wäre. Felicitas spürte, wie ihre Handflächen feucht wurden. Sie hatte sich immer gefragt, warum die Protagonisten in diesen Filmen in einsamen Häusern inmitten von Wäldern herumsaßen, anstatt irgendwohin zu fahren, wo es Licht, Sicherheit und andere Menschen gab. Und jetzt war sie in genau derselben Lage!

»Lass uns die Polizei anrufen«, sagte sie in die Stille hinein.

»Nein!«, protestierte Elias. »Auf keinen Fall!«

Felicitas drehte erneut den Zündschlüssel. Ohne Erfolg.

»Willst du lieber warten, bis dieser Killer auftaucht und uns abschlachtet?«

»Er ist hinter mir her, nicht hinter dir«, sagte Elias mit Grabesstimme. »Wenn ich von hier verschwinde, bist du sicher.«

»Und wohin willst du gehen?«

»Wenn ich doch nur mit Nike reden und ihr sagen könnte, dass sie auf sich aufpassen muss!« Elias ballte verzweifelt die Faust. »Kannst du mir nicht dein Handy leihen?«

Diese Frage hatte er ihr in den letzten vierundzwanzig Stunden sicherlich zwanzig Mal gestellt.

»Die Polizei überwacht ganz sicher ihr Telefon.« Felicitas zwang sich, ihn nicht anzuschreien. Ihre Finger schlossen sich um den Griff der Pistole. Sofort fühlte sie sich besser. Stärker.

»Ich kann doch mit unterdrückter Nummer anrufen.«

»Mensch, Elias, geh zur Polizei, steh für das, was du getan hast, gerade, und fang ein neues Leben an! Du bist erst neunzehn und wirst bald Vater.«

Es war eine bizarre Situation: Sie wussten beide nicht, wohin sie gehen sollten. Sie waren niemandem willkommen. Eine echte Alternative zu diesem grässlichen Haus mitten im Wald gab es für sie nicht. Und selbst wenn sie weggewollt hätten, jetzt konnten sie nicht mal mehr irgendwohin fahren.

»Komm, wir gehen zurück ins Haus«, sagte Felicitas. »Da sind wir sicherer als hier draußen.«

Plötzlich begannen die Hunde, die auf der Ladefläche des Landrovers hinter der Rücksitzbank saßen, zu knurren, dann bellten sie los.

»Ist er das?«, flüsterte Elias panisch.

»Ich kann nicht hellsehen«, zischte Felicitas. »Komm!«

Sie öffnete die Tür und stieg aus, die Pistole in der Hand, den Zeigefinger am Abzug. Aus dem Augenwinkel nahm sie eine Bewegung vor der Garage war. Oh Gott! Er war da draußen und lauerte ihnen auf! Ihr Herz raste, ihr Mund war trocken. Die Hunde im Auto waren verstummt. Felicitas duckte sich und verharrte reglos im Dunkel der Garage, dicht an das Auto gepresst. Die Pistole hielt sie mit ausgestreckten Armen vor sich, wie sie das im Fernsehen gesehen hatte. Sie hörte Schritte. Das Knirschen von Kies. Ihre Gedanken überschlugen sich. Dann sah sie seine Umrisse, keine zehn Meter entfernt, und drückte ab.

***

Im Grünen Wald, der Dorfkneipe von Ruppertshain, war erstaunlich viel los, dafür, dass es nicht einmal einen Fernseher gab, der das Länderspiel zwischen Deutschland und Polen übertrug. Bodenstein fand trotzdem problemlos einen Parkplatz für sein Auto, die Stammgäste aus dem Ort kamen lieber zu Fuß. Er öffnete die Tür. Gesichter wandten sich ihm zu, Gespräche verstummten. Zigarettenqualm hing wie Nebel unter der Decke.

»Guten Abend«, grüßte Bodenstein höflich und erhielt Gemurmel und argwöhnische Blicke als Antwort. Am Tresen hockten, Ellbogen an Ellbogen, ein paar Männer vor ihren Gläsern. Bodenstein kannte einige von ihnen, erinnerte sich aber nicht an ihre Namen. Von seinen alten Freunden war niemand darunter. In der Ecke neben den Toiletten warfen ein paar jüngere Männer Dartpfeile auf eine zerlöcherte Scheibe.

Bodenstein war ein paar Minuten zu früh, Wieland noch nicht da.

»Was machst'n du hier?«, krächzte die Wirtin, die auf einem Hocker hinter dem Zapfhahn saß, weil sie nicht mehr gut stehen konnte. »Haste dich verirrt?«

Seit über sechzig Jahren führte Anita Kern die Gaststätte, erst gemeinsam mit ihrem Mann, später alleine. Die alte Frau, die bald neunzig Jahre alt sein musste, konnte sich kaum noch bewegen, trotzdem schleppte sie sich Tag für Tag mit von Arthritis steifen Gelenken die steile Treppe von ihrer Wohnung hinunter in den Schankraum, um ihre Stammkunden mit Bier und Apfelwein zu versorgen.

»Ja, genau«, sagte ein fetter Glatzkopf und musterte Bodenstein herausfordernd aus kleinen Schweinsäuglein, die in den Speckfalten seines Gesichts verschwanden. »Wär's nicht besser, die Polizei tät nach dem Mörder suchen, statt in die Kneipe zu gehen?«

Zustimmendes Gemurmel erhob sich.

»Wenigstens habbe mir jetzt Polizeischutz.« Die einzige Frau in der Runde, eine übergewichtige Mittfünfzigerin mit strähnigem Haar und verbitterten Gesichtszügen, lachte etwas zu laut. Sie musste sich am Tresen festhalten, um nicht vom Stuhl zu kippen. »Der Herr *von* Bodenstein persönlich passt auf uns auf!«

Ihr spöttisches Lachen ging in einen Hustenanfall über. Einer ihrer Saufkumpane klopfte ihr auf den Rücken, aber sie wehrte ihn ungehalten ab.

Bodenstein bedeutete der Wirtin, dass er sich an einen Tisch in der Ecke setzen wollte, und sie erteilte ihm mit einem Nicken die Erlaubnis dazu.

»Willste 'n Äppler?«, rief sie ihm quer durch die Gaststätte nach.

»Ja, einen sauergespritzten, bitte!«, rief Bodenstein zurück. Zwar hatte er für das hessische Nationalgetränk nicht besonders viel übrig, aber er hatte Durst und keine Lust auf Bier. Im Schankraum der Gaststätte, in der schon seit zwanzig Jahren kein Essen mehr serviert wurde, war seit den sechziger Jahren des vergangenen Jahrhunderts nichts mehr verändert worden. Der abgetretene Fußboden war noch derselbe, genauso wie der verschrammte Tresen mit den festgeschraubten Drehstühlen davor, an dem Generationen von Männern gesessen und diskutiert, gelacht und sich betrunken hatten. Die Gespräche der Gäste hatten wieder eingesetzt, gedämpfter allerdings als zuvor. Immer wieder bemerkte Bodenstein mehr oder weniger unauffällige Blicke; zweifellos ging es um die drei Todesfälle, und die Spekulationen wurden mit steigendem Alkoholpegel sicherlich immer gewagter. Der ganze Ort stand unter Schock, jeder hatte die drei Opfer gekannt.

Um Punkt neun Uhr öffnete sich die Tür, und Wieland Kapteina kam herein. Ein schlanker Weimaraner mit hellblauen Augen folgte dem Revierförster wie ein Schatten, als der nun direkt auf den Tisch zusteuerte, an dem Bodenstein saß. Er wurde herzlicher begrüßt als zuvor Bodenstein. Im Vorbeigehen klopfte Wieland dem einen oder anderen der Männer freundschaftlich auf die Schulter.

»Ein Pils, bitte, Anita«, bestellte er, dann entledigte er sich seiner Lodenjacke und setzte sich Bodenstein gegenüber an den Tisch. Der Hund nahm zu seinen Füßen Platz. »Wieso wolltest du dich ausgerechnet hier mit mir treffen?«

In Ruppertshain gab es noch zwei andere Möglichkeiten, wenn man etwas trinken wollte, und beide waren niveauvoller als der Grüne Wald, außerdem gab es dort auch zu essen.

»Ich habe gar nicht lange nachgedacht.« Bodenstein war kein Kneipengänger und hatte nur deshalb den Grünen Wald vorgeschlagen, weil er noch den Schlüsselbund bei Patrizia Ehlers abgeben wollte, die nur zwei Häuser entfernt wohnte.

»Böse Sache, hm?« Der Förster rieb sich das Kinn, seine melancholischen Augen wirkten noch trauriger als sonst. »Stimmt es, was erzählt wird? Der Pfarrer hat sich aufgehängt?«

»Zu laufenden Ermittlungen darf ich leider nichts sagen«, entgegnete Bodenstein und leistete Irene Vetter insgeheim Abbitte, weil er dem Gerücht nicht widersprach. Der Apfelwein wurde von einem dicken blonden Mädchen serviert, das mit offenem Mund auf einem Kaugummi herumkaute und gelangweilt dreinschaute.

»Also was gibt's?«, erkundigte Wieland sich.

Bodenstein zögerte einen Moment.

»Ich muss mit dir über Artur reden«, sagte er dann.

***

»Verdammt! Sind Sie bescheuert?« Aus der Dunkelheit ertönte eine empörte Frauenstimme. »Hören Sie auf zu schießen!«

Die Erleichterung verwandelte Felicitas' Knie in Wackelpudding. Sie zitterte am ganzen Körper wie Espenlaub und ließ die Pistole sinken, als sie begriff, dass es nicht etwa der unheimliche Killer gewesen war, dessen Schritte sie gehört hatte, sondern ein Mädchen, eine junge Frau eher.

Elias war auch ausgestiegen und drückte auf den Lichtschalter neben dem Garagentor, bevor Felicitas ihn daran hindern konnte. Die verstaubte Glühbirne an der Decke flammte auf. Im schummerigen Licht erkannte Felicitas feuerrote Locken und ein kreidebleiches Gesicht mit weit aufgerissenen Augen.

»Was machst du denn hier?«, fragte Elias und kam hinter dem Auto hervor.

»Ihr … ihr kennt euch?«, stammelte Felicitas irritiert.

»Ja. Und Sie kenne ich auch. Sie sind die Schwester von Manu, oder?«, erwiderte die Rothaarige.

»Das stimmt.« Felicitas' Herzschlag beruhigte sich etwas. »Und wer bist du?«

»Pauline Reichenbach. Ich bin in der letzten Zeit öfter hier oben, weil ich ein Wildkatzenscreening-Projekt betreue.« Sie wandte sich an Elias: »Ich hab mir irgendwie gedacht, dass du hier bist, nachdem du nicht an der Mühle aufgetaucht bist.«

»Hast du irgendwem davon erzählt?« Der Junge blickte argwöhnisch in die Dunkelheit. »Hat mein Vater dich geschickt?«

»Quatsch.« Die Rothaarige warf Felicitas einen kritischen Blick zu. »Wieso ballern Sie hier eigentlich in der Gegend herum? Sie hätten mich um ein Haar getroffen!«

»Tut mir leid.« Felicitas musste sich gegen das Auto lehnen. »Ich … ich dachte, du wärst … jemand anderes.«

»Wie bitte?«, fragte sie ungläubig. »Und jemand anderen hätten Sie einfach so erschossen?«

»Das verstehst du nicht«, erwiderte Felicitas. Plötzlich kam ihr ihre Panik selbst völlig übertrieben vor. Spielte ihre überreizte Phantasie ihr etwa Streiche? Der anonyme Anrufer konnte auch einfach jemand gewesen sein, der sich verwählt hatte.

»Ts!«, machte das Mädchen und schüttelte den Kopf.

»Wie kommst du darauf, dass ich hier bin?«, bedrängte Elias sie. »Hast du irgendwem davon erzählt?«

»Nein! Keiner weiß, dass ich hier bin! Aber ich hab dich auf der Wildkamera erkannt«, entgegnete die Rothaarige. »Und in der Zeitung stand was von 'nem aufgebrochenen Wohnwagen. Du wirst gesucht, als Zeuge angeblich. Da hab ich eins und eins zusammengezählt.«

Elias starrte sie an.

»*Du* hast den Bullen also gesteckt, wer ich bin, ja?«

»Nein, hab ich nicht! Das schwör ich!«

»Wollt ihr euch nicht lieber drin im Haus unterhalten?« Felicitas war allmählich wieder in der Lage, klar zu denken. Ihr Adrenalinspiegel normalisierte sich, und die Vernunft gewann die Oberhand. Sie schob die Pistole in eines der Außenfächer ihrer Reisetasche. »Wir müssen hier nicht wie auf dem Präsentierteller herumstehen.«

Sie klaubte ihre Tasche von der Rücksitzbank und öffnete die Kofferraumklappe. Die Hunde sprangen heraus und verschwanden aufgeregt bellend in der Dunkelheit. Binnen Sekunden hatte die Dunkelheit sie verschluckt. Auch das noch!

»Was willst du hier?«, fuhr Elias das Mädchen an. »Warum spionierst du mir nach?«

»Das tu ich doch gar nicht! Ich dachte mir, du brauchst vielleicht Hilfe«, entgegnete Pauline. »Die Bullen suchen überall nach dir!«

»Ich brauch keine Hilfe«, schnappte Elias. »Mir geht's gut!«

»Ach ja? So siehst du aber nicht gerade aus.«

»Kommt jetzt, lasst uns in Haus gehen«, trieb Felicitas die jungen Leute an, bevor sie sich in die Haare gerieten. Sie löschte das Licht in der Garage und rief nach den Hunden. Elias und Pauline gingen zum Haus und ließen sie allein zurück. Felicitas hörte ihre Stimmen, die sich entfernten, und spürte einen heißen Groll auf Elias in sich aufsteigen. Er wusste doch, dass sie sich hier draußen fürchtete, aber das war ihm gleichgültig.

»Rocky! Bear!«, rief Felicitas in die Stille, die in Wirklichkeit keine war. Nachts war der Wald voller Geräusche, die man in der Finsternis, wenn der Sehsinn keine Rolle spielte, beklemmend deutlich wahrnahm. Wind rauschte in den Baumwipfeln. Irgendwo im Unterholz raschelte es. Ein dürrer Zweig knackte. Hecheln. Keuchen. Schnaufen. Felicitas zerrte das Garagentor herunter, bis es mit einem blechernen Dröhnen einrastete, dann ergriff sie ihre Tasche, warf sie sich über die Schulter und hastete zum Haus. Die Hunde kannten sich hier aus, sie würden schon irgendwann wieder auftauchen.

***

Wieland starrte ihn wie vom Donner gerührt an, zu verblüfft, um etwas zu sagen. Er beugte sich nach vorne.

»Artur? Du sprichst von *unserem* Artur?«, vergewisserte er sich mit gesenkter Stimme.

»Ja«, bestätigte Bodenstein und nippte an seinem Apfelwein.

»Großer Gott! Daran habe ich ja seit einer Ewigkeit nicht mehr gedacht! Wann war das noch mal?«

»August 1972.«

Das Kaugummi-Mädchen stellte Wieland ein Bier hin und kritzelte mit einem Kugelschreiber einen Strich auf den Bierdeckel. Der Förster nickte dankend, nahm einen tiefen Schluck und wischte sich mit dem Handrücken den Bierschaum von der Oberlippe.

»Jetzt hast du mich wirklich geschockt«, sagte er.

»Mir ging es genauso, als ich heute davon gehört habe«, gestand Bodenstein seinem Freund aus Kinderzeiten. »Es war wie ein Sprung in die Vergangenheit, und dabei habe ich festgestellt, dass ich die ganze Sache zwar ziemlich erfolgreich verdrängt, aber nicht vergessen habe.«

»Und was willst du jetzt wissen?« Wieland Kapteina musterte ihn aufmerksam. »Du bist doch nicht hier, um mit mir in Kindheitserinnerungen zu schwelgen, oder?«

Bodenstein schaute aus dem Augenwinkel in Richtung Tresen und begegnete forschenden Blicken, die rasch niedergeschlagen wurden. Der Geräuschpegel war zu hoch, als dass jemand ihr Gespräch hätte belauschen können.

»Ich muss mich darauf verlassen können, dass du vorerst mit niemandem über das sprichst, was ich dir jetzt sage.«

»Versteht sich von selbst.«

»Es gibt Hinweise darauf, dass die drei Morde etwas mit Arturs Verschwinden zu tun haben«, sagte Bodenstein. »Rosie hat ihrer Tochter gegenüber eine Andeutung gemacht, als Sonja sie das letzte Mal besucht hat, die darauf schließen lässt, dass sie zumindest wusste, was damals geschehen ist.«

»Das ist jetzt nicht wahr, oder?«, fragte Wieland ungläubig nach. »Wie konnte sie das nur für sich behalten?«

»Ich kann's auch kaum fassen.« Bodenstein trank noch einen Schluck, dann kam er zu seinem eigentlichen Anliegen. »Kannst du dich daran erinnern, dass wir nachts mal draußen beim Löschteich eine Frau beim Baden überrascht haben?«

Wieland legte nachdenklich die Stirn in Falten, dann erhellte sich sein Gesicht.

»Oh ja, ich erinnere mich«, antwortete er zu Bodensteins Erleichterung. »Es war eine Mutprobe. Wir wollten uns mit Edgar, Ralf und Peter am Pestkreuz treffen. Allerdings kamen wir nicht so weit, weil wir die Frau sahen. Sie war ganz nackt, ich weiß noch genau, dass uns beiden fast die Augen aus dem Kopf gefallen sind.«

»Was geschah dann?«, drängte Bodenstein. »Weißt du das noch?«

Wieland Kapteina sagte eine ganze Weile gar nichts, versuchte konzentriert, sich die Jahrzehnte zurückliegende Begebenheit ins Gedächtnis zu rufen.

»Wir hatten uns an der Pferdekoppel mit dem Eichenwäldchen getroffen«, begann er langsam. »Um halb zwölf, denn um Punkt Mitternacht wollten wir am Pestkreuz sein.« Er drehte das Bierglas in seinen schwieligen Händen. »Wir wollten den Trampelpfad oberhalb der Rinderwiese nehmen. Dazu mussten wir am Löschteich vorbei, und da war dann dieses Pärchen. Ein Mann und eine Frau, richtig?«

Bodenstein nickte stumm.

»Die Nacht war hell, man konnte gut sehen«, erinnerte Wieland sich weiter. »Wir haben zuerst nicht kapiert, was die zwei da machten.«

»Sie hatten Geschlechtsverkehr. Auf dem Steg.«

»Nein, nein, hinter dem Stapel mit Brennholz. Der Kerl hatte die Hose in den Kniekehlen hängen, und wir amüsierten uns über seinen nackten Hintern.« Ein kurzes Lächeln flog über das zerfurchte Basset-Gesicht. »Wir trauten uns nicht, an ihnen vorbeizuschleichen, deshalb blieben wir einfach im Schilf hocken, bis sie fertig waren. Die Frau ging ohne Kleider schwimmen. Der Mann war ganz nervös, aber sie lachte nur.«

Bodenstein verspürte ein aufgeregtes Kribbeln im Magen. Bisher deckten sich Wielands Erinnerungen bis auf das eine oder andere Detail exakt mit seinen.

»Und dann hat uns der Mann entdeckt. Er packte einen von den Holzscheiten und kam direkt auf uns zugelaufen.« Wieland blickte Bodenstein an. »Ich bin zum Wald hochgerannt, du in die andere Richtung. Ich hab nie zuvor so eine Angst gehabt! Ich dachte, er bringt uns um.«

Seine Worte bestätigten Bodensteins Ahnung. Der Alptraum, der ihn seine ganze Kindheit hindurch gequält und den er erst vorgestern Nacht wieder gehabt hatte, war die Erinnerung an dieses nie verarbeitete Erlebnis. Und der Traum von der nackten Frau, aus dem ihn Nicolas Anruf am Nachmittag gerissen hatte, war quasi der Vorspann dazu. Die Todesangst, die er damals empfunden hatte, hatte diese Sequenz in seinem Gehirn jedoch gelöscht, so dass er immer nur von der panischen Flucht geträumt hatte.

»Er hat mich um ein Haar erwischt.« Bodenstein leerte sein Glas. »Ich hab mir vor Angst in die Hose geschissen.«

Wieland lächelte dünn.

»Es hatte allerdings einen erzieherischen Effekt: Wir sind danach nie wieder nachts heimlich aus dem Fenster geklettert.« Er sah Bodenstein an. »Die Frau war die Rosie. Stimmt's?«

»Das glaube ich auch«, erwiderte Bodenstein.

Sie schwiegen eine Weile.

»Was, denkst du, ist Artur zugestoßen?«, fragte Wieland dann.

»Ich weiß es nicht.« Bodenstein seufzte. »Ich habe irgendwann aufgehört, darüber nachzudenken.«

»Was, wenn Rosie sich öfter mit anderen Männern getroffen hat? Vielleicht sogar mit diesem Mann, der drauf und dran war, kleinen Jungs mit einem Holzscheit den Schädel einzuschlagen?«

Bodenstein dachte an Edgars Abscheu gegen den Wohnwagen, in dem seine Mutter Männer zum Sex empfangen hatte.

»Das hat sie ganz sicher getan. Kurz vor ihrem Tod hat sie Sonja gesagt, dass ihr Ehemann nicht Sonjas leiblicher Vater war.«

Wieland begriff sofort, worauf Bodenstein hinauswollte.

»Sonja ist Jahrgang 1973, wie meine Frau«, sagte er bedächtig.

»Artur verschwand am 17. August 1972«, ergänzte Bodenstein den Gedankengang seines Freundes. »Ich hatte ihn an diesem Tag ausnahmsweise nicht nach Hause begleitet. Wir hatten gerade unseren ersten Farbfernseher bekommen, und ich wollte lieber mit Quentin ›Bonanza‹ gucken.«

»Bonanza kam immer um 18:20 Uhr, das weiß ich heute noch. Um diese Uhrzeit war es im August noch hell.« Wieland bewies kriminalistischen Scharfsinn. »Rosie wäre wohl kaum das Risiko eingegangen, sich bei Helligkeit mit einem heimlichen Liebhaber zu treffen.«

»Du hast recht.« Bodenstein war enttäuscht. Seine Theorie zerplatzte wie eine Seifenblase. Es passte nicht.

»Aber angenommen, Artur ist auf dem Nachhauseweg jemand

anderem über den Weg gelaufen«, dachte Wieland unterdessen laut weiter. »Edgar zum Beispiel. Er hat Artur gehasst. Und er war stinkwütend, wie die anderen auch, weil du Artur und mich ihnen vorgezogen hast.«

Das dunkle, hässliche Gefühl wuchs in Bodensteins Innern und gewann die Oberhand. Unversehens verbanden sich ein paar lose Enden. *Ich habe ein Menschenleben auf dem Gewissen*, hatte Rosie gesagt. Das musste nicht zwangsläufig bedeuten, dass sie mit eigenen Händen getötet hatte.

»Wenn Edgar Artur umgebracht hätte, ob aus Versehen oder mit Absicht, dann hätte seine Mutter alles getan, um ihn zu schützen.« Wieland senkte seine Stimme zu einem konspirativen Flüstern, seine Augen leuchteten wie die eines Jagdhundes, der eine Fährte aufgenommen hatte.

Bodenstein ließ sich das Gesagte durch den Kopf gehen und nickte langsam. Er musste herausfinden, wen die Polizei damals befragt hatte. Hatte man überhaupt mit den anderen Kindern des Ortes gesprochen?

»Wieland, ich danke dir«, sagte er und drückte kurz die Hand seines alten Freundes. »Du hast mich auf eine Idee gebracht. Ich werde herausfinden, was an dem Abend geschehen ist, das schwöre ich dir.«

***

Während Pauline versuchte, Elias zu überreden, sich bei der Polizei zu stellen, verrammelte Felicitas das Haus wie eine Festung. Sie hatte sämtliche Schlagläden an den Fenstern geschlossen und alle Türen sorgfältig verriegelt. Die Hunde waren wieder aufgetaucht und dösten nun in ihren Körben vor sich hin. Das innerliche Zittern wollte nicht nachlassen, deshalb hatte Felicitas eine Flasche Wein geöffnet und gleich zwei Gläser hintereinander getrunken.

Seit einer Viertelstunde saßen sie um den Küchentisch herum und berieten, was sie jetzt tun sollten. Felicitas hatte Pauline erzählt, dass Elias offenbar den Brandstifter mit seinem Handy gefilmt hatte, sie sich aber nicht trauten, das Gerät einzuschalten und das zu überprüfen. Erleichtert hatte sie festgestellt, dass

Pauline recht vernünftig zu sein schien. Ihre Eltern waren Nachbarn von Elias' Eltern, sie kannte also den Jungen und auch die Verhältnisse. Angeblich war sie hier, weil sie Elias helfen wollte, ebenso wie den Leuten in Ruppertshain, die nach den drei Morden in großer Sorge waren. Aber waren ihre Absichten wirklich so selbstlos? Oder wollte sich das Mädchen wichtigtun? Felicitas stellte fest, dass sie kaum weniger misstrauisch war als Elias. Was hatte Pauline bewogen, um diese Uhrzeit durch den Wald zu fahren, um hierherzukommen? Weshalb war sie nicht tagsüber aufgetaucht? Litt sie einfach an einem Helfersyndrom, oder steckte etwas anderes dahinter? Nach dem vierten Glas Wein zeigte der Alkohol endlich Wirkung. Ihre Anspannung ließ nach.

»Ich versteh nicht, warum du mich nicht zu Nike fahren kannst«, sagte Elias zu Pauline, und das nicht zum ersten Mal an diesem Abend. »Ich will doch nur ganz kurz mit ihr reden!«

Felicitas wechselte einen kurzen Blick mit der jungen Frau und seufzte resigniert.

»Mann, raffst du's nicht?«, fuhr Pauline Elias verärgert an. »Wie oft soll ich dir das denn noch erklären? Die Bullen suchen nach dir! Im Zweifel wissen sie längst, wo Nike wohnt, und stehen schon bei ihren Alten vor dem Haus und warten nur darauf, dass du da aufkreuzt. Die macht sich strafbar, wenn rauskommt, dass sie dich versteckt hat!«

»Ich bin nicht ›die‹«, warf Felicitas gekränkt ein und leerte den Rest der Weinflasche in ihr Glas. Ihre Zunge wurde schwer. »Ich habe einen Namen!«

»'tschuldigung.« Pauline zuckte die Schultern und warf ihr einen scharfen Seitenblick zu. »Sie picheln aber auch ganz ordentlich, was?«

»Ich wüsste nicht, was dich das angeht«, erwiderte Felicitas spitz.

»Stimmt«, erwiderte Pauline. »Ihr Problem.«

Sie warf einen Blick auf ihr Handy.

»Warum bist du überhaupt hergekommen, wenn du mir nicht helfen willst?«, maulte Elias, störrisch wie ein kleines Kind.

»Ich will dir doch helfen, Eli«, entgegnete Pauline eindringlich und ergriff seine Hände. »Drei Leute sind tot, die wir alle kennen! Und der alte Pfarrer Maurer soll sich angeblich in der Kirche aufgehängt haben! Aber ich glaub das nicht! Der ist auch umgebracht worden! Verstehst du?«

»Und was hab ich damit zu tun?«

»Wenn du echt irgendetwas gesehen hast, was den Bullen helfen könnte, dann musst du es denen sagen!«

Elias' Smartphone lag auf dem Tisch, zwischen den leer gegessenen Tellern. Auch Pauline hatte sich nicht getraut, es einzuschalten. Felicitas stand auf, um die zweite Flasche Wein zu holen. Sie musste sich am Tisch festhalten, weil ihr der Alkohol in Kopf und Beine schoss.

»Ich kann nicht«, sagte Elias düster, die Arme vor der Brust verschränkt. »Die stecken mich in den Knast. Ich bin gerade clean, und da drin gibt's mehr Drogen als am Hauptbahnhof.«

»Je länger du dich versteckst, desto schlimmer wird es«, erwiderte Pauline. »Weißt du was: Gib mir dein Handy mit dem Film drauf. Ich bring's den Bullen. Dann hören sie auf, dich zu suchen, und vielleicht kann man mit denen reden.«

Elias kaute nachdenklich auf seiner Unterlippe. Schließlich nickte er langsam.

»Okay«, sagte er. »Aber könntest du wenigstens bei Nike vorbeifahren und ihr einen Brief von mir geben?«

Pauline ließ sich nach hinten sacken, verdrehte die Augen und stieß einen Seufzer aus.

»Mann, Fuck, ich geb's auf«, sagte sie. »Von mir aus fahre ich zu deiner heiligen Nike. Schreib den Brief, aber beeil dich. Ich muss noch auf 'ne Geburtstagsparty.«

»Oh danke, Line! Das ist echt voll nett von dir.« Elias' Gesicht leuchtete glücklich auf. »Ich brauch auch nicht lange!«

Er sprang von seinem Stuhl auf und verließ die Küche.

»Beharrlich ist er ja.« Pauline schüttelte den Kopf. »Hoffentlich ist die Tussi das wert.«

»Immerhin hat er ihretwegen einen Entzug durchgezogen.« Felicitas musste gähnen. Es war so heiß in der Küche, dass ihre Augen tränten. Ihrer Meinung nach war Elias nicht beharrlich, sondern verbohrt. »Willst du jetzt wirklich durch den Wald zurückfahren?«

»Klar«, erwiderte Pauline mit der Sorglosigkeit der Jugend, die sich für unverwundbar hielt. »Ich bin dauernd im Wald unterwegs, auch nachts.«

»Aber hier ist vielleicht ein Killer in der Gegend«, gab Felicitas zu bedenken. »Bleib doch hier. Platz zum Schlafen gibt's genug.«

»Nee, danke.« Das Mädchen schüttelte den Kopf. »Ist nett von Ihnen, aber ich muss noch wohin. Und ich schlafe lieber in meinem eigenen Bett.«

»Wie du meinst.« Felicitas musste sich zusammenreißen, um nicht einfach den Kopf auf den Tisch zu legen und einzuschlafen, so müde war sie auf einmal. »Was ist mit Elias' Eltern los? Sind sie wirklich so schlimm, wie er erzählt?«

»Na ja. Die sind halt mega-ehrgeizig und wollen, dass ihre Kids überall die Besten sind«, antwortete Pauline geringschätzig. »Eli hatte da keinen Bock drauf. In der Schule hat er voll abgelost, und dann hat er mit Kiffen und so angefangen. Seine Eltern haben natürlich versucht, ihn irgendwie davon abzubringen. Logo. Aber als sie mal verreist waren, hat Eli die ganze Bude ausgeräumt und alles vertickt, sogar das Auto von seiner Mutter.« Pauline schnaubte. »Da hat sein Alter ihn rausgeschmissen und ihm verboten, zurück nach Hause zu kommen. Ich find's total krass. Der Eli ist eigentlich …«

Sie brach ab und verstummte, denn Elias betrat die Küche und reichte Pauline ein zusammengefaltetes Papier und sein Smartphone.

»Das werd ich dir nie vergessen«, sagte er leise. »Danke, Line.«

»Und wo find ich die Dame deines Herzens?«, erwiderte Pauline sarkastisch und stand auf.

»Adresse hab ich draufgeschrieben.« Elias lächelte. »Wenn das Baby da ist, wirst du die Patentante.«

»Na, das fehlt mir noch.« Pauline grinste auch. »Dann muss ich ja jedes Jahr an noch einen Geburtstag mehr denken.«

Elias umarmte sie unbeholfen, dann begleiteten er und die Hunde sie zur Haustür und hinaus in die Dunkelheit.

***

Die Obduktion von Adalbert Maurer hatte Hennings Vermutung bestätigt: Der alte Pfarrer war erdrosselt worden. Anhand von Parametern wie Körpertemperatur und Ausprägung von Leichenflecken und Leichenstarre bei Auffindung der Leiche hatten Henning und Dr. Lemmer errechnet, dass der Tod am Freitagabend um etwa 22:30 Uhr eingetreten war. Aus den massiven Unterblutungen an Oberarmen und Handgelenken des Opfers hatten die Rechtsmediziner geschlossen, dass der Täter Adalbert Maurer festgehalten hatte, um ihm das Seil um den Hals zu legen. Möglicherweise hatte er auf seinem Oberkörper gekniet, dafür sprachen zwei angebrochene Rippen. Der alte Mann musste sich heftig gewehrt haben, denn seine Zahnprothese war verrutscht und gebrochen. Eine Platzwunde oberhalb der rechten Augenbraue des Opfers war die Quelle der Blutstropfen, in denen der Täter den Schuhabdruck hinterlassen hatte. Tod durch Fremdeinwirkung war damit keine Hypothese mehr, sondern Fakt.

Auf der Rückfahrt vom Rechtsmedizinischen Institut nach Hofheim hatte Pia Kröger angerufen, und der hatte ihr die frustrierende Mitteilung gemacht, dass das Kunsthanfseil Massenware war, die man in jedem Baumarkt bekam und im Internet bestellen konnte. Alle Flächen in der Sakristei waren zwar von Fingerabdrücken übersät, aber wahrscheinlich stammten sie von allen möglichen harmlosen Menschen, nicht vom Täter. Der hatte bis auf den Schuhabdruck keine Spur hinterlassen. Im Haus des Pfarrers hatte man nichts gefunden, was Rückschlüsse auf seine Aktivitäten in den letzten Tagen seines Lebens zuließ. Es gab keinen Terminkalender oder ein Notizbuch, und Irene Vetter hatte bestätigt, dass ihr Bruder alle seine Termine zeit seines Lebens im Kopf gehabt hatte.

Es war zehn Uhr abends, als sie ihr Büro betrat. Alle anderen waren längst nach Hause gegangen, nur Tariq und Kai saßen noch in dem Büro, das sich Pia und Kai teilten. Vor den Fenstern war es stockdunkel. Pia berichtete ihren Kollegen vom Ergebnis der Obduktion und davon, was Bodenstein ihr heute Nachmittag erzählt hatte.

»Glaubst du, er hat recht, und dieser alte Fall könnte wirklich etwas mit den drei Morden zu tun haben?« Kai biss in einen Cookie mit Schokoladenstückchen und schob Pia die Packung hin.

»Danke.« Sie hatte sich noch immer nicht ganz an Kais verändertes Aussehen gewöhnt. Seitdem sie ihn kannte, hatte er das schulterlange Haar zum Pferdeschwanz gebunden getragen, verwaschene T-Shirts mit irgendwelchen kuriosen Aufschriften, offene Holzfällerhemden, schäbige Jeans und die runde Nickelbrille gehörten zu seinem typischen Nerd-Outfit. Vor zwei Wochen hatte er jedoch alle verblüfft, indem er mit einem Kurzhaarschnitt zur Arbeit erschienen war, in einer nagelneuen Markenjeans und einem Hemd, das ordentlich zugeknöpft war und in der Hose steckte. »*Cherchez la femme*«, hatte Bodenstein nur schmunzelnd gesagt, und seitdem versuchte Pia vergeblich, hinter das Geheimnis von Kais Veränderung zu gelangen.

»Der Chef ist fest davon überzeugt«, antwortete sie zurückhaltend und checkte ihr Smartphone. Bodenstein hatte sich noch immer nicht bei ihr gemeldet. »Tatsache ist, dass Rosemarie Herold unserem Opfer Nummer drei gebeichtet hat, etwas mit dem Verschwinden des Jungen im Jahr 1972 zu tun oder zumindest Kenntnis von den Umständen gehabt zu haben.«

»Hast du den Bericht gelesen, den der Chef über sein Gespräch mit Rosies Tochter Sonja geschrieben hat?«, fragte Kai kauend. Er war als Hauptsachbearbeiter für die Führung der Fall- und Spurenakten zuständig. Mit seinem phänomenalen Gedächtnis und seiner extrem strukturierten Arbeitsweise war er für diese Aufgabe prädestiniert, und da er durch das Handicap seiner Behinderung ohnehin nie an Außenermittlungen teilnahm, übernahm er den Job nur zu gerne.

»Ich bin noch nicht dazu gekommen«, erwiderte Pia und fühlte sich ertappt. War es als Leiterin der Ermittlungen nicht ihre Pflicht, immer auf dem aktuellsten Stand zu sein? Sie warf ihren Kollegen verstohlene Blicke zu, aber Kai und Tariq schienen ihre Verfehlung nicht bemerkt zu haben.

»Warte.« Kai biss in den nächsten Keks und öffnete die virtuelle Fallakte im ComVor-System. »Ah ja, hier. Sonja Schreck und ihr Ehemann Detlef … blablabla … ihre Mutter hatte ihr am Montag gesagt, sie habe ein Menschenleben auf dem Gewissen, und ihr verstorbener Ehemann, den Sonja für ihren Vater gehalten hatte, sei in Wirklichkeit nicht ihr leiblicher Vater gewesen.«

»Interessant.« Pia runzelte die Stirn. »Das mit dem Menschenleben hatte Frau Herold auch dem Pfarrer erzählt.«

Ließ sich aus dieser Äußerung der Schluss ziehen, dass sie selbst das Kind ermordet hatte? Hätte sie dann nicht eher gesagt: »Ich habe einen Menschen getötet«?

»Hör zu, da kommt noch mehr«, sagte Kai. »Laut Aussage seiner Schwester hat sich Clemens Herold regelmäßig im Wohnwagen seiner Mutter aufgehalten, weil er an einer Familienchronik geschrieben hat.«

»Familienchronik?« Pia blickte zu Tariq hinüber, der dabei war, dem PC von Clemens Herold seine Geheimnisse zu entlocken. »Hast du etwas gefunden, was dazu passen könnte?«

»Nicht auf dem Rechner«, erwiderte er. »Die meisten Dateien sind beruflich. Arbeitsprotokolle, Berichte, lauter technischer Kram.«

»Was ist mit seinem Terminkalender?«

»Der war unergiebig«, sagte Kai. »Viel interessanter ist das, was Herold in der Cloud gespeichert hatte. Tariq hat die Zugangsdaten für seine Dropbox auf dem PC gefunden.«

»Er hat tatsächlich an einer Art Chronik gearbeitet, und das schon seit Jahren.« Tariq tippte in rasender Geschwindigkeit auf der Tastatur herum, ohne den Blick vom Bildschirm zu wenden. »Allerdings ging es ihm wohl mehr um die Geheimnisse des Ortes Ruppertshain, nicht nur um die seiner Familie. Er hat mit wahnsinnig vielen Leuten gesprochen, alte Fotos und Originaldokumente eingescannt. Herold hat von einem Laptop aus gearbeitet, der aber wahrscheinlich im Wohnwagen verbrannt ist.«

»Was für Geheimnisse?«, fragte Pia.

»Um historische Kriminalfälle, wenn ich das richtig interpretiere«, erwiderte Tariq. »Holzdiebstahl, eine Hexenverbrennung, der ungeklärte Mord an einem Tagelöhner 1889, so was halt. Leider hatte er nur fünf Word-Dokumente in der Cloud gespeichert, der Rest war wohl auf seinem Laptop.«

»Was ist mit den Fotos? Sind die irgendwie katalogisiert?«

»Ja. Die hatte er nach Jahren sortiert.« Tariq nickte eifrig, ohne seine Arbeit zu unterbrechen. »Herold hat den Speicher von einem Terabyte fast komplett ausgenutzt, du kannst dir ja vorstellen, wie viele JPGs das sind.«

Das konnte Pia sich zwar nicht vorstellen, aber sie nickte trotzdem.

»Mich würden Fotos aus den Jahren 1971 und 1972 interessieren«, sagte sie.

»Ich schicke dir eine Einladung zu Herolds Dropbox. Der Server würde zusammenbrechen, wenn ich die alle runterladen und dir per Mail senden würde.«

Eine Weile war es still bis auf das Klappern der Computertastaturen.

»Das Handy von Elias Lessing ist nicht mehr eingeschaltet worden«, sagte Pia in die Stille. »Was hat das zu bedeuten?«

»Dass er entweder clever ist und genau weiß, dass wir ihn orten können, sobald er das tut«, antwortete Kai. »Oder er ist nicht mehr in der Lage, das Handy einzuschalten.«

»Was denkt ihr?«

»Tot«, sagte Tariq.

»Clever«, meinte Kai. Er rollte ein Stück mit seinem Stuhl zurück und verschränkte die Hände hinter dem Kopf. »Und was denkst du?«

»Seine Bewährungshelferin hat nichts mehr von ihm gehört«, erwiderte Pia. »Sie hat sich überall umgehört, wo er sich sonst so aufgehalten hat, aber seit vorletztem Freitag hat ihn niemand mehr gesehen. Ich denke, er versteckt sich irgendwo. Vielleicht war es ihm ja wirklich ernst mit dem Entzug. Habt ihr noch mal mit seinen Eltern gesprochen?«

»Ja. Die wussten aber nichts. Von der Freundin kannte nur die Mutter den Vornamen ›Nike‹, der uns aber nicht weiterhilft.«

Pia öffnete ihr E-Mail-Postfach, fand die Mail von Tariq und klickte auf den Link zur Dropbox von Clemens Herold. Allein in dem Ordner »Fotos 1972« befanden sich 233 Fotodateien. Es musste eine Weile gedauert haben, all diese Bilder aufzutreiben und einzuscannen. Ähnlich lange würde es dauern, sie zu sichten. Den Job musste Bodenstein übernehmen, denn ihm würden die Gesichter der darauf abgebildeten Leute wenigstens etwas sagen. Pia klickte sich durch die Bilder, die zum größten Teil von schlechter Qualität waren. Bei einem Foto hielt sie inne. Es zeigte eine Gruppe Kinder in Sportkleidung, die Bildbezeichnung lautete: Fußballturnier E-Jugend, Mai 1972. Sie vergrößerte das Foto. In der Mitte stand ein blonder, hübscher Junge, der, mit dem Ball unter dem Arm, fröhlich in die Kamera strahlte. Pia betrachtete die Gesichter der anderen Kinder. War der schmale Dunkelhaarige in der hinteren Reihe womöglich Bodenstein als Elfjähriger? Hatte er damals Fußball gespielt? Sie nahm sich vor, ihn das bei nächster Gelegenheit zu fragen. Er konnte sicher die anderen Kinder identifizieren.

Pia starrte nachdenklich auf den Bildschirm. Ihre Augen brannten vor Müdigkeit, und es fiel ihr zunehmend schwerer, sich zu konzentrieren. Wenn Clemens Herold nicht an einer Familien-, sondern einer Ortschronik gearbeitet hatte, dann hatte er sicherlich vielen Leuten Fragen gestellt. Hatte er dabei unabsichtlich die Büchse der Pandora geöffnet? Vielleicht hatte er sich nur deshalb so intensiv um seine sterbende Mutter gekümmert, weil er gehofft hatte, Details von ihr zu erfahren? War er gar ohne ihr Wissen in ihrem Wohnwagen gewesen, auf der Suche nach irgendetwas, einem Beweis für eine alte Schuld womöglich? Warum hatten ihn die alten Geschichten so sehr interessiert?

Mitwisser, dachte sie. *Er tötet Mitwisser.* Wer wusste etwas darüber, was an jenem Abend, an dem der kleine Artur verschwand, passiert war? Sie schauderte. Wenn Bodenstein recht hatte und tatsächlich Arturs Verschwinden das Motiv für die drei Morde war, dann lag Kim mit ihrer Vermutung wahrscheinlich richtig: Der Mörder war mit seiner Mission noch nicht am Ende.

* * *

Beinahe noch mehr als das Gespräch mit Wieland Kapteina hatte ihn die kurze Unterhaltung mit Anita Kern aufgewühlt, so dass Bodenstein schon im Auto saß und den Motor angelassen hatte, als ihm der Schlüsselbund einfiel. Er stieg also wieder aus, ging an der Gaststätte vorbei und bog in den Gärtnerweg ein. Das Haus, in dem Patrizia und Jakob Ehlers wohnten, lag nur wenige Schritte entfernt. Der verklinkerte Bungalow war in den Hof hinter das Elternhaus von Jakob und Ralf gebaut worden und stand am Platz der alten Scheune, die sie als Kinder nicht hatten betreten dürfen. Im Innern des Bungalows brannte Licht, aber Bodenstein zögerte vor der Haustür. Konnte er um zwanzig nach elf noch an der Tür klingeln? Vielleicht war es höflicher, den Schlüsselbund einfach in den Briefkasten zu werfen. Hinter sich vernahm er das Geräusch von Krallen auf Pflastersteinen und ein heiseres Hecheln, im nächsten Moment schoss ein großer Hund wild knurrend auf ihn zu und sprang ihn an. Bodenstein taumelte und fiel beinahe in einen Hortensienbusch. Gerade noch rechtzeitig konnte er sich an der Hauswand abstützen.

»Balu, aus! Hierher!« Die scharfe Stimme eines Mannes rettete ihn. Der Hund ließ von Bodenstein ab. Aus der Dunkelheit materialisierte sich eine Gestalt. Im Lichtschein, der durch das Glas der Haustür fiel, erkannte er Jakob Ehlers.

»Hallo, Oliver!«, rief der erstaunt. »Was machst du denn hier?«

»Hallo, Jakob.« Bodenstein war der Schreck in die Glieder gefahren. »Ich wollte Patrizia nur die Kirchenschlüssel bringen.«

»Balu ist noch etwas stürmisch, entschuldige bitte. Ist dir was passiert?«

Der Hund stand jetzt schwanzwedelnd da, blickte ihn treuherzig an und tat harmlos.

»Nein, nein, alles okay.« Bodenstein nestelte den Schlüsselbund aus seiner Hosentasche und reichte ihn Jakob. »Sag Patrizia einen schönen Gruß.«

»Komm doch einen Moment rein.« Jakob schloss die Haustür auf. »Lass uns ein Schnäpschen trinken – auf den Schreck.«

Bodenstein warf einen Blick auf die Uhr. Wieso eigentlich nicht? Sophia war in Sicherheit, es war Samstagabend, und er hatte Feierabend. Der Hund zwängte sich ungestüm an ihm vorbei, um ein Haar hätte er wieder das Gleichgewicht verloren.

»Mein Beileid übrigens.«

»Danke. Einfach furchtbar, was hier gerade passiert.« Jakob schüttelte den Kopf, zog seine Jacke aus und hängte sie an die Garderobe. Dann streifte er die schmutzigen Schuhe von den Füßen und schlüpfte in Pantoffeln. Er bemerkte Bodensteins Blick. »Seitdem sie in der Erle mit den Erschließungsarbeiten begonnen haben, wird jeder Hundespaziergang zu einer Geländeübung. Vielleicht sollte ich demnächst mit Balu im Feld spazieren gehen.« Er lächelte kurz, wurde aber sofort wieder ernst. »Der ganze Ort steht unter Schock. Die Leute reden schon darüber, eine Bürgerwehr zu gründen. Es tut mir leid, aber richtiges Vertrauen in die Polizei hat hier niemand mehr.«

»Das kann ich verstehen.«

»Stimmt es, dass der Pfarrer keinen Selbstmord begangen hat, sondern ... umgebracht wurde?«

»Das muss die Obduktion klären«, erwiderte Bodenstein ausweichend. »Bisher sieht alles nach einem Suizid aus.«

Ein Auto bog in die Hofeinfahrt ein und hielt vor der Doppelgarage. Der Hund jaulte freudig auf und preschte davon.

»Wenn Frauchen kommt, bin ich abgemeldet.« Kopfschüttelnd blickte Jakob dem Hund nach. Eine Autotür schlug zu. Absätze klapperten auf dem Pflaster, dann betrat Patrizia das Haus. Sie trug noch dieselbe schwarze Kleidung wie am Morgen, wirkte erschöpft und müde.

»Oliver!« Die Überraschung in ihren Augen verwandelte sich in Sorge. »Bitte sag nicht, dass wieder etwas passiert ist.«

»Nein, nein«, beruhigte er sie. »Ich wollte nur die Schlüssel zurückgeben.«

»Ach, Gott sei Dank.« Sie stieß einen Seufzer aus und stellte ihre Handtasche auf die Kommode neben der Garderobe. »Was für ein grässlicher Tag heute. Ich war bis gerade eben bei Sonja. Mechthild war auch da, sie war völlig außer sich, weil Detlef behauptet hat, Clemens habe sich im Wohnwagen mit einer anderen Frau getroffen. Das war ein Alptraum, sage ich dir.«

Ihre Worte waren an ihren Mann gerichtet, aber auch Bodenstein konnte sich lebhaft vorstellen, welche Stimmung im Hause Schreck geherrscht haben musste, und er erinnerte sich wieder daran, dass Sonja kurz mit Jakobs Bruder Ralf verheiratet gewesen war.

»Wohnen deine Eltern noch vorne im Haus?«

»Meine Mutter, ja.« Jakob nahm eine schlanke Flasche aus gebranntem Ton aus einer Vitrine. Er ließ den Schnappverschluss aufspringen und schenkte den Korn in drei Gläser. »Mein Vater lebt seit zwei Jahren in Königstein im Kursana. Er ist jetzt 89 und leider hochgradig dement.«

»Oh, das tut mir leid zu hören«, sagte Bodenstein.

Josef Ehlers war eine Instanz im Dorf gewesen: Über vierzig Jahre lang war er Direktor der Ruppertshainer Schule gewesen und hatte gleichzeitig die einzige Sparkassenfiliale im Dorf geführt. Bodenstein erinnerte sich daran, wie sich seine Mutter darüber amüsiert hatte, wenn Herr Direktor Ehlers bei ihrem Anblick jedes Mal auf altmodisch-höfliche Weise seinen Hut gelüftet und vor ihr, der Frau Gräfin, gedienert hatte.

»Was habt ihr mit dem ganzen Kram gemacht, der früher in der Scheune stand?«

»Das meiste wurde entsorgt.« Jakob reichte ihm ein Glas. »Den alten Lanz-Traktor hat der Fischer Kurt für einen Appel und ein Ei gekauft und komplett restauriert. Er fährt bis heute damit herum, macht noch Heu mit dem alten Ding. Und die alten Autos hat Ralf behalten. Der hat sie zusammen mit Detlef wieder in Schuss gebracht und verkauft. Der Rest war nicht viel wert, bis auf ein paar Möbel, die gingen an einen Trödler.«

»Was macht Ralf eigentlich?« Bodenstein schnupperte an dem Schnaps. »Wohnt er noch in Ruppertshain?«

»Mittlerweile wieder. Er war eine Weile in Asien. Vor ein paar Jahren kam er zurück und hat die alte Hasenmühle unten im Silberbachtal gekauft«, erwiderte Jakob mit leisem Spott. »Er hatte große Pläne, wie er die Ruine sanieren wollte, aber passiert ist nicht viel, soweit ich weiß. Im Pläneschmieden ist mein Bruder ja Weltmeister. Nur mit der Durchführung haperte es schon immer.«

Patrizia kam ins Wohnzimmer und nahm sich ein Glas.

»Auf Rosie!«, sagte Jakob und hob sein Glas. »Sie war ein Original mit einem Herz aus Gold. Ich werde sie vermissen.«

»Ich auch.« Patrizia kämpfte mit den Tränen. Sie lehnte sich an ihren Mann, und er legte den Arm um ihre Schulter. »Von allen meinen Geschwistern ist sie mir immer die Liebste gewesen.«

»Ich habe sie auch sehr gemocht«, bestätigte Bodenstein und ergänzte in Gedanken: *Aber offenbar nicht wirklich gekannt.*

Der hochprozentige Alkohol floss heiß durch seine Speiseröhre und entzündete ein angenehmes kleines Feuer in seinem Magen. Er betrachtete Jakob und Patrizia. Die beiden waren noch immer ein schönes Paar. Jakob hatte sich gut gehalten: Er war beneidenswert schlank für einen Mann seines Alters. Früher einmal hatte er als Schönling gegolten, und niemand hatte sich darüber gewundert, dass er das hübscheste Mädchen des Dorfes geheiratet hatte. Heute sah er genauso aus wie sein Vater mit Anfang sechzig: markante Nase, volles silbergraues Haar, tiefliegende Augen unter dichten Brauen. Ein Gesicht, dem die Jahre nicht geschadet hatten.

Sie tranken einen zweiten Dauborner und einen dritten. Bodenstein schrieb Karoline eine Nachricht, damit sie sich keine Sorgen machte, weil er sich noch nicht gemeldet hatte. Die Mails und WhatsApp-Nachrichten von Pia würde er später lesen. Sein Auto konnte er vorm Grünen Wald stehenlassen und morgen noch holen.

***

»Irene behauptet, dass die Morde an Rosie und Clemens mit dem Jungen zu tun haben, der damals verschwunden ist.« Patrizia drehte nachdenklich das leere Glas in den Fingern. Sie gab sich keine Mühe, ihre Traurigkeit, die in ihrem Blick, in ihrer Körperhaltung, in ihrer Stimme lag, zu verbergen. Aber diese Trauer, die Bodenstein schon heute Morgen bemerkt hatte, schien nicht nur ihrer ermordeten Schwester zu gelten. Sie war umfassender und ging tiefer.

»Mit welchem Jungen?« Jakob, der gerade nachschenken wollte, hielt überrascht inne.

»Na, mit dem kleinen Aussiedlerjungen.« Patrizia sah Bodenstein an, verzweifelt beinahe, so als hoffe sie, er würde das alles als bloßes Gerede abtun. Ihm war von vornherein klar gewesen, dass Irene Vetter nicht den Mund halten würde, obwohl er und Pia sie dringend darum gebeten hatten.

»Über laufende Ermittlungen darf ich leider nicht sprechen«, wiederholte er. »Bislang gibt es keine heiße Spur. Wir wissen nicht einmal, ob es sich in allen drei Fällen um ein und denselben Täter handelt.«

»Die Leute im Ort sind sehr besorgt«, sagte Patrizia.

»Das bin ich auch«, versicherte Bodenstein ihr.

»Falls du Unterstützung brauchst, lass es uns wissen.« Jakob schenkte nach und unterdrückte einen Rülpser. »Du weißt ja, wir kennen hier jeden.«

Seine Aussprache war undeutlicher geworden, auch Patrizia hatte allmählich Mühe mit der Artikulation.

»Danke. Ich komme gegebenenfalls darauf zurück.« Bodenstein nickte. »Jetzt ist es wichtig, besonnen zu bleiben und die Augen aufzuhalten.«

»Komisch, ich habe seit Jahren nicht mehr daran gedacht, aber plötzlich kann ich mich ganz genau daran erinnern, wie der Bub damals verschwunden ist«, sagte Patrizia unvermittelt. Sie saß auf der Kante des Sessels, den Rücken gerade, die Hände zwischen die Knie geklemmt. »Das ganze Dorf stand Kopf. Ich war mit Niklas schwanger. Wir wohnten noch bei meinen Eltern und die Familie von dem Jungen nur zwei Häuser weiter. Erinnerst du dich, Jakob? Es war einfach schrecklich, die Eltern zu sehen. Sie waren außer sich vor Sorge.«

»Ich habe das nur am Rande mitbekommen«, entgegnete ihr Mann. »Zu der Zeit war ich noch beim Bund und nur jedes zweite Wochenende zu Hause.«

»Die Polizei hat jeden Stein im Dorf umgedreht, und ich dachte immer, wenn ich irgendwo herumgelaufen bin, dass ich den Jungen vielleicht finde. Er war so ein süßer Bub. So höflich.« Patrizia klang angespannt. »Noch Jahre später ging es mir so.«

Ob sie wohl etwas wusste? Sie war alt genug gewesen, um sich erinnern zu können. Aber es war nicht der richtige Moment, um sie danach zu fragen. Sie war durcheinander und bestürzt, und das war nicht verwunderlich. Ein gewaltsamer Todesfall in der Familie war eine traumatische Erfahrung, mit der jeder Mensch anders umging. In Patrizias Familie hatten sich sogar gleich zwei Morde ereignet, und heute Morgen war sie dabei gewesen, als sie die Leiche des Pfarrers gefunden hatten.

Jakob gab ein mitfühlendes Brummen von sich und versuchte ein Gähnen zu unterdrücken.

»Vielleicht solltet ihr den Fall neu untersuchen.« Patrizia beugte sich vor und angelte nach der Flasche, schenkte sich und ihrem Mann noch einmal nach, Bodenstein lehnte ab. »Es gibt ja mittlerweile ganz andere Methoden als damals.«

»Neue Methoden nützen leider nichts ohne Tatort und ohne Leiche«, erwiderte Bodenstein.

»Ob seine Eltern wohl noch leben?« Patrizia ging auf seinen Einwand nicht ein. Sie sprach wie unter Zwang. »Ich sehe die Mutter genau vor mir. Sie hat in der Heilstätte gearbeitet, als Küchenhilfe. War immer freundlich und hat nicht viel geredet. Irgendwann sind sie aus Ruppertshain weggezogen. Aber an jedem Jahrestag sind sie hergekommen, haben an der Bushaltestelle vor dem alten Rathaus gestanden, ein Plakat mit einem Bild von ihrem Jungen in den Händen.«

Sie schauderte. Trank ihr Glas leer.

»Wie können Eltern so etwas aushalten?«, sinnierte sie vor sich hin. »Nicht zu wissen, was mit seinem Kind geschehen ist, ist wohl das Schlimmste, was ich mir vorstellen kann. Was sagt man Eltern in einem solchen Fall?«

»Man kann nicht viel sagen«, gab Bodenstein zu. »Gerade wenn man selbst Kinder hat, leidet man mit.« Er erinnerte sich an den Fall von zwei Mädchen in Altenhain, deren sterbliche Überreste erst zehn Jahre nach ihrem Verschwinden aufgetaucht waren. Die Familie des einen Mädchens hatte einen Neuanfang geschafft, die andere Familie war an der Ungewissheit zerbrochen. »Es ist grauenvoll, mitzuerleben, wie verzweifelt die Eltern hoffen, sich Vorwürfe machen und allmählich den Mut und jede Hoffnung verlieren.«

»Und manche sterben, ohne je zu erfahren, was mit ihrem Kind passiert ist«, fügte Jakob hinzu. Seine Lider waren schwer geworden, immer wieder fielen ihm die Augen zu. »Wie das Mädchen, das 1996 in Kelkheim vor der Zoohandlung verschwand. Mittlerweile ist die Mutter verstorben. Ich hab sie gekannt. Und das Mädchen auch.«

Bodenstein wusste, wen er meinte. Der Fall Annika Seidel gehörte zu den mysteriösen Fällen, in denen sie auch nach achtzehn Jahren völlig im Dunkeln tappten. Es war schon kurz vor Mitternacht, höchste Zeit zu gehen. Jakob rülpste leise, dann kippte sein Kopf zur Seite, und er begann zu schnarchen.

»Ich gehe wohl besser«, sagte er zu Patrizia und erhob sich aus dem Sessel. »Es war für uns alle ein langer Tag.«

Auch Patrizia stemmte sich hoch. Sie taumelte ein wenig, lachte verlegen. »Wenig gegessen, zu viel getrunken.«

Sie begleitete Bodenstein durch den Flur zur Haustür. Jakobs Schnarchen drang aus der offenen Wohnzimmertür.

»Ach, ich geh mit raus und rauche noch eine.« Patrizia nahm ihre Jacke von der Garderobe und öffnete die Haustür. Der Hund sprang sofort aus seinem Korb und trabte hinaus.

In der kühlen, klaren Herbstluft spürte Bodenstein den Alkohol, eher in seinen Gliedern als im Kopf. Patrizia steckte sich eine Zigarette zwischen die Lippen und zündete sie an. Sie nahm ein paar tiefe Züge, dann streckte sie plötzlich die Hand aus und legte sie auf Bodensteins Arm.

»Du hast meine Schwester gut gekannt«, flüsterte sie eindringlich. »Kannst du dir vorstellen, dass sie ein Kind umgebracht haben soll? Man kann sich doch nicht dermaßen in einem Menschen täuschen, oder?«

»Mir fällt es auch schwer, das zu glauben«, gab Bodenstein zu. »Aber leider bin ich schon häufiger Menschen begegnet, von denen so etwas niemand gedacht hätte.«

»Warum habt ihr Edgar wieder laufenlassen?« Patrizia blickte sich um, als ob sie fürchtete, belauscht zu werden. »Viele im Ort glauben, dass er dahintersteckt. Er hat Clemens gehasst.«

»Wir haben Edgar nur befragt, nicht festgenommen«, korrigierte Bodenstein sie. »Er hat Alibis.«

Angenommen, Artur ist auf dem Nachhauseweg jemand anderem über den Weg gelaufen, hatte Wieland vorhin gesagt. Konnte es möglich sein, dass er recht hatte?

»Ich habe Angst.« Patrizia ließ Bodenstein los und lehnte sich gegen die Hauswand. Die Hand, in der sie die Zigarette hielt, zitterte. »Erst meine Schwester, dann mein Neffe. Jetzt auch noch der alte Pfarrer! Was, wenn wir die Nächsten sind? Jakob oder ich? Oder unsere Söhne und ihre Familien? Wenn es nun jemand aus dem Ort war? Einer, den man kennt und vielleicht jeden Tag sieht?«

»Ich bin mir ziemlich sicher, dass der Täter aus Ruppertshain stammt und vielleicht sogar noch hier wohnt«, bestätigte Bodenstein.

»Großer Gott.« Patrizia trat die Zigarette aus, kickte die Kippe mit der Schuhspitze in den Kanalschacht. »Wem kann man denn überhaupt noch trauen?«

»Die Frage ist: Wo liegt die Verbindung zwischen den Opfern und dem Täter«, sagte Bodenstein. »Wir versuchen gerade herauszufinden, mit wem Pfarrer Maurer nach dem vergangenen Sonntag gesprochen hat. Wenn Rosie ihm bei ihrer Beichte wirklich etwas über die Sache mit Artur verraten hat, dann könnte der Pfarrer zu einem möglichen Mittäter gegangen sein und versucht haben, ihn zu einem Geständnis zu überreden.«

»Mittäter?« In Patrizias Augen stand die blanke Angst.

»Ich glaube, Rosie wusste, was mit Artur passiert ist«, fuhr Bodenstein fort. »Sie hat nie darüber gesprochen, weil sie jemanden schützen wollte, und darunter hat sie so sehr gelitten, dass sie Depressionen bekam.«

»Aber … aber der Pfarrer hat ständig mit irgendwelchen Leuten geredet«, stammelte Patrizia. »Er hatte seine festen Runden, kam zum Beispiel einmal pro Woche zu meiner Schwiegermutter.«

»Diese Routinebesuche meine ich nicht. Sondern die außergewöhnlichen.«

»Ich kann mich ja mal umhören«, bot Patrizia zögernd an.

»Das wäre natürlich sehr hilfreich. Du solltest dabei allerdings sehr vorsichtig sein.« Bodensteins Handy vibrierte schon wieder, aber er ignorierte es. »Hast du gewusst, dass Arturs Mutter damals den ganzen Ort verflucht haben soll? Die Anita hat das eben erzählt.«

Patrizia wollte sich eine zweite Zigarette anzünden, aber ihre Hände zitterten so heftig, dass sie das schwere Sturmfeuerzeug kaum halten konnte. Bodenstein nahm es ihr aus den Fingern und ließ es aufspringen.

»Ja«, flüsterte sie. »Bei einer Versammlung im Saal vom Grünen Wald, zu der die Polizei damals eingeladen hatte. Es war … unheimlich. Ich hatte die Frau vorher nie etwas sagen hören, sie war immer schweigsam und freundlich. Aber dann … oh Gott!

Sie war völlig von Sinnen. Man kann es ihr nicht verdenken, der Ärmsten. Und sie hat schlimme Sachen geschrien.«

»Weißt du noch, was sie gesagt hat?«, fragte Bodenstein. Anita Kern hatte ihm vorhin dasselbe erzählt, doch angeblich konnte sie sich nicht daran erinnern, was Arturs Mutter gerufen hatte.

»Sie schrie, sie würde jeden verfluchen, der ihrem Sohn etwas angetan habe.« Patrizia schauderte und bekreuzigte sich. »Krankheit, Unglück und ein qualvoller Tod sollten als Strafe jeden, der sich an ihrem Kind schuldig gemacht hätte, heimsuchen, auch deren Familien, Kinder und Kindeskinder, bis ihrem Sohn Gerechtigkeit widerfahren sei. Und danach ... danach gab es in jeder Familie Todesfälle und Krankheiten.«

Was in zweiundvierzig Jahren ja nun nicht außergewöhnlich war, dachte Bodenstein. Er gab nichts auf solche Geschichten, aber er wusste, wie abergläubisch viele Menschen waren. In jeden Todesfall, und sei er noch so eindeutig und natürlich, konnte man eine Menge hineininterpretieren.

»Ich muss los«, sagte er. »Das war heute ein langer Tag.«

»Ja. Ein schlimmer Tag.« Patrizia zog nervös an der Zigarette. »Ich hoffe, ihr kriegt den Kerl bald. Damit nicht noch jemand sterben muss.«

Sonntag, 12. Oktober 2014

Die Anrufe waren nicht von Pia gekommen, wie Bodenstein angenommen hatte, sondern von einer Festnetznummer mit Kelkheimer Vorwahl. Kurz hatte er überlegt, ob es in Ordnung war, um diese Uhrzeit zurückzurufen, aber dann hatte er gesehen, dass der letzte Anruf um 23:46 Uhr gekommen war. Zu seiner Überraschung war es Irene Vetter, die schon nach dem zweiten Klingeln den Hörer abnahm, und er war direkt zu ihr gefahren, Daubornner hin oder her. Es hatte sich herausgestellt, dass Adalbert Maurer seiner Schwester doch etwas mehr erzählt hatte, als sie Pia und ihm gegenüber zugegeben hatte. Der alte Mann musste lange mit sich gerungen haben, bevor er beschlossen hatte, das Beichtgeheimnis zu brechen und sich an ihn zu wenden. Irene Vetter wusste nicht, was ihr Bruder mit Bodenstein hatte besprechen wollen, so groß war Maurers Vertrauen in die Verschwiegenheit seiner Schwester offenbar nicht gewesen.

Hatte er möglicherweise doch mit Sophia gesprochen, ihr irgendetwas gesagt, was sie ihm ausrichten sollte? Was, wenn der Mörder Maurer bis zu Bodensteins Haus gefolgt war?

Bisher hatte er die Angst in seinem Innern unter Kontrolle gehabt, aber jetzt brach sie sich Bahn und flutete durch seinen Körper. Wer wusste, dass Sophia bei Lorenz war? Inka vielleicht, sonst niemand, abgesehen von Karoline und ihm.

›Sie ist in Sicherheit!‹, mahnte er sich selbst, aber es gelang ihm nicht, sich zu beruhigen. Dies hier war nicht so wie sonst, wenn er auf der Jagd nach einem Mörder war. Es fühlte sich anders an. Diesmal war er persönlich betroffen. Ein Mensch, der nicht davor zurückschreckte, eine sterbende Frau zu erwürgen und einen alten Pfarrer zu erdrosseln und aufzuhängen, würde nicht danach fragen, ob eine Siebenjährige tatsächlich etwas wusste oder nicht.

Sie haben das Kind damals im Wald vergraben. Das hatte Irene Vetter ihm gesagt. Obwohl das in Anbetracht dessen, wie groß die Wälder rings um Ruppertshain waren, eine reichlich vage Auskunft war, so war es dennoch ein allererster Hinweis in einem zweiundvierzig Jahre zurückliegenden Verbrechen. Vor Irene Vetters Haus stand nun ein Streifenwagen, denn Bodenstein wollte nicht riskieren, dass sie das nächste Opfer sein würde.

Die Nacht war klar und trocken, auf der Autobahn war wenig los, und er konnte Gas geben. Für die beleuchteten Silhouetten der Hochhäuser Frankfurts, die rechts am Fenster vorbeizogen, hatte Bodenstein keinen Blick. Fünfundzwanzig Minuten später hatte er den Bad Vilbeler Stadtteil Gronau erreicht. Er stieg aus und zögerte kurz, doch dann drückte er auf die Klingel am Hoftor. Es dauerte ein paar Minuten, bis sich in dem Fachwerkhäuschen etwas regte. Ein Fenster im ersten Stock öffnete sich, und Lorenz streckte den Kopf heraus.

»Wer ist denn da?«, fragte er verschlafen.

»Ich bin's, Papa!«, rief Bodenstein leise.

»Moment.«

Das Fenster ging zu, wenig später quietschte die Haustür, Schritte näherten sich, und Lorenz öffnete die kleine Tür neben dem großen, grün gestrichenen Hoftor. Er und Thordis hatten vor ein paar Jahren die Hofreite in einem ziemlich maroden Zustand gekauft und selbst renoviert. Noch waren sie nicht ganz fertig, aber der kleine Hof mit Haus, Scheune und Stallungen war ein wahres Schmuckstück geworden. Lorenz hatte sich nur eine Fleecejacke über T-Shirt und Boxershorts gezogen, wie früher als kleiner Junge war er barfuß. Bodenstein folgte ihm über den kopfsteingepflasterten Hof hinüber ins Haus.

»Entschuldigung, dass ich euch mitten in der Nacht aus dem Bett werfe«, sagte Bodenstein mit gesenkter Stimme. »Ich habe versucht, dich anzurufen, aber du bist nicht drangegangen.«

»Nachts stelle ich mein Handy leise.« Lorenz gähnte und rieb sich die Augen. »Was ist denn los?«

»Hallo, Schwiegerpapa.« Thordis kam die Treppe hinunter,

genauso verschlafen wie ihr Mann und ähnlich knapp bekleidet. Das blonde Haar, das sie seit einer Weile zu einem Bubikopf frisiert trug, stand wirr von ihrem Kopf ab. Sie blieb auf der untersten Treppenstufe stehen und schlang die Arme um ihren Oberkörper.

Bodenstein hatte Lorenz nicht genau erläutert, warum er es für besser hielt, wenn Sophia für ein paar Tage woanders unterkam, aber nun kam er nicht mehr darum herum, ihm und Thordis reinen Wein einzuschenken. In knappen Worten schilderte er, was in den vergangenen Tagen geschehen war und weshalb er dringend mit Sophia sprechen musste.

»Na, das ist ja ganz toll«, sagte Lorenz verstimmt. »Und was, wenn dieser irre Killer auch bei uns auftaucht?«

»Niemand weiß, dass Sophia bei euch ist«, versuchte Bodenstein ihn zu beschwichtigen. »Und ich bin mir auch nicht sicher, ob sie überhaupt irgendetwas weiß, was von Bedeutung ist.«

»Spitze.« Lorenz schüttelte den Kopf. »Du kommst mir vor wie Mama. Da klingt auch alles zuerst harmlos, und dann folgt unweigerlich das dicke Ende. Ich brauche jetzt einen Kaffee.«

Er drehte sich um und verschwand in Richtung Küche.

»Tja.« Thordis schenkte Bodenstein ein maliziöses Lächeln. »Dein Sohn mag es nicht, wenn das Leben zu abenteuerlich wird.«

»Kann ich verstehen. Ich ehrlich gesagt auch nicht.«

»Ja, das Spießige hat er zweifellos von dir.« Sie erhob sich und wies nach oben. »Du weißt ja, wo das Gästezimmer ist.«

»Ja, danke.« Bodenstein wusste nie so recht, woran er mit seiner Schwiegertochter war. Er hatte sie im Zuge von Ermittlungen vor ungefähr zehn Jahren kennengelernt, ohne zu wissen, dass es sich bei ihr um die Tochter von Inka Hansen handelte, und sie hatte damals schwer mit ihm geflirtet. Wenig später war sie mit Lorenz zusammengekommen und bei ihnen zu Hause ein und aus gegangen. Zunächst war Bodenstein arglos gewesen, bis Cosima ihn leicht amüsiert darauf aufmerksam gemacht hatte, wie Thordis ihn anzusehen pflegte. Bei einer Silvesterfeier noch vor ihrer Hochzeit hatte sie versucht, ihn zu küssen. Seitdem fühlte er sich in ihrer Gegenwart unwohl und achtete auf Distanz. Auch jetzt machte sie ihm keinen Platz, blickte ihm herausfordernd in die Augen.

»Lässt du mich bitte durch?«, fragte er kühl, und sie trat zur Seite, allerdings nicht ohne wie zufällig seine Schulter zu streifen.

Das Gästezimmer befand sich am Ende des schmalen Flures. Sophia schlief tief und fest, umgeben von einer ganzen Armee von Stofftieren. Ein Nachtlicht erleuchtete den kleinen Raum, in dem ein wildes Durcheinander aus Kleidern und Spielzeug herrschte. Bodenstein ließ sich auf der Bettkante nieder und berührte Sophias Schulter.

»Schätzchen«, flüsterte er. »Der Papa ist hier.«

Sophia wälzte sich auf den Rücken.

»Ich kann gerade nicht«, murmelte sie. »Ich hab so einen schönen Traum.«

»Du kannst gleich weiterschlafen.« Bodenstein lächelte und strich ihr über die schlafwarme Wange. »Ich muss dir nur eine Frage stellen.«

»Hmmmm.«

»Vorgestern Abend, als du Fernsehen geguckt hast, da hat es doch an der Tür geklingelt, oder?«

»Hmmm. Jaaa.«

»Das war der alte Pfarrer Maurer aus der Kirche, der manchmal Religion in der Schule unterrichtet, stimmt's?«

»Hmja.« Sophia öffnete wieder ein Auge, dann das zweite. Sie sah ihn verschlafen an, das Haar wirr, die Bäckchen knallrot.

»Hast du mit ihm gesprochen?« Bodenstein fühlte sich alles andere als wohl dabei, seine Tochter aus dem Tiefschlaf zu reißen und mit Fragen zu überrumpeln.

»Kann sein.«

»Versuche, dich zu erinnern. Bitte.«

»Hab ich was Schlimmes gemacht?«

»Nein. Überhaupt nicht. Es ist nur wichtig für mich, zu wissen, was der Pfarrer zu dir gesagt hat.«

»Der hat dauernd geklingelt. Ich konnte gar nichts mehr im Fernsehen verstehen.« Es arbeitete in ihrem Köpfchen, sie zog nachdenklich die Nase kraus. »Aber ich war neugierig. Hätte ja der Paketdienst sein können. Der kommt manchmal noch so spät.«

»Genau.« Bodenstein nickte und lächelte. »Hast du ihn ins Haus gelassen?«

Die Kleine wand sich unbehaglich.

»Ja. Aber ich hab den ja gekannt. Ich darf nur keine Fremden reinlassen, oder?« Das klang zweifelnd.

»Richtig. Er war kein Fremder.«

»Der wollte mit dir sprechen. Ganz dringend, hat er gesagt. Er wollte sogar auf dich warten, aber ich wollte ›Micky Maus Wunderhaus‹ fertiggucken.« Sie seufzte. »Das war unhöflich, oder?«

»Nicht schlimm«, besänftigte Bodenstein ihre Bedenken.

»Wenn ich ihn das nächste Mal sehe, entschuldige ich mich«, versprach Sophia und gähnte. Ihre Lider wurden schwer.

»Hat er dir gesagt, warum er so dringend mit mir sprechen wollte?«

»Nee«, murmelte Sophia. »Nur, dass du ihn anrufen sollst.«

Bodenstein blickte auf sie herab.

»Hat er nicht sonst noch etwas anderes gesagt?«

»Nee.« Sie blickte ihm direkt in die Augen, aber dann zog sie die Nase kraus und wich seinem Blick aus. »Kann sein, dass er mir einen Zettel gegeben hat.«

»Einen Zettel?« Eine Hitzewelle rauschte durch Bodensteins Körper, und er musste sich beherrschen, seine Tochter nicht an den Schultern zu packen und zu schütteln. »Und wo ist dieser Zettel jetzt?«

»Weiß nicht.«

»Wie sah der Zettel aus? Versuch, dich zu erinnern, Schätzchen. Bitte. Es ist sehr wichtig.«

»Ich weiß nicht mehr genau.« Sie dachte angestrengt nach, mied aber dabei seinen Blick. »Ich glaub, er war so grünlich oliv.«

»Grünlich oliv?«

»Ja. Mit so ’m bisschen Rot. Und weiß, irgendwie.«

Na großartig.

»Bist du jetzt böse auf mich? Muss ich deshalb bei Lorenz und Thordis sein?«

»Nein, ich bin nicht böse auf dich, meine Kleine.«

Nicht böse. Deprimiert. Enttäuscht. Wenn sie Karoline oder ihm etwas gesagt hätte, dann könnte der alte Pfarrer vielleicht noch leben. Aber eine alberne Fernsehsendung war ihr wichtiger gewesen. In der Sekunde, in der er das dachte, fiel ihm siedend heiß ein, dass auch ihm einmal eine Fernsehsendung wichtiger gewesen war als ein Versprechen. Eine Folge von »Bonanza« hatte Artur und Maxi das Leben gekostet. Beschämt dachte er, dass er wohl kaum das Recht hatte, seine siebenjährige Tochter zu verurteilen.

»Aber weißt du, es ist wichtig, dass man immer die Wahrheit sagt.« Er streichelte ihre Wange, strich ihr eine Haarsträhne aus der Stirn. »Sogar dann, wenn man mal was Falsches macht. Wenn dich jemand darum bittet, einem anderen etwas auszurichten, dann musst du das tun, denn derjenige verlässt sich auf dich. Verstehst du das?«

Sophia nickte ernsthaft.

»Tut mir leid.«

»Schon gut.«

»Bleibst du heute Nacht hier, Papa?«

»Nein, ich muss wieder zurückfahren.« Er beugte sich über sie und küsste ihre zarte Wange. Sie schlang die Ärmchen um seinen Hals.

»Hab dich lieb, Papi.«

»Ich dich auch, mein Schätzchen.«

»Ist gut.« Sie nahm ihr Lieblingskuscheltier, einen abgegriffenen Stoffelefanten, den Pia und Christoph ihr einmal geschenkt hatten, in den Arm. »Tamo hat dich auch lieb. Sagst du ihm auch gute Nacht?«

»Gute Nacht, Sophia. Gute Nacht, Tamo«, sagte er und zog die Bettdecke hoch. »Schlaft gut, ihr zwei.«

Er beobachtete, wie sie in Sekundenschnelle wieder einschlief. Auf einmal überkam ihn eine ungeheure Müdigkeit. Sie hatte ihn gestern Morgen angelogen, ohne zu zögern und sehr glaubhaft. Das Lügen war dem Menschen in die Wiege gelegt, es war eine genetische Sache. Leugnen, vertuschen, die Schuld anderen geben – das waren instinktive Reaktionen in unangenehmen Situationen. Es machte Bodenstein, der in seinem Beruf permanent belogen wurde, traurig, welch routinierte Lügnerin seine Tochter mit ihren sieben Jahren bereits war. War er daran schuld? Hatte er ihr das Gefühl gegeben, lügen zu müssen, um einer Strafe zu entgehen?

Die Dielen im Flur knarrten unter seinen Schuhsohlen, als er zurück zur Treppe ging. Lorenz saß am Küchentisch, Thordis lehnte, mit einem Kaffeebecher in den Händen, an der Arbeitsplatte. Bodenstein streifte ihr Gesicht mit einem Blick, und ihm fiel zum ersten Mal ein bitterer Zug um ihren Mund auf. Es war drei Uhr morgens, da waren auch junge Menschen nicht unbedingt in Top-Form, allerdings hatte die Miene seiner Schwiegertochter nichts mit der Uhrzeit zu tun. Irgendetwas stimmte nicht zwischen ihr und Lorenz, das ging ihn jedoch nichts an.

»Und?«, erkundigte sich Lorenz. »Hat dein nächtliches Verhör etwas ergeben?«

»Vielleicht.« Bodenstein überhörte den sauertöpfischen Unterton. Thordis hob die Kaffeekanne, aber er schüttelte den Kopf.

»Ich muss wieder los.« Er hatte es eilig, von hier wegzukommen. Wenn es sein musste, würde er sein ganzes Haus inklusive aller Papierkörbe, Mülleimer und Mülltonne nach diesem grünlichen Zettel absuchen. Irgendwo musste er ja sein. »Danke euch beiden, dass ihr Sophia beherbergt. Und entschuldigt noch einmal die Störung.«

***

Nebel hing über der Lichtung, als Pia ihren Geländewagen neben Bodensteins Dienstwagen auf dem geschotterten Parkplatz abstellte. Sie öffnete die Tür und stieg aus. Ihr Chef lehnte am Kotflügel seines Autos, die Arme vor der Brust verschränkt, und starrte über die Wiese in die feuchte Dunkelheit. Zu Pias Überraschung war niemand da außer ihm. Bodensteins Stimme auf ihrer Mailbox hatte so dringlich geklungen, deshalb hatte sie mit einem Einsatz oder einem weiteren Leichenfund gerechnet.

»Hey«, sagte sie.

»Hallo«, erwiderte Bodenstein. »Danke, dass du so schnell hergekommen bist.«

Er war unrasiert und übernächtigt, vermutlich hatte er in der letzten Nacht noch weniger geschlafen als sie. Pia kannte die Phasen melancholischer Geistesabwesenheit, die ihren Chef mitunter überkamen, noch aus der Zeit, als seine Ehe in die Brüche gegangen war. Oliver von Bodenstein war niemand, der sein Innerstes nach außen kehrte. Private Sorgen pflegte er mit sich allein auszumachen. Aber war es diesmal dasselbe? Er wirkte nicht deprimiert und mutlos, sondern wachsam und extrem angespannt, als ob er auf etwas wartete.

»Was ist los?« Pia schob die Hände in die Taschen ihrer Jeans. »Was machen wir hier?«

Die klamme Kälte des Nebels ließ sie frösteln. Stumm reichte er ihr den Werbeprospekt einer Pizzeria.

»Was ist das?«, fragte Pia erstaunt.

»Eine Botschaft von Pfarrer Maurer an mich«, sagte Bodenstein. »Er hat sie Sophia gegeben, als ich am Freitagabend nicht zu Hause war.«

»Ich kann das nicht lesen ohne Lesebrille.« Pia versuchte, die krakelige Handschrift am Rand des Menüplans zu entziffern.

»Da steht, dass Arturs Leiche womöglich auf unserem alten Familienfriedhof im Wald liegt.« Bodenstein presste die Lippen zusammen und blickte Pia an. Für den Bruchteil einer Sekunde gewährte er ihr einen Blick hinter die Fassade eiserner Contenance. »Ich nehme an, das hat Rosie dem Pfarrer verraten, und er wollte es mir sagen. Dummerweise hat Sophia vergessen, mir die Nachricht zu geben.«

»Und woher hast du sie jetzt?«

»Irene Vetter hat mich gestern Nacht angerufen. Sie drückte wohl das schlechte Gewissen, weil sie uns etwas verschwiegen hatte. Daraufhin bin ich zu Lorenz gefahren und habe Sophia aus dem Schlaf gerissen. Sie hat zugegeben, dass Maurer ihr einen Zettel gegeben hat. Ich habe mein Haus auf den Kopf gestellt und den Prospekt beim Altpapier gefunden. Grünlich oliv mit Weiß und Rot.«

»Wie bitte?«

»An diese Farben hat sich Sophia erinnert, als ich sie fragte, wie denn der Zettel ausgesehen hatte.«

»Gute Beobachtungsgabe.« Pia lächelte, wurde aber sofort wieder ernst. »Und was machen wir jetzt hier?«

»Ich habe mich mit Wieland und meinem Bruder verabredet«, antwortete Bodenstein. »Ich möchte der Sache auf den Grund gehen und will, dass du dabei bist.«

Pia erwiderte nichts darauf.

»Es ist ein entsetzlicher Gedanke, dass Artur all die Jahre ganz in der Nähe war und es Leute gab und gibt, die darüber Bescheid wussten«, fuhr Bodenstein nach einer Weile fort. »Leute, denen es völlig gleichgültig war, wie sehr seine Eltern die Ungewissheit gequält hat. Ich muss herausfinden, ob das stimmt oder nicht.«

»Das verstehe ich«, sagte Pia, und das tat sie wirklich, trotz aller Skepsis. Sie konnte nachvollziehen, was in ihm vorging, und es schmerzte sie, ihn so zu sehen. Mit einer alten Schuld zu leben war eine schwere Last. Rational betrachtet, hatte Bodenstein wohl kaum Schuld an den Ereignissen gehabt, aber das spielte keine Rolle. Tatsache war, dass er sich schuldig fühlte. Er musste diese Sache zuerst klären, sonst würde er keine große Hilfe bei den laufenden Ermittlungen sein, und dabei brauchte Pia ihn dringend.

»Derjenige, der Rosie, Clemens und den Pfarrer ermordet hat, ist auch Arturs Mörder. Gestern Abend habe ich mich mit Wieland unterhalten, und wir haben dazu eine Theorie.«

Bodenstein schien felsenfest davon überzeugt zu sein, dass Artur einem Mord zum Opfer gefallen war, obwohl es dafür keinerlei Beweise gab. Pia erhob keine Einwände.

»Lass hören«, sagte sie nur.

»Als Artur an dem Abend nach Hause ging, könnte er den Dorfjungs in die Arme gelaufen sein. Es kam zu einem Streit, die Situation geriet außer Kontrolle, etwas ging schief. Du weißt selbst, wie schnell das geht. Edgar und Peter haben Artur gehasst, sie waren die Anführer bei dem Terror gegen ihn. Mal angenommen, Edgar hat Artur aus Versehen getötet. Er läuft nach Hause, erzählt es seinen Eltern, und die sorgen dafür, dass die Leiche verschwindet. Rosie war ihr ganzes Leben lang depressiv, vielleicht weil sie diese Schuld mit sich herumgetragen hatte. Auf dem Totenbett wollte sie sie endlich loswerden und beichtete es. Clemens war dabei, und der Pfarrer wusste Bescheid. Vielleicht hat Maurer mit dem Mörder gesprochen, ihm ins Gewissen geredet. Daraufhin hat er ihn umgebracht, weil er nicht will, dass sein Geheimnis gelüftet wird.«

»Und wer ist deiner Meinung nach der Mörder?«

»Ich weiß es nicht.« Bodenstein zuckte die Achseln. »Vielleicht war es die ganze Bande gemeinsam.«

»Und niemand soll je ein Wort darüber verloren haben?«

»Jemand hat Druck ausgeübt, damit alle den Mund halten. So, wie bei der Sache mit der Katze. Irgendwann wird ein Geheimnis zu einem Tabu, über das niemand mehr spricht.«

Pia erinnerte sich an Bodensteins Bemerkung über mafiöse Strukturen von Kinderbanden, dennoch hatte sie Zweifel.

»Ich weiß, wie gefährlich es ist, sich nur auf seine Intuition zu stützen«, sagte er nun. »Man darf die Fakten nicht außer Acht lassen.«

Pia nickte. Solche Vorträge hatte er ihr immer wieder gehalten.

»Aber in diesem Fall passt alles zusammen!«, behauptete er. »Die Gasflaschen, mit denen der Wohnwagen in die Luft gejagt wurde, stammen aus Edgars Betrieb. Der Schal, der in der Nähe des Hospizes gefunden wurde, gehört eindeutig ihm.«

Pia ließ sich auf diesen Gedankengang ein.

»Angenommen, du hättest recht«, sagte sie. »Wieso macht er einen solch gravierenden Fehler und benutzt seinen eigenen Schal, um seine Mutter zu ersticken? Und er muss damit gerechnet haben, dass wir herausfinden, woher die Gasflaschen stammen!«

Bodenstein dachte kurz nach.

»Er steht unter Druck. Der Mord an Rosie kann eine Affekttat gewesen sein. Die anderen Morde hat er besser vorbereitet.«

»Er war elf Jahre alt, als das mit Artur passierte«, gab Pia zu bedenken. »Selbst wenn er derjenige ist, den seine Mutter gedeckt hatte, dann würde ihm heute nichts passieren, weil er damals noch unmündig war. Nein, ich glaube nicht, dass er unser Täter ist.«

»Ich muss unbedingt die Fallakte von 1972 haben«, sagte Bodenstein. »Am besten heute noch.«

»Oliver, wir haben doch gerade wirklich …«, setzte Pia an, aber Bodensteins Gesichtsausdruck ließ sie verstummen.

»Bitte lass mich dieser Spur folgen. Mein Bauchgefühl sagt mir, dass die Fälle etwas miteinander zu tun haben.«

»Eigentlich bin doch ich die mit den Bauchgefühlen.« Pia hob die Augenbrauen und lächelte schwach. Es fühlte sich seltsam an, dass Bodenstein sie um Erlaubnis für etwas bat, und auf einmal kam es ihr so vor, als hätten sie ihre Rollen vertauscht.

»Ich kümmere mich darum, dass du so schnell wie möglich die Akte kriegst«, gab sie sich geschlagen.

»Danke.« Bodenstein verzog das Gesicht zu etwas, was ein Lächeln darstellen sollte, dann nickte er.

»Schon gut.« Plötzlich hatte Pia Sehnsucht nach einer Zigarette und griff in die Taschen ihrer Jacke, bevor ihr einfiel, dass sie nicht mehr rauchte. »Du lässt mich aber nicht im Stich, oder?«

»Nein, das tue ich nicht«, versicherte Bodenstein. »Sobald wir das heute erledigt haben, stehe ich voll zur Verfügung. Versprochen.«

»Was soll ich jetzt machen?«, fragte Pia ihn. »Wie würdest du an meiner Stelle weiter vorgehen?«

Bodenstein erwiderte eine ganze Weile nichts, und Pia befürchtete schon, er habe ihre Frage gar nicht wahrgenommen.

»Die Presse stellt immer wildere Spekulationen an«, sagte er dann. »Wir können sie nicht mehr lange vertrösten. Kann Kim ein Täterprofil erstellen, mit dem wir an die Öffentlichkeit gehen können?«

»Ich denke schon. Sie hat mir versprochen zu helfen, wenn wir sie brauchen.« Unter der Bürde einer Verantwortung, die für sie in dieser Dimension unbekannt und erschreckend war, verspürte Pia einen Anflug von Erleichterung. Bodenstein würde sie nicht alleinlassen. »Ich weiß nicht, ob du meine Nachrichten gelesen hast, aber gestern Abend hat sich die Mutter der Freundin von Elias Lessing gemeldet. Sie kommt am späten Vormittag mit ihrer Tochter vorbei.«

»Gut.«

Ein Auto näherte sich. Bodenstein richtete sich auf und warf einen Blick auf seine Uhr. Wenig später hielt der grüne Jeep von Revierförster Kapteina neben ihnen an. Im selben Moment kam Quentin von Bodenstein in einem Pick-up aus Richtung Gutshof an. Die Suchmannschaft war komplett. Es war Punkt sieben Uhr, als sie sich auf den Weg in den Wald machten.

***

Beladen mit Stemmeisen, Spitzhacken und Schaufeln schlugen Pia, Wieland Kapteina, Bodenstein und sein Bruder Quentin den Pfad zu dem alten Familienfriedhof mitten im Wald ein, auf dem zuletzt vor rund hundert Jahren ein im Ersten Weltkrieg gefallener Vorfahr beerdigt worden war. Die kleine Kapelle, die dort einst gestanden hatte, war von den Bewohnern der umliegenden Dörfer nach dem Krieg als Steinbruch missbraucht und bis auf die Grundmauern abgetragen worden, der Friedhof selbst war längst säkularisiert. Übrig geblieben war eine von Unterholz und Gestrüpp überwucherte Erinnerung an die im Nebel vergangener Zeiten verschwundenen Vorfahren.

Wielands Weimaranerhündin trabte leichtfüßig neben ihrem Herrchen her. Zwischen den dicken Stämmen der hundertjährigen Eichen wuchsen junge Bäume, Brombeerranken und das felsige, unebene Gelände machten das Laufen mühsam. Im grauen Zwielicht des frühen Morgens marschierten sie durch den erwachenden Wald, schweigend und erwartungsvoll, beinahe so, als würden sie auf die Jagd gehen. Das vermodernde Laub des vergangenen Jahres dämpfte ihre Schritte, hin und wieder knackte ein dürrer Zweig unter einem Schuh. Die Luft war erfüllt von jenem trockenwürzigen Geruch, den nur Eichenblätter im Herbst verströmen, so dass Bodenstein sich in seine Kindheit zurückversetzt fühlte.

Sein letzter Besuch beim alten Familienfriedhof lag Jahrzehnte zurück. Er hatte den Weg bis dorthin kürzer in Erinnerung, doch nun stellte er fest, dass es ein ordentlicher Fußmarsch war, der zudem noch steil bergauf führte. Zwar waren die Wälder des Taunus nicht gerade mit den Urwäldern Südamerikas oder den Rocky Mountains zu vergleichen, dennoch waren sie tief und groß genug, dass man die Orientierung verlieren konnte. Ohne Wielands Führung hätte er den Friedhof nur mit Mühe wiedergefunden.

»Wir sind da!«, sagte der Förster mit halblauter Stimme. »Da drüben hinter den großen Rhododendren liegt er.«

Zwischen zwei von Moos und Kletterpflanzen überwucherten Steinsäulen hing ein verrostetes zweiflügeliges Tor aus kunstvoll geschmiedetem Eisen. Der Rest des Zaunes, der früher einmal die Gräber umgeben hatte, war von Unbekannten abmontiert und gestohlen worden.

»Da vorne stand einmal die Kapelle.« Wieland wies auf eine Stelle, die ein Stück bergauf lag und vom Wald längst zurückerobert worden war. »Nur die Grundmauern sind noch übrig. Und genau hier führte der Weg entlang. Früher war er geschottert und befestigt.«

Einst hatte die kleine Marienkapelle, die im 16. Jahrhundert von dem damaligen Landesherrn, dem Grafen von Stolberg-Königstein, erbaut worden war, auf der Spitze der Anhöhe gethront, und an allen Marienfeiertagen waren dort Messen gefeiert worden. Der Friedhof war erst viel später von einem Grafen Bodenstein angelegt worden, zwischen 1850 und 1916 hatten dort neun von Bodensteins Vorfahren ihre letzte Ruhe gefunden.

Da das eiserne Tor in den Angeln festgerostet war und sich nicht bewegen ließ, bahnten sie sich einen Weg durch Unterholz und gewaltige Rhododendronbüsche. Bodensteins Herz pochte heftig, als er die schiefen, verwitterten Grabsteine und die von Moos bedeckten Steinplatten erblickte. Diese Ermittlungen wurden eine immer intensivere Reise in eine Vergangenheit, an die er sich nur ungern erinnerte.

»Das Grab mit dem Engel mochte ich immer am liebsten«, sagte Quentin in die Stille hinein. »Der hat so etwas Wehmütiges an sich.«

Bodensteins ließ seinen Blick über die neun Gräber schweifen, über schiefe Grabsteine im welken, von Laub bedeckten Gras, und blieb an dem Marmorengel hängen, der verklärt in die Ferne schaute. Ein Jahrhundert harter Winterfröste und heißer Sommer hatten die Züge seines Gesichts getilgt, seine Nase war abgebrochen.

Konnte es sein? Konnte es wirklich sein, dass hier ein Teil der Lösung für das Rätsel wartete, das ihm auf der Seele lastete? War jemand mit Arturs Leiche im Kofferraum bis vor das Tor des Friedhofs gefahren, oder war er keuchend durch den finsteren Wald gestolpert, das tote Kind in den Armen, wie der Vater im Gedicht vom Erlkönig? Aufgeregt musste er gewesen sein, blind vor Panik, und erfüllt von der Angst, überrascht zu werden. Für strategische Überlegungen hatte er keine Zeit gehabt, er hatte sich der Leiche so schnell wie möglich entledigen müssen. Hatte Rosie ihm einen Tipp gegeben, wo er Artur verstecken konnte? Oder war sie sogar dabei gewesen? Für einen winzigen Augenblick geriet Bodensteins Entschlossenheit, unter den alten Steinplatten nach den sterblichen Überresten seines Freundes zu suchen, ins Wanken. Die Furcht, von einem Menschen, den man sein ganzes Leben lang gekannt und geschätzt hatte, enttäuscht zu werden, lähmte ihn. Konnte Rosie so etwas Unfassbares getan und vierzig Jahre geschwiegen haben? Der Moment des Zweifels verging jedoch so schnell, wie er gekommen war. Er musste endlich Klarheit haben, was auch immer dabei herauskommen sollte.

»Wo fangen wir an?« Quentin ließ die Spitzhacke in den weichen Waldboden sausen.

»Wir sollten versuchen, uns in ihn hineinzuversetzen«, sagte Bodenstein nachdenklich. »Ein Täter trifft in kurzer Zeit eine Menge Entscheidungen. Und die müssen wir nachvollziehen.«

»Er hatte es eilig, aber er war nicht kopflos«, bemerkte Pia. »Sonst hätte er die Leiche irgendwo liegenlassen.«

»Wir wissen doch gar nicht, ob hier wirklich etwas ist«, sagte Quentin, der Pragmatiker. »Du vermutest das doch nur!«

»Lass mich einfach kurz nachdenken, bevor wir ein Grab nach dem anderen aufstemmen«, entgegnete Bodenstein, und sein Bruder schnalzte ungeduldig mit der Zunge. »Er hat nicht das erstbeste Grab genommen, das wäre ein Zeichen von Panik gewesen. Und selbst wenn er diese verspürte, so hätte er sich nicht die Blöße gegeben, sie zu zeigen. Nicht vor einer Frau.«

»Vielleicht hat Rosie entschieden, welches Grab sie nehmen sollten«, sagte Wieland, und Bodenstein nickte. Ja, natürlich, das hatte sie getan! Selbst wenn sie ein Verbrechen vertuscht hatte, um ihren Sohn zu schützen, hätte sie als Mutter trotzdem gewollt, dass das getötete Kind ein würdiges Grab bekam. Der Friedhof als Ablageort musste ihre Idee gewesen sein, man hätte die Leiche auch einfach in irgendein Gebüsch oder den Bach werfen können. Plötzlich wusste er, wo sie suchen mussten.

»Es ist das Grab mit dem Engel«, sagte er bestimmt.

»Dein Wort in Gottes Ohr, Bruderherz.« Quentin nickte, zog eine Gartenschere aus einer Tasche seiner Arbeitshose und machte sich daran, das dicke Efeugeflecht zurückzuschneiden. Wenige Minuten später hatte er die Grabplatte freigelegt und griff nach dem Stemmeisen.

»Moment noch!«, bremste Bodenstein seinen Bruder. Er hockte sich neben das Grab, fuhr mit den Fingerspitzen über die Grabplatte und an deren Rändern entlang. Sie war aus grob behauenem Taunusquarzit gefertigt, von einer Patina aus Moos und Flechten überzogen. Plötzlich hielt er inne.

»Hier ist etwas! Es fühlt sich an wie eine Scharte!«, sagte er mit vor Anspannung rauer Stimme. »Ich muss das genauer sehen. Gebt mir einen Spachtel!«

Wieland kam ihm mit Spachtel und Drahtbürste zu Hilfe, gemeinsam entfernten sie vorsichtig Erde und Moos. Die schwere Platte lag lose auf einer steinernen Umrandung, die etwa zehn Zentimeter aus dem Boden ragte. An der rechten Seite waren nun deutlich die Spuren einer Manipulation zu erkennen. Bodenstein fotografierte die Stelle mit seinem Handy, dann machte er seinem Bruder Platz. Quentin schob das Stemmeisen zwischen Platte und Umrandung, aber es war nicht leicht, die zentnerschwere Steinplatte aufzuhebeln. Eine ganze Weile arbeiteten Quentin und Wieland schweigend, hin und wieder stieß einer von ihnen einen unterdrückten Fluch aus. Endlich gelang es! Wieland und Bodenstein drückten die Platte zur Seite. Stein schabte auf Stein. Kellerasseln flüchteten, als ihr dunkler Unterschlupf vom Tageslicht geflutet wurde. Es war totenstill, selbst der Wald ringsum schien die Luft anzuhalten.

»Das hätte ich jetzt nicht gedacht«, murmelte Quentin.

»Großer Gott«, stieß Wieland hervor und schlug ein Kreuzzeichen.

Bodenstein seufzte. Bleich hoben sich fragile Knochen von der dunklen Erde ab. Eine Woge aus Erleichterung, Grauen und abgrundtiefer Trauer rollte über ihn hinweg. Nach zweiundvierzig

Jahren war kein Gewebe mehr übrig, aber das Skelett schien auf den ersten Blick komplett erhalten. Just in diesem Moment durchbrach die Sonne den Nebel, herbstlich goldene Sonnenstrahlen sprenkelten den Waldboden und verwandelten den düsteren Wald in ein surreales Gemälde aus Licht und Schatten. Zwischen den Knochen reflektierte etwas das Sonnenlicht. Ungeachtet dessen, dass er sich seine Hose ruinieren würde, kniete Bodenstein sich vor das Grab. Die Tränen schossen ihm in die Augen, als er den Gegenstand erkannte. Auch Wieland hatte es bemerkt.

»Und, was denkst du?«, fragte Quentin neugierig.

»Das ist Artur«, erwiderte Bodenstein mit erstickter Stimme. »Wir haben ihn tatsächlich gefunden, nach all den Jahren.«

»Wie kannst du da so sicher sein?«, wollte Pia wissen.

»Seine Micky-Maus-Armbanduhr.« Wieland gab die Antwort. »Er hatte sie zum elften Geburtstag bekommen und war so stolz auf sie. Ich habe Artur nie ohne diese Uhr gesehen.«

Bodenstein kniete vor dem Grab, die Hände auf die Umrandung gestützt. Irgendetwas irritierte ihn. Es war nicht das erste menschliche Skelett, das er in seinem Leben sah. Zu viele Knochen, dachte er. Mit einem Ohr hörte er, wie Pia, die ein Stück zur Seite gegangen war, telefonierte. Sie forderte die Spurensicherung an und sprach dann mit ihrem Exmann, der als forensischer Anthropologe der Richtige für diese Aufgabe war. Wieland war aufgestanden und unterhielt sich leise mit Quentin. Und da sah Bodenstein es: ein schwärzliches Band mit einer kleinen, verrosteten Schnalle zwischen zarten bräunlichen Knochen. Für einen Moment glaubte er, sein Herz müsse stehenbleiben. Seine Hand zitterte, als er sie ausstreckte, um den kleinen, langgestreckten Tierschädel mit großen Augenhöhlen vorsichtig von Erde zu befreien.

»Wieland«, sagte er halblaut.

»Ja?« Der Förster ging neben ihm in die Hocke.

»Für was hältst du das?«, flüsterte Bodenstein.

»Das ist … der Schädel eines Fuchses«, erwiderte Wieland langsam. Die beiden alten Freunde blickten sich an.

»Meinst du etwa …?«, begann Wieland und verstummte betroffen.

»Das hier sind die Reste eines Lederhalsbandes«, sagte Bodenstein heiser. »Wir haben nicht nur Artur gefunden.«

Maxi. Ein scharfer, greller Schmerz zuckte durch seine Brust, mit dem die alte, nie verheilte Wunde tief in seinem Inneren aufriss. Es war die schlimmste Zeit seines jungen Lebens gewesen. Seinen schrecklichen Kummer hatte er in sich hineingefressen und nie darüber gesprochen. Weil er es nicht ertragen hätte. Und weil niemand verstanden hätte, dass er mehr um ein Tier als um einen Menschen getrauert hatte.

* * *

Sie wachte auf, weil das Handy auf ihrem Nachttisch einen Signalton von sich gegeben hatte. Durch die Ritzen der Schlagläden kroch milchiges Frühmorgenlicht und zeichnete Streifen auf den staubigen Holzfußboden. Felicitas stöhnte. Ihre Zunge war pelzig, ihr Kopf dröhnte. Wieder einmal. Sie konnte sich nicht mehr daran erinnern, wie sie gestern Abend die Treppe hinauf und in ihr Zimmer gekommen war. Irgendwie musste es ihr jedoch gelungen sein, denn sie lag im Bett, allerdings komplett bekleidet. Stück für Stück kehrte die Erinnerung zurück. Der Landrover, der nicht anspringen wollte. Die Person, die aus der Dunkelheit aufgetaucht war. Der Schuss, den sie abgefeuert hatte!

»Oh verdammt«, murmelte Felicitas und wälzte sich auf die Seite.

Sie hatte dieser rothaarigen Pauline ihre Handynummer gegeben, damit sie sich melden und Bescheid geben konnte, wie es bei der Polizei und bei Nike gelaufen war. Felicitas tastete nach Brille und Handy, tippte die Zahlenfolge ein, um das Gerät zu entsperren. Es war keine Nachricht von Pauline, nur wieder Werbung. Ihr Blick blieb an der E-Mail von ihrer Bank hängen. Wieder wurde ihr flau im Magen, als sie den kurzen Text las. Früher, als sie noch gut verdient hatte und mit einem Unternehmensberater verheiratet war, hatte sie von ihrem zuständigen Berater zu Weihnachten Champagner und Fresskörbe geschenkt bekommen. Gestern hatte ihr derselbe Mensch in dürren Worten mitgeteilt, dass ihr Konto wegen Unterdeckung gesperrt worden sei.

Felicitas setzte die Brille ab, starrte an die Decke und zog so nüchtern Bilanz, wie das mit Restalkohol im Blut möglich war. So fühlte es sich also an, keine Perspektive mehr zu haben. Keine Familie. Kein Geld. Keinen Job. Keine Wohnung. Hier war sie nur ein widerwillig geduldeter Gast, konnte und wollte nicht ewig bleiben, erst recht nicht, nachdem ihr Schwager sie einmal ihrer Schwester gegenüber als »Zecke« bezeichnet hatte. Das Leben, wie sie es gekannt und gemocht hatte, war unwiderruflich vorbei. In den Zeitungsredaktionen und in der Kunst- und Kulturszene hatte sie sich zu viele Feinde gemacht, als dass sie auf Wohlwollen oder gar Unterstützung aus dieser Richtung hoffen konnte. Freunde hatte sie keine.

Sie schlug die Bettdecke zurück, kroch aus dem Bett und ging zur Tür. Abgeschlossen! Erst dann fiel ihr wieder ein, dass sie sich selbst eingeschlossen hatte, weil sie Elias in seiner Besessenheit zutraute, sich ihres Handys zu bemächtigen und bei dieser Nike anzurufen. Auch die Pistole und das tragbare Festnetztelefon hatte sie gestern Nacht sicherheitshalber mit auf ihr Zimmer genommen. Sie schloss auf, schlurfte barfuß über den Flur ins Badezimmer und setzte sich aufs Klo. Es gab niemanden, den sie für ihre Situation verantwortlich machen konnte, außer sich selbst und ihre Blödheit. Und die niederschmetternde Mail von ihrer Bank hatte den kleinen Rest Energie und Optimismus, der ihr noch geblieben war, geraubt. Sie war selbst schuld. Vielleicht war es das Beste, einfach Schluss zu machen.

Die Holzstufen der Treppe knarrten, dann hörte sie Schritte im Flur, die sich dem Badezimmer näherten.

»Elias?«, fragte sie. Sie hatte vergessen, die Tür zu ihrem Zimmer hinter sich abzuschließen, aber sie hatte auch nicht damit gerechnet, dass der Junge so früh aufstand. Plötzlich hörte sie, wie sich der Schlüssel in der Badezimmertür drehte.

»Hey!«, rief sie, putzte sich eilig ab und zog die Unterhose hoch.

Sie rüttelte an der Türklinke. Er hatte von außen abgeschlossen! Das durfte doch wohl nicht wahr sein!

»Elias!«, schrie sie in aufwallendem Zorn. »Schließ sofort die Tür wieder auf! Was soll denn der Scheiß?«

»Tut mir echt leid«, hörte sie seine Stimme gedämpft hinter der Tür. »Ich lass dich wieder raus. Später.«

Fassungslos lauschte sie den sich entfernenden Schritten. Sie trommelte mit beiden Fäusten gegen die Tür, rief nach ihm. Aber dann gab sie auf. Dieser kleine Mistkerl! Sie hatte wirklich angefangen, ihm zu vertrauen. Er musste auf der Treppe darauf gelauert haben, dass sie ihr Zimmer verließ. Und dann hatte er die Gelegenheit genutzt, ihr Handy zu klauen. Nur darum war es ihm die ganze Zeit gegangen: um das verdammte Handy und diese verdammte Nike! Felicitas ließ sich auf den geschlossenen Toilettendeckel sinken und begann zu schluchzen.

***

Der Nebel hatte sich aufgelöst, und der Oktober präsentierte sich von seiner schönsten Seite. Der Himmel über den Taunuswäldern, die sich schon herbstlich bunt verfärbten, strahlte in einem geradezu unwirklichen Indigoblau, als Kim eintraf, ihr Auto auf dem Parkplatz abstellte und quer über die Waldwiese auf Pia zukam. Vorsorglich hatte Pia den hinteren Teil der Wiese am Waldrand mit rotweißem Flatterband absperren lassen, Kollegen von der Schutzpolizei hatten Posten bezogen. Das liebliche Tal mit Spazierwegen, Feldern und Streuobstwiesen, das sich von Hofgut Bodenstein bis hoch nach Ruppertshain zog, war ein beliebtes Ausflugsziel für Familien, Jogger, Walker und Fahrradfahrer. An diesem sonnigen Herbsttag würde es hier in wenigen Stunden von Menschen nur so wimmeln. Trotz der frühen Uhrzeit standen schon jetzt ein paar Neugierige an der Absperrung, und es würde nicht lange dauern, bis sich herumgesprochen hatte, dass hier irgendetwas passiert war. Christian Kröger und seine Leute waren vor einer Viertelstunde eingetroffen, nur knapp eine Minute nach Henning, um den lang vergessenen Familienfriedhof aus seinem Dornröschenschlaf zu wecken. 11:5, wie Henning angemerkt hatte.

Seitdem Kim mit Nicola Engel zusammen war, kleidete sie sich modischer als früher. Heute trug sie eine enge dunkelblaue Jeans mit weiß abgesetzten Nähten, hohe Stiefel und einen halblangen blutroten Mantel. Schon in ihrer Jugend hatte Pia ihre jüngere Schwester um deren Aussehen, ihre makellose Haut und die gertenschlanke Figur beneidet. Sie selbst hatte sich nie große Mühe gegeben, anderen zu gefallen, vielleicht weil sie ohnehin keine Chance gesehen hatte, als plumper Tollpatsch neben der grazilen, perfekten Kim zu bestehen. Dieses Gefühl der Unzulänglichkeit war von der ganzen Familie eifrig geschürt worden: Alle Tanten und Großmütter hatten ständig an ihr herumkritisiert und sie mit Kim verglichen. Einzig ihr Vater hatte sie getröstet. Bloß Babyspeck sei das, und eines Tages werde der verschwunden und Pia eine schöne junge Frau sein. Außerdem würden Männer Frauen mit Kurven den dürren Hungerhaken vorziehen.

»Danke, dass du gekommen bist«, begrüßte Pia ihre Schwester, die trotz der frühen Stunde frisch und ausgeschlafen wirkte.

»Ist doch selbstverständlich.« Kim bückte sich unter dem Flatterband hindurch. »Was ist passiert?«

»Wir haben tatsächlich ein Skelett gefunden«, erwiderte Pia. »Oliver ist überzeugt davon, dass es sich dabei um die Überreste des Jungen handelt.«

Während des Fußmarschs durch den Wald brachte Pia ihre Schwester auf den neuesten Stand. Mittlerweile schloss sie selbst nicht mehr aus, dass Bodenstein mit seiner Vermutung recht haben konnte, allerdings hielt sie Edgar Herold nicht für den Täter, den sie suchten.

Als sie den Familienfriedhof erreicht hatten, sah Pia ihren Chef auf einem Findling vor dem rostigen Tor sitzen, die Ellbogen auf die Knie gestützt und das Gesicht in den Händen vergraben. Sein Bruder und Wieland Kapteina standen neben ihm und verfolgten schweigend die Arbeit von Spurensicherung und Rechtsmedizinern. Bodenstein hob den Kopf, als Pia sich neben ihn setzte. Tiefe Furchen der Erschöpfung hatten sich in sein Gesicht gegraben, er schien innerhalb der letzten vierundzwanzig Stunden um Jahre gealtert. Dennoch wirkte er nicht deprimiert. Er holte tief Luft, hielt sie einen Moment an und stieß sie wieder aus.

»Ich bin froh, dass wir endlich Gewissheit haben«, sagte er. Seine Stimme kippte, ungehalten darüber schüttelte er den Kopf. »Und ich werde denjenigen, der das getan hat, finden und zur Verantwortung ziehen.«

»*Wir* werden ihn finden«, verbesserte Pia ihn. »Falls er noch lebt.«

»Das tut er. Ich weiß es.« Er stand von dem Findling auf und ging in Richtung des kleinen Friedhofs, Pia und Kim folgten ihm durch Gebüsch und kniehohen Farn.

Einer von Krögers Leuten dokumentierte die Fundsituation des Skeletts. In der Stille des Waldes klang das Klicken der Kamera überlaut. Zwei andere Männer in Overalls spannten ein Fadenkreuz über das offene Grab, die schwere Steinplatte hatte man ganz zur Seite geschoben. Hennings Assistent, ein Student der forensischen Anthropologie, arbeitete eifrig mit winzigen Bürstchen an den Knochen. Die Siebe, mit denen das Erdreich rings um das Skelett sorgfältig durchsiebt werden würde, lagen schon bereit.

Pia warf einen Blick in das geöffnete Grab. Beim Anblick der Knochen streifte sie ein Eishauch. Ein bräunlich verfärbter Schädel. Ein Unterkiefer mit Zähnen. Schulterblätter. Schlüsselbeine. Brustbein. Rippen. Wirbel. Armknochen. Handwurzelknochen. Die Armbanduhr, die Bodenstein erwähnt hatte. Pia musste schlucken. Ein Kind, das Opfer eines Gewaltverbrechens geworden war, brachte sie immer wieder aus der Fassung, selbst wenn es schon so lange tot war. Und wie jedes Mal, wenn sie die sterblichen Überreste eines Menschen vor sich sah, stellte sie sich die Frage, was mit dem Leben geschehen war, das diesen Menschen einmal erfüllt hatte. Was passierte mit der angeblich unsterblichen Seele, wenn ein Mensch seinen letzten Atemzug tat?

»Er war erst elf«, sagte Bodenstein neben ihr tonlos. »Heute wäre Artur vierundfünfzig, so alt wie ich. Er war so lebensfroh, so arglos. Alles lag noch vor ihm, und dann kam irgendjemand und hat ihm die Chance genommen, erwachsen zu werden.«

Dr. Henning Kirchhoff richtete sich auf.

»Bist du fertig mit deiner Grabrede?«, fuhr er Bodenstein ungehalten an. »Ich weiß, dass du hier irgendwie involviert bist, aber wir müssen uns konzentrieren, und das geht nicht, wenn du sentimentales Zeug salbaderst.«

Normalerweise parierte Bodenstein Hennings eklatanten Mangel an sozialer Kompetenz und seinen unsensiblen Zynismus mit der ihm eigenen Contenance, aber diesmal reagierte er empfindlich.

»Du hast da offenbar etwas missverstanden, Henning«, sagte er mit einer Schärfe, die den Rechtsmediziner innehalten ließ. »Ich bin nicht *irgendwie involviert.* Der Junge, dessen Knochen dort liegen, war mein bester Freund. Er ist vor 42 Jahren verschwunden, und ich war der Letzte, der ihn gesehen hatte. Deshalb nehme ich diese Angelegenheit in höchstem Maße persönlich. Verstehst du das?«

Pia, die ihren Exmann kannte, hielt die Luft an. Alle Anwesenden zogen in Erwartung einer heftigen Eskalation die Köpfe ein und taten so, als hätten sie nichts mitbekommen. Nur Kröger feixte amüsiert. Pia fürchtete, Henning werde alles hinschmeißen und beleidigt abziehen, denn im Austeilen war er schon immer bedeutend besser gewesen als im Einstecken, doch zu ihrer Überraschung lenkte er ein. Er legte Bodenstein kurz die Hand auf die Schulter.

»Tut mir leid«, sagte er. »Ich bin manchmal echt ein Arschloch.«

Bodenstein akzeptierte die Entschuldigung mit einem knappen Nicken.

»Kannst du uns schon irgendetwas sagen?«, fragte Pia ihren Ex.

»Ja.« Henning flüchtete sich in Professionalität. »Zwischen der Platte und dem Erdboden waren ungefähr fünfzig Zentimeter Platz. Der Sarg, der hier vor einem Jahrhundert bestattet wurde, ist irgendwann eingesackt, so ist dieser Hohlraum entstanden. Man hat sich nicht die Mühe gemacht, den Leichnam mit Erde zu bedecken, und dadurch, dass das Grab gut belüftet war, ist die Verwesung zwar zügig vorangeschritten, aber die Leiche war durch die massive Grabplatte vor Witterungseinflüssen und Tierfraß geschützt. Deshalb kann man davon ausgehen, dass sich das Skelett exakt in der Stellung befindet, in der man die Leiche damals hingelegt hat. Man hat sie nicht einfach achtlos in das Grab geworfen. Der Junge lag auf dem Rücken, man hatte ihm wohl die Hände über dem Bauch gefaltet, dafür spricht die Position der Arm- und Handknochen.«

»Was ist mit dem Fuchsskelett?«, erkundigte sich Pia.

»Es könnte zum selben Zeitpunkt in das Grab gelegt worden sein«, sagte Henning.

»Der Junge ist regelrecht bestattet worden«, überlegte Pia laut. »Ein Grab. Der Engel. Die gefalteten Hände.«

»Sieht aus wie eine Art emotionaler Wiedergutmachung«, merkte Kim an. »In der Terminologie des FBI gibt es den Begriff des *›undoing‹*, und prinzipiell deuten solche Anzeichen darauf hin, dass der Täter seine Tat bereute.«

Sprach das für Rosie Herold als Täterin oder zumindest Mittäterin?

»Wie ist er wohl gestorben?«, wollte Pia wissen.

»Das kann ich noch nicht beurteilen«, erwiderte Henning. »Der Schädel scheint auf den ersten Blick unversehrt, aber ich muss mir das genauer ansehen. Die Knochen sind für eine so lange Liegezeit in erstaunlich gutem Zustand.«

»War er bekleidet?«

»Eine Gürtelschnalle und Nieten aus Metall lassen darauf schließen, dass er eine Jeans trug. Baumwollgewebe verrottet innerhalb von etwa fünf Jahren, Kunstfaser braucht länger, aber nach einer so langen Zeit ist auch davon nichts mehr übrig.«

»Ein Sexualverbrechen kann man also ausschließen, oder?«, fragte Pia und erntete dafür einen tadelnden Blick.

»Frag mich doch nicht so etwas«, entgegnete Henning. »Ihr seid diejenigen, die die Schlüsse zieht. Ich liefere euch nur die forensischen Fakten.«

***

»All die Jahre habe ich mich immer wieder gefragt, was mit dem Bub damals wohl passiert sein könnte.« Gräfin Leonora von Bodenstein war tief erschüttert von der Nachricht, die ihre Söhne ihr überbracht hatten. »Ach Gott, ich kann einfach nicht glauben, dass ihn jemand umgebracht und ausgerechnet auf unserem Friedhof vergraben hat!«

Sie saßen um den blank gescheuerten Eichentisch in der Küche des Gutshauses herum und tranken den höllisch starken Kaffee, den Quentin gebraut hatte. Nur Bodenstein stand am Fenster und sah hinaus.

»Das ist wirklich unglaublich.« Bodensteins Vater war genauso bestürzt. »Seid ihr denn sicher, dass es sich bei den Knochen um die eines Menschen handelt? Vielleicht hat sich ja ein Tier zum Sterben unter die Grabplatte verkrochen.«

»Aber nur, wenn das Tier eine Micky-Maus-Armbanduhr, Jeans und einen Gürtel getragen hat«, entgegnete Quentin ungehalten.

»Natürlich müssen wir die Ergebnisse der Untersuchung abwarten«, sagte Bodenstein, der das aufbrausende Naturell seines jüngeren Bruders kannte, beschwichtigend. »Ich bin mir allerdings sicher, dass es sich um die sterblichen Überreste von Artur handelt.«

»Und von Maxi«, ergänzte Quentin und nahm einen Schluck Kaffee. »Ich frage mich nur, wie die Knochen von dem Fuchs in das Grab gekommen sind.«

»Maxi?« Seine Mutter ließ die Hand, mit der sie gerade nach ihrer Tasse gegriffen hatte, sinken. »Etwa der kleine Fuchs, den du mit der Flasche aufgezogen hast?«

Pia warf ihrem Chef einen raschen Blick zu. Seine Kiefermuskulatur vibrierte, und sie begriff, dass ihm nicht nur der Fund von Arturs Knochen zu schaffen machte.

»Vermutlich.« Bodenstein nickte.

»Vielleicht ist er an dem Abend Artur gefolgt«, mutmaßte Wieland. »Er war ja ständig mit uns unterwegs.«

»Was genau hatte es mit dem Fuchs auf sich?«, erkundigte sich Kim neugierig. Alle sahen Bodenstein an, aber der starrte weiter mit versteinerter Miene zum Fenster hinaus und blieb stumm. Das Uhrwerk der alten Standuhr schnarrte, dann gab es zehn melodiöse Schläge von sich.

»Ich hatte im Jahr zuvor drei verwaiste Fuchswelpen im Wald gefunden«, antwortete Graf von Bodenstein nach einer Weile. »Zwei der Tiere waren zu schwach und starben, den dritten hat Oliver mit der Flasche aufgezogen. Eigentlich sollte er wieder ausgewildert werden, aber daran war gar nicht zu denken.«

»Der kleine Kerl glaubte, er wäre ein Hund«, erinnerte sich die Gräfin. »Er lag mit den anderen Hunden vor dem Kamin, fraß mit ihnen in der Waschküche.«

»Maxi war eine echte Attraktion.« Wieland nippte versonnen an seinem Kaffee. »Er lief uns immer nach, auf Schritt und Tritt.

Wenn wir im Löschteich schwimmen gingen, sprang er auch ins Wasser. Und er konnte apportieren.«

»Jeder in der Gegend kannte ihn«, bestätigte der alte Graf. »Ein paar Mal waren Reporter hier, die Berichte über den Fuchs gemacht haben. Die Artikel haben wir noch irgendwo.«

»Er hat bei dir im Bett geschlafen«, sagte die Gräfin zu ihrem ältesten Sohn und lächelte. »Dabei hatte ich das ausdrücklich verboten.«

»Die Kinder haben den Fuchs manchmal an der Leine spazieren geführt«, wandte sich der Graf an Pia und Kim. »Ich wollte nicht, dass er ein Halsband trägt, aber ...«

»Wo führte der Weg zum Friedhof entlang?«, fiel Bodenstein seinem Vater ins Wort. »Konnte man damals noch mit dem Auto hinfahren?«

»Ja, natürlich.« Sein Vater nickte nach kurzer Irritation. »Ursprünglich gab es sogar zwei Zufahrtsmöglichkeiten. Ein Weg führte direkt von hier aus zum Friedhof. Der andere zweigte von einem Forstweg ab, der hoch zur B455 führt. Aber da die Kapelle nicht mehr existiert und der Friedhof längst säkularisiert wurde, ist dieser Weg mit der Zeit vom Wald verschluckt worden.«

»Und wie war es 1972?«

Seine Eltern wechselten einen Blick.

»Damals muss er noch gut befahrbar gewesen sein«, räumte der alte Graf ein. »Wir hatten Denkmalschutz für den Friedhof beantragt und die Gräber herrichten lassen, wegen der Begutachtung durch die untere Denkmalschutzbehörde. Weißt du noch, wann genau das gewesen ist, Leonora?«

»Im Juni 1972«, erwiderte Bodensteins Mutter, ohne zu zögern. »Ich kann mich noch sehr gut daran erinnern, wie erleichtert wir damals alle waren, weil man just an dem Tag, an dem der Gutachter kam, Ulrike Meinhof festgenommen hatte.«

Sogar Bodenstein erinnerte sich dunkel. Die Ziehmutter der berüchtigten Terroristin hatte in Eppenhain gelebt, und monatelang hatten die Wälder rings um das Nachbardorf von Spezialeinheiten der Polizei gewimmelt. Man hatte gehofft, die Terroristin würde möglicherweise ihre Zwillingstöchter besuchen, die zeitweise bei ihrer Ziehmutter gelebt hatten – aber vergeblich. Am 15. Juni 1972 war sie schließlich in der Nähe von Hannover festgenommen worden.

»Glaubst du denn wirklich, Rosie hatte etwas damit zu tun?«, wandte sich die Gräfin an Bodenstein. »Ich kann mir beim besten Willen nicht vorstellen, dass sie einem Kind etwas zuleide getan haben könnte.«

»Und wie sollte sie überhaupt nachts alleine eine schwere Grabplatte hochstemmen?«, schloss sich sein Vater an.

»Sie war nicht alleine«, erwiderte Bodenstein nachdrücklich. »Ich habe eher die Vermutung, dass Rosie Arturs Mörder begleitet hat. Wahrscheinlich war es sogar ihre Idee, die Leiche auf dem Friedhof im Wald abzulegen.«

»Aber man hätte Spuren an der vermoosten Platte gesehen«, gab Quentin zu bedenken.

»Zu der Zeit war kein Moos auf den Platten«, sagte die Gräfin. »Wir hatten ja kurz zuvor alles ordentlich saubermachen lassen.«

»Und nachdem die untere Denkmalschutzbehörde unseren Antrag abgelehnt hatte, hat sich niemand mehr um den Friedhof gekümmert«, ergänzte Heinrich von Bodenstein. »Ich war vielleicht vor zehn Jahren das letzte Mal dort.«

»Hatte Rosie gewusst, dass der Antrag auf Denkmalschutz abgelehnt wurde?«, wollte Bodenstein von seiner Mutter wissen.

»Ja, ich denke schon«, erwiderte sie zögernd. »Ihr Mann hatte die Schlosserarbeiten am Zaun ausgeführt. Und einer von Rosies älteren Brüdern, der Steinmetz war, hatte die Gräber in Ordnung gebracht.«

Bodensteins Blick begegnete dem von Wieland, der nur kurz die Augenbrauen hob. Edgars Eltern hatten also über den Zustand des Friedhofs Bescheid gewusst. Und mit Sicherheit hatten sie auch gewusst, dass sich niemand mehr um den Friedhof kümmern würde, nachdem der erhoffte Denkmalschutz abgelehnt worden war.

»Ist es nicht merkwürdig, dass die Polizei damals nach Arturs Verschwinden ausgerechnet den alten Friedhof vergessen hat?« Quentin stand auf und stellte seine Tasse auf die Spüle.

»Die Suche konzentrierte sich auf die Gegend rings um Ruppertshain, wo die Kinder hauptsächlich gespielt hatten«, erinnerte sich sein Vater. »Der Friedhof liegt auf der anderen Seite des Gutes, schon auf Fischbacher Gemarkung.«

»Man hat damals wirklich jeden Einwohner in Ruppertshain befragt«, ergänzte Gräfin von Bodenstein. »Sogar die Patienten und das Personal der Heilstätte. Und dann ist diese schreckliche Sache mit Leo passiert. Das ist der Sohn von Annemie Keller, die kennst du doch, Oliver, nicht wahr?«

»Ja, natürlich kenne ich sie«, erwiderte er. »Und natürlich auch Leo. Er war unser Jugendfußballtrainer beim SV Ruppertshain.«

Pia erinnerte sich an den stotternden Mann, mit dem sie vorgestern gesprochen hatte.

»Meint ihr den Leo Keller, der hin und wieder für Edgar Herold arbeitet?«, fragte Pia. »Herolds Alibi für den Donnerstagnachmittag?«

»Ja«, bestätigte Bodenstein.

»Der machte auf mich einen … nun ja … leicht debilen Eindruck.«

»So war er nicht immer. Leo hat bei der Metzgerei Hartmann als Geselle gearbeitet. Er war ein netter Junge.« Bodensteins Mutter stieß einen Seufzer aus. »Ich kenne die genauen Umstände nicht, doch er geriet irgendwie unter Verdacht, und man fand in der Hütte, in der er hauste, ein Kleidungsstück von Artur.«

»Aber erst danach«, sagte der Graf.

»Nach was?«, wollte Bodenstein wissen.

»Aus irgendeinem Grund wollte die Polizei mit ihm sprechen. Bevor es dazu kam, hatte er sich mit dem Bolzenschussapparat aus der Metzgerei selbst in den Kopf geschossen. Er lag monatelang im Koma. Danach war er nicht mehr derselbe. Heute arbeitet er bei der Stadt. Als Hilfsarbeiter. Seit dem Vorfall ist er etwas … seltsam.«

»Das wusste ich ja gar nicht.« Bodenstein furchte verblüfft die Stirn. »Ich dachte, er hätte einen Unfall gehabt!«

Auch Wieland und Quentin waren überrascht.

»Das war die Geschichte, die man den Kindern erzählte«, gab die Gräfin zu. »Der ganze Ort war fassungslos, als herauskam, dass Leo es wohl auf kleine Jungen abgesehen hatte. Immerhin war er Jugendfußballtrainer, die Leute hatten ihm ihre Kinder anvertraut.«

»Aber das ist doch kompletter Unsinn!« Bodenstein schüttelte ungläubig den Kopf. Er begann, in der Küche auf und ab zu gehen. »Wir waren oft bei Leo in der Hütte! Und ich kann mich nicht daran erinnern, dass er sich jemals ungebührlich verhalten hätte. Es wird allerhöchste Zeit, dass ich die alten Fallakten kriege. Wir müssen uns dringend einen Überblick über die damaligen Ermittlungen verschaffen.«

»Die Polizei und auch die Leute im Ort werteten Leos Selbstmordversuch als klares Schuldeingeständnis. Alle glaubten, dass er dem Jungen etwas angetan hatte«, sagte die Gräfin bekümmert. »Leos Eltern wurden danach regelrecht in Sippenhaft genommen. Niemand kaufte mehr bei ihnen ein. Sie mussten den Laden schließen, sein Vater verfiel dem Alkohol. Es war eine Tragödie.«

»Wohl nicht die einzige«, bemerkte Pia. »Warum sind Leos Eltern in Ruppertshain geblieben? Sie hätten doch woanders hinziehen können, oder nicht?«

»Das hatten sie vor«, antwortete Bodensteins Mutter. »Sie wollten ihr Haus mit dem Laden in der Wiesenstraße verkaufen, aber niemand wollte es haben. Auch für die paar Äcker und Wiesen, die ihnen gehörten, fand sich kein Käufer. Deshalb mussten sie wohl oder übel bleiben.«

»Wie schrecklich!«, sagte Pia voller Inbrunst. »Wie kann man solche falschen Verdächtigungen aushalten?«

Bodensteins Vater räusperte sich.

»Im Endeffekt wurde nie bewiesen, ob an den Verdächtigungen etwas dran war«, sagte er. »Nachdem die Ermittlungen eingestellt worden waren, war jeder fest davon überzeugt, dass Leo den Jungen missbraucht, getötet und irgendwo verscharrt hatte.«

»Aber wenn alle so fest von Leos Schuld überzeugt sind, wieso lässt man ihn dann unbehelligt?«, warf Pia ein.

Betretenes Schweigen herrschte in der Küche. Bodenstein blieb stehen und starrte seine Eltern an, doch weder der Graf noch die Gräfin trauten sich, das Offensichtliche auszusprechen.

»Weil es in Wirklichkeit niemanden interessiert.« Mühsam

unterdrückter Zorn ließ Bodensteins Stimme beben. »Es war schließlich nur ein unbeliebter kleiner Russenjunge verschwunden und niemand aus dem Ort. Das ist die ganze Wahrheit.«

***

Bodenstein und Wieland Kapteina standen unter der mächtigen Kastanie, deren Blätter im hellen Sonnenschein wie pures Gold glänzten, als Pia, gefolgt von Kim und Quentin, das Gutshaus verließ. Die Sonne strahlte, Spinnwebenfäden schwebten durch die Luft. Bei den Ställen weiter hinten im Hof herrschte geschäftiges Treiben. Pferde wurden geputzt und gesattelt, eine Gruppe junger Frauen rüstete sich für einen Sonntagsausritt. Was auch geschah, das Leben ging unbeeindruckt davon weiter.

Der Förster verabschiedete sich und ging zu seinem Auto, auch Bodensteins Bruder verschwand in Richtung Stallungen.

»Willst du mit Leo Keller sprechen?«, fragte Pia ihren Chef.

»Nein.« Er schüttelte den Kopf. »Noch nicht. Wir müssen erst genau wissen, was man ihm damals vorgeworfen hat. Es wird sich blitzschnell herumsprechen, wenn wir ihn vernehmen. Ganz sicher erinnert sich jemand an die alte Geschichte, und dann könnte eine Hexenjagd ausbrechen. Das darf nicht geschehen.«

»Könnte es denn theoretisch sein, dass er der Täter war?«, wollte Kim wissen.

»Theoretisch, ja. Natürlich.« Bodenstein setzte sich in Bewegung, Pia und Kim folgten ihm. »Er war damals Anfang zwanzig, und Artur kannte ihn gut. Aber welchen Grund sollte Leo gehabt haben, Artur umzubringen?«

»Vielleicht war es ja ein Unfall«, sagte Pia.

»Und was hatte Rosie damit zu tun?«, wandte Bodenstein ein.

»Möglicherweise hatten die beiden was miteinander«, vermutete Pia. »Vom Alter her könnte Leo Keller der Vater von Sonja Schreck sein. Das herauszufinden ist mit einem DNA-Abgleich ein Kinderspiel.«

»Hm.«

»Wo stand Leos Hütte?«, fragte Pia.

»Ein Stück unterhalb der Stelle, wo heute die Schönwiesenhalle steht«, antwortete Bodenstein.

»Artur ist gegen 18:30 Uhr bei euch losgelaufen«, überlegte Pia. »Zu Leos Hütte war es kein Umweg für ihn, vielleicht wollte er kurz bei ihm vorbeischauen und hallo sagen. Dummerweise hatte Leo gerade verheirateten Damenbesuch, und Artur überraschte die beiden in flagranti. Sie brachten ihn um, damit er sie nicht verraten würde.«

»Die Idee hatten Wieland und ich auch schon«, gab Bodenstein zu. »Allerdings ist es im August noch lange hell, und ich kann mir nicht vorstellen, dass Rosie das Risiko eingegangen wäre, sich am helllichten Tag mit einem heimlichen Liebhaber zu treffen. Aber angenommen, es war so, und Artur hat Rosie und Leo überrascht: Wer ist dann der Mörder von Rosie, Clemens und Maurer? Leo ist dazu wohl kaum mehr in der Lage.«

Sie gingen die Straße hinauf zu dem Parkplatz, auf dem sie ihre Autos stehen gelassen hatten. Plötzlich fielen Pia wieder die Bilder ein, die Tariq auf dem Computer von Clemens Herold gefunden hatte.

»Oliver, du musst dir unbedingt ein paar Fotos ansehen«, unterbrach sie Kim, die gerade über eine mögliche Zusammenarbeit mit Spezialisten der Operativen Fallanalyseeinheit vom LKA wegen der Erstellung eines Täterprofils sprach.

»Welche Fotos?« Bodenstein blieb stehen und blickte sie an.

»Clemens Herold hatte nicht an einer Familienchronik gearbeitet, sondern an einer Art Ortschronik, wobei ihn offenbar ganz besonders alte Verbrechen interessiert haben«, erwiderte Pia. »Er hat Hunderte von alten Fotos gesammelt und katalogisiert. Uns sagen die Gesichter der Leute nichts, aber du erkennst sicher jemanden.«

»Was versprichst du dir davon?«, wollte Bodenstein wissen.

Zwei Autos kamen die schmale Straße hinunter, die zum Restaurant im Schloss und zum Reitstall führte. Sie traten zur Seite und ließen die Autos passieren.

»Ich glaube, du könntest recht haben mit deiner Theorie.« Pia gehörte nicht zu den Menschen, denen es schwerfiel, sich einen Irrtum einzugestehen. »Ich gebe zu, dass ich gestern deine Vermutung, unsere Morde könnten mit Arturs Verschwinden zu tun haben, noch ziemlich abstrus fand, aber jetzt sehe ich das anders. Es ist auf jeden Fall ein Ansatz, den wir verfolgen müssen.«

Bodenstein blickte sie an, und Pia bemerkte mit Bestürzung, dass ihr Chef den Tränen nahe war. Ihr war vorhin nicht entgangen, wie Bodenstein bei der Erwähnung von Maxi reagiert hatte, auch wenn er wie üblich seine Gefühle hinter einer ausdruckslosen Miene verborgen hatte.

»Ich komme gleich ins Kommissariat und schaue mir die Fotos an«, sagte Bodenstein rau, wandte sich ab und ging die Straße hoch in Richtung Waldparkplatz.

***

Alles war weg: ihr Portemonnaie mit ihrem letzten Bargeld, die ohnehin wertlosen EC- und Kreditkarten, ihr Führerschein, der Personalausweis und der Fahrzeugschein von ihrem Porsche Boxster, der längst nicht mehr ihr gehörte. Natürlich hatte dieser undankbare Junkie ihr Smartphone und ihren Laptop geklaut und darüber hinaus die Pistole ihres Schwagers und den Landrover mitgenommen. Felicitas saß benommen auf der Bettkante und las den Brief, den Elias ihr auf das Kopfkissen gelegt hatte, ein zweites Mal.

Tut mir echt leid, dass ich dich eingesperrt habe. Muss mit Nike reden, unbedingt. Hoffe, du verstehst mich. Leihe mir dein Handy und den Laptop nur aus, geb dir alles wieder. Bitte nicht zu den Bullen gehen! Ich erklär dir alles. Musst dir keine Sorgen um die Hunde machen, die nehm ich mit. Auto bring ich auch zurück. Hat übrigens nur Sprit gefehlt. Bis später! ☺

Fassungslosigkeit und Enttäuschung schäumten in ihr empor. Der Smiley, den er daneben gemalt hatte, schien sie zu verhöhnen. Felicitas saugte an ihrem Zeigefinger. Bei ihrer Ausbruchaktion aus dem fensterlosen Bad hatte sie sich den Fingernagel bis aufs Nagelbett eingerissen, das schmerzte höllisch. Es war Elias scheißegal, was mit ihr war. Er dachte nur an sich! Wie hatte sie nur so blöd sein können, ihm zu vertrauen? Ja, er hatte ihr ehrlich leidgetan und sie hatte regelrecht mütterliche Gefühle für diesen Mistkerl entwickelt, es insgeheim genossen, ihn zu umsorgen und aufzupäppeln, aber bei der erstbesten Gelegenheit hatte er sie ausgetrickst und beklaut, wie das Drogensüchtige eben tun. Mit ihrer Nachsicht war Schluss, sie würde sich jetzt anziehen und zur Polizei laufen.

Und was dann? Sie war Mitte fünfzig und arbeitslos. Einen Job, der ihren Ansprüchen und Fähigkeiten entsprach, würde sie nicht mehr finden. Zur Putzfrau oder Kassiererin taugte sie nicht. Ihr Konto war leer, der Geldeintreiber hinter ihr her. Die Menschen, die einmal ihre Freunde gewesen waren, hatten sich von ihr abgewendet, weil sie sie zu oft vor den Kopf gestoßen hatte. Ihre Eltern waren tot, ihre Schwester, die ihr ohnehin nur aus rein egoistischen Gründen Asyl gewährte, weilte auf der anderen Seite der Erdkugel. Es gab keine Menschenseele, die sie vermisste. Keinen Ort, an dem sie willkommen gewesen wäre.

Was nützte es schon, wenn sie zur Polizei ging und Elias anzeigte? Und wohin sollte sie danach gehen? In ein Obdachlosenasyl etwa? Sie hatte keine Lust mehr und auch keine Kraft. Der Zorn, der sie ihr ganzes Leben lang angetrieben hatte, war erloschen. Ihre Entscheidung stand fest, denn für ein Einsiedlerleben in Armut fehlte ihr eindeutig jede Begabung.

***

Pia hatte die Freundin von Elias Lessing und ihre Mutter völlig vergessen und war deshalb kurz irritiert, als der KvD sie hinter der Sicherheitsschleuse abfing und ihr mitteilte, dass eine Frau Haverland samt Tochter auf dem Flur vor ihrem Büro auf sie warteten.

»Auch das noch!« Pias Magen knurrte vernehmlich. Sie hatte nicht gefrühstückt, aber das musste jetzt warten. Immer zwei Stufen auf einmal nehmend, rannte sie die Treppe hoch in den ersten Stock und stieß beinahe mit Tariq zusammen. Er kam im gleichen Tempo die Treppe herunter, das Smartphone zwischen Ohr und Schulter geklemmt.

»Hey!«, sagte sie überrascht. »Was machst du denn heute hier?«

»Kai hat mich angerufen.« Er steckte rasch das Telefon in die Gesäßtasche seiner Jeans. »Ihr habt das Skelett von dem Jungen gefunden, stimmt's?«

»Sieht so aus.« Pia musterte ihn prüfend. »Was ist los?«

»Nichts. Was soll los sein?«, antwortete er mit unschuldigem Augenaufschlag.

»Wenn du Zeit hast, kannst du mit zum Gespräch mit Elias Lessings Freundin kommen.«

»Ja. Klar.«

Pia ging die restlichen Stufen hoch, und er folgte ihr. Sie öffnete die Feuerschutztür.

»Falls das Mädchen mauert, kannst du deinen Charme spielen lassen. Die Wildkatzenforscherin hast du ja auch in null Komma nichts um den Finger gewickelt.«

Interessiert bemerkte Pia, dass Tariq bis an die Haarwurzeln errötete. Hatte am Ende gar nicht er die rothaarige Pauline betört, sondern sie ihn?

»Hast du noch mal etwas von ihr gehört?«, erkundigte sie sich.

»Äh, nee. Nicht so richtig.«

»Was soll denn das heißen?«

»Na ja, sie hat mir nur eine ...« Tariq verstummte, als sie um die Ecke in den Flur einbogen, in dem sich die Büros des K11 befanden. Frau Haverland und ihre Tochter erhoben sich von den froschgrünen Plastikstühlen, die so unbequem waren, wie sie aussahen. Auf ihren Gesichtern lag jene Mischung aus Beklommenheit und unbehaglicher Faszination, die Pia bei Leuten, die zum ersten Mal mit der Kriminalpolizei zu tun haben, immer wieder konstatierte.

»Danke, dass Sie sich bei uns gemeldet haben und hergekommen sind«, sagte Pia, nachdem sie Tariq und sich vorgestellt hatte. »Es tut mir leid, dass Sie warten mussten.«

»Das ist kein Problem. Ich bin froh, dass Sie Zeit für uns haben.« Bianca Haverland, ungefähr Mitte bis Ende vierzig, schlank, perfekt frisiert und auf unaufdringliche Weise teuer gekleidet, entsprach wie Frau Lessing jenem Typus Frau, den Pias ehemaliger Kollege Frank Behnke früher sarkastisch als »Taunustorte de luxe« zu bezeichnen pflegte. Was ihr jedoch fehlte, war der hochmütig-selbstbewusste Habitus, mit dem jene Upperclass-Damen beiläufig Visitenkarten ihres Bankvorstands-, Anwalts- oder Unternehmensberater-Ehegatten und Autoschlüssel mit prestigeträchtigem Emblem auf den Tisch legten. Frau Haverland war tief besorgt, und das konnte Pia gut verstehen. Ein krimineller Drogensüchtiger als Schwiegersohn in spe hätte wohl jeder Mutter schlaflose Nächte bereitet.

»Hallo, Nike.« Pia lächelte freundlich und streckte dem Mädchen die Hand hin. Sie hatte dieselben haselnussbraunen Augen und hohen Wangenknochen wie ihre Mutter, das gleiche dicke, glänzend braune Haar. Ihr ungeschminktes Kindergesicht schien nur aus großen, ängstlichen Augen zu bestehen, unter denen Schatten wie violette Halbmonde lagen. Sie war zierlich, geradezu zerbrechlich, und sie war sehr … schwanger.

»Hallo«, hauchte sie.

Pia führte die Haverlands in ihr Büro und wies mit einer Handbewegung auf die Besucherstühle. Während Tariq stehen blieb, nahm sie hinter ihrem Schreibtisch Platz, holte das Diktiergerät aus der Schublade und bat um die Erlaubnis, es einzuschalten. Nachdem sie Datum, Uhrzeit und die Namen der anwesenden Personen auf Band gesprochen hatte, wandte sie sich an Nike.

»Wie wir erfahren haben, sind Sie die Freundin von Elias Lessing. Falls Sie mit ihm verlobt sind, müssen Sie nichts sagen, was …«

»Unsere Tochter hat mit diesem Jungen *nichts* zu tun«, fiel Frau Haverland ihr ins Wort. »Mein Mann und ich sind der Meinung, dass er ihr wahrscheinlich Gewalt angetan oder sie unter Drogen gesetzt hat. Wir erwägen eine Anzeige. Schließlich ist Nike noch minderjährig.«

Besitzergreifend legte sie ihre Hand auf den Arm des Mädchens, aber Nike streifte sie unwillig ab. Pia musterte Mutter und Tochter nachdenklich. Noch ein Kind, das sich aller Bemühungen seiner Eltern zum Trotz für ein anderes Leben als das vorgesehene entschieden hatte? Sie konnte sich lebhaft vorstellen, wie das Leben von Nike Haverland aussah: komplett organisiert und durchgetaktet von morgens bis abends. Ganz sicher hatten die Eltern viel Geld, Zeit und Planung in die Ausbildung ihrer Tochter investiert, aber hatten sie jemals danach gefragt, ob das alles dem Mädchen auch gefiel?

»Wir haben nichts davon gewusst, dass Nike sich mit diesem Jungen trifft«, sagte die Mutter. »Bis heute sagt sie uns nicht, wo sie ihn kennengelernt hat und wie es ... *dazu* kommen konnte.« Sie machte eine vorwurfsvolle Handbewegung in Richtung Nikes Bauch. »Sie können sich wohl vorstellen, wie schockiert wir waren, als wir erfuhren, dass sie ... in anderen Umständen ist. Nike ist gerade mal siebzehn Jahre alt. Sie verbaut sich ihr ganzes Leben. Vielleicht können Sie ihr ins Gewissen reden.«

Frau Haverland sprach von ihrer Tochter, als sei diese überhaupt nicht anwesend. Dabei war unübersehbar, unter welchem Druck das Mädchen stand. Ihre Augenlider waren geschwollen vom Weinen, die Fingernägel abgekaut bis auf die Nagelhaut.

»Um eines klarzustellen«, sagte Pia. »Nike ist nicht als Beschuldigte zu einer Vernehmung hier, sondern lediglich zu einer Zeugenbefragung. Niemand macht hier irgendwem Vorwürfe, und die Erziehung Ihrer Tochter geht mich nichts an.« Sie wandte sich an das Mädchen. »Nike, Sie wissen, worum es geht?«

Das Mädchen nickte scheu, vermied aber jeden Blickkontakt.

»Sind Sie mit Elias Lessing verlobt oder verwandt?«

Kopfschütteln.

»Dann haben Sie kein Aussageverweigerungsrecht und müssen wahrheitsgemäß antworten.«

Nike nickte wieder.

»Wir suchen nach Elias, weil wir seine Fingerabdrücke in der Nähe eines Tatorts gefunden haben. Das bedeutet nicht, dass wir glauben, er sei an einem Verbrechen beteiligt. Wir suchen ihn als möglichen Zeugen«, sagte Pia mit sanfter Stimme. »Es wäre wichtig für uns zu wissen, wann Sie ihn zuletzt gesehen und mit ihm gesprochen haben.«

Keine Reaktion von Nike. Dafür aber umso heftigere von Frau Haverland. So hatte das keinen Sinn. Pia war selbst einmal siebzehn gewesen und wusste, dass Nike kein Wort sagen würde, solange ihre Mutter dabei war.

»Ich möchte mit Nike alleine sprechen«, sagte sie deshalb. »Bitte warten Sie solange draußen im Flur.«

»Auf keinen Fall!«, protestierte die Mutter. »Unsere Tochter ist minderjährig, sie hat das Recht darauf, dass ...«

»Mama, bitte!«, fiel Nike ihrer Mutter ins Wort, ohne sie anzusehen. »Ich bin kein Baby mehr.«

»Entweder stellen Sie Ihre Fragen in meiner Anwesenheit oder gar nicht.« Sie beachtete den Einwand ihrer Tochter nicht, legte stattdessen wieder ihre Hand auf Nikes Arm. Nikes Körper versteifte sich, doch das bemerkte sie gar nicht.

Pia verspürte Mitgefühl mit dem Mädchen. Es musste schwer sein, sich gegen eine derart dominante Mutter durchzusetzen, die es ja eigentlich gut mit ihr meinte und das Beste für sie und ihre Zukunft wollte. Leider vergaßen Eltern manchmal, dass ihre Kinder keine Schachfiguren waren, sondern eigenständige Persönlichkeiten, die durchaus eigene Ansichten entwickelten und sich nicht mehr herumkommandieren und kontrollieren lassen wollten. Im Prinzip war es Elias nicht viel anders ergangen, das hatte seine Mutter selbst zugegeben.

Schließlich ließ Frau Haverland sich davon überzeugen, draußen zu warten.

»Ist es okay, wenn ich dich duze?«, fragte Pia das Mädchen, als sich die Tür geschlossen hatte und sie allein waren.

»Ja, klar.«

»Willst du etwas trinken?«

»Nein danke.« Das Mädchen verzog das Gesicht. »Sonst muss ich gleich wieder aufs Klo.«

»Wie lange hast du noch?«

»Zwei Wochen.« Nike legte ihre Hände schützend auf ihren Bauch. Ein Lächeln zuckte um ihre Mundwinkel, erlosch aber sofort wieder. »Meine Eltern wollen, dass ich mein Kind gleich nach der Geburt zur Adoption freigebe. Ich soll Abi machen und danach zum Studium nach Amerika gehen. Mit Kind wird das natürlich schwierig. Meine Eltern hassen es, wenn irgendwas anders läuft, als sie es geplant haben. Sie haben mich in meinem Zimmer eingesperrt und mein Handy überprüft, echt total bescheuert!«

Ihre Stimme klang bitter.

»Und was willst du?«, wollte Pia wissen.

»Ich … ich weiß es nicht.« Zum ersten Mal hob Nike den Kopf und sah Pia an.

»Gehst du noch zur Schule?«

»Ja.« Nike hob das Kinn, in ihre Stimme schlich sich ein Anflug von Verachtung. »Sie haben irgendwann nachgegeben. Vielleicht, weil sie gedacht haben, ich würd mir was antun. Meine Eltern machen sich weniger Sorgen um mich als darum, was die Leute denken. Der Schein muss um jeden Preis gewahrt bleiben. Pah!«

Sie schnaubte verächtlich.

»Wo hast du Elias kennengelernt?«, erkundigte Pia sich.

»In einem Club in Frankfurt«, antwortete Nike. »Vor einem Jahr ungefähr. Ich war heimlich mit ein paar Freundinnen dort. Meine Eltern hätten es mir nie erlaubt. Es war … verrückt. Irgendwie … Liebe auf den ersten Blick.«

Sie lächelte unsicher, aber ihre Augen leuchteten.

»Eli war … keine Ahnung … ihm geht's wie mir.« Sie zuckte die Achseln, ihre Stimme wurde fester. »Er hat genauso Druck von seinen Eltern gekriegt wie ich. Alles verplant, alles vorbestimmt. Man muss immer funktionieren, immer besser sein als alle anderen, immer Erfolg haben, sonst wird gemeckert. Sein Vater ist noch viel krasser drauf als meine Eltern. Irgendwann hat Elias das alles nicht mehr ausgehalten.«

»Ein bisschen kann ich die Sorge deiner Eltern nachvollziehen«, warf Pia ein. »Elias ist immerhin mehrfach vorbestraft und seit Jahren drogensüchtig und kriminell.«

»Ja, ich weiß! Er ist in das alles irgendwie … reingerutscht.« Nikes Wangen hatten Farbe bekommen. »Aber er will aufhören mit den Drogen. Und ich bin mir total sicher, dass er das schafft.«

»Hm.« Pia betrachtete die junge Frau, die da vor ihr saß, eindringlich. Dem behüteten und naiven Mädchen aus gutem Hause waren die Dimensionen von Elias' Problemen offenbar nicht bewusst. Wusste Nike, was es bedeutete, drogenabhängig zu sein und wie schwer es war, von dem Teufelszeug wegzukommen? Sie war zum ersten Mal verliebt, und ihr war es todernst mit Elias. Würde sie ihn schützen und aus falsch verstandener Liebe fatalerweise für ihn lügen?

»Und warum hast du deinen Eltern nichts von ihm erzählt? Dir musste doch klar sein, dass man dir deinen Zustand irgendwann ansehen würde?«

»Ich hab's bis vor einem Monat verbergen können«, erwiderte Nike. »Meine Eltern sind total ausgetickt! Sie wollen, dass ich so werde wie sie! Jurastudium in England, irgendeinen tollen Job, wo man viel Kohle scheffelt, dann irgendeinen erfolgreichen Langweiler als Mann, ein Haus in der richtigen Gegend, zwei Kinder – oh Gott! Ich will das aber nicht! Ich will Psychologie studieren und irgendwas Sinnvolles machen. Auf der anderen Seite ... will ich meinen Eltern nicht weh tun. Sie meinen es ja nur gut mit mir.«

Nike starrte auf ihre Hände, und plötzlich rannen Tränen über die blassen Wangen. Warum weinte sie? Weil sich der vermeintliche Traumprinz in einen Frosch verwandelt hatte, in einen drogensüchtigen obendrein? Oder weil sie ihn trotzdem liebte, aber ihre Eltern nicht vor den Kopf stoßen wollte?

»Als ... als ich Eli gesagt habe, dass ich ihn nicht mehr sehen kann, war er total verzweifelt«, gestand Nike, ohne Pia anzusehen. »Er hat gesagt, ohne mich macht das Leben für ihn keinen Sinn mehr. Für mich würde er mit den Drogen aufhören und das Abi nachmachen. Das hat er mir geschworen. Ich wäre der erste Mensch in seinem Leben, der ihm wirklich etwas bedeuten würde.« Sie lächelte unsicher. »Ist das nicht irgendwie voll süß?«

Das war alles andere als süß, sondern brutale emotionale Erpressung, wie Pia sie selbst einmal erlebt hatte. Nike hatte nicht den Hauch einer Chance, sich aus eigener Kraft aus dieser fatalen Beziehung zu befreien.

»Meine Eltern haben mir total Druck gemacht, deshalb ... deshalb hab ich ihnen das erzählt, dass er ... mich bedroht hätte und so.« Sie schluchzte auf. »Ich kam mir vor, als ob ich ihn verraten hätte, so wie Petrus in der Bibel. Eli und ich haben ausgemacht, dass wir uns erst mal nicht mehr sehen. Meine Mutter hat mir eine neue Handynummer besorgt und auch eine neue E-Mail-Adresse eingerichtet, ich musste meine Facebook- und Instagram-Accounts löschen.«

»Aber du hast trotzdem weiterhin Kontakt mit ihm gehabt?«

»Hm.« Nike nickte unbehaglich.

»Wann hast du das letzte Mal mit ihm gesprochen?«

»Vor ein paar Wochen.« Das Mädchen senkte den Kopf. »Als

ich ihm gesagt hab, dass ich ihn nicht mehr sehen will. Das Letzte, was ich von ihm gehört habe, war eine SMS am letzten Donnerstag. Da hat er mir geschrieben, er müsste eine Weile ... untertauchen. Keine Ahnung, was er damit gemeint hat.«

Nike blickte auf. Sie war verzweifelt.

»Wir müssen dringend mit Elias sprechen«, sagte Pia ernst. »Er ist wohl durch Zufall in eine üble Sache verwickelt worden.«

Nikes Augen wurden groß.

»In der Nacht von Mittwoch auf Donnerstag ist auf einem Campingplatz im Wald zwischen Königstein und Glashütten ein Mann ums Leben gekommen«, sagte Pia. »Er verbrannte in einem Wohnwagen bis zur Unkenntlichkeit. Nach unseren bisherigen Erkenntnissen wurde er umgebracht. Es geht also um Mord.«

Nike klemmte ihre Hände zwischen die Knie und hörte aufmerksam zu. Zwischen ihren Augenbrauen hatte sich eine steile Falte gebildet, die Ähnlichkeit mit ihrer Mutter war unverkennbar.

»Elias muss sich in einem anderen Wohnwagen aufgehalten haben, zu dem er sich widerrechtlich Zutritt verschafft hat«, fuhr Pia fort. »Offenbar wurde er verletzt, denn wir haben Blutspuren festgestellt. Er flüchtete in den Wald, aber seine Spur verliert sich nach ein paar Kilometern.«

»Denken Sie etwa, Elias hätte jemanden umgebracht?« In Nikes Augen stand nackte Angst.

»Nein«, entgegnete Pia, obwohl das nicht ganz der Wahrheit entsprach. Momentan war überhaupt noch nicht klar, wer was getan hatte. »Aber Elias könnte den Täter gesehen haben. Andersherum kann aber auch der Täter ihn gesehen haben, und falls er ihn erkannt hat, könnte Elias jetzt in großer Gefahr sein.«

Nike legte nachdenklich die Stirn in Falten.

»Weißt du, wo er sich jetzt aufhält, Nike?«, fragte Pia.

»Nein.« Nike nickte, doch für einen winzigen Moment huschte ihr Blick zur Seite.

»Wirklich nicht?« Pia verschränkte die Arme vor der Brust und lehnte sich an den ehemaligen Schreibtisch von Frank Behnke, den Kai für seine Ablage nutzte.

»Elias darf nicht mehr ins Gefängnis!«, begehrte Nike plötzlich auf. »Dort hat er nie eine Chance, von den Drogen loszukommen! Er ist ja nur deshalb auf diesem Campingplatz gewesen, um einen Entzug zu machen. Da sind keine Leute, keine Läden, in denen er ... keine Ahnung ... Alkohol oder Tabletten kaufen könnte, es gibt nicht mal Handyempfang. Er meint es wirklich voll ernst! Bitte, das müssen Sie mir glauben!«

»Das tue ich ja«, beruhigte Pia das Mädchen. »Aber wir konnten Elias' Namen nicht aus der Presse raushalten, denn er wird dringend gesucht. Und wenn der Mörder in der Zeitung seinen Namen liest, dann wird er alles daransetzen, ihn vor uns zu erwischen. Mörder mögen keine Zeugen.«

Nike zupfte an einem losen Faden ihrer Strickjacke und kaute auf ihrer Unterlippe. Der Kampf zwischen Vernunft und Loyalität, der in ihrem Innern tobte, zeichnete sich auf ihrem blassen Gesicht ab.

»Hilf uns, Nike«, bat Pia. »Du bist wahrscheinlich der einzige Mensch, zu dem Elias Vertrauen hat. Vielleicht kannst du ihn davon überzeugen, mit uns zu reden.«

»Was ... was soll ich denn machen?«

Pia bat Frau Haverland wieder ins Büro. Steif setzte sie sich, vermied jedoch den Blickkontakt zu ihrer Tochter. Gemeinsam mit Tariq skizzierte Pia einen Plan, wie man mit Nikes Hilfe an Elias herankommen konnte. Frau Haverland sagte kein Wort. Zweifel und Enttäuschung standen ihr deutlich ins Gesicht geschrieben.

»Ich soll Elias in eine Falle locken?«, fragte Nike.

»Es ist keine Falle«, erwiderte Pia. »Bei uns wäre er in Sicherheit, bis wir denjenigen geschnappt haben, der den Wohnwagen angezündet hat.«

»Aber danach würden Sie ihn wieder ins Gefängnis stecken, stimmt's?«

»Nike! Der Junge ist ...«, platzte es aus Frau Haverland heraus.

»Du kennst ihn doch gar nicht, Mama!«, fuhr Nike ihre Mutter an. Dann wischte sie sich die Tränen ab und wandte sich Pia zu. Ein Hoffnungsschimmer, dessen Ursache Pia nicht ganz klar war, flog über Nikes Gesicht. War sie froh, dass sie nun quasi im Auftrag der Polizei wieder mit Elias sprechen durfte? Würde sie ihnen wirklich helfen?

»Ich mach's«, sagte sie mit fester Stimme. »Ich tue, was Sie von mir wollen. Aber nur unter einer Bedingung.«

»Und die wäre?«

»Eli darf nichts passieren«, erwiderte Nike. »Das müssen Sie mir versprechen.«

* * *

Das Leben, das sie erwartete, war nicht mehr lebenswert, deshalb würde sie ihm hier und heute ein Ende setzen. Tabletten erschienen Felicitas zu unsicher, das Risiko, nicht tot, sondern im schlimmsten Fall in irgendeiner Weise behindert zu sein, war zu groß. Es kam für sie auch nicht in Frage, sich vor ein Auto oder einen Zug zu werfen. Schon oft hatte sie sich früher über den Egoismus der Selbstmörder geärgert, die diesen Weg wählten, denn die ahnungslosen Autofahrer oder Zugführer, denen man wie eine reife Tomate auf die Windschutzscheibe klatschte, waren für den Rest ihres Lebens traumatisiert. Außerdem wollte Felicitas nicht, dass man die Fetzen ihres Körpers auf Bahndämmen oder an Straßenrändern zwischen leeren Flaschen, benutzten Kondomen und sonstigem Müll voller Ekel zusammenklauben musste. Sie wollte in einem Stück sterben, so ansehnlich wie möglich, wenn man sie fand. Das war die einzige Sorge, die sie noch hatte. Was, wenn sie nicht in den nächsten Tagen gefunden wurde, sondern erst von Manu und Jens? Nach drei Wochen würde sie schauerlich aussehen, verwest und voller Maden, die sich an ihren Gedärmen, ihrem Fleisch und ihrem Gehirn gütlich taten. Nein, sie wollte nicht als stinkender Brei, den man aus der Badewanne kratzen und in Plastikwannen abtransportieren müsste, in Erinnerung bleiben, außerdem wollte sie auf keinen Fall nackt sterben. Nein, sie würde sich, bekleidet mit ihrem weißen Lieblingskleid von Versace, in die heiße Badewanne legen, sich die Pulsadern aufschlitzen und dann im warmen Wasser langsam und schmerzlos ausbluten, bis ihr Herz irgendwann aufhörte zu schlagen. Und wenn Elias zurückkam, würde er sie finden und hoffentlich den Schreck seines Lebens kriegen. Sie lächelte bitter. Die Hunde hatte Elias mitgenommen, um die musste sie sich also keine Gedanken machen.

Aber bevor sie ihrem Leben ein Ende setzte, wollte sie noch einmal frische Luft atmen und die beste Flasche aus Jens' Weinkeller köpfen. Felicitas holte den Champagner aus dem Keller, öffnete die Flasche und schenkte sich ein Glas ein. Dann trat sie aus der Haustür und setzte sich auf die Holzbank. Der Ruinart Rosé perlte im Glas. Sie nahm einen großen Schluck, legte den Kopf in den Nacken, atmete tief ein und aus. Die Sonne wärmte ihr Gesicht. Am Himmel zog lautlos ein Flugzeug vorbei, ein Sonnenstrahl ließ den Metallrumpf für einen Moment silbrig aufleuchten, dann verschwand es hinter den Baumwipfeln. Aber der Sonnenschein täuschte. Es roch nach Herbst, nach Verfall und nach Tod.

»Wer jetzt kein Haus hat, baut sich keines mehr«, murmelte Felicitas und blickte in die schweigende Wand aus Bäumen. Schon immer hatten ihr dunkle Wälder aufs Gemüt gedrückt, besonders im Herbst. »Wer jetzt allein ist, wird es lange bleiben.«

Ja, dachte sie, heute war ein guter Tag zum Sterben.

***

Beziehungen schadeten nur dem, der sie nicht hatte. Schnöde hatte Bodenstein das schlechte Gewissen von Henning Kirchhoff und dessen exzellente Kontakte zur Frankfurter Staatsanwaltschaft genutzt, um den offiziellen Dienstweg abzukürzen und an einem Sonntagnachmittag eine zweiundvierzig Jahre alte Fallakte aus dem Archiv zu bekommen. Die Dokumentation der Ermittlungen um das Verschwinden von Artur Berjakov im Jahr 1972 offenbarte erschreckend lax geführte Ermittlungen. Die Lektüre war so niederschmetternd, dass Bodenstein sich dazu zwingen musste, sie durchzuarbeiten.

Da es weder Leiche noch Tatort gegeben hatte, war man zunächst nicht von einem Gewaltverbrechen ausgegangen und hatte dementsprechend wenig Aufwand betrieben. Anfang der siebziger Jahre war das Vorgehen der Polizei noch ein völlig anderes gewesen als heute, und es hatte unfassbare fünf Tage gedauert, bis die Kriminalpolizei aus Frankfurt den Fall in der Provinz übernommen hatte. Bodenstein konnte kaum fassen, was er lesen musste. Arturs Eltern hatten ihren Sohn am frühen Morgen des 18. August 1972 bei der Polizeidienststelle in Königstein als vermisst gemeldet, nachdem er in der Nacht nicht nach Hause gekommen war. Man hatte sie zunächst überhaupt nicht ernst genommen und damit vertrösten wollen, dass der Junge wahrscheinlich nur von zu Hause ausgerissen sei und schon wieder auftauchen werde. In seiner Ignoranz hatte der Beamte, der die Vermisstenmeldung protokolliert hatte, diese Vermutung sogar schriftlich vermerkt. Arturs Eltern und seine damals dreizehnjährige Schwester Valentina waren mehrmals vernommen worden; erst als diese Vernehmungen unergiebig schienen und der Elfjährige nicht wieder aufgetaucht war, hatte man mit Freunden des Kindes gesprochen.

Es fühlte sich für Bodenstein eigenartig an, das Protokoll zu lesen, das am 24. August 1972 – sieben Tage nach Arturs Verschwinden – von seiner »Einvernahme« angefertigt worden war. Jugendpsychologie war bei der Polizei damals noch kein Thema gewesen, und Bodenstein schüttelte immer wieder ungläubig den Kopf, als er die Fragen und seine Antworten las. Man konnte Kinder und Jugendliche nicht wie Erwachsene behandeln und die gleichen Verhörmethoden benutzen, denn sie reagierten und antworteten aufgrund ihrer emotionalen und intellektuellen Unreife völlig anders. Er selbst hatte zwar korrekte Angaben darüber gemacht, wann er Artur zuletzt gesehen hatte und hatte auch den ein oder anderen harmlosen Spielplatz erwähnt, aber darüber hinaus hatte er schlichtweg gelogen und Dinge verschwiegen. Die Gründe lagen, aus der Perspektive eines Elfjährigen betrachtet, klar auf der Hand: schlechtes Gewissen, Schuldgefühle und Angst vor Strafe. Wieland, Artur und er hatten regelmäßig an Orten gespielt, die ihnen streng verboten gewesen waren. So hatten sie zum Beispiel immer die Straße nach Königstein überquert, um zu ihren Lieblingsspielplätzen zu gelangen: zum Landsgraben, zu den alten Minenschächten am Eichkopf und den Mühlen im Tal von Schloßborn. Unmöglich, das bei der Polizei zuzugeben! Wieland hatte ganz ähnliche Antworten gegeben, und alle anderen Kinder, die befragt worden waren, hatten behauptet, gar nichts zu wissen.

Bodenstein notierte, mit wem die Schutzpolizei aus Königstein und später die Kripo aus Frankfurt gesprochen hatte. Wenigstens in dieser Hinsicht war man sorgfältig gewesen, es schien, als hätte man beinahe jeden Einwohner Ruppertshains befragt. Aber niemand wollte Artur am Tag seines Verschwindens gesehen haben, erst recht nicht nach Einbruch der Dunkelheit. 1972 hatte der Ausdruck *political correctness* noch nicht existiert, und manche der Befragten hatten sich offen ausländerfeindlich geäußert. Das war heute undenkbar und wäre als Indiz für eine mögliche Täterschaft gewertet worden, aber damals schien es den Beamten nicht verdächtig vorgekommen zu sein.

Hatte es eine Rolle in der Ermittlungsführung gespielt, dass man Artur als »Russen«, als einen Fremden, angesehen hatte? Wäre die Suche mit mehr Gründlichkeit durchgeführt worden, hätte es sich um einen Jungen aus dem Dorf gehandelt? Zumindest hätten sich die Dörfler anders verhalten, wären solidarischer gewesen. An einer Suchaktion durch die Polizei am 26. August hatten sich zwar 52 Leute aus Ruppertshain beteiligt, das konnte Bodenstein aus einer beigefügten Namensliste ersehen, aber wohl eher aus Sensationsgier. Artur und seine Familie waren Fremde im Dorf gewesen. Nur wenige hatten am Leid seiner Eltern Anteil genommen, das hatte der leitende Kommissar in einer Aktennotiz vermerkt.

Nachdem aus der Bevölkerung nichts Hilfreiches gekommen war, hatte man Angestellte und Patienten der Lungenheilstätte befragt. Ohne Ergebnis. Am 31. August hatte Leonard Keller versucht, sich das Leben zu nehmen, nachdem er durch einen anonymen Anruf bei der Polizei in den Fokus der Ermittler gerückt war. Konrad Ginsberg, der seinerzeit die Ermittlungen geleitet hatte, war 2009 verstorben, dafür hatte Ostermann den Namen und die Telefonnummer von Ginsbergs damaligem Assistenten ausfindig gemacht. Bodenstein zupfte den neongelben Post-it mit Ostermanns Notiz vom Aktendeckel, griff zum Telefon und wählte die Nummer mit Darmstädter Vorwahl. Kriminalhauptkommissar a. D. Benedikt Rath meldete sich bereits nach dem dritten Klingeln und war sofort bereit, sich noch heute mit Bodenstein zu treffen.

***

Da sie ihren Chef telefonisch nicht erreichte, hatte Pia entschieden, mit Tariq zu Elias' Eltern zu fahren. Nach dem, was Nike und ihre Mutter vorhin erzählt hatten, konnte sie sich kein klares Bild von Elias Lessing machen. Sie musste unbedingt herausfinden, was wirklich mit ihm los war.

»Ich habe schon beim letzten Gespräch gemerkt, dass die Lessings etwas verheimlichen«, sagte sie, als sie am Zauberberg links abbogen und nach Ruppertshain hineinfuhren. »Ehrlich gesagt, könnte ich mir sogar vorstellen, dass Elias etwas mit den Morden zu tun hat.«

»Das würde aber der Theorie des Chefs widersprechen«, antwortete Tariq.

Während sie mit den Haverlands gesprochen und Bodenstein im Archiv der Staatsanwaltschaft in Frankfurt nach der Originalakte von 1972 gesucht hatte, hatten Kim und Kai damit begonnen, alle bekannten Fakten der drei aktuellen Morde auf Papierbahnen zu notieren, die sie an den Wänden des Aufenthaltsraums befestigt hatten. Akribisch vermerkten sie jedes Detail der einzelnen Mordfälle, alle Parallelen und Unterschiede und jede Entscheidung, die der oder die Täter vor, während und nach den Taten gefällt haben mussten. Von einem klaren Täterprofil waren sie noch meilenweit entfernt, denn bisher konnten sie nicht beurteilen, ob Artur damals tatsächlich ermordet worden war. Allerdings hatte Einigkeit darüber geherrscht, dass es einen Zusammenhang zwischen Arturs Tod und den heutigen Morden gab. Und plötzlich hatte Pia wieder Zweifel daran.

»Ja, ich weiß.« Sie presste die Lippen zusammen. »Aber ich fühle mich nicht wohl dabei, alle anderen Möglichkeiten einfach außer Acht zu lassen. Wir laufen Gefahr, die Fakten so zu verbiegen, bis sie zu der Geschichte passen, die wir uns zurechtgelegt haben.«

Sie bremste vor dem Haus der Lessings. In der Garageneinfahrt parkte nur ein dunkelgrünes Mini-Cabrio, und Pia hoffte, dass Frau Lessing diesmal allein zu Hause war.

Sie klingelten an der Haustür, dann ein zweites Mal. Gerade als sie unverrichteter Dinge gehen wollten, wurde die Tür geöffnet.

»Ja?« Eine junge Frau blickte sie misstrauisch an. Pia präsentierte ihren Ausweis und nannte ihre Namen.

»Es geht um meinen Bruder, oder?«, vermutete die Frau.

»Um Elias, ja.« Pia nickte und erinnerte sich an eine Bemerkung von Pauline Reichenbach. »Sind Sie Letizia, die Freundin von Pauline?«

»Ja.«

»Wir haben ein paar Fragen an Ihre Mutter. Wann kommt sie zurück?«

»Keine Ahnung.« Letizia zuckte die Schultern. »Sie ist draußen beim Tennisverein. Die haben heute Vereinsmeisterschaften. Kann ich Ihnen helfen?«

»Vielleicht schon«, antwortete Pia. »Sie sind allerdings nicht verpflichtet, etwas zu sagen, wenn Sie …«

»Ja, schon klar. Von wegen Verwandte nicht belasten und so«, fiel Letizia ihr ins Wort. »Ich weiß Bescheid. Aber ich erzähle Ihnen gerne alles, was Sie über diesen Freak wissen wollen. Kommen Sie rein.«

Sie trat einen Schritt zurück, machte eine einladende Handbewegung – ganz wie ihre Mutter – und musterte dabei Tariq, der nur unwesentlich älter sein konnte als sie selbst, von Kopf bis Fuß.

Pia beglückwünschte sich innerlich zu ihrer spontanen Entscheidung, ohne Ankündigung zu Lessings zu fahren, als Tariq und sie der jungen Frau die Treppe hinunter und durch die Küche hinaus auf die Terrasse folgten. Der Garten, der am Hang lag, war perfekt angelegt und ebenso gepflegt wie das Innere des Hauses. Sattgrüner Rasen. Sorgsam beschnittene Büsche. Eine Trauerweide, deren Zweige in das Wasser eines ovalen Teichs hingen. Die Abendsonne ließ unter der Wasseroberfläche zwischen Schilf und Seerosen rötlich und blassweiß gefleckte Rücken großer Koi-Karpfen aufleuchten.

»Wow!« Tariq blickte sich bewundernd um. »Was für ein Paradies!«

»Auch ein Paradies wird irgendwann zur Gewohnheit.« Letizia ging zu einer Sitzgruppe aus silbrigem Teakholz und setzte sich. »Bitte, nehmen Sie Platz.«

Auf dem Tisch lag ein Buch, aus dem ein Lesezeichen ragte,

daneben stand ein Aschenbecher. Tariq verdrehte den Hals, um den Buchtitel zu lesen.

»*Ostfriesenfeuer*«, stellte er fest. »Ist das gut?«

»Es langweilt mich zumindest nicht«, erwiderte Letizia Lessing. »Und das ist schon mehr, als ich von den meisten Büchern behaupten kann.«

»Wie alt sind Sie, Letizia?«, fragte Pia.

Letizia lachte auf und griff nach dem Zigarettenpäckchen.

»Das ist ja ein besonders charmanter Gesprächseinstieg!« Sie verzog spöttisch das Gesicht. »Ich bin sechsundzwanzig.«

»Leben Sie noch bei Ihren Eltern?« Pia wollte sich einen ersten Eindruck von Elias' Schwester verschaffen, und das gelang am besten mit völlig unverfänglichen Fragen, auf die sie ehrlich antworten würde. Sollte sich ihr nonverbales Verhalten später bei wichtigeren Fragen ändern, konnte Pia erkennen, ob sie log oder nicht.

»Nein, ich bin schon vor fünf Jahren ausgezogen. Ich studiere in Hamburg und bin nur übers Wochenende hier. Ist das irgendwie wichtig?«

»Haben Sie Elias in letzter Zeit gesehen oder mit ihm gesprochen?«

»Nein. Ich hab ihn seit zwei Jahren nicht mehr gesehen.« Von ihrer Mutter hatte Letizia die klaren Gesichtszüge, von ihrem Vater die ungewöhnlich hellgrauen Augen, allerdings leider auch die schlechte Haut geerbt. Sie war ungeschminkt und hatte ihr glänzendes dunkelbraunes Haar zu zwei lockeren Zöpfchen geflochten, aber die kindliche Frisur wirkte unpassend: Letizia Lessing hatte ganz und gar nichts Mädchenhaftes an sich.

»Also, was wollen Sie jetzt wissen?« Sie steckte eine Zigarette zwischen ihre Lippen und zündete sie an.

»Sie mögen Elias nicht besonders, oder?«, fragte Pia.

»Nein.« Letizias Gesicht wurde hart, zwischen ihren Augenbrauen und an den Mundwinkeln erschienen scharfe Falten. Sie ließ den Rauch durch die Nase entweichen. »Ich hasse ihn.«

»Warum?«

Sie zog ein Bein an, stützte ihren Ellbogen darauf und fuhr sich mit dem Daumennagel über die Oberlippe.

»Elias hat mein Leben versaut«, behauptete sie. »Wegen ihm waren wir nie eine normale Familie. Er hat uns terrorisiert. Immer musste ich Rücksicht auf ihn nehmen.«

»Was meinen Sie damit?«, wollte Pia wissen.

»Mein Bruder ist ein totaler Psycho. Er war schon als Kind das, was man ›verhaltensauffällig‹ nennt. Mein Vater hat versucht, ihn mit Strenge in die Spur zu bringen, meine Mutter hat ihn aus Mitleid komplett verzogen. Irgendwann gaben sie auf, mussten sich eingestehen, dass er alle Mühe nicht wert ist.« Wieder lachte sie freudlos, schüttelte den Kopf und zog an ihrer Zigarette. »Wissen Sie, wie das ist, wenn Sie nie Freundinnen mit nach Hause bringen können, weil Sie immer Angst haben müssen, dass Ihr irrsinniger kleiner Bruder auf sie losgeht oder einen Schreianfall kriegt? Immer hieß es: Nimm Rücksicht, lass ihn, er kann nichts dafür! Erklären Sie mal einer Elfjährigen, dass sie nicht auf ihren kleinen Bruder sauer sein darf, wenn er wieder mal ihre Lieblingspuppe oder ihren Kuschelteddy zerfetzt hat!«

Sie seufzte resigniert.

»Jeder hat über uns getratscht, hier in dem Scheißkaff. Mitfühlend und verständnisvoll haben sie getan, wenn Elias wieder mal in aller Öffentlichkeit einen seiner Ausraster hatte, aber hintenrum hämisch über uns gelacht. Über meine Eltern. Mit Geld kann man sich keine anständigen Kinder kaufen, solche Sprüche kamen dann. Und das waren nur die harmlosesten. Ich hab mich immer total geschämt, und meine Mutter tat mir schrecklich leid. Sie wollte es allen recht machen, aber das ging nicht. Nicht, wenn einer nicht mitspielt. Ich habe das ganze Drama damit kompensiert, dass ich besser sein wollte als alle anderen: in der Schule, im Sport, und das war ich auch. Natürlich galt ich überall als Streberin, aber ich wollte, dass sich meine Eltern wenigstens um mich keine Sorgen machen müssen. Mit Elias hatten sie schon genug zu tun.«

Letizia blickte Pia an. In ihren grauen Augen stand eine geradezu verzweifelte Bitte um Mitgefühl, derer sie sich wahrscheinlich gar nicht bewusst war. Es zeigte sich immer wieder, dass diejenigen oft am verletzlichsten waren, die sich so beherrscht und stoisch gaben. Letizia Lessing wirkte wie jemand, der trotz aller

Anstrengungen zeitlebens zu kurz gekommen war und dieses daraus entstandene Gefühl der Minderwertigkeit hasste.

»In unserer Familie ist alles nur schöne Fassade.« Sie machte eine weit ausholende Bewegung. »Haus, Garten, Auto, Job, Frau, Kinder. Falls meine Eltern sich mal geliebt haben, dann ist das lange her. Jetzt kotzen sie sich nur noch an. Und das liegt an Elias. Sie geben sich gegenseitig die Schuld daran, zugelassen zu haben, dass er unsere Familie zerstört. Eine Scheidung passt natürlich nicht ins Bild, deshalb spielen sie aller Welt eine Riesenshow vor. Das Beste, was man tun kann, ist, von hier zu verschwinden. So weit weg wie möglich. Und das habe ich getan.«

»Ist bei Elias jemals eine Krankheit diagnostiziert worden?«, erkundigte Tariq sich.

Letizia starrte ihn einen Moment lang mit unbewegter Miene an, dann zuckte sie die Schultern. »Keine Ahnung.«

Pia betrachtete Letizia Lessing. Ihre zynische Gleichgültigkeit war nur aufgesetzt, darunter brodelte ein Vulkan unterdrückter Gefühle. Man durfte Menschen wahrhaftig nicht vorschnell nach Äußerlichkeiten beurteilen; oft war alles völlig anders, als es auf den ersten Blick zu sein schien. Aber nur selten waren Menschen so gnadenlos offen wie Letizia. Die meisten schämten sich, fürchteten davor, als Versager dazustehen, und belogen deshalb sich selbst und alle anderen.

»Ist Ihr Bruder jemals gewalttätig geworden?«, fragte Pia.

»Oh ja. Mehr als einmal.« Letizia klemmte die Zigarette zwischen ihre Lippen und zog die Strickjacke von ihrer Schulter. Eine wulstige, mindestens dreißig Zentimeter lange Narbe zog sich über ihren Oberarm. Zigarettenqualm geriet ihr ins Auge, sie zwinkerte. »Er war sechs, damals.«

»Was ist passiert?«

»Das Haus hier war noch im Bau. Wir waren abends mit meinen Eltern und dem Architekten hier. Elias hat sich von hinten an mich herangeschlichen und mich aus dem Fenster gestoßen. Ein Stahlträger, mit dem die Kellertreppe armiert wurde, hat sich durch meinen Arm gebohrt. Außerdem habe ich mir ein Bein, den Arm, die Schulter und das Becken gebrochen.«

»Und was geschah mit Elias?«, wollte Pia wissen.

»Nichts.« Letizia lachte geringschätzig. »Ich hätte besser aufpassen sollen, sagte mein Vater. Schließlich sei ich alt genug.«

So viel Bitterkeit hatte Pia selten bei einer jungen Frau erlebt. Beinahe empfand sie Mitleid. Letizia Lessing schien das Opfer von Eltern geworden zu sein, denen es aus lauter Sorge um das schwierige Kind nicht gelungen war, ihr anderes Kind zu beschützen.

»Welche Drogen nimmt Elias?«, fragte Tariq.

»Fragen Sie lieber, welche er nicht nimmt«, entgegnete Letizia und ließ die Zigarettenkippe in einen Porzellanbecher fallen, wo sie mit einem Zischen erlosch. »Er hat mit Klebstoffschnüffeln angefangen, dann hat er gekifft. Ecstasy, LSD, Meth.«

Sie betrachtete Tariq mit einem Interesse, das nichts mit dem zu tun hatte, was er gerade gesagt hatte.

»Sie sind der Polizist, von dem Pauline mir erzählt hat«, stellte sie fest. Sie zog einen Mundwinkel nach unten und gleichzeitig eine Augenbraue hoch. »Sie findet Sie gut.«

»Tatsächlich?« Tariq reagierte cool. »Das freut mich. Pauline ist ein ungewöhnliches Mädchen.«

»Mädchen?« Letizia grinste spöttisch. »Sie sind ja wohl kaum viel älter als wir, oder? Obwohl ... bei Ausländern kann man das Alter immer schlecht schätzen.«

»Wo könnte sich Ihr Bruder jetzt aufhalten?« Pia reichte, was sie gehört hatte. Elias Lessing neigte zu Gewalttätigkeit, und seine Eltern wussten das. Dennoch hatten sie unverantwortlicherweise geschwiegen. Wirklich nur, um den schönen Schein zu wahren, oder steckte noch etwas anderes dahinter? »Kennen Sie seine Freunde? Menschen, zu denen er Kontakt hat?«

»Ich kenne keinen von den Pennern, mit denen er rumhängt«, antwortete Letizia und nahm sich eine weitere Zigarette. »An Ihrer Stelle würde ich ihn im Wald suchen.«

»Im *Wald*?«, vergewisserte sich Pia. »Das ist reichlich vage. Hier gibt's jede Menge Wald ringsum. Wo genau?«

»Weiß ich nicht.« Letizia inhalierte den Rauch der Zigarette. »Das hat er nie präzisiert. Er sagte nur immer, er würde in den Wald gehen. Und dann blieb er tagelang weg.«

***

Der Oktobersonntag hatte sich zu einem herrlichen Spätsommertag gemausert. Im Innern des Restaurants »Merlin am Zauberberg«, das sich im ehemaligen Liegeraum der früheren Lungenheilstätte befand, waren am späten Nachmittag alle Tische leer, die Gäste nutzten das gute Wetter, um auf der Terrasse unter der ausgezogenen Markise zu sitzen und beim Kaffeetrinken die phänomenale Fernsicht über das Rhein-Main-Gebiet zu genießen. Auch Bodenstein hatte sich einen Tisch draußen geben lassen und unterhielt sich mit dem Inhaber der Gaststätte. Bandi Arora, der indische Wirt, betrieb das »Merlin am Zauberberg« bereits seit über zehn Jahren und wusste über die verschlungenen Zusammenhänge und familiären Verstrickungen in Ruppertshain weitaus besser Bescheid als manch Alteingesessener. Bodenstein kannte den Wirt gut. Früher war er mit seiner Familie regelmäßig hier zum Essen gewesen, jetzt kam er manchmal alleine, hin und wieder mit Karoline, und von Zeit zu Zeit besprach er hier bei einem Glas Rotwein und einem Teller Pasta mit Cosima organisatorische Dinge, die Sophia betrafen.

Die meisten Ruppertshainer mieden das Restaurant im Zauberberg, sie kamen höchstens her, um besondere Anlässe wie runde Geburtstage oder Hochzeiten zu feiern, deshalb verwunderte es Bodenstein auch nicht, dass Sonja Schreck das komplette Restaurant am Mittwochnachmittag für den Leichenschmaus reserviert hatte. Um zwei Uhr sollte am Mittwoch das Doppelbegräbnis von Rosie und ihrem Sohn Clemens stattfinden, und es war zu erwarten, dass viel los sein würde. Genauso wenig wunderte sich Bodenstein darüber, dass der gesprächige, stets gut aufgelegte Wirt bereits über den Skelettfund von heute Morgen informiert war. Das kam ihm nicht einmal ungelegen, denn wenn es demjenigen, der Rosie, Clemens und den Pfarrer ermordet hatte, nur darum gegangen war, dies geheim zu halten, dann gab es nun keinen Grund mehr, Sophia zum Schweigen bringen zu wollen.

Bodensteins Blick glitt über die Dächer des Ortes, seine Gedanken schweiften ab. Irgendwo da unten lebten Menschen, die genau wussten, was sich vor zweiundvierzig Jahren zugetragen hatte. Er musste nur herausfinden, wer das war. Spätestens morgen würde es eine Pressekonferenz geben, bei der das Profil des

Täters bekanntgegeben werden sollte, genauso wie Details über den Skelettfund im Wald.

»... lange nicht mehr hier gewesen«, drang Bandis Stimme an Bodensteins Ohr. »Hast du gewusst, dass sie die Pferdeklinik verkauft hat?«

»Entschuldigung, von wem sprichst du gerade?«

»Von Inka, deiner Ex«, wiederholte der Wirt und rollte lächelnd die Augen. »Sie hat die Klinik an ihre Kompagnons verkauft. Und das Haus auch. Zum 1. Januar.«

»Ach, tatsächlich?« Bodenstein hob überrascht die Augenbrauen. »Das ist mir neu.«

Er zweifelte nicht am Wahrheitsgehalt dieser Neuigkeit, denn in Bezug auf den neuesten Klatsch stand Bandi Sylvia Pokorny in nichts nach. Ihn wunderte allerdings, dass weder Lorenz noch Thordis ihm davon erzählt hatten. Hatte Inka ihnen etwa untersagt, mit ihm darüber zu sprechen?

»Früher war sie ja mit dir öfter bei mir zum Essen, aber es ist sicher zwei Jahre her, seitdem sie zuletzt hier war«, erzählte Bandi gerade. »Und die anderen kommen auch eher selten her. Vielleicht ist es mir ja deshalb überhaupt nur aufgefallen.«

»Was ist dir denn aufgefallen?« Jetzt hatte Bandi Bodensteins ungeteilte Aufmerksamkeit. Der Inder besaß ein unfassbar gutes Gedächtnis und zog meist die richtigen Schlüsse. Kurioserweise kannte er sogar die eigentümlichen Spitznamen, die Söhne bisweilen von ihren Vätern und Großvätern erbten. Eigentlich musste man hier geboren und aufgewachsen sein, um zu wissen, wer gemeint war, und für Außenstehende war es nahezu unmöglich, den Durchblick zu behalten, wenn über Leute im Dorf gesprochen wurde. Bandi Arora hatte damit kein Problem.

»Sie saßen am hintersten Tisch und haben heiß diskutiert.«

»Aha. Und wer?« Bodenstein sah auf seine Uhr. Rath war schon zehn Minuten zu spät.

»Inka mit Simone, Roman und Ralf Ehlers. Und der Andi Hartmann und der dicke Bäcker. Die kommen normalerweise nie hierher. Später kam auch noch Peter dazu.«

Die ganze alte Bande! War das ein Zufall?

»Wann war das genau?«

»Am Freitagabend, so gegen acht.«

»Und wann tauchte Peter auf?«

»Ungefähr um halb zehn.«

»Weißt du auch, wann er wieder gegangen ist?«

»Peter? Der war nicht lange da. Hat nur ein Bier getrunken und ist dann wieder weg.«

Die Erinnerung an Pias Misstrauen Peter Lessing gegenüber flackerte in Bodensteins Hinterkopf auf, und Unbehagen machte sich in ihm breit. Nicht selten hatte sie mit ihrer Intuition richtiggelegen. Adalbert Maurer war gegen 22:30 Uhr am Freitagabend gestorben. Ein Bier zu bestellen, darauf zu warten und es zu trinken dauerte etwa eine Viertelstunde, an die Schlüssel für Kirche und Sakristei zu kommen war kein Hexenwerk. Wenn Peter um 22:00 Uhr das Restaurant verlassen hatte, hätte er genügend Zeit gehabt, den alten Pfarrer zu überwältigen und zu töten.

Wie gut kannte man jemanden, mit dem man als Kind gespielt, danach aber so gut wie gar keinen Kontakt mehr gehabt hatte? Die Antwort war: überhaupt nicht.

Einer der Kellner kam mit dem Telefon in der Hand an den Tisch, Bandi entschuldigte sich bei Bodenstein und verschwand im Restaurant. Benedikt Rath war noch immer nicht aufgetaucht, deshalb nutzte Bodenstein die Zeit und schrieb Pia eine kurze Nachricht.

Welches Thema mochte die sechs alten Freunde derart beschäftigen, dass sie sich ausgerechnet hier trafen und diskutierten? Bodenstein kannte Inka gut genug, um zu wissen, dass sie Freundschaften nicht pflegte und am liebsten für sich blieb. Es musste also einen triftigen Grund gegeben haben, und den wollte er erfahren. Heute war Sonntag, da würde sie womöglich nicht zu Hause sein, aber spätestens morgen würde er zu ihr fahren und sie danach fragen.

***

Die Anlage des Ruppertshainer Tennisvereins lag inmitten von Streuobstwiesen am Hang, ein Stück oberhalb der Schönwiesenhalle und des Sportplatzes. Als Pia und Tariq eintrafen, war das Turnier vorüber und es standen nur noch wenige Autos auf dem kleinen Parkplatz gegenüber dem Vereinsheim. Die Sonne versank hinter den Taunusbergen und tauchte die sanft abfallenden Hänge und das Tal in goldenes Abendlicht. Auf der baumbestandenen Wiese hinter dem Parkplatz graste verteilt eine Herde schwarzer Kühe. Eine leichte Brise wehte den intensiven Geruch von Kuhmist herüber, der sich mit dem süßlichen Aroma faulender Äpfel und dem Duft von Gegrilltem zu einer einzigartigen spätsommerlichen Note vermischte. Die Rhein-Main-Ebene verschwand im Dunst.

»Schön ist's hier«, stellte Tariq fest und blickte sich um. »Richtig idyllisch.«

»Lass dich nicht täuschen«, erwiderte Pia trocken. »Alles nur hübsche Fassade.«

Sie öffnete das Tor zum Vereinsgelände. Ein paar Kinder turnten lachend und schreiend auf einem Klettergerüst herum, zwei Mädchen schaukelten um die Wette. Drei kleine Jungen bauten im Sandkasten eine Burg. Auf dem Hof vor dem Vereinsheim saßen die Erwachsenen an Biertischgarnituren zusammen, ein Schwenkgrill qualmte. Immer wieder brandete Gelächter auf, die Stimmung war unbeschwert und ausgelassen. Die drei Morde, die in den vergangenen Tagen nicht weit entfernt verübt worden waren, schienen hier kein Thema zu sein.

Niemand schenkte Pia und Tariq Beachtung.

»Da ist sie«, sagte Pia, als sie Henriette Lessing inmitten der fröhlichen Runde ausmachte. Neben ihr saß ein grauhaariger Mann in Tenniskleidung, der einen sehnigen sonnengebräunten Arm um ihre Schulter gelegt hatte und gerade irgendeine launige Geschichte zum Besten gab.

»Und der Typ neben ihr?«, wollte Tariq wissen.

»Ist auf jeden Fall nicht ihr Mann«, erwiderte Pia.

Der Grauhaarige hatte die Pointe erzählt, alles lachte. Er nahm seinen Arm von Henriette Lessings Schulter und legte ihn stattdessen ganz selbstverständlich um die Frau zu seiner Linken. Ein Anfasser also.

Ein anderer Mann schenkte Sekt nach, am Nachbartisch steckten ein paar Frauen die Köpfe zusammen und brachen in hühnerartiges Gegacker aus.

Der Blick von Frau Lessing begegnete dem von Pia. Ihre Augen weiteten sich. Sie hörte auf zu lachen, sagte etwas zu der Frau, die rechts von ihr saß, und stand auf.

»Die Steaks sind fertig!«, rief der Mann am Grill. »Wer will eins?«

Ein paar Leute strebten lachend und plaudernd mit ihren Tellern zum Grill. Henriette Lessing kam auf Pia und Tariq zu. Sie trug ein kurzes Tenniskleid, das wohlgeformte Beine sehen ließ, darüber ein blaues Kapuzenshirt mit Vereinsemblem.

»Muss das sein, dass Sie hier auftauchen?«, zischte sie mit einer Feindseligkeit, die Pia überraschte und den Anflug von Mitgefühl, den sie für die Frau empfunden hatte, sofort erstickte. »Woher wissen Sie überhaupt, dass ich hier bin?«

Erst jetzt bemerkte jemand die unbekannten Gäste. Getuschel und neugierige Blicke waren die Folge.

»Das hat uns Ihre Tochter verraten«, erwiderte Pia. »Eigentlich wollten wir mit Ihnen sprechen, aber das Gespräch mit Letizia war außerordentlich aufschlussreich.«

»Inwiefern?« Henriette Lessing versuchte, kühl und überlegen zu wirken, aber ihr furchtsamer Blick verriet, was in ihr vorging. Ihr Atem roch nach Alkohol.

»Wieso haben Sie uns verschwiegen, dass Ihr Sohn in der Vergangenheit häufiger gewalttätig geworden ist?«, antwortete Pia mit einer Gegenfrage.

»Nicht so laut!« Frau Lessing warf einen Blick über die Schulter. »Es muss ja nicht jeder mitkriegen.«

»Also wirklich!« Pia schüttelte verärgert den Kopf. »Wem wollen Sie denn noch etwas vormachen? Jeder hier weiß doch, dass Ihr Sohn gesucht wird!«

»Elias kann keiner Fliege etwas zuleide tun!«, behauptete Frau Lessing.

»Tatsächlich? Er hat seine Schwester aus dem Fenster gestoßen und schwer verletzt«, erinnerte Pia sie.

»Das ist lange her. Das war ein Unfall.«

»Frau Lessing, ich bitte Sie!«, sagte Pia scharf. »Ihr Sohn neigt zu gewalttätigen Ausbrüchen und ist drogensüchtig. Er ist vorbestraft wegen eines Raubüberfalls. In unseren Augen ist er eine tickende Zeitbombe. Hat er Sie am Donnerstag angerufen? Sind Sie in den Wald gefahren, um ihn dort abzuholen und zu verstecken?«

»Nein!« Henriette Lessing schüttelte heftig den Kopf. »Ich weiß nicht, wo Elias jetzt ist! Ich mache mir Sorgen um ihn, das müssen Sie mir glauben. Mein Mann war immer zu hart zu Elias, nur deshalb ist alles so gekommen.«

»Ich denke, so einfach ist das nicht«, erwiderte Pia. »Sie werden auch Ihre Rolle dabei gespielt haben. Aber das interessiert uns nicht. Wir wollen mit Elias sprechen, weil er einen Mord beobachtet hat und weil dieser Mörder noch zwei Mal zugeschlagen hat.«

Henriette Lessing hielt Pias Blick nicht länger stand. Sie presste die Lippen zusammen und zupfte an ihrem Ohrläppchen.

»Der Mörder weiß, dass Elias ihn am Waldfreundehaus gesehen hat. Aus der Presse kennt er seinen Namen, und er wird Ihren Sohn töten, wenn er ihn vor uns in die Hände bekommt. Wollen Sie nicht verstehen, in welcher Gefahr er ist? Wie können Sie davor die Augen verschließen und einfach so tun, als sei nichts geschehen? Was sind Sie für eine Mutter?«

»Hören Sie auf, mir ein schlechtes Gewissen zu machen!«, fauchte Henriette Lessing. »Soll ich aufhören zu leben, nur weil eines meiner Kinder auf die schiefe Bahn geraten ist?«

»Auf die schiefe Bahn geraten?« Pia schüttelte ungläubig den Kopf. »Ihr Sohn ist ein vorbestrafter, drogensüchtiger Verbrecher. Er hat gegen seine Bewährungsauflagen verstoßen und neigt zu Gewalttätigkeit.«

»Ich kann das nicht mehr ertragen«, flüsterte Henriette Lessing. »Wofür werde ich nur bestraft?«

»Sie werden für Ihr feiges Wegsehen bestraft.« Pia war unerbittlich. Sie fühlte sich nie wohl dabei, wenn sie Menschen derart unter Druck setzen musste, aber ihr blieb keine andere Wahl, wenn Frau Lessing nicht freiwillig kooperierte. »Sie tun es jetzt ja schon wieder! Wir hätten eine Chance, mit Hilfe Ihres Sohnes den Mörder zu schnappen, bevor er weiter tötet, aber dazu müsste Elias sich stellen. Wenn Sie Kontakt zu ihm haben, dann *müssen* Sie uns helfen! Oder wollen Sie das Leben von anderen

Menschen auf dem Gewissen haben, nur weil Sie zu bequem und zu feige sind?«

»Was wissen Sie denn schon?«, fuhr die Frau auf. Tränen quollen unter ihren Lidern hervor. Sie verschränkte die Arme vor der Brust, als wolle sie verhindern, auseinanderzubrechen. »Haben Sie Kinder? Können Sie auch nur ansatzweise nachvollziehen, was es bedeutet, hilflos mit ansehen zu müssen, wie sein eigenes Kind ins Unglück läuft?«

»Ich weiß es«, sagte Tariq, bevor Pia antworten konnte.

»Sie?« Frau Lessing lachte gequält auf. »Sie sind doch viel zu jung, um Kinder zu haben!«

»Mein älterer Bruder war drogensüchtig.« Tariq streckte die Hand aus und berührte sanft Frau Lessings Ellbogen. Pia traute ihren Augen nicht, als ihr Kollege die Frau nun zu einer Bank führte, sich hinsetzte und ihre Hand in seine nahm. »Bitte glauben Sie mir, ich weiß, wie sehr eine Familie darunter leidet und welche Schuldgefühle Sie plagen! Jahrelang haben meine Eltern versucht, meinem Bruder zu helfen, aus diesem Teufelskreis herauszukommen. Wieder und wieder haben sie gehofft, er würde einen Entzug schaffen, aber er wurde immer wieder rückfällig und kriminell dazu.«

»Ihre Eltern haben wenigstens zusammengehalten.« Frau Lessing schluchzte auf und presste die Hand vor den Mund. »Mein Mann ... Er hat mir streng verboten, Elias Geld zu geben oder auch nur mit ihm zu sprechen. Er kontrolliert meine Kreditkartenrechnung und die Kontoauszüge, damit ich nichts abzweige! Aber ich habe es trotzdem immer irgendwie geschafft, etwas Bargeld zu haben, das ich Elias' Bewährungshelferin zugesteckt habe, damit er wenigstens die Handyrechnung bezahlen konnte. Es war doch meine einzige Möglichkeit, den Kontakt mit ihm aufrechtzuerhalten!«

»Mein Vater hat meine Mutter auch nicht unterstützt«, sagte Tariq mitfühlend. »In Syrien haben Frauen nichts zu sagen. Mein Bruder hatte die Ehre der Familie verletzt, und meine Mutter durfte nicht einmal mehr seinen Namen erwähnen! Aber eines Tages kam es zu einer schrecklichen Situation. Meine Mutter setzte sich über das Verbot meines Vaters hinweg und rief die

Polizei an. Es hat ihr das Herz gebrochen, aber nur so hat sie meinem Bruder das Leben gerettet.«

Frau Lessing starrte Tariq aus großen Augen an wie hypnotisiert.

»Was ist passiert?«

»Er hat zwei Menschen erschossen, sich in einem Supermarkt verschanzt und Geiseln genommen.«

»Großer Gott!«, stieß Frau Lessing hervor. »Wie alt war Ihr Bruder damals?«

»Neunzehn«, erwiderte Tariq und seufzte. »Es war schwer für meine Mutter. Sie gab sich die Schuld daran, dass es so weit gekommen ist. Warf sich vor, versagt zu haben.«

Frau Lessing nickte zaghaft, wie zur Bestätigung.

»Jetzt kann sie wieder ohne die ständige Angst und Sorge leben, aber seitdem ist sie in Therapie, weil sie sich so schuldig fühlt.«

»Und ... und wie geht es Ihrem Bruder jetzt?«, fragte Frau Lessing nach kurzem Zögern.

»Er ist seit sechs Jahren clean. Aber er wird noch ein paar Jahre im Gefängnis sitzen.«

Henriette Lessings Züge wurden weich. Sie wischte sich die Tränen von der Wange.

»Bitte verstehen Sie uns nicht falsch«, fuhr Tariq fort und ließ ihre Hand los. »Wir machen Ihnen keine Vorwürfe. Sie hatten immer die besten Absichten und wollen einfach nur Ihren Sohn beschützen.«

»Ja, das stimmt«, bestätigte sie mit erstickter Stimme.

»Das wollte meine Mutter auch, aber es wäre besser gewesen, wenn sie viel früher etwas getan hätte, statt nur zu hoffen. Deshalb bitte ich Sie, Frau Lessing: Lassen Sie es nicht so weit kommen. Helfen Sie uns, Elias zu finden«, bat Tariq sie eindringlich. »Ihre Tochter hat uns erzählt, dass Elias gerne im Wald ist. Wissen Sie, wo er sich dort am liebsten aufhält?«

Frau Lessing senkte den Kopf.

»Er hat es mir nie verraten«, antwortete sie leise. »Aber wenn ich mit ihm sprechen möchte, hinterlasse ich einen Hinweis an einer bestimmten Stelle. Er ruft mich dann an, oder wir treffen uns.«

»Würden Sie das auch für uns tun, damit wir mit ihm sprechen können?«, fragte Tariq.

»Ich soll meinen Sohn in eine Falle locken?«

»Das ist keine Falle«, widersprach Tariq sanft und sah die Frau aus seinen dunklen Augen freundlich an. »Wie meine Kollegin Ihnen eben schon gesagt hat, ist Elias in Lebensgefahr. Bei uns wäre er in Sicherheit, bis wir den Mörder gefasst haben. Und ich bin mir sicher, dass Staatsanwaltschaft und Jugendgericht sich auf einen Deal einlassen und ihm die Bewährung nicht streichen, wenn er uns hilft. Er könnte wieder in ein normales Leben zurückkehren.«

Schweigen. Frau Lessing dachte nach. Ihre Finger spielten nervös mit dem Reißverschluss ihrer Kapuzenjacke.

Die Kinder, die auf dem Spielplatz vor dem Vereinsheim gespielt hatten, waren verschwunden, und nur der harte Kern der Tennisclub-Leute war übrig geblieben. Bänke und Tische wurden zusammengeklappt, Gläser weggeräumt, Müll eingesammelt.

»Er … er hat eine geheime E-Mail-Adresse, die nur ich kenne«, gab sie zu und presste entschlossen die Lippen zusammen. »Auf diesem Weg kommunizieren wir.«

»Das ist gut.« Tariq lächelte aufmunternd und reichte ihr eine Visitenkarte. »Rufen Sie mich an, wenn Sie etwas von ihm hören. Jederzeit. Okay?«

* * *

»Ich hatte ganz vergessen, wie schön es hier oben ist.« Kriminalhauptkommissar a.D. Benedikt Rath ließ seinen Blick über das Tal und die weite Ebene schweifen. »Damals war in dem Kasten hier noch die Lungenklinik untergebracht. Wir haben mit jedem gesprochen, der hier zu tun hatte. Beim Chefarzt angefangen bis hin zur Putzfrau. Und dazu mit sämtlichen Patienten.«

Mit seiner drahtigen Figur, dem dichten silbergrauen Haar und seinem markanten, wettergegerbten Gesicht machte der ehemalige Leiter des K23 in Darmstadt nicht den Eindruck, als ob er fast siebzig Jahre alt wäre. Er hatte Tortelloni alla nonna bestellt und dazu eine Weißweinschorle, Bodenstein hatte sich für einen Salat mit gebackenem Ziegenkäse entschieden.

»Ich habe die Akten und sämtliche Protokolle gelesen und war ziemlich erstaunt, dass das Verschwinden des Jungen so lange nicht ernst genommen wurde«, sagte Bodenstein, nachdem der Kellner ihre Bestellung notiert hatte. Er hatte dem ehemaligen Kollegen gegenüber nicht erwähnt, wie er selbst zu Artur gestanden hatte, aber Rath bewies ein großartiges Gedächtnis.

»Sie waren sein bester Freund, nicht wahr?«

»Ja, das ist richtig.«

»Ich war wirklich erleichtert, als Sie mir sagten, dass Sie die sterblichen Überreste endlich gefunden haben«, sagte Rath ernst. »Jeder von uns erlebt während seiner Dienstzeit wohl einen Fall, der ihn nicht mehr loslässt. Bei mir war es dieser.« Er seufzte, schüttelte den Kopf. »Ich war noch jung damals, gerade mal vierundzwanzig. In meinem Feuereifer habe ich zuerst nicht bemerkt, was hier wirklich lief.«

Ein junger Kellner stellte einen Korb mit warmem Pizzabrot auf den Tisch.

»Was meinen Sie?«, erkundigte Bodenstein sich.

»Dass die Kripo erst so spät eingeschaltet wurde, hatte wohl einen familiären Hintergrund.«

»Ich verstehe nicht ganz.« Bodenstein runzelte die Stirn.

»Es wurde gemunkelt, der Leiter der Polizeidienststelle in Königstein sei ein Verwandter von jemandem, der hier im Dorf das Sagen hatte. Und der war angeblich der Meinung, dass man solche Dinge selbst regeln könne und dazu nicht die Kriminalpolizei aus Frankfurt bräuchte.«

»Das ist nicht Ihr Ernst!« Bodenstein konnte es nicht fassen, aber eigentlich passte es zu dem, was er in der Akte gelesen hatte. Er versuchte sich an den Namen des Dienststellenleiters zu erinnern, vergeblich. Die Akte lag in seinem Büro, er würde Kai bitten, nachzusehen.

»Natürlich wurde das nie offiziell gesagt oder gar protokolliert, aber wir wussten alle Bescheid.« Rath aß ein zweites Stück des Pizzabrots, das verführerisch nach Knoblauch und Olivenöl duftete. »Ich hatte keine Ahnung, was hier los war, weshalb die Leute so unkooperativ waren und so beharrlich schwiegen. Der verschwundene Junge kam hier aus dem Dorf, er war in meinen

Augen einer von ihnen und trotzdem wirkten alle, mit denen wir sprachen, irgendwie … unbeteiligt.«

»Artur und seine Familie waren Aussiedler und lebten noch nicht lange in Ruppertshain.«

»Das wusste ich, aber ich sah zunächst keine Verbindung. Die Eltern sprachen gutes Deutsch, die Tochter ebenfalls. Es waren anständige Leute, erstaunlich gebildet, wie ich damals dachte. Ich hatte zum ersten Mal mit einer Dorfgemeinschaft zu tun. Ich bin in der Stadt groß geworden und hatte nur in Großstädten gearbeitet. Deshalb war ich vielleicht auch so naiv und dachte, Leute in einem kleinen Ort wie diesem helfen alle mit, wenn einem Kind etwas zustößt. Aber das Gegenteil war der Fall.«

»Was sagte Ihr Chef dazu?«

»Ginsberg war noch ein Polizist alter Schule. Psychologie war ein Fremdwort für ihn. Er ging davon aus, von allen und jedem belogen zu werden, war prinzipiell misstrauisch. Er fand keinen Draht zu den Leuten und ließ die Eltern stundenlang und absolut unsensibel vernehmen. Mich hielt man für einen grünen Jungen, niemand nahm mich ernst.« Rath lachte kurz auf, aber es klang nicht fröhlich. »Ein älterer Kollege war dabei, wohl ein ehemaliger Nazi, der kein Geheimnis aus seiner Gesinnung machte. Er behandelte die Eltern des Jungen wie Untermenschen, duzte sie sogar. Ich war entsetzt! Der Vater war in Russland Lehrer gewesen, seine Frau Ärztin, und hier mussten sie Jobs annehmen, die völlig unter ihrem Niveau und ihrer Würde waren.« Er hielt inne, erinnerte sich. Mitgefühl zog über sein Gesicht. »Ich sehe ihre Verzweiflung heute noch vor mir und wie sie versuchten, sich das vor den anderen nicht anmerken zu lassen. Sie wollten tapfer sein, aber ihr Verhalten führte dazu, dass mein Chef glaubte, das Schicksal ihres Kindes würde sie kaltlassen.«

»Es dauerte zehn Tage, bis endlich Suchhunde eingesetzt wurden«, merkte Bodenstein an. Das, was Rath ihm erzählte, bestätigte all das, was er bereits in der Akte gelesen hatte, und wieder erfüllte ihn tiefe Trauer. *Armer kleiner Artur. Was ist dir bloß widerfahren?*

»Stimmt. Und sie hätten es wahrscheinlich gar nicht getan, wenn ich nicht mehrfach darauf gedrungen hätte.«

»Ich habe Ihre Aktennotizen gelesen.«

»Es war viel zu spät, als der Hund kam.« Rath winkte ab. »In der Zwischenzeit hatte es mehrere Gewitter gegeben. Er fand keine Spuren mehr.«

Der Kellner servierte den Salat und die Nudeln, Bodenstein und Rath wünschten sich gegenseitig einen guten Appetit und begannen zu essen.

»Es gab aber doch Verdächtige.« Endlich konnte Bodenstein zum Kern seines Anliegens kommen. »Und ich weiß, dass einer von ihnen heute noch immer in Ruppertshain lebt.«

»Sie meinen Leonard Keller.« Rath nickte. »Er war damals neunzehn, arbeitete als Geselle in derselben Metzgerei wie Arturs Vater. Wir hatten ihn nicht auf dem Radar, bis er versuchte, sich mit einem Bolzenschussgerät das Leben zu nehmen.«

»Das habe ich mittlerweile auch erfahren«, sagte Bodenstein.

»Vorher hatten wir schon einen Verdächtigen aufgrund eines Hinweises von einem Patienten der Heilstätte.« Rath nahm einen Schluck Weinschorle. »Er wollte diesen Mann, einen Landarbeiter und Tagelöhner, mit dem Jungen gesehen haben. Der arme Mann konnte sich kaum artikulieren und verstrickte sich schon beim ersten Verhör völlig in Widersprüchen. Man warf ihm vor, pädophil zu sein, und er gab zu, kleine Jungs zu mögen. Da kannte mein Chef kein Halten mehr. Er stand sowieso unter großem Druck. Der Polizeipräsident, die Öffentlichkeit und die Presse drängten auf eine schnelle Aufklärung, der Mann wurde erbarmungslos verhört, stundenlang stellte man ihm Suggestivfragen, schrie auf ihn ein, bis er zusammenbrach. Er brachte sich in der Zelle um, und später kam heraus, dass nichts gestimmt hatte. Eine ziemliche Blamage für Ginsberg.«

»Davon habe ich in der Akte nichts gelesen«, sagte Bodenstein.

»Das wundert mich nicht.« Rath lächelte resigniert. »Tja, und dann passierte das mit Keller. In der Hütte, in der der junge Mann hauste, waren Kleidungsstücke gefunden worden, die Artur eindeutig zuzuordnen waren. Wir waren überhaupt nur durch eine Zeugin, die sich anonym bei der Königsteiner Polizei gemeldet hatte, auf ihn aufmerksam geworden. Sie wollte ihn in der Nacht von Arturs Verschwinden angeblich gesehen haben, als er ein

Stück unterhalb der Heilstätte aus dem Wald kam und durch die Wiesen rannte.«

»Wer war diese Zeugin?«

»Keine Ahnung. Sie hatte ihren Namen nicht genannt. Und die ganze Geschichte kam Ginsberg gerade recht. Keller wurde der Presse als Täter präsentiert. Wehren konnte der Mann sich nicht, er lag ja im Koma. Man wertete den Selbstmordversuch als Schuldeingeständnis.«

»Wir waren früher oft bei Leo in der Hütte. Er war unser Fußballtrainer und allgemein beliebt.« Bodenstein legte das Besteck zur Seite. Der Appetit war ihm vergangen. »Er hat mit uns Fußball gespielt, uns das Schnitzen beigebracht. Wir durften seine Comichefte lesen, Musik hören und mit der alten Pistole spielen, die sein Vater aus dem Krieg mitgebracht hatte. Aber er ist nie zudringlich geworden. Ich glaube, er mochte es einfach, dass wir kleinen Jungs bewundernd zu ihm aufschauten.«

»Von den Kindern, mit denen wir gesprochen haben, hatte sich keines negativ über Keller geäußert, aber das T-Shirt von Artur reichte Ginsberg, um auch ihm sofort pädophile Neigungen zu unterstellen. Er war unser Verdächtiger Nummer eins. Als er nach mehreren Monaten aus dem Koma aufwachte, konnte er sich an nichts erinnern. Retrograde Amnesie. Kein Wunder nach einer so schweren Kopfverletzung.«

»Uns Kindern erzählte man damals, er habe einen Unfall gehabt«, erinnerte Bodenstein sich. »Er war jahrelang weg. Ich war schon fast erwachsen, als er nach Ruppertshain zurückkehrte und zu seiner Mutter zog. Da wohnt er heute noch und arbeitet als Hilfsarbeiter bei der Stadt.«

»Er musste wieder sprechen, schlucken und laufen lernen«, antwortete Rath. »Wir haben noch ein paarmal mit ihm gesprochen, aber er erinnerte sich an rein gar nichts mehr, was kurz vor dem Suizidversuch geschehen war.«

»Wurde jemals Anklage gegen ihn erhoben?«

»Nein. Dazu reichten die Beweise nicht aus. Die Zeugin hatte sich nie mehr gemeldet. Dann passierten andere Dinge, der Fall Artur geriet in Vergessenheit, und niemand rührte mehr daran. Die Ermittler hatten sich ja nicht gerade mit Ruhm bekleckert.«

Rath wischte mit dem letzten Stück Pasta die Sauce auf seinem Teller zusammen. »Die Sache ist mir nie aus dem Kopf gegangen. Die Eltern von Artur waren so liebe Menschen. Sie haben nie jemandem Vorwürfe gemacht, nicht dauernd bei uns nachgefragt, wie es manche tun. Den Leuten im Ort schienen sie ein Dorn im Auge zu sein. Eine solche Feindseligkeit habe ich nie zuvor erlebt.«

»Rückblickend betrachtet: Haben Sie eine Theorie, was sich hier damals abgespielt hat?«, wollte Bodenstein wissen.

»Ich fürchte, der Junge war einfach zur falschen Zeit am falschen Ort«, erwiderte Rath nach kurzem Nachdenken. »Irgendetwas Schlimmes ist passiert, und das wurde vertuscht. Und es war kein Fremder, der das getan hat, es war jemand von hier. Wir haben mit allen Patienten der Heilstätte gesprochen. Jeder von ihnen hatte ein nachprüfbares Alibi oder war aus gesundheitlichen Gründen gar nicht in der Lage, draußen herumzulaufen. Ich hatte immer das Gefühl, die Leute aus dem Dorf wussten etwas. Sie sagten nur nichts.«

»Weil sie damit einen der Ihren belastet hätten?«, vermutete Bodenstein.

»Möglich. Vielleicht hatten sie aber auch einfach nur Angst und wollten nicht in irgendetwas hineingezogen werden. Wer weiß schon, was sich hinter der harmlosen Fassade eines kleinen Ortes abspielt. Uns haben sie auf jeden Fall komplett auflaufen lassen.«

***

»Ich wusste ja gar nicht, dass dein Bruder wegen Doppelmordes im Gefängnis sitzt.« Pia war noch immer bestürzt, als sie den Dienstwagen durch Ruppertshain Richtung Zauberberg lenkte, wo Bodenstein auf sie wartete.

»Tut er ja auch nicht«, erwiderte Tariq leichthin und tippte etwas in sein Smartphone. »Mein Bruder ist Privatkundenbetreuer bei der Kreissparkasse in Böblingen, spielt nebenbei Fußball in der Regionalliga und ist ein totaler Gesundheitsfreak.«

»Wie bitte?« Pia warf ihrem jungen Kollegen einen entgeisterten Seitenblick zu.

»Na ja, ich hab mir die Geschichte nur ausgedacht.« Tariq zuckte mit einem entwaffnenden Lächeln die Schultern. »Der Zweck heiligt die Mittel. Einer von unseren Profs auf der Hochschule hat mal gesagt, als Kriminaler müsse man auch ein guter Schauspieler sein.«

»Der bist du allerdings.« Pia konnte es nicht fassen. »Du warst so was von überzeugend, ich hab dir jedes Wort geglaubt!«

»Frau Lessing auch.« Tariq lächelte zufrieden. »Kai hat mir gerade geschrieben. Elias hat sich bisher nicht bei Nike gemeldet, aber die IT-Spezialisten vom LKA haben eine Fangschaltung installiert.«

Merle Grumbach, die Opferbeauftragte der Regionalen Kriminalinspektion Hofheim, war bei den Haverlands, vordergründig als Schutz, aber vor allen Dingen, um Nike im Auge zu behalten. Pia war sich nicht sicher, ob sie dem Mädchen vertrauen konnte. Ihr Eindruck war, dass Nike sich mehr aus Angst vor ihren Eltern auf die ganze Sache eingelassen hatte; in Wirklichkeit würde sie vielleicht versuchen, Elias zu warnen.

Pia setzte den Blinker und bog in den Parkplatz vor dem Zauberberg ein. Die Zeitungs- und Fernsehberichte über die Morde hielten offenbar niemanden vom Ausgehen ab, ganz im Gegenteil: Der Parkplatz war voll besetzt. Vielleicht lockten die schlimmen Ereignisse die Menschen erst recht an. Pia wunderte sich immer wieder über das morbide Interesse an gewaltsamen Todesfällen oder schrecklichen Verkehrsunglücken. Das Gaffen schien bei vielen Menschen irgendeinen voyeuristischen Drang zu befriedigen, der ihr eindeutig fehlte. Sie stellte ihr Auto hinter Bodensteins Dienstwagen ab. Als sie die Treppe hochgingen, kitzelte ein köstlicher Duft, der aus dem Entlüftungsrohr der Küche drang, Pias Nase und erinnerte sie daran, dass sie heute so gut wie nichts gegessen hatte. An einem Stehtisch in einer Nische neben dem Küchenfenster stand ihr Chef zusammen mit Bandi, dem indischen Wirt, beide einträchtig rauchend.

»Ah, da seid ihr ja«, begrüßte er sie und Tariq.

»Eure Pizza ist gleich fertig.« Bandi klopfte an das kleine Fenster neben dem Stehtisch, durch das man in den Gang zur Küche schauen konnte, und gab seinem Mitarbeiter ein Zeichen.

»Welche Pizza?«, fragte Pia irritiert.

»Ich dachte mir, dass ihr vielleicht Hunger habt.« Bodenstein zwinkerte ihr zu und drückte seine Zigarette im Aschenbecher aus. »Thunfisch mit Sardellen, Spinat und doppelt Knoblauch?«

Die Aufzählung des Pizzabelages genügte, um bei Pia einen heftigen Pawlow'schen Reflex auszulösen. Plötzlich knurrte ihr Magen, und sie musste aufpassen, dass ihr nicht vor Gier der Speichel aus den Mundwinkeln tropfte.

»Ich bringe euch was zu trinken«, sagte Bandi. »Cola light für dich, Pia?«

»Oh ja, bitte eine große.« Sie lächelte dankbar.

»Für mich auch bitte«, sagte Tariq.

Obwohl die Sonne längst untergegangen und es nicht mehr richtig warm war, war so ziemlich jeder Tisch auf der langen Terrasse, die sich über die ganze Front des Restaurants erstreckte, besetzt. Bodenstein führte sie zum einzigen freien Tisch, sie setzten sich, und er legte sein Smartphone neben die Serviette. Bis die Pizzen serviert wurden, hatten Pia und Tariq von ihren Gesprächen mit Letizia und Henriette Lessing berichtet, Bodenstein von seiner Unterhaltung mit Benedikt Rath und dem Inhalt der Fallakte.

»Elias' Schwester ist davon überzeugt, dass ihr Bruder irgendwo im Wald einen Unterschlupf hat, weil er schon früher tagelang im Wald verschwunden ist.« Pia schob die Achtel der Pizza mit der Gabel auseinander, damit sie etwas abkühlten. »Du kennst dich hier ringsum in den Wäldern doch besser aus als wir. Was glaubst du, wo er sich verstecken könnte?«

»Hm.« Bodenstein dachte kurz nach. »Da gibt es viele Möglichkeiten. Hütten von Forstarbeitern, Anglern und Naturschützern, die nur unregelmäßig oder gar nicht mehr benutzt werden. Die alten Minenschächte am Eichkopf. Die Grillhütten am Landsgraben und am Atzelberg. Die verfallene Mühle im Silberbachtal. Das ehemalige Forsthaus an der Straße nach Eppenhain. Genauso gut kann er sich auch selbst etwas gebaut oder ein Zelt aufgeschlagen haben.«

»Wir müssen Elias unbedingt finden.« Pia nahm ein Stück Pizza in die Finger. »Vielleicht sollten wir eine Hundertschaft mit Suchhunden beantragen, die den Wald durchkämmen.«

»Ich denke, wir suchen ihn nur als Zeugen?«, bemerkte Bodenstein.

»Ja, das tun wir in erster Linie auch«, erwiderte Pia.

Bodensteins Smartphone summte, eine Nachricht leuchtete auf dem Display auf. Er strich über den Touchscreen und schmunzelte.

»Meine Schwiegermutter«, erklärte er entschuldigend. »Sie hat Sophia bei Lorenz abgeholt und schickt mir gerade ein paar Bilder.«

»Deine Schwiegermutter nutzt WhatsApp?«, erkundigte sich Pia überrascht. »Ich dachte, jemand wie sie schreibt ihre Nachrichten nur auf handgeschöpftes Büttenpapier und lässt sie von einem Boten überbringen.« Sie bemerkte Tariqs erstaunte Miene und fügte erklärend hinzu, dass Gabriella Gräfin Rothkirch die Königin von Italien sei, wäre Italien noch eine Monarchie.

»So ein Unsinn.« Bodenstein schüttelte belustigt den Kopf. »Wie kommst du denn bloß auf so was?«

»Dann ist sie mit dem letzten deutschen Kaiser verwandt.« Pia biss in ein Stück Pizza und verdrehte die Augen vor lauter Wonne. »Irgendetwas war da doch.«

»Seit meine ältere Tochter Rosalie in New York lebt und arbeitet, ist meine Schwiegermutter ziemlich fit, was die neuesten Kommunikationsmethoden betrifft«, wandte Bodenstein sich an Tariq. »Die beiden schreiben sich dauernd via WhatsApp, und Gabriella hat sogar einen Familienchat gegründet.«

»Find ich cool, wenn alte Leute keine Angst vor so was haben«, sagte Tariq kauend. Eine Weile genossen er und Pia schweigend ihre Pizzen, und Bodenstein sah ihnen dabei zu.

»Am Freitagabend haben sich meine alten Schulkameraden hier getroffen«, sagte er plötzlich. »Inka, die Reichenbachs, der Bäcker Pokorny, der Metzger Hartmann, Ralf Ehlers. Bandi hat mir erzählt, dass sie abseits an einem Tisch saßen und irgendetwas diskutiert haben. Und später kam noch Peter Lessing auf ein Bier dazu.«

»Vielleicht treffen sie sich regelmäßig hier.« Pia wischte sich die fettigen Finger an der Serviette ab und tupfte sich den Mund ab.

»Nein, das tun sie nicht«, erwiderte er nun. »Deshalb ist es Bandi ja aufgefallen. Inka war zuletzt mit mir vor zwei Jahren hier. Wir sollten mit ihnen sprechen.«

»Es ist nicht verboten, sich in einer Gaststätte zu treffen.« Pia trank einen Schluck Cola und unterdrückte die Sehnsucht nach Nikotin, die sie immer nach dem Essen überkam. Für Bodenstein schien es festzustehen, dass die drei Morde mit Arturs Tod zu tun hatten, andere Möglichkeiten zog er nicht einmal mehr in Betracht. Das war äußerst untypisch für ihn, der sonst immer davor warnte, sich zu schnell auf einen Täter oder ein Motiv festzulegen.

»Ich muss wissen, worüber sie gesprochen haben«, sagte er.

»Das werden sie dir wohl kaum erzählen, wenn sie etwas zu verbergen haben«, antwortete Pia. Im schwachen Lichtschein, der durch die Fenster der Gaststätte nach draußen auf die Terrasse fiel, bemerkte Pia deutliche Anzeichen der Erschöpfung im Gesicht ihres Chefs. Sie fühlte sich mindestens genauso k. o., wie er aussah.

»Lass uns morgen darüber sprechen, okay?«, schlug sie vor und gähnte diskret. Sie war eindeutig nicht mehr in der Lage, sich zu konzentrieren. Müdigkeit verursachte mehr Fehler als Dummheit oder Nachlässigkeit. »Es war für uns alle ein langer Tag, und es nützt niemandem, wenn wir zusammenklappen.«

»Ist das normalerweise nicht mein Text?« Ein müdes Lächeln umspielte Bodensteins Lippen. »Aber du hast recht. Es war wirklich ein anstrengender Tag.«

Außerdem waren sie in Rufbereitschaft. Passierte heute Nacht irgendetwas, so würde man sie aus dem Schlaf schrecken.

***

Sie musste sich am Rand der Badewanne festhalten, um den Wasserhahn aufzudrehen. Wie üblich schoss zuerst ein Schwall braune Brühe aus der Leitung, dann wurde das Wasser allmählich klar. In der Sonne sitzend, hatte sie die ganze Flasche Champagner geleert und alle Zigaretten weggequalmt, die Elias im Wohnzimmer liegengelassen hatte. Und das, obwohl sie längst nicht mehr rauchte. Aber es war scheißegal. In zwei, drei Stunden würde sie tot sein. Felicitas verschloss den Abfluss mit dem Gummipfropfen und streute den Rest ihres Lieblingsbadesalzes, eine der letzten Erinnerungen an ihr altes Leben, in die Wanne. Sie hatte sorgfältig ihr Haar frisiert und hochgesteckt, die schönste Unterwäsche angezogen und das weiße Kleid, das seit Jahren im Schrank gehangen hatte. Zuletzt hatte sie es auf der Hochzeit einer Freundin getragen, die ihr danach die Freundschaft aufgekündigt hatte, weil sie ihr als »zweite Braut« angeblich die Schau gestohlen hatte. Blöde Kuh.

In der Küche der Gaststätte zog Felicitas ein Messer nach dem anderen aus dem Messerblock und prüfte die Schärfe der Klingen mit dem Daumen. Bald würde die ganze Qual ein Ende haben. Beinahe freute sie sich auf das Gefühl, wenn die scharfe Klinge ihre Haut ritzen würde. Früher, als sie noch jung gewesen war, hatte sie sich oft selbst Schnitte zugefügt, mit einer Rasierklinge. An ungefährlichen Stellen, nicht dort, wo sie unabsichtlich eine Arterie hätte treffen können. Der scharfe Schmerz und der Anblick der hervorquellenden Blutstropfen hatten sie befriedigt, hatten den Kummer und den Zorn in ihrem Innern für eine Weile vertrieben. Es war ihr Geheimnis gewesen, von dem sie nicht einmal ihren Freundinnen erzählt hatte, geschweige denn ihrer Schwester. Erst viel später hatte sie erfahren, dass es einen Begriff für dieses Schneiden gab: Ritzen. Und dass das viele junge Mädchen taten. Felicitas erinnerte sich an die bodenlose Enttäuschung, die sie damals empfunden hatte. Dieses Wissen hatte die Besonderheit ihres Geheimnisses zerstört, das Einzigartige gewöhnlich gemacht. Danach hatte sie sich für die vielen kleinen Narben an ihrem Körper geschämt und all diese jungen Mädchen, diese verdammten *Ritzerinnen*, gehasst, als ob sie ihr etwas gestohlen hätten. Etwas, das bis dahin nur ihr gehört hatte.

Ihren Tod würde sie sich nicht wegnehmen lassen, er gehörte nur ihr. Sie sehnte sich nach den Schnitten, dem Anblick des Blutes auf ihrer Haut, nach dem friedlichen Wegdämmern ins Nichts. Es gab nichts mehr, was ihr noch etwas bedeutete auf dieser Welt. Einen Abschiedsbrief hatte sie sich gespart. An wen hätte sie den auch richten sollen? Wen würde es interessieren, warum sie beschlossen hatte, lieber zu sterben, als so weiterzuleben? Die Einzigen, die sich über ihren Tod ärgern würden, waren ihre Gläubiger. Sie konnten zweihundertachtzigtausend Euro abschreiben. Felicitas lächelte bitter. In der Küche öffnete sie die Flasche Wein, nahm ein Glas aus dem Oberschrank und trug beides hinüber ins Badezimmer. Das Messer legte sie auf ein Handtuch auf den Rand der Wanne, dann drehte sie das Wasser ab. Plötzlich hörte sie Motorengeräusch. Sie hob den Kopf. Lauschte. War das Elias? Einen unpassenderen Moment hätte er sich kaum aussuchen können! Nicht mal in Ruhe umbringen kann man sich hier, dachte Felicitas mit einem Anflug von Sarkasmus. Der Außenstrahler sprang an. Und ging wieder aus. Stille. Das Motorengeräusch war verklungen.

»*Time to say goodbye*«, murmelte sie, streifte sich die Hausschuhe von den Füßen und stieg in die Badewanne. Das Wasser war heiß, sehr heiß. Ihre Haut kribbelte und rötete sich wie ein Hummer im Kochtopf. Ein Schluck Wein. Ein Handtuch im Genick. Das Messer. Sie hob den linken Arm aus dem Wasser. Ein energischer Längsschnitt, halbschräg, mit dem sie die Schlagader durchtrennen würde und dann wäre es … Sie hielt inne. Geräusche an der Haustür. Ein kalter Luftzug bewegte die Tür des Badezimmers, die sie nur angelehnt hatte. Sie ließ ihre Hand ins Wasser sinken, als sie Schritte im Flur hörte, und schob das Messer unter ihren Oberschenkel. Verflucht!

***

Sehen wir uns später noch?, hatte Karoline um 21:11 Uhr geschrieben. *Greta ist für eine Woche am Starnberger See. Wir haben also sturmfreie Bude!* ☺

Die Verlockung, geradeaus weiter nach Kelkheim zu fahren, statt nach links abzubiegen, war groß, dennoch widerstand Bodenstein. Das ungute Gefühl, irgendetwas Entscheidendes übersehen zu haben, ließ ihm keine Ruhe. Trotz seiner Erschöpfung würde er kein Auge zubekommen, bevor er Antworten auf die Fragen bekommen hatte, die ihn seit seinem Gespräch mit Benedikt Rath umtrieben.

Klingt prima, tippte er in sein Smartphone, als er an der Ampel in Fischbach halten musste. *Habe aber noch ein Gespräch. Bis wann kann ich vorbeikommen?*

Wann immer du willst, schrieb Karoline zurück und schickte ein Kussmund-Emoticon hinterher.

Bodenstein lächelte. Die Ampel sprang von Rot in den Nachtmodus und begann zu blinken, also war es 22 Uhr. Er bog nach links ab und fuhr zur B455 hoch.

Die Menschen neigten dazu, nur das zu sehen, was sie sehen wollten, und so war jede Wahrheit nichts anderes als eine subjektive Meinung, bis es einen hieb- und stichfesten Beweis gab. Aber selbst Fakten konnten das Gesamtbild verzerren, wenn sie unvollständig oder aus dem Zusammenhang gerissen waren. Im Laufe der Jahre hatte Bodenstein gelernt, beim Studium alter Fallakten zwischen den Zeilen zu lesen und nach dem Ausschau zu halten, was fehlte. Ähnlich wie ein Profiler, der die Handlungen und Entscheidungen eines Täters nachvollziehen musste, versuchte er zu verstehen, wie die Ermittler gedacht und gearbeitet hatten. Polizeiakten besaßen, anders als ein Roman oder ein Film, keinen klaren Erzählstrang, dennoch folgten sie strikten Regeln, die nur wenig Spielraum für Interpretationen ließen. Die Akte Artur Berjakov war löcherig wie ein Schweizer Käse und strotzte vor Ungereimtheiten. War die offensichtliche Schlampigkeit Strategie oder bloße Unfähigkeit gewesen?

Das, was er heute von Benedikt Rath erfahren hatte, war größtenteils nicht in den Akten enthalten. Gutachten, Vernehmungsprotokolle und Zeugenaussagen fehlten, wichtige Fakten waren unerwähnt geblieben. Warum? Hatte jemand die Finger im Spiel gehabt? Oder hatte Konrad Ginsberg unangenehme Fragen gefürchtet, weil er versagt und die falschen Schlüsse gezogen hatte? Man hatte der ganzen Sache nicht die Bedeutung beigemessen, die sie verdient gehabt hätte. Dafür konnte es nur einen Grund geben: Der Fall hatte für die Polizei keine Priorität gehabt. Artur und seine Familie hatten niemanden gehabt, der sich für sie eingesetzt, dem sie etwas bedeutet hatten.

Bodenstein fuhr durch den Wald zum Gut seiner Eltern. Auf der schmalen, gewundenen Straße kamen ihm mehrere Autos entgegen, wahrscheinlich Gäste des Schlossrestaurants. Er war diese Strecke so unendlich oft gefahren, nicht ahnend, wie nahe Artur und Maxi ihm jedes Mal gewesen waren. Heute Morgen, als er die beiden Skelette gesehen hatte, hatten ihn Schmerz und Kummer überwältigt, und um ein Haar hätte er seine Selbstbeherrschung verloren. Nicht auszudenken, was geschah, verlöre er die Kontrolle über seine Gefühle und würde vor allen Leuten in Tränen ausbrechen! So weit durfte er es unter keinen Umständen kommen lassen.

Das kunstvoll geschmiedete, zweiflügelige Tor des Gutshofes war weit geöffnet, deshalb lenkte Bodenstein sein Auto in den Hof, parkte unter der Kastanie und stieg aus. Hinter den Fenstern der Wohnung seiner Eltern brannte Licht, auch die Laterne über der Eingangstür war noch eingeschaltet. Er nahm die drei Stufen zur Haustür und klopfte gegen die schwere Tür aus Eichenholz, da es keine Klingel gab. Wenig später öffnete sein Vater die Haustür.

»Ah, du bist's«, sagte er. »Komm doch rein.«

»Ich will nicht lange stören«, erwiderte Bodenstein und betrat den Flur. Der vertraute Geruch von Bohnerwachs drang ihm in die Nase. »Ich habe nur ein paar Fragen, die ihr mir vielleicht beantworten könnt.«

»Du störst uns nicht.« Sein Vater lächelte. »Deine Mutter guckt mal wieder ›Downton Abbey‹, und ich krame in alten Fotos.«

Er folgte seinem Vater in den großen Salon. Über den Fernsehbildschirm lief gerade der Vorspann einer Folge der Lieblingsfernsehserie seiner Mutter, auf dem großen Esstisch stapelten sich Fotoalben und jede Menge loser Fotos, daneben lag eine Lupe.

»Guck nur weiter, Mama«, sagte Bodenstein zu seiner Mutter, aber die stellte mit der Fernbedienung den Ton ab.

»Das ist eine DVD. Ich kann später weitergucken«, erwiderte sie. »Möchtest du eine Tasse Tee? Ich habe auch noch etwas Auflauf im Kühlschrank.«

»Nein, danke. Ich habe schon gegessen.« Bodenstein warf einen neugierigen Blick auf die Fotos. Sein Vater hatte wieder Platz genommen und beugte sich mit der Lupe in der Hand über ein Bild.

»Könnt ihr euch erinnern, wer 1972 der Chef der Königsteiner Polizeidienststelle gewesen ist?«, erkundigte Bodenstein sich.

»Hm, ich meine, das wäre damals noch der Fischer Raimund gewesen«, antwortete seine Mutter. »Oder, Heinrich?«

»Ich glaub schon«, murmelte Bodensteins Vater.

»Wisst ihr, ob er zufällig noch lebt?«

»Aber nein.« Leonora von Bodenstein schüttelte den Kopf. »Er hatte doch einen ganz tragischen Unfall. Sein eigener Traktor hat ihn überrollt.«

»War er mit irgendjemandem aus Ruppertshain verwandt oder verschwägert?« Bodensteins Enttäuschung über das Ableben des Mannes hielt sich in Grenzen. Nach einer so langen Zeit war damit zu rechnen, dass der eine oder andere, mit dem er gerne gesprochen hätte, längst die Radieschen von unten betrachtete.

»Er war der Bruder von Gerlinde«, erwiderte seine Mutter. »Gerlinde Lessing, die Frau von unserem Hausarzt, du erinnerst dich doch sicher an sie. Ihr habt sie sehr gerngehabt, weil sie immer Süßigkeiten für die Kinder hatte.«

»Ja, ich erinnere mich.« Bodensteins Magen begann zu kribbeln. Lessing. Schon wieder. Er dachte an Wielands Theorie. Hatte Peters Onkel deshalb die Einschaltung der Kripo so lange herausgezögert, weil Peter etwas mit Arturs Verschwinden zu tun gehabt hatte? Peter und Edgar?

»Schau mal hier, Oliver!« Sein Vater hob den Kopf und lächelte. »Danach habe ich gesucht! Das sind Bilder von euch Kindern mit dem Fuchs.«

»Ach ja.« Obwohl er das hätte kommen sehen müssen, traf es ihn wie ein Boxhieb in den Magen.

»Dein Vater hat den halben Tag auf dem Dachboden herumgekramt und die alten Fotos gesucht«, sagte seine Mutter. »Jetzt schwelgt er in nostalgischen Erinnerungen.«

»Gut, dass ich diese Bilder damals nicht gefunden habe, als Clemens mich danach gefragt hat«, ließ sich Bodensteins Vater vom Tisch aus vernehmen. »Sonst wären sie jetzt wohl für immer verloren.«

»Du hast gewusst, dass Clemens vorhatte, eine Ortschronik zu schreiben?«, fragte Bodenstein schärfer als beabsichtigt. »Wieso hast du mir nichts davon gesagt?«

»Woher hätte ich denn wissen sollen, dass dich das interessiert?«, antwortete sein Vater pikiert. »Clemens hatte sich die Fotos schon vor Monaten ausgeliehen.«

»Schon gut«, besänftigte Bodenstein seinen Vater. »Ich wollte dir keinen Vorwurf machen. Übrigens: Falls die Originale in Rosies Wohnwagen verbrannt sein sollten, gibt es noch Scans von jedem Foto.«

»Was auch immer ein ›Skänn‹ ist, es würde mich freuen, die Fotos wiederzubekommen«, grummelte der alte Graf.

»Was für Bilder wollte Clemens denn haben?«, erkundigte Bodenstein sich. »Ging es ihm um einen bestimmten Zeitraum oder Ereignisse?«

»Er hat sich für historische Fotos der Gegend interessiert. Aber auch für Bilder von Leuten und Festivitäten. Kerbeumzüge, Kommunionen, Hochzeiten, Einweihungsfeiern, Erntedankfeste – alles Mögliche halt.«

Bodensteins Mutter setzte sich nun auch an den Tisch und blätterte die Bilder durch, die ihr Mann zur Seite gelegt hatte.

»Ach, schau doch mal, Oliver! Ist das nicht drollig?« Sie hielt ihm ein Foto unter die Nase, und bevor er es verhindern konnte, war sein Blick darauf gefallen. Er musste schlucken. Das leicht vergilbte, quadratische Farbfoto mit dem weißen Rand zeigte ihn als etwa Zehnjährigen auf einem Stuhl sitzend, und Maxi lag wie ein Pelz über seinen Schultern. Es versetzte ihm einen Stich.

»Ja, wirklich«, gab er zu und legte es schnell wieder weg.

»Und hier, schau nur! Theresa, Quentin und du mit den drei Fuchswelpen – Maxi, Midi und Mini. Komm, setz dich doch.«

Bodenstein erwog kurz, ob er nicht besser die Flucht ergreifen sollte, doch dann überwand er sich und nahm neben seiner Mutter Platz. Ein einziges Foto reichte, um ihn in Sekundenbruchteilen in seine Kindheit zu katapultieren. Er zog seine Lesebrille aus der Innentasche seines Jacketts und setzte sie auf.

»Ich kann mich gar nicht daran erinnern, dass ihr früher so viele Fotos gemacht habt«, sagte er.

»Wir nicht, aber deine Großtante Elisabeth war eine leidenschaftliche Fotografin vor dem Herrn«, entgegnete sein Vater und schob ihm, ohne aufzublicken, ein Bild hin. »Wann war das hier wohl?«

Rotwangige Kindergesichter rings um eine gedeckte Kaffeetafel. Er selbst im Ringel-T-Shirt mit Maxi auf dem Schoß. Auf der Armlehne seines Stuhles saß Artur, die Hand auf Maxis Kopf.

»Das war an Quentins sechstem Geburtstag«, erwiderte er. Kurz bevor Artur und Maxi verschwanden, ergänzte er in Gedanken.

Er blätterte eines der Fotoalben durch. Menschen, Pferde, Hunde, Katzen, Kinder und immer wieder der Fuchs, die große Attraktion auf Gut Bodenstein. Akkurat ausgeschnittene Zeitungsartikel über Maxi, den zahmen Fuchs, aber auch über Reitturniere, an denen sie teilgenommen hatten, waren sorgfältig eingeklebt worden. Bilder von einem Fußballturnier, im Juni 1972. Bodenstein betrachtete die Gesichter der Jungen: Konni, der Torwart. Andi, Roman, Edgar, Ralf, Klaus und er. Und ganz vorne, mit dem Ball unterm Arm, Artur. Der Einzige, der lächelte, obwohl er nichts zu lachen gehabt hatte. Fotos von Theresa und drei Freundinnen.

»Das hier ist Arturs Schwester.« Bodenstein tippte auf ein langbeiniges blondes Mädchen, das sich bei Theresa eingehakt hatte. »Wer sind die beiden anderen?«

»Die Kleine mit den Zöpfen war Franziska Hartmann, die Metzgerstochter.« Seine Mutter kniff die Augen zusammen und betrachtete das Bild konzentriert. »Sie ist bei einem Unfall ums Leben gekommen, als sie mit dem Fahrrad auf dem Weg nach Fischbach war. Den Fahrer des Autos hat man nie ausfindig gemacht. Und die andere … hm … Claudia hieß sie. Was aus ihr geworden ist, weiß ich nicht.«

Während Bodenstein weiter durch die Fotos blätterte, lauschte er dem Gespräch seiner Eltern, das sich um Leute drehte, die zum Teil schon lange nicht mehr lebten. Sie arbeiteten sich quer durch den Ort und entwickelten sich zu ausgesprochen wertvollen Informanten. Ob er die Mammutaufgabe, die vielen hundert Fotos aus Clemens Herolds Dropbox zu sichten und die darauf abgebildeten Personen zu identifizieren, an sie delegieren konnte? Höchstwahrscheinlich hätten sie sogar Spaß daran, auch wenn sie sich zuerst über die Arbeit beklagen würden. Die Erinnerung an ein bestimmtes Foto flackerte schwach in Bodensteins Hinterkopf auf.

»Ich hatte doch früher auch eigene Fotoalben, oder?«, unterbrach er eine Diskussion darüber, ob der Vater vom Hilze Herbert im Winter 1944 an der Ostfront oder in Frankreich gefallen war. »Wo sind die eigentlich?«

»Auf dem Dachboden«, antwortete sein Vater. »Da steht eine ganze Kiste mit deinen alten Sachen.«

Die Standuhr in der Küche schlug elf und erinnerte Bodenstein daran, dass er noch zu Karoline fahren wollte.

»Wo finde ich die?« Er stand auf und setzte seine Lesebrille ab.

»In dem grünen Regal rechts neben der Treppe. Ziemlich weit oben. Soll ich mitkommen?«

»Nein, nein. Das finde ich schon.« Bodenstein betrachtete seine Eltern, wie sie einträchtig am Tisch saßen und in Erinnerungen schwelgten. Sein Vater war mittlerweile über achtzig, seine Mutter sechsundsiebzig. Sie waren beide etwas gebrechlicher geworden, aber geistig noch immer fit. Ob es ihre gutmütigen Kabbeleien waren, die sie jung hielten? Plötzlich empfand er eine tiefe Zuneigung zu seinen Eltern. In seiner Kindheit und Jugend hatte er sich manchmal mehr Herzlichkeit von ihnen gewünscht, deutlichere Beweise für ihre Liebe zu ihm. Später hatte er akzeptiert, dass sie so waren, wie sie waren: pragmatisch, etwas spröde und sparsam mit Gefühlsäußerungen. Dass das nicht unbedingt ein Nachteil sein musste, hatte er erst nach und nach begriffen. Nie hatten sie ihm oder seinen Geschwistern in irgendetwas hineingeredet, aber wenn man sie brauchte, waren sie da und halfen, ohne zu zögern, unaufgeregt und selbstverständlich. Und dasselbe hatten sie heute getan. Als er die Fotos von Maxi gesehen und die Zeitungsartikel gelesen hatte, hatte sich der Fuchs vom verdrängten Trauma in eine wunderbare Kindheitserinnerung verwandelt, und er konnte an ihn denken, ohne dass es ihm sofort die Kehle zuschnürte. Fotos als Therapie.

»Gute Nacht, ihr Lieben«, sagte er, gab seiner Mutter einen Kuss auf die Wange und drückte die Schulter seines Vaters. »Einen schönen Abend noch.«

»Dir auch, Oliver.« Sein Vater nickte. »Mach das Licht auf dem Dachboden aus, wenn du die Kiste geholt hast. Und die Haustür richtig zu.«

»Natürlich, Vater.« Er musste lächeln. Eltern blieben halt Eltern. »Das mache ich.«

Montag, 13. Oktober 2014

»Nike? Ich bin's. Eli!«

»Eli! Wo … wo bist du?«

Keine Antwort.

»Wie geht's dir?«

»Mir geht's gut. Tut mir echt leid, dass ich mich so lange nicht bei dir gemeldet hab. Aber … ich … es gab ein paar Probleme.«

»Ich mach mir voll die Sorgen. Die suchen dich, Eli. Die zeigen sogar dein Bild im Fernsehen.«

»Ich weiß. Ich hab nix gemacht, ich schwör's. Aber ich trau denen nicht. Die stecken mich sofort in den Knast, weil ich doch nur auf Bewährung draußen bin. Ich will nicht im Knast sitzen, wenn das Baby kommt.«

»Aber die von der Kripo hat gesagt, dass sie dich beschützen wollen. Vor diesem Typ, der den Wohnwagen abgefackelt hat.«

»Die reden viel, wenn der Tag lang ist. Die sind alle voll link. Du verstehst das nicht. Ach, ist jetzt auch egal. Irgendwann ist's rum. Es ist voll schön, deine Stimme zu hören.«

»Find ich auch.«

»Ich hab seit zwei Wochen nix mehr geraucht oder eingeworfen.«

»Echt? Das ist cool.«

»Und du? Wie geht's dir und dem Baby? Alles in Ordnung?«

»Ja. Natürlich. Es tritt mich dauernd.«

»Oh Mann, Nike. Ich vermiss dich. Ich denk die ganze Zeit nur an dich und den Krümel.«

»Ich denk auch an dich. Wann … sehen wir uns?«

»Weiß nicht. Wann du willst. Ich hab jetzt 'n Auto. Ich könnt zu dir kommen oder …« Pause. »Nee. Obwohl, besser nicht. Die

Bullen hängen sicher schon bei euch am Haus ab, weil sie glauben, ich wär so blöd, da aufzukreuzen.«

Pause.

»Hast du meinen Brief gekriegt?«

»Nee, hab ich nicht.«

Pause.

»Ist irgendwas mir dir? Hast du Zoff mit deinen Alten wegen mir?«

»Na ja. Klar.«

»Oh Mann. Tut mir voll leid.«

»Muss es nicht.«

Wieder eine Pause.

»Nike, ich muss Schluss machen. Ich meld mich wieder. Ganz bald, okay?«

»Eli – warte! Ich muss dir … hallo? Elias? Hallo?«

Die Aufnahme war zu Ende. Einen Augenblick herrschte Stille im Wohnzimmer der Familie Haverland. Nike saß zwischen ihrer Mutter und Pias Kollegin Merle Grumbach. Ihr Gesicht war blass, ihre Hände krampften sich um ihr Smartphone.

»Ich konnte mich nicht mit ihm verabreden«, sagte sie niedergeschlagen. »Er hat so schnell wieder aufgelegt.«

»Exakt nach 28,4 Sekunden«, meldete der Techniker, der gleichzeitig mit Pia eingetroffen war. »Er hat wohl befürchtet, sonst könnte man sein Handy orten.«

»Ich hab irgendwie das Gefühl, dass er mir nicht geglaubt hat.« Nike war verunsichert.

»Nein, das war alles in Ordnung, so, wie du das gemacht hast«, beruhigte Pia sie. »Er soll sich nicht unter Druck gesetzt fühlen.«

Der Anruf von Merle mit der Information, Elias habe soeben Kontakt aufgenommen, hatte sie um 4:57 Uhr aus dem Tiefschlaf gerissen, und sie war noch immer nicht richtig wach. Nikes Eltern schien es ähnlich zu gehen wie ihr, sie sahen auch ziemlich verschlafen aus.

»Will jemand einen Kaffee?«, erkundigte sich der Vater. Er war unrasiert, hatte rote Kaninchenaugen, und sein Haar stand in alle Richtungen von seinem Kopf ab. In die Brusttasche seines weißen Frotteebademantels war ein Hotelname eingestickt. Ob er ihn wohl in dem Hotel gekauft oder einfach hatte mitgehen lassen?

»Oh ja, gerne!«, sagten Pia, Merle und der Techniker im Chor, und Herr Haverland verschwand in Richtung Küche. Wenig später ertönte das Klirren von Porzellan, dann brummte ein Kaffeeautomat und verströmte den verlockenden Duft von frisch gebrühtem Kaffee.

»Woher hat er jetzt wohl ein Auto?«, fragte Nike.

Das war eine gute Frage, deren Antwort Pia gleichermaßen Sorge und Hoffnung bereitete. Mit einem Auto war Elias Lessing einerseits zwar bedrohlich mobil, andererseits war er, wenn er unterwegs war und nicht nur in seinem Versteck hockte, vielleicht eher zu fassen.

»Das weiß ich auch nicht.« Sie trat an die bodentiefen Fenster des Wohnzimmers und blickte hinunter auf die Straße, die im grauen Zwielicht des anbrechenden Morgens still dalag. Ein Mann joggte vorbei, zwei Hunde trabten hechelnd neben ihm her. Auf der anderen Straßenseite schob eine dunkelhaarige Frau einen Kinderwagen, in der statt eines Kindes Zeitungen lagen, die sie in die Briefkästen steckte. Das Haus der Haverlands stand auf einem recht kleinen Grundstück in einer bevorzugten Wohngegend von Bad Soden. Wie in allen Vordertaunusstädtchen waren auch hier Bauplätze rar, deshalb zwängten sich auf Grundstücken, auf denen früher ein einzelnes Haus gestanden hatte, nun zwei oder gleich drei Häuser. Tiefgaragen wurden in den Taunusschiefer gefräst, um Parkraum für die Autos zu schaffen, trotzdem waren die schmalen Sträßchen auf beiden Straßenseiten zugeparkt. Wie gut kannte man sich in der Nachbarschaft? Würde ein fremdes Auto hier auffallen? Pia war sich ziemlich sicher, dass Elias früher oder später hier auftauchen würde.

»Wie machen wir weiter?« Merle Grumbach trat neben Pia. Auf ihrem sommersprossigen Grübchengesicht, das sie jünger erscheinen ließ, als sie eigentlich war, lag ein besorgter Ausdruck.

»Glaubst du, dass das Mädchen in Gefahr ist?«

»Ich weiß es nicht«, erwiderte Pia mit gesenkter Stimme. »Ich glaube zwar nicht, dass er ihr etwas antun würde, aber dafür würde ich nicht meine Hand ins Feuer legen. Der Junge ist unberechenbar. Über kurz oder lang wird er hier auftauchen, wenn er nicht schon in der Nähe ist. Hinter ihm ist ein Typ her, der drei Menschen ermordet hat. Und wenn Elias für Nike nicht gefährlich ist, dann ist es der Killer ganz sicher.«

»Du meinst, er könnte das Mädchen in seine Gewalt bringen, um an Elias heranzukommen?«

»Zum Beispiel.« Pia nickte. Ihr Blick wanderte durch den Raum. Überall bodentiefe Fenster. Das Haus lag am Hang. Vom Feldrand aus konnte man mit einem Fernglas problemlos in jedes Zimmer schauen. »Ich weiß, dass es viel verlangt ist, aber die Haverlands müssen die Rollläden herunterlassen und im Haus bleiben.«

»Können wir Nike nicht irgendwo an einen sicheren Ort bringen? Das Mädchen ist hochschwanger.«

»Ehrlich gesagt, ist mir auch nicht wohl dabei, sie als Lockvogel zu benutzen«, gab Pia zu. »Finde heraus, ob es Verwandte gibt, bei denen sie bleiben kann, bis wir Elias haben.«

Nikes Vater kehrte mit einem Tablett zurück. Jeder nahm sich eine Tasse Kaffee. Frau Haverland hatte einen Arm um die Schulter ihrer Tochter gelegt und wechselte einen sorgenvollen Blick mit ihrem Mann. In die angespannte Stille schrillte ein Handy. Alle fuhren erschrocken zusammen, und Pia brauchte ein paar Sekunden, um zu begreifen, dass es ihres war.

»Ja?«, meldete sie sich.

»Hab ich dich geweckt?«, hörte sie die Stimme des KvD.

»Nein. Was gibt's?« Pia schwante Übles. Ein Anruf um diese Uhrzeit hatte nie etwas Gutes zu bedeuten.

»Wir haben eine Schwerverletzte«, bestätigte ihr Kollege ihre Vorahnung. »In Ruppertshain, am Sportplatz. Notarzt und Kollegen sind schon vor Ort.«

»Bin unterwegs. Bleib einen Moment dran«, antwortete Pia, stellte ihren Kaffee zurück auf das Tablett und ging hinaus in den Flur. »Lass bitte die Fahndung nach Elias Lessing verstärken. Er hat jetzt angeblich ein Auto. In und um Königstein, Kelkheim und Bad Soden verstärkte Fahrzeugkontrollen, am besten jetzt gleich, wenn der Berufsverkehr losgeht. Und schick eine Streife in die Egmontstraße nach Bad Soden zu Haverlands. Ich fürchte, der Junge ist auf dem Weg hierher.«

***

Ein Rettungshubschrauber stand auf der Wiese oberhalb des Reitplatzes am Waldrand. Auf dem schmalen Feldweg, der am Reitplatz vorbei ins Tal führte, parkten Rettungswagen, Notarzt und ein Streifenwagen, dahinter ein silberner Opel der RKI Hofheim. Pia stellte ihr Auto hinter dem Opel ab und stieg aus.

Tariq hatte sie bemerkt und kam auf sie zu.

»Oh Pia, es ist Pauline«, stammelte er verstört. »Der Mann, der sie gefunden hat, hat sie erkannt.«

Pia war, als ob eine eisige Hand ihr Herz zusammenpresste.

»Pauline Reichenbach?«, vergewisserte sie sich. »Was ist mit ihr?«

»Sie ist bewusstlos«, erwiderte Tariq. »Die Notärzte versuchen, sie zu stabilisieren, damit sie sie ins Krankenhaus fliegen können.«

»Wer hat sie gefunden?«

»Der grauhaarige Mann mit dem Hund da drüben.« Tariq wies auf eine kleine Gruppe Menschen, die oberhalb der Wiese auf der Straße standen. Hinter ihnen erhoben sich die Gebäude der Reitanlage, mächtig und abweisend wie eine Burg. »Ihm gehört der schwarze Mercedes, der vor dem Notarztwagen steht. Er stellt sein Auto jeden Morgen dort ab, wenn er mit seinem Hund spazieren geht.«

»Was sind das für Leute?«

»Zwei von ihnen gehören zu der Reitanlage. Die anderen sind wohl zufällig hier vorbeigekommen.«

»Hast du schon mit ihnen gesprochen?«

»Ja. Aber niemand hat irgendetwas mitbekommen.« Tariq biss sich auf die Lippen. »Der Notarzt meint, es sieht schlecht aus. Sie hat schwere Kopfverletzungen.«

»Komm«, sagte Pia. »Lass uns mit den Ärzten sprechen.«

»Ich kann nicht.« Tariq zögerte. »Ich will sie so nicht sehen.«

»Reiß dich zusammen!«, mahnte Pia.

Sie drehte sich entschlossen um und lief los, an der Umzäunung des Reitplatzes vorbei zu der schmalen Wiese, die zwischen Reitplatz und einer hohen Windschutzhecke lag.

Nebel lag zart wie ein Brautschleier über den von Tau bedeckten Wiesen. Erste Sonnenstrahlen erleuchteten den Dunst und ließen Milliarden winziger Tautröpfchen schimmern, aber Pia hatte keinen Blick für die Schönheit des anbrechenden Tages. Jeder Herzschlag pumpte Adrenalin durch ihre Adern, und wider besseres Wissen hoffte sie, das Mädchen sei doch nicht so schwer verletzt wie angenommen. Die Türen des Rettungswagens standen offen, zwei Notärzte und eine Sanitäterin bemühten sich um die Gestalt auf der Trage.

»Hallo, Frau Kirchhoff«, begrüßte sie der Notarzt, den sie von anderen Einsätzen kannte.

»Hallo.« Sie sparte es sich, ihn darauf hinzuweisen, dass sie schon seit zwei Jahren nicht mehr Kirchhoff hieß. »Wie sieht es aus?«

»Ihr Zustand ist äußerst kritisch. Wir müssen sie beatmen, und sie ist völlig unterkühlt.«

»Kommt sie durch?«

»Schwer zu sagen. Wie es aussieht, hat sie einen offenen Schädelbruch und mehrere Knochenbrüche. Da ist jemand mit äußerster Brutalität vorgegangen.«

»Oh nein«, flüsterte Tariq erschüttert. Er gab ein Geräusch von sich, das wie ein Schluchzen klang, wandte sich ab und presste die Hände vor den Mund.

»Danke für die Auskunft«, sagte Pia. Sie erinnerte sich an die Begeisterung, mit der Pauline Reichenbach ihr vor ein paar Tagen von dem Wildkatzenprojekt erzählt hatte. Tiefe Traurigkeit erfüllte Pia, als sie daran dachte, wie die junge Frau mit Tariq geflirtet und unbeschwert gelacht hatte, nicht ahnend, was sie erwartete. War ein junges, verheißungsvolles Leben mit all seinen Wünschen, Chancen und Träumen für immer zerstört worden? Aber warum? Von wem? Was hatte Pauline getan, um Ziel dieser brutalen Attacke zu werden? Wo hatte der Täter ihr aufgelauert? Hatte er sich vielleicht sogar mit ihr verabredet? War es derselbe gewesen, der Clemens und Rosie Herold und den alten Pfarrer getötet hatte? Heißer Zorn flammte in ihr auf und sengte Zaudern und Entsetzen aus ihrer Seele. Für solche Gedanken war jetzt kein Platz. Noch lebte die junge Frau. Noch hatte sie eine Chance, auch wenn diese nur winzig war.

***

»So würde ich am liebsten jeden Morgen aufwachen.« Zärtlich strich er ihr eine Haarsträhne aus dem Gesicht und zog sie enger an sich. Ihre weiche Haut an seiner, ihr rechtes Bein über seiner Hüfte, ihre Stirn in seiner Halsbeuge. Er war glücklich, sie in den Armen zu halten, mit ihr gemeinsam das Abflauen dieses wunderbaren Lustgefühls zu genießen und zu spüren, wie sich ihr fiebriger Herzschlag langsam beruhigte.

»Die Option darauf kannst du haben.« Bodenstein hörte an Karolines Stimme, dass sie lächelte. »Lass uns zusammenziehen.«

»Wow.« Er wandte den Kopf und küsste ihre Schläfe, ließ seine Lippen für einen Moment verharren. Alles, was sonst kompliziert und problematisch erschien, war plötzlich einfach und selbstverständlich. *Lass uns zusammenziehen.* Drei Worte, die alle ihre Diskussionen, die überempfindlichen Rückzüge und die daraus unweigerlich entstehende Distanz auslöschten.

»Ist das dein Ernst?«

»Ja.« Karoline bewegte ihren Kopf ein wenig, so dass sie ihn ansehen konnte. »Ich liebe dich. Und ich will keine Zeit mehr vergeuden. Wenn wir auf den perfekten Augenblick warten, werden wir ihn verpassen.«

Ihre Worte rührten an etwas tief in seinem Innern, und ihm wurde vor lauter Glück die Kehle eng. Er hatte darauf gehofft, dass sie eines Tages diesen Punkt erreichen würden, wirklich damit gerechnet hatte er indes nicht mehr. Zu selten waren Momente wie diese geworden, zu oft hatten sie nicht mehr geredet, sich voneinander zurückgezogen, aus Angst, missverstanden zu werden oder den anderen zu verletzen, ohne es zu wollen. Das Vakuum, das dadurch entstanden war, hatte kein Gespräch, das über Belanglosigkeiten und Alltagsfragen hinausging, mehr zugelassen. Der Anfang vom Ende, wie er angenommen hatte. Und nun so völlig überraschend das!

»Ich liebe dich auch«, flüsterte er bewegt. »Und ich finde deine Idee wunderbar. Wann hast du dir das überlegt?«

»Gestern Nacht«, erwiderte sie.

»Gestern Nacht?«

»Ja.« Sie nickte ernst, zeichnete mit ihrem Zeigefinger die Konturen seines Gesichts nach. »Gestern Nacht hatte ich zum ersten Mal das Gefühl, dass du mir die Tür zu deinem Herz geöffnet hast. Vorher hatten wir immer nur über mich gesprochen, nie über dich. Du weißt so viel von mir, aber ich wusste bis gestern so gut wie nichts von dir. Die ganze Zeit hast du mir nie gezeigt, wie es wirklich in dir drin aussieht. Gestern Nacht hast du es getan. Und dafür danke ich dir.«

Bodenstein fehlten die Worte, so berührt und betroffen war er über das, was sie gesagt hatte. War er etwa selbst schuld am Scheitern seiner Beziehungen, weil er nie in der Lage gewesen war, sich zu öffnen? Oder hatte er alles für sich behalten, weil er gespürt hatte, dass weder Cosima noch Nicola oder gar Inka echtes Interesse an ihm gehabt hatten?

Er schloss Karoline noch fester in die Arme und stieß einen tiefen Seufzer aus. Die Zärtlichkeit und Dankbarkeit, die er für sie empfand, überwältigte ihn.

Es war kurz vor Mitternacht gewesen, als er bei ihr vor der Tür gestanden hatte, den verstaubten Umzugskarton mit seinen Kindheitserinnerungen, den er vom Dachboden des Gutshauses geholt hatte, in Händen. Bodenstein hatte keine Ahnung gehabt, was sich in dem Karton befand, aber als Karoline vorgeschlagen hatte, gemeinsam hinein zu schauen, hatte er keine Sekunde gezögert. Sie hatten am Esstisch gesessen, den Karton geöffnet und dazu eine Flasche Muscadet getrunken. Bodenstein hatte Karoline das Fotoalbum mit den Fotos seiner Kindheit gezeigt, das nicht einmal Cosima je gesehen hatte. Und er hatte ihr von Maxi erzählt.

»Er war deine erste große Liebe, nicht wahr?«, hatte sie gefragt.

»Irgendwie schon«, hatte er zugegeben, ein wenig beschämt. »Es hat mir das Herz gebrochen, als er verschwunden ist.«

»Meine erste große Liebe war ein Pferd«, hatte Karoline entgegnet. »Es gehörte nicht mir, aber ich durfte es pflegen. Ich war zwölf, und als es verkauft wurde, hatte ich meinen ersten Liebeskummer. Ich dachte, ich müsste sterben, so sehr habe ich gelitten.«

Und plötzlich war es ganz leicht gewesen, darüber zu sprechen, was ihm der Fuchs bedeutet hatte. Nie zuvor hatte er etwas ganz Eigenes besessen, etwas, das nur ihm gehörte. Viel Geld hatte es in seiner Familie nie gegeben, selbst Kleidung und Spielzeug hatten er und seine Geschwister von Cousins und Cousinen geerbt. Die Pferde auf dem Hofgut hatten anderen Leuten gehört, die Katzen, Hunde und Hühner der ganzen Familie. Und dann war da dieses kleine, wilde Tier unerwartet in sein Leben getreten, war ihm wie ein Schatten gefolgt und hatte ihm Vertrauen und bedingungslose Liebe geschenkt. Maxi war eigenwillig gewesen und hatte sich nur von ihm, Wieland und Artur anfassen lassen.

»Als er verschwand, und Artur auch, war ich mit meinem Schmerz allein«, hatte er gesagt. »Vielleicht war es die strenge Erziehung meiner Eltern, vielleicht die Angst davor, wieder enttäuscht und verletzt zu werden, weshalb es mir immer schwergefallen ist, Nähe zuzulassen.«

Er hatte Karoline von Artur erzählt, von der Kinderbande und von seinen Ängsten, und sie hatte ihm aufmerksam zugehört. Mit jedem Wort, das er gesagt hatte, war sein Herz leichter geworden, er hatte keinen Kummer mehr empfunden, keinen Schmerz und kein schlechtes Gewissen, im Gegenteil. Sie hatten den Karton ausgeleert, die muffig riechenden Fotoalben durchgeblättert und all die kleinen Erinnerungsstücke betrachtet, die seine Eltern aufgehoben hatten und von deren Existenz er gar nichts mehr gewusst hatte. Mit einem Mal waren ihm lauter kleine Begebenheiten eingefallen; lustige, banale, traurige und solche, die ihm damals wahnsinnig wichtig erschienen waren.

»Das alles habe ich noch nie jemandem erzählt«, hatte er schließlich verwundert festgestellt.

»Und?«, hatte Karoline gefragt. »War es schwer?«

»Nein. Bei dir nicht. Ich habe das Gefühl, dass dich das alles wirklich interessiert.«

Ohne lange darüber nachzudenken, hatte er den Verschlag im hintersten Winkel seiner Seele geöffnet, und es war keine Katastrophe über ihn hereingebrochen. Es hatte ihn erleichtert, über all das zu sprechen, es mit dem Menschen, den er liebte und dem er vertraute, zu teilen. Lang verdrängte Geheimnisse waren dadurch, dass er sie ausgesprochen hatte, entmystifiziert worden, seine Dämonen hatten ihren Schrecken verloren. Bis drei Uhr morgens hatten sie geredet, und ihm war bewusst geworden, dass Karoline ihm die Chance gab, Frieden mit seiner Vergangenheit machen zu können. Die alten Wunden konnten endlich heilen.

***

Tariq lehnte ein paar Meter entfernt an einem Koppelzaun, die Arme auf die oberste Zaunlatte gelegt, und starrte in die Ferne. Er sah so verloren aus, dass Pia kurz versucht war, ihren jungen Kollegen in den Arm zu nehmen oder eine andere tröstende Geste zu machen, aber sie tat es nicht. So etwas war nicht üblich bei der Polizei.

»Hattest du eigentlich noch mal mit ihr gesprochen?«, wollte sie stattdessen wissen. Tariq wandte den Kopf und starrte sie aus geröteten Augen an.

»Lässt dich das völlig kalt?«, fragte er mit einem vorwurfsvollen Unterton in der Stimme. »Wir kennen sie beide, und jetzt … jetzt stirbt sie vielleicht!«

Pia wusste, dass sie den Eindruck erweckte, als ließe sie solch eine furchtbare Sache unberührt, aber in ihrem Innern sah es völlig anders aus. Diese Haltung war purer Selbstschutz.

»Wir haben doch neulich auf der Fahrt in die Rechtsmedizin darüber gesprochen«, sagte sie leise. »Emotionen haben in unserem Job keinen Platz. Unsere Aufgabe ist es, herauszufinden, wer Pauline das angetan hat, und dazu brauchen wir einen kühlen Kopf. Wir können es nicht mehr rückgängig machen, aber wir können dafür sorgen, dass dem Opfer Gerechtigkeit widerfährt.«

»Nenn sie nicht Opfer!«, stieß Tariq hervor. Er fuhr sich mit der Hand über die Augen, massierte seinen Nasenrücken mit Daumen und Zeigefinger. »Bitte! Sie heißt Pauline.«

Pia betrachtete nachdenklich sein Profil und bemerkte, wie er mit seinem Entsetzen und der Hilflosigkeit kämpfte, die eine viel größere Dimension bekam, wenn man das Opfer persönlich gekannt und darüber hinaus auch gemocht hatte. Es war seine erste Mordermittlung, für ihn gab es noch keine Routinen, in die er sich flüchten konnte. War dies schon die Prüfung, die jeder von ihnen irgendwann während seiner Laufbahn erlebte und bei der man die Entscheidung für oder gegen diesen Beruf treffen musste? Würde Tariq durchhalten oder aufgeben? Nicht jeder Mensch besaß das seelische Rüstzeug, um Augenblicke wie diesen ertragen zu können.

»Tariq.«

»Ich weiß. Ich verhalte mich unprofessionell. Das kannst du ruhig in deinen Bericht schreiben«, sagte er trotzig und schob die Hände in die Taschen seiner Jeans.

»Glaub ja nicht, dass ich einen hoffnungsvollen, jungen Kollegen wie dich einfach so wieder gehen lasse«, entgegnete Pia betont streng. »Du hast dich für unsere Truppe entschieden, und jetzt gehörst du dazu. Es gibt immer wieder Scheißtage wie diese, aber es gibt auch die Momente, in denen wir die Schweine kriegen, die so etwas tun.«

Der Anflug eines zittrigen Lächelns zuckte um Tariqs Mundwinkel.

»Hey«, sagte Pia. »Gib jetzt nicht auf. Pauline ist jung und stark. Sie hat alle Voraussetzungen, um das zu schaffen.«

»Aber wenn sie … wenn sie …« Tariq brach ab. Zog die Nase hoch wie ein kleiner Junge. Er hatte sich in das Mädchen verliebt, und nun das. Es war einfach grausam. »Sie hat mir geschrieben.« Er fischte sein Smartphone aus der Hosentasche, wischte auf dem Gerät herum, dann reichte er Pia das Telefon.

Hab was für euch, was euch interessieren könnte, las sie. *Würde es gerne dir persönlich geben.*

Das hatte Pauline am Samstag um 22:03 Uhr geschrieben, Tariq hatte ihre Nachricht jedoch erst am Sonntag gesehen und ihr geantwortet. Ein einzelnes graues Häkchen unter der WhatsApp-Nachricht zeigte, dass seine Antwort nicht auf ihrem Smartphone angezeigt worden war. Hatte sie etwa seitdem, mehr als dreißig Stunden, irgendwo verletzt gelegen?

»Was kann das sein, was dich interessieren könnte und sie dir geben wollte?«, rätselte Pia.

»Keine Ahnung.« Tariq atmete tief durch. Er wirkte wieder

etwas gefasster. »Sie schrieb ›euch‹, also meinte sie die Polizei. Das war nichts Privates.«

»Stimmt.« Pia nickte und zückte ihr Handy, um Bodenstein anzurufen. »Kai soll versuchen, ihr Telefon zu orten. Und wir müssen ihr Auto finden.«

»Ich kümmere mich darum«, sagte Tariq, froh, etwas zu tun zu haben, was ihn vom Grübeln abhielt. Er wandte sich schon zum Gehen, drehte sich aber noch einmal um. »Danke, Pia.«

»Keine Ursache.« Sie nickte nur. »Wir haben alle mal angefangen. Ich kann dir zwar nicht versprechen, dass es besser wird. Aber man lernt, besser damit umzugehen.«

***

Karoline war in der Küche, als Bodenstein frisch geduscht die Treppe hinunterstieg. Sie trug eine graue Jogginghose und ihr grünes Schlaf-T-Shirt, ihre Füße steckten in Crocs. Das dunkle Haar hatte sie zu einem simplen Knoten im Nacken gebunden. Auf dem Küchentresen wartete bereits eine dampfende Tasse Kaffee auf ihn.

»Noch mal guten Morgen.« Bodenstein umarmte sie, und sie schlang ihre Arme um seine Mitte und lehnte sich an ihn.

Unter der Dusche hatte er über das, was sie vorhin gesagt hatte, nachgedacht. Zusammenwohnen, zusammenleben. Nach Hause kommen, zu dem Menschen, den man liebte. Das Haus in Ruppertshain, in dem er nun seit knapp vier Jahren wohnte, war für ihn nie ein richtiges Zuhause geworden, und es würde ihm nicht schwerfallen, es zu verlassen.

»Dein Handy hat geklingelt«, sagte sie. »Ein paar Mal gleich.«

»Dann werde ich mal nachschauen, was los ist.« Er küsste ihre Nasenspitze und holte sein Telefon, das er gestern Nacht auf dem Esszimmertisch liegengelassen hatte. Drei Anrufe mit unterdrückter Nummer, zwei SMS.

Schwerverletzte Frau in Ruppertshain, hatte Kai um 7:38 Uhr geschrieben. *Fährst du hin? Pia und Tariq sind schon vor Ort.*

Ein eisiger Schauer lief Bodenstein den Rücken hinunter. Wieder ein Vorfall in Ruppertshain! Die Menschen waren ohnehin nervös, welche Folgen würde diese Neuigkeit nach sich ziehen?

Pauline Reichenbach ist schwer verletzt am Reitplatz in Ruppertshain gefunden worden, hatte Pia um 8:12 Uhr, also vor zwei Minuten, geschrieben. *Kommst du?*

»Ach du Scheiße«, murmelte Bodenstein. Seine Gedanken überschlugen sich. Das konnte kein Zufall sein! Das Mädchen hatte Pia und Tariq die Aufnahme der Wildkamera gezeigt, es kannte sich im Wald aus. War es dem Täter irgendwie in die Quere gekommen? Seine Hände zitterten.

»Ist etwas passiert?«, erkundigte sich Karoline besorgt, als sie den Ausdruck auf seinem Gesicht bemerkte.

»Ja. Ich muss nach Ruppertshain«, erwiderte er. »Eine schwerverletzte junge Frau wurde gerade gefunden. Ich kenne ihre Eltern.«

»Oh nein! Das ist schrecklich.«

Bodenstein nahm einen Schluck Kaffee, tippte mit einer Hand die Antwort an Pia. *Bin unterwegs. 10 Minuten.*

Karoline hatte noch nie ein Wort darüber verloren, was sie dabei empfand, wenn er zu einer Leiche oder dem Opfer einer schweren Körperverletzung gerufen wurde. Kehrten dadurch die Erinnerungen an den Mord an ihrer Mutter zurück? Plötzlich hatte Bodenstein ihretwegen ein schlechtes Gewissen.

Ein Schatten war über den Tag gefallen, der so schön begonnen hatte, und Bodenstein hatte mehr denn je das Gefühl, bis zum Hals in einem Sumpf aus Tod und Gewalt zu stecken.

»Ich muss los, leider.« Er steckte sein Handy ein. »Ich rufe dich später an.«

»Okay.«

»Danke«, sagte er. »Für alles.«

»Ich danke *dir.*« Ein winziges Lächeln spielte um ihre Mundwinkel, aber ihre grünen Augen blieben ernst. Und dann schloss sie ihn in ihre Arme, streichelte seinen Nacken und hielt ihn für einen Augenblick fest umfangen. »Du hast es bald geschafft, Oliver. Es ist dein letzter Fall, danach brauchst du das nie wieder zu tun, wenn du es nicht mehr willst.«

***

»Normalerweise gehe ich mit meinem Hund immer oben in der Erle spazieren.« Der grauhaarige Mann war blass, seine Stimme brüchig. Er stand unter Schock, und das war ihm nicht zu verdenken, denn er kannte das verletzte Mädchen und seine Eltern gut. »Aber seitdem die Bagger da oben alles zerwühlen, fahre ich hierher.«

Pia hatte in ihm sofort den jovialen Anfasser vom Tennisclub erkannt, der gestern neben Henriette Lessing gesessen und Anekdoten zum Besten gegeben hatte. Er war ein gutaussehender Mann, ein positiver »Das-Glas-ist-halbvoll«-Typ, der fröhlich durchs Leben ging. Bei der Erwähnung seines Namens hatte es in ihrem Hinterkopf geklingelt, dann hatte ihr Gedächtnis die Verbindung hergestellt: Jakob Ehlers war der Ehemann von Patrizia, die am Samstag dabei gewesen war, als Bodenstein den toten Pfarrer in der Sakristei der Kirche gefunden hatte. Und nun stieß er selbst auf eine Schwerverletzte, die auf den ersten Blick wie eine Leiche ausgesehen haben mochte. War er nicht auch einer von Bodensteins Schulkameraden gewesen? Pia versuchte sich in Erinnerung zu rufen, was sie in Bodensteins Berichten gelesen hatte. Dann fiel es ihr ein. Seine Frau, Patrizia Ehlers, war die Schwester von Rosie Herold gewesen.

»Wann haben Sie Ihr Auto auf dem Parkplatz abgestellt und sind losgelaufen?«, wollte Pia wissen.

»Um Viertel vor sechs«, erwiderte Ehlers. »Ich bin immer so früh, weil ich um acht beim Dienst sein muss. Ich arbeite in Kelkheim im Rathaus.«

»Okay. Wo sind Sie entlanggegangen?«

»Von hier aus bis zum Sportplatz, dann den Weg hinter der Schönwiesenhalle runter, an der Tierklinik vorbei und Richtung Gut Bodenstein. Vor dem Wald bin ich den Weg hochgegangen, der am Reitplatz entlangführt. Mein Hund hat Pauline gefunden. Ich hätte sie wahrscheinlich gar nicht bemerkt, es war ja noch dunkel.«

Er fuhr sich mit beiden Händen über das Gesicht, atmete flach. Und plötzlich stiegen ihm Tränen in die Augen.

»Ich hab … mit der Taschenlampe hin geleuchtet. Und ich … ich hab sie gleich erkannt, die Pauline. Oh Gott! Ich dachte, sie wäre tot!« Seine Stimme kippte, er schluchzte auf. »Ich kenne ihre Eltern schon mein Leben lang, und Pauline ist das Patenkind meines Bruders. Wer tut bloß so etwas?«

Er kramte in den Taschen seiner Weste, förderte ein zerknittertes Papiertaschentuch zutage und putzte sich geräuschvoll die Nase.

»Was haben Sie getan, nachdem Sie Pauline gefunden haben?«, fragte Pia behutsam.

»Da stand plötzlich jemand neben mir. Ein Jogger. Ich hatte ihn gar nicht kommen hören.« Jakob Ehlers bemühte sich, seine Fassung zurückzugewinnen. »Er hatte ein Handy dabei und hat dann gleich die 110 gewählt. Oder die 112, ich weiß es nicht.«

»Wo ist der Mann hin?«

»Er steht da vorne, bei den Leuten von der Reitanlage. Der mit der blauen Jacke.«

»Ist Ihnen irgendjemand begegnet?«, forschte Pia weiter. »Auf dem Weg zum Sportplatz? An der Reitanlage? Ist Ihnen irgendetwas aufgefallen, was Ihnen vielleicht seltsam erschien? Denken Sie ganz in Ruhe nach.«

Pauline musste schon eine ganze Weile auf der Wiese gelegen haben, das vermutete zumindest der Notarzt, denn ihr Haar und ihre Kleidung waren nass vom Tau, und sie war unterkühlt. Die Hoffnung, dass Ehlers den Täter gesehen haben könnte, war also eher gering.

»Nein.« Ehlers legte die Stirn in Falten, dann schüttelte er den Kopf. »Es war ja noch stockdunkel. So früh ist um diese Jahreszeit nur selten jemand unterwegs. Und aufgefallen ist mir auch nichts.«

Er beruhigte sich etwas. Farbe kehrte in seine blassen Wangen zurück. Geistesabwesend strich er seinem Hund über den Kopf.

»Aber wie konnten Sie etwas sehen, wenn es noch stockdunkel war?«, fragte Pia.

»Ich habe eine Stirnlampe.« Ehlers zupfte an einem Band, das um seinen Hals hing. »Und eine Taschenlampe. Mein Hund hat ein Leuchthalsband mit LEDs.«

»Hatten Sie denn gar kein komisches Gefühl, allein in der Dunkelheit hier draußen herumzulaufen? Gerade jetzt?«

»Wie meinen Sie das?«, fragte Ehlers verwirrt.

»Na ja. Immerhin sind in den letzten Tagen drei Menschen ermordet worden, die Sie alle ziemlich gut gekannt haben.«

»Ja, Sie haben recht.« Ehlers nickte langsam, beinahe erstaunt, als käme ihm dieser Gedanke zum ersten Mal in den Sinn. »Darüber habe ich gar nicht nachgedacht. Ich meine, ich hab ja den Hund dabei. Und ... wer sollte mich schon umbringen wollen?«

Es war immer wieder erstaunlich, zu welchen Verdrängungsleistungen das menschliche Gehirn imstande war. Hatte Pauline wohl auch so gedacht? Hatte sie sich, wie viele junge Menschen, für unsterblich gehalten? Hätte sie ahnen können, dass sie in Gefahr gewesen war? War sie überhaupt ein Opfer des Täters, der die drei Morde begangen hatte oder hatte der Überfall auf sie gar nichts damit zu tun?

In dem Moment erblickte Pia ihren Chef, der mit zwei Kollegen von der Schutzpolizei sprach. Sie verspürte Erleichterung, aber gleichzeitig den dringenden Wunsch, das alles hier von ihm fernzuhalten.

»Ich habe noch eine Frage, Herr Ehlers«, wandte sie sich an den Mann neben ihr. »Sie haben gestern im Tennisclub mit Frau Lessing gesprochen. Hat Sie irgendetwas über ihren Sohn Elias gesagt?«

»Gestern? Im Tennisclub?« Ehlers hob irritiert die Augenbrauen, in seinem Blick lag plötzlich ein wachsamer Ausdruck. »Ich ... ich weiß nicht mehr genau.«

»Was hat sie gesagt?« Die ausweichende Antwort war für Pia ein klares Ja.

»Nur, dass sie sich große Sorgen um ihn macht. Weil die Polizei nach ihm sucht und sie nicht weiß ...« Ehlers brach ab, vermied es, Pia anzusehen.

»Weil sie *was* nicht weiß?«, forschte Pia nach.

»Ich will nichts Falsches sagen«, antwortete Ehlers mit deutlichem Unbehagen. »Vielleicht habe ich sie auch nicht richtig verstanden.«

»Hören Sie, Herr Ehlers«, sagte Pia eindringlich. »Drei Menschen sind ermordet worden. Eine junge Frau wurde fast totgeschlagen, und niemand weiß, ob sie das überlebt. Das sind vier

Menschen, die Sie gut kennen oder gekannt haben. Elias war in der Nacht, als Clemens Herold in seinem Wohnwagen verbrannt ist, am Waldfreundehaus. Er und Pauline Reichenbach kennen sich gut. Falls Sie irgendetwas wissen oder gehört haben, was uns helfen könnte, dann sollten Sie jetzt nicht aus falsch verstandener Loyalität schweigen.«

»Großer Gott! Sie denken doch wohl nicht, dass der Junge *so etwas* getan haben könnte?« Ehlers schüttelte erschrocken den Kopf.

»Ich weiß es nicht«, entgegnete Pia. »Sagen Sie es mir.«

Der Mann holte tief Luft, hielt sie einen Moment an und stieß sie geräuschvoll wieder aus. Seine Finger spielten nervös mit der Hundeleine. Pia fand es immer wieder ein wenig unfair, Menschen, die sich in einer emotionalen Ausnahmesituation befanden, so zu bedrängen, aber meistens besaßen sie dann nicht genügend Geistesgegenwart, um sich Märchen auszudenken.

»Henriette macht sich Sorgen«, druckste der Mann herum. »Elias ist unberechenbar, und sie fürchtet, er könnte etwas … Unbedachtes tun, wenn er so in die Enge getrieben wird.«

Pia sah ihn abwartend an. Da war noch mehr. Und ganz plötzlich durchzuckte sie das Gefühl, ganz nah dran zu sein an des Rätsels Lösung. War Jakob Ehlers derjenige, bei dem sie den Hebel ansetzen konnte, um an die Wurzel des Schweigens zu gelangen und endlich etwas Greifbares in die Hand zu bekommen? Er war ein angesehener und respektierter Mann in diesem Ort, in dem jeder jeden kannte, die meisten Alteingesessenen miteinander verwandt oder verschwägert waren; sicher kannte er die kleinen und großen Geheimnisse, über die so einvernehmlich geschwiegen wurde. Wenn sie ihm etwas entlocken konnte, dann würde womöglich ein Dominoeffekt eintreten. Sie musste es versuchen, musste an sein Gewissen und sein Verantwortungsbewusstsein appellieren.

»Herr Ehlers, Sie sind jemand, auf den die Leute hier im Ort hören«, sagte sie deshalb. Sie beugte sich vor und sah ihn gespannt an. »Sie kennen die Menschen. Helfen Sie uns, bevor noch mehr passiert. Bitte.«

Jakob Ehlers musterte sie. Sein Kiefer spannte sich an, er presste nachdenklich die Lippen zusammen. Etwas arbeitete in ihm. Er seufzte, rieb sich mit einer Hand den Nacken.

»Ich habe gehört, dass …«, begann er schließlich zögernd, verstummte aber wieder. Sein Blick zuckte zur Seite, er richtete sich auf. Der Hund, der bis dahin reglos neben der Bank gelegen hatte, sprang auf.

»Jakob«, sagte Bodenstein in Pias Rücken.

»Hallo, Oliver.« Ein Ausdruck der Erleichterung glitt über Ehlers' Gesicht, und Pia verspürte die Enttäuschung einer Jägerin, der die Beute in letzter Sekunde durch die Finger geschlüpft war. Es gab Chancen, die sich kein zweites Mal boten. Dies war so eine gewesen.

* * *

Es war kurz vor neun, als Pauline so weit stabilisiert war, dass man sie mit dem Rettungshubschrauber in die Unfallklinik nach Frankfurt fliegen konnte. Bodenstein, Tariq und Pia sahen zu, wie sich die Rotoren des Hubschraubers zu drehen begannen und er von der Wiese abhob. Er schraubte sich steil in die Luft, dann drehte er ab und verschwand über den Baumkronen. Paulines Eltern waren von Bodenstein benachrichtigt worden und bereits auf dem Weg in die Klinik. Der Notarzt und die Rettungssanitäter packten ein und fuhren weg. Sie hatten ihr Bestes gegeben, um Paulines Leben zu retten, jetzt blieb nur noch die Hoffnung.

Kröger und seine Leute waren eingetroffen. Sie hatten ihre weißen Overalls übergezogen und mit ihrer akribischen und scheinbar emotionslosen Arbeit begonnen. Oberhalb der schmalen, asphaltierten Straße, die an der Reitanlage am Waldrand endete, standen zwei Pferde hinter einem Elektrozaun und blickten mit gespitzten Ohren neugierig herüber. Eine solche Geschäftigkeit erlebten sie wohl nur selten hier draußen.

»Wenn ihr nur reden könntet«, sagte Pia zu den Pferden, dann wandte sie sich zu ihren Kollegen um. »Lasst uns überlegen, wie es gewesen sein könnte. Warum wurde Pauline ausgerechnet auf dieser Wiese abgelegt? Hat der Ort eine Bedeutung, oder war er zufällig gewählt?«

Im rosafarbenen Licht des frühen Morgens wirkte Bodensteins

Haar grauer als sonst, und Pia registrierte die dunklen Ringe unter seinen Augen. Erschöpft sah er aus, das hielt sie davon ab, ihm einen Vorwurf zu machen, weil er ihr Gespräch mit Jakob Ehlers vorhin unterbrochen hatte.

»Wieso ist sie überfallen worden?«, fragte Bodenstein.

»Weil sie etwas wusste«, erwiderte Tariq. »Sie hat mir eine Nachricht geschrieben, dass sie mir etwas geben wollte, was für uns interessant wäre.«

»Wann hat sie das geschrieben?«

»Am Samstagabend. Ich habe die Nachricht erst am Sonntagmorgen gesehen und ihr geantwortet, aber sie hat meine Nachricht nicht gelesen.«

»Sie war am Freitag bei Lessings«, sagte Pia. »Kurz bevor wir dort waren. Und ich bin mir sicher, dass sie Elias auf dem Film dieser Wildtierkamera erkannt hat. Sie ist irgendwie in die ganze Sache rein geraten und jemandem auf die Füße getreten.«

»Aber wieso lebt sie noch?« Bodenstein blickte sich um. »Wenn der Täter sie am Samstagabend angegriffen hat, dann hatte er einen ganzen Tag lang Zeit, sein Werk zu vollenden und sie zu töten.«

»Vielleicht hatte er Hemmungen, weil er sie kannte«, vermutete Pia. »Er dachte, sie stirbt möglicherweise sowieso.«

»Du denkst an Peter Lessing, stimmt's?«

»Ja. Oder an Elias. Er hat heute Nacht bei Nike Haverland angerufen und ihr gesagt, dass er jetzt ein Auto hat.«

»Das Auto von Pauline?«

»Möglich.«

»Aber warum?«, fragte Tariq. »Was konnte Pauline wissen, was Elias oder seinem Vater hätte gefährlich werden können?«

»Das ist die Eine-Million-Euro-Frage«, antwortete Pia. »Wir müssen ihr Handy finden. Und Elias. Ich habe das Gefühl, dass er darüber Bescheid weiß.«

Die Leute von der Reitanlage hatten nichts gesehen oder gehört, was ihnen irgendwie verdächtig erschienen war. Bodenstein, Tariq und Pia setzten sich in ihre Autos und fuhren die Straße zurück bis zur Sportanlage. Dort hielten sie an, stiegen aus und stellten sich auf die Kreuzung. Von hier aus führte eine Straße den Berg hoch zur Tennisanlage und weiter bis zum Waldrand und zum Zauberberg. Pia konnte den hohen Drahtzaun mit den grünen Windschutznetzen sehen, der die Tennisplätze umgab. Vor nicht einmal zehn Stunden hatten Tariq und sie dort mit Frau Lessing gesprochen. Eine Straße führte geradeaus weiter, vorbei am Sportplatz des SV Ruppertshain bis hinaus zur Reitanlage, zum Reitplatz und zum Wald. Zwischen der Sportanlage und der Mehrzweckhalle führte eine dritte asphaltierte Straße hügelabwärts zum Modellflugplatz; sie mündete nach einem knappen Kilometer in zwei Feldwege. Über die vierte Straße, die unterhalb der Mehrzweckhalle verlief und wie ein U zurück nach Ruppertshain führte, gelangte man zur Kläranlage und zur Pferdeklinik von Dr. Inka Hansen. Dazwischen lagen die für diese Gegend typischen Streuobstwiesen, unterbrochen von Brombeerdickichten und Baumgruppen. Alles in allem ein recht unübersichtliches Gelände, das es einem Ortskundigen leicht machte, sich ungesehen zu bewegen. Besonders nachts.

»Kim ist davon überzeugt, dass derjenige, der die Morde an den Herolds und dem Pfarrer begangen hat, auch Artur ermordet hat.« Pia blieb stehen. »Prinzipiell bin ich ihrer Meinung, aber bevor wir nicht wissen, wie Artur gestorben ist, möchte ich mich nicht darauf festlegen, dass er damals von einem Kind getötet wurde, das heute Mitte fünfzig ist.«

»Sondern?« Bodenstein blickte sie aufmerksam an.

»Ich weiß es nicht.« Pia seufzte. »Mein Gefühl sagt mir, dass das nicht stimmt, aber ich kann es nicht beweisen. Es muss ein Erwachsener gewesen sein, der Artur und den Fuchs in das Grab gelegt hat. Und derjenige ist heute nicht Mitte fünfzig, sondern eher Mitte sechzig.«

»Zum Beispiel Leo Keller«, bemerkte Bodenstein.

»Ja, zum Beispiel.« Pia nickte. »Wir haben ja schon darüber spekuliert, dass er der Liebhaber von Rosie Herold gewesen sein könnte. Kai ist dabei, Namen zu sammeln, um eine Eingrenzung vornehmen zu können. Über die Einwohnermeldeamtdaten können wir nachvollziehen, wer damals in Ruppertshain gelebt hat. Aber wir dürfen uns auch nicht nur darauf beschränken. Der Täter kann ebenso gut in Schneidhain, Eppenhain, Fischbach oder

Königstein gelebt haben. So tragisch das auch ist, aber dieser Angriff auf Pauline könnte die Leute endlich zum Reden bringen. Wir müssen nur aufpassen, dass sie nicht einen Sündenbock suchen, sich zusammenrotten und Selbstjustiz üben.«

»Ich fürchte, du hast recht.« Bodenstein schürzte die Lippen. »Wie gehen wir also weiter vor?«

»Wir müssen so bald wie möglich eine Pressekonferenz abhalten«, erwiderte Pia und nickte in Richtung Absperrband an der Straße Richtung Reitanlage, hinter dem sich schon neugierige Anwohner und die ersten Presseleute versammelten. »Der Angriff auf Pauline wird die Presse herlocken. Und wenn sie nicht überleben sollte, gibt es noch mehr Schlagzeilen.«

Sie rieb sich das Kinn.

»Wir müssen die Bevölkerung warnen, und wir sollten mit Leonard Keller und deinen alten Schulkameraden sprechen, die Artur nicht mochten. Jede Menge zu tun also.«

»Ich würde die Fotos von Clemens meinen Eltern geben. Sie können die abgebildeten Personen für uns identifizieren«, schlug Bodenstein vor.

»In Ordnung. Kai soll sie ausdrucken lassen und ihnen schicken.«

»Außerdem muss ich mit Inka sprechen.«

»Wieso das?«

Bodenstein zögerte einen Moment, dann griff er in die Innentasche seines Jacketts und zog ein Foto hervor. Er reichte es Pia. Das Foto war schwarzweiß und schon leicht vergilbt. Der Schnappschuss zeigte eine Gruppe von Kindern, die mit dem zahmen Fuchs spielten und nicht auf den Fotografen achteten.

»Wann wurde das aufgenommen?«, wollte Pia wissen.

»An den Anlass kann ich mich nicht mehr erinnern«, erwiderte Bodenstein. »Es muss im Frühsommer 1972 gewesen sein. Hier, das sind Wieland und ich. Und das sind Simone, Inka und Artur. Ich habe mich an das Foto erinnert und auf dem Dachboden meiner Eltern gesucht, bis ich das Album gefunden habe, in dem es klebte.«

Pia kniff die Augen zusammen und betrachtete das Bild. Der blonde Artur spielte mit dem Fuchs, der auf dem Rücken auf seinem Schoß lag und mit den Vorderpfoten spielerisch nach seiner Hand haschte. Die beiden Mädchen sahen ihm dabei zu.

»Es gibt noch ein zweites Foto«, sagte Bodenstein und zog es hervor. »Das muss nur Sekunden später entstanden sein.«

Der Fotograf hatte eigentlich die Kinder im Vordergrund abgelichtet, aber auch der Hintergrund war deutlich zu erkennen. Das dunkelhaarige Mädchen hatte sich abgewandt und blickte auf etwas, das sich außerhalb des Kamerawinkels abspielte. Artur war vom Boden aufgestanden und schaute auch woanders hin. Das blonde Mädchen hatte das Bein ausgestreckt und trat dem Fuchs, der sich zu ihm umgewandt hatte und die Zähne fletschte, in die Flanke. Augen konnten sich täuschen, aber Fotos, die das Leben für einen Sekundenbruchteil einzufrieren vermochten, logen nicht.

»Sieht aus, als wäre sie eifersüchtig gewesen«, stellte Pia erstaunt fest.

»Genau das war auch mein Eindruck.« Bodenstein nickte. »Und darüber möchte ich mit Inka reden.«

* * *

Die BG Unfallklinik befand sich an der Friedberger Landstraße in Frankfurt-Seckbach, unweit der A661. Auf dem Dach des Hauptgebäudes stand der Rettungshubschrauber, mit dem Pauline Reichenbach hierhergeflogen worden war. Tariq hatte zuerst protestiert, als Pia ihn damit beauftragt hatte, Anwohner zu befragen, aber er hatte Pias Entscheidung schließlich akzeptiert. Stattdessen hatte sie Cem gebeten, sie zu begleiten. Sie mussten mit Paulines Eltern sprechen, jetzt, wo das Mädchen noch lebte und die Erinnerungen frisch waren. In der Klinik fragten sie sich durch, bis sie endlich das Wartezimmer fanden, in dem Paulines Familie ausharrte, bis es Neuigkeiten gab, gute oder schlechte.

»Lassen Sie uns in Ruhe! Verschwinden Sie!«, fuhr Simone Reichenbach, eine dicke Frau mit kurzgeschnittenem, weißblond gefärbtem Haar auf, als Pia und Cem das Wartezimmer betreten und sich vorgestellt hatten. Zorn und Angst glommen in den Augen hinter den dicken Gläsern einer schwarzen Kastenbrille. »Unsere Tochter kämpft um ihr Leben! Wir haben im Moment echt andere Sorgen, als irgendwelche bescheuerten Fragen zu beantworten!«

»Ich kann verstehen, wie Sie sich fühlen, Frau Reichenbach«, sagte Pia. »Es tut uns leid, dass wir Sie mit unseren Fragen belästigen müssen. Aber wir möchten herausfinden, wer Ihrer Tochter das angetan hat.«

»Ach ja? Sie haben ja noch nicht mal herausgefunden, wer die Herolds und den Pfarrer umgebracht hat!«, schnaubte die Dicke verächtlich. »Kümmern Sie sich doch besser erst mal darum.«

»Wir glauben, dass derjenige, der die Morde begangen hat, auch vorhatte, Ihre Tochter umzubringen.«

»Wie bitte?« Simone Reichenbach erstarrte. »Sie wissen, wer das getan hat?«

»Nein, das wissen wir noch nicht. Aber wahrscheinlich hat Pauline das herausgefunden. Und deswegen wollte der Mörder sie zum Schweigen bringen.«

Das teigige Gesicht von Paulines Mutter wurde kreidebleich. Ihre Finger zerpflückten ein Papiertaschentuch.

Ihr Mann stand am Fenster und starrte mit versteinerter Miene hinunter auf den Parkplatz. Paulines ältere Geschwister Britta und Colin, beide bereits Ende zwanzig, saßen auf der anderen Seite des Wartezimmers und wirkten hilflos und betroffen.

»Wann haben Sie zuletzt mit Pauline gesprochen?«, fragte Cem.

»Am Samstag«, erwiderte Simone Reichenbach. »Sie rief an. Nein, sie kam vorbei. Sie kam ins Hospiz. Ich … ich bin die Leiterin vom Hospiz Abendrot, aber das wissen Sie ja.«

Cem nickte.

»Sie wollte sich meinen Einkaufsausweis für den SELGROS ausleihen, weil Ronja und sie für die Party einer Kommilitonin noch ein paar Sachen besorgen wollten.«

»Ronja?«

»Paulines beste Freundin. Ronja Kapteina. Die Tochter des Försters. Die beiden kennen sich seit dem Kindergarten.«

»Was für einen Eindruck hatten Sie von ihr? War sie nervös? Wirkte sie ängstlich?«

»Nein, nein.« Paulines Mutter schüttelte heftig den Kopf. »Sie war wie immer. Pauline ist ... sie ist mutig. Sie hat vor nichts Angst.«

»Wohnt sie noch bei Ihnen zu Hause?«, wollte Pia wissen.

»Nein, sie ist vor einem Jahr ausgezogen. Sie wohnt in einer WG in Kalbach, in der Nähe der Uni. Sie studiert Biologie. Deshalb ... deshalb haben wir uns auch nicht gesorgt. Sie lebt ihr eigenes Leben, manchmal meldet sie sich ein paar Tage lang nicht bei uns.« Fetzen des Papiertaschentuchs segelten auf den Boden. »Pauline erzählt uns nicht besonders viel über das, was sie tut.«

»Weil es euch eh nicht interessiert.« Es war das erste Mal, dass Paulines ältere Schwester den Mund aufmachte. »Ihr kümmert euch doch nur um euch selbst!«

»Das ist nicht wahr!«, widersprach Simone Reichenbach, aber ihr Tonfall war defensiv, beinahe schuldbewusst.

»Natürlich ist es das!« Britta Reichenbach war äußerlich das komplette Gegenteil ihrer jüngeren Schwester: mager, mit einer zu kurzen Oberlippe, die beim Reden sehr viel Zahnfleisch sehen ließ. In ihrem strengen grauen Business-Kostüm und dem straff nach hinten frisierten aschblonden Haar wirkte sie älter, als sie sein konnte. »Ihr wisst überhaupt nichts über Pauline!«

»Aber du weißt mehr?« Ihre Mutter reagierte mit Sarkasmus. »Dass ich nicht lache! Du kümmerst dich doch gar nicht um unsere Familie!«

»Mit *euch* habe ich's aufgegeben«, schoss Britta Reichenbach zurück. »Das haben wir alle. Es hat nämlich keinen Sinn, euch irgendetwas zu erzählen, weil ihr nicht zuhört und euch am Arsch vorbeigeht, was mit uns ist!« Die junge Frau beugte sich vor. An ihrem Hals hatten sich rote Flecke gebildet. »Pauline und ich telefonieren mindestens einmal pro Woche, manchmal auch öfter. Und wir treffen uns regelmäßig. Ich weiß zum Beispiel, dass sie sich Sorgen um Elias gemacht hat und ihm helfen wollte. Aber niemand hat ihr sagen können oder wollen, wo er ist. Seine Eltern mauern, in der Mühle ist er nicht mehr aufgetaucht.«

»Wann haben Sie zuletzt mit Ihrer Schwester gesprochen?«, fragte Pia, bevor sich Mutter und Tochter in die Haare kriegen konnten.

»Letzte Woche irgendwann«, antwortete Britta Reichenbach.

»Sie hat mir erzählt, dass der Sohn der Nachbarn meiner Eltern, Elias, von der Polizei gesucht wird, weil er angeblich jemanden umgebracht hat. Das wollte sie nicht glauben. Pauline kann leider manchmal ziemlich naiv sein. Sie glaubt immer an das Gute in allen Menschen, sogar dann noch, wenn es kein anderer mehr tut.«

»Zum Beispiel?«

»Zum Beispiel bei Elias und seiner Psycho-Familie.« Britta Reichenbach schnaubte. »Die sind allesamt so was von gestört! Aber Pauline findet für alles und jeden eine Rechtfertigung und hat mit jedem Ausgestoßenen und Gescheiterten dieser Welt Mitleid.«

Ihre Stimme zitterte. Plötzlich rollte eine Träne über ihre Wange.

»Pauline ist der großherzigste und selbstloseste Mensch, den ich kenne«, flüsterte sie. »Ich bewundere sie für ihren Idealismus und ihre Power. Sie ist für mich und für alle, die sie kennen, so was wie … wie ein heller Stern. Wenn … wenn sie stirbt, dann …«

Sie schluchzte auf und verbarg ihr Gesicht in den Händen. Ihre Eltern rührten sich nicht, ihr Vater wandte sich nicht einmal um. Nur ihr Bruder legte tröstend die Arme um sie, und sie lehnte sich an ihn. Auch keine heile Familie, dachte Pia nüchtern. Sie überlegte kurz, ob sie Paulines Eltern jetzt auf die Geschichte mit Artur ansprechen sollte, dann verwarf sie die Idee wieder. Das hier war jetzt nicht der passende Moment. Britta Reichenbachs Worte hatten ihren Verdacht bestätigt, und das genügte ihr fürs Erste. Pauline war einer gefährlichen Wahrheit auf die Spur gekommen.

***

Als Pia und Cem das Wartezimmer verlassen hatten, kam ihnen im Flur eine sehr schlanke, etwa sechzigjährige Frau mit kurzgeschnittenem weißem Haar entgegen.

»Was macht die denn hier?«, murmelte Cem.

»Wer ist das?«, erkundigte sich Pia.

»Die Hausärztin von Rosemarie Herold. Sie kam an dem Abend, an dem der Chef und ich die Leiche gefunden haben, ins Hospiz.«

»Ich kenne sie auch.« Mit Namen hatte Pia öfter Probleme, aber Gesichter vergaß sie nie, vor allen Dingen keines, das ihr einmal aufgefallen war. Die Frau hatte gestern Abend im Tennisclub auf der anderen Seite von Jakob Ehlers gesessen, er hatte den Arm um ihre Schulter gelegt, nachdem er zuvor Henriette Lessing umarmt hatte. »Dann fragen wir sie doch mal, warum sie hier ist.«

Sie zog ihren Ausweis hervor und trat der Ärztin in den Weg.

»Entschuldigung. Dürfen wir Sie kurz sprechen?«

Der Blick der Frau streifte erst Pias Gesicht, dann den Ausweis, den sie ihr unter die Nase hielt.

»Ja.« Die Ärztin wirkte ungehalten. »Was gibt es denn?«

»Waren Sie nicht gestern Abend auch im Tennisclub?«, fragte Pia.

»Ja, das war ich.« Hochgezogene Augenbrauen. »Wieso?«

Zweifellos hatte die Frau in ihrem Leben viele Stunden auf sonnigen Tennisplätzen verbracht, ihre ledrige, tief gebräunte Haut war in dermatologischer Hinsicht die reinste Katastrophe.

»Sie sind doch die Hausärztin von Rosemarie Herold gewesen. Frau Dr. Basedow, richtig?«, sagte Cem nun. »Wir sind uns im Hospiz begegnet, am Freitagabend.«

»Stimmt.« Die Ärztin verzog das Gesicht in noch mehr Falten. »Warum sind Sie hier?«

»Ich bin die Hausärztin von Reichenbachs und eine Freundin der Familie.« In den hellblauen Augen stand unverhohlenes Misstrauen. »Jemand rief mich an und erzählte mir, was Pauline zugestoßen ist. Deshalb bin ich hierhergefahren. Ich möchte ihren Eltern Beistand leisten und nach Simone sehen.«

»Aha. Und wer hat Sie angerufen?«

»Patrizia Ehlers.« Die Ärztin lächelte ein freudloses Lächeln. »In so einem kleinen Ort machen Neuigkeiten schnell die Runde. Die schlechten schneller als die guten.«

»Sind Sie schon lange die Hausärztin der Reichenbachs?«

»Ja. Seitdem ich die Praxis von Dr. Lessing übernommen habe«, antwortete Dr. Basedow. »Also seit knapp dreißig Jahren.«

»Das ist eine lange Zeit. Dann kennen Sie wohl so gut wie jeden in Ruppertshain?«

»Das stimmt.« Ein bitteres, kleines Auflachen. »Auch, wenn sie es mir nicht leichtgemacht haben, die Ruppscher. Zuerst war es ihnen nämlich gar nicht recht, zu einer Ärztin, einer Frau, gehen zu müssen. Ich hatte zu Anfang ziemlich zu kämpfen.«

»Das kenne ich.« Pia lächelte schief. »Als Polizistin ergeht es einem nicht viel anders. Früher, als ich noch Streife fuhr, fragten mich die Leute oft, wann denn wohl ein ›richtiger‹ Polizist kommen würde. Nicht gerade toll fürs Selbstbewusstsein.«

»Genau so ging es mir auch.« Die Ärztin lächelte. Das Eis war gebrochen.

»Ihr Vorgänger, war der mit *den* Lessings verwandt?«, fragte Pia. »Den Nachbarn von Reichenbachs?«

»Ja. Dr. Lessing senior war der Vater von Peter«, bestätigte Dr. Basedow.

»Ich weiß, dass Sie wegen der ärztlichen Schweigepflicht nicht mit uns über Ihre Patienten sprechen dürfen«, sagte Pia. »Aber Sie kennen doch sicherlich auch Elias, oder?«

»Selbstverständlich.« Dr. Basedow runzelte die Stirn. »Warum fragen Sie nach ihm?«

»Pauline kennt Elias auch gut. Ihre Schwester hat uns gerade erzählt, dass sie sich Sorgen um ihn machte und ihm helfen wollte«, sagte Pia. »Wir haben den Verdacht, dass Elias etwas mit dem Angriff auf Pauline zu tun haben könnte.«

»Wie kommen Sie denn darauf?« Die Sonnenbräune der Ärztin wurde ein paar Nuancen heller.

»Als wir am Donnerstag am Waldfreundehaus waren, hat Pauline uns die Aufnahme einer Wildkamera gezeigt. Darauf war ein Mann zu sehen, nur sehr unscharf zwar, aber ich bin sicher, dass Pauline ihn sofort erkannt hat. Es war Elias. Pauline war noch am gleichen Tag bei Elias' Eltern, hat das mir gegenüber jedoch genauso abgestritten wie Peter Lessing. Warum? Was hat Pauline gewusst? Worüber hat sie mit Lessings geredet? Wer kann ein Interesse daran haben, sie zum Schweigen zu bringen? Elias, weil er fürchtet, sie könne ihn an die Polizei verraten? Sein Vater, weil er seinen Sohn schützen will? Oder sich selbst?«

»Was meinen Sie damit?« Frau Dr. Basedow blickte Pia aufmerksam an.

»Am späten Samstagabend schickte Pauline meinem Kollegen eine Nachricht«, fuhr Pia fort. »Sie hätte etwas, was für uns interessant sein könnte, und wollte das persönlich übergeben. Als mein Kollege ihr zurückschrieb, antwortete sie nicht mehr. Letizia Lessing hat uns erzählt, dass Elias zu Gewalt neigt. Er hat seine Schwester vor Jahren aus dem Fenster eines Rohbaus gestoßen und sie dabei lebensgefährlich verletzt.«

Ein besorgter Ausdruck erschien in den Augen der Ärztin.

»Ich verstehe, was Sie meinen«, sagte sie. »Tatsächlich darf ich Ihnen nicht viel sagen. Nur eins: Sie sollten das, was Ihnen jemand aus der Familie Lessing sagt, mit Vorsicht genießen.«

»Aha.«

Dr. Renate Basedow warf einen Blick auf ihre Uhr.

»Kommen Sie doch um ein Uhr zu mir in die Praxis«, sagte sie. »Den Zauberberg in Ruppertshain kennen Sie ja sicher.«

»Ja, den kenne ich«, bestätigte Pia.

»Kommen Sie wenn möglich allein.« Die Ärztin senkte die Stimme und warf Cem einen raschen Blick zu. »Das ist nichts gegen Sie persönlich. Es sollte aber besser so aussehen, als kämen Sie als Patientin zu mir, nicht als Polizistin.«

Damit ging sie weiter und verschwand im Wartezimmer, in dem die Reichenbachs auf den Ausgang von Paulines OP warteten.

»Kapierst du das?«, fragte Pia ihren Kollegen.

»Bis jetzt noch nicht«, gab Cem zu. »Aber ich habe den Eindruck, dass sie vor irgendetwas Angst hat, was mich nicht unbedingt überrascht. Ein Patient nach dem anderen wird umgebracht. An ihrer Stelle wäre mir auch äußerst unwohl zumute.«

* * *

»Wir haben die Tatwaffe gefunden, in einem Gebüsch, nur ein paar Meter von der Stelle entfernt, an der das Mädchen lag«, tönte die Stimme von Christian Kröger aus dem Lautsprecher des Telefons, das auf einem der Tische im Aufenthaltsraum stand. »Ein Brecheisen, an dem sich eingetrocknete Blutanhaftungen und Haare des Opfers befinden. Wir konnten Fingerabdrücke feststellen, per Schnellscan analysieren und haben einen AFIS-Treffer gelandet.«

»Lass mich raten«, sagte Pia. »Es sind die Fingerabdrücke von Elias Lessing.«

»Nein.« Kröger klang überrascht. »Der Mann, zu dem die Fingerabdrücke gehören, heißt Ralf Ehlers.«

Verdammt. Sie war schon fast sicher gewesen, dass Elias Pauline angegriffen hatte. Es wäre irgendwie logisch gewesen und hätte zumindest das Auto erklärt, das Elias Nike gegenüber am Telefon erwähnt hatte.

»Ralf Ehlers?« Bodenstein sah verblüfft auf.

»Warum ist der Mann bei uns im System gespeichert?«, fragte Pia.

»Kann ich dir nicht sagen«, antwortete Christian.

»Ich checke das«, ließ sich Kai vom Nachbartisch aus vernehmen.

Pia berichtete Bodenstein von ihrem Gespräch mit Familie Reichenbach im Krankenhaus und der Begegnung mit Frau Dr. Basedow. Viel hatten Cem und sie nicht erfahren, aber immerhin kannten sie nun den Namen von Paulines bester Freundin und wussten, dass sie eine eigene Wohnung in Kalbach, in der Nähe der Uni, hatte.

»Ich habe das Gefühl, Frau Dr. Basedow will mir etwas über die Lessings sagen, was sie mir eigentlich nicht sagen dürfte.« Pia dachte an die Warnung, die die Ärztin eben ausgesprochen hatte. »Mit der ganzen Familie stimmt irgendetwas nicht. Sie haben irgendetwas zu verbergen. Und ich frage mich immer mehr, was das ist.«

»Wo du es gerade erwähnst: Ich hatte ganz vergessen, dir zu sagen, dass der Onkel von Peter Lessing 1972 der Leiter der Polizei in Königstein war. Er hat damals fünf Tage lang gewartet, bevor er die Kripo hinzugezogen hat. Leider können wir ihn nicht mehr fragen, wieso, denn er ist ein Jahr später unter mysteriösen Umständen bei einem Unfall ums Leben gekommen.«

Pia versuchte, all die Namen und Verwandtschaftsverhältnisse auf die Reihe zu kriegen, aber es wollte ihr nicht gelingen.

»Wer ist jetzt schon wieder Ralf Ehlers?«, fragte sie Bodenstein. »War das nicht auch einer von deinen Schulfreunden?«

»Ja«, bestätigte er. »Er ist der jüngere Bruder von Jakob, der

Pauline heute Morgen gefunden hat. Das schwarze Schaf der Familie Ehlers. Er war übrigens mit Sonja, Rosies Tochter, verheiratet. Sie hat sich nach kurzer Zeit aber wieder von ihm scheiden lassen.«

Pia erinnerte sich an Bodensteins seltsame Reaktion, als Kai neulich bei der Besprechung erwähnt hatte, dass Sonja Schreck eine geschiedene Ehlers war. Sie sprach ihn darauf an.

»Ich hatte das nicht gewusst«, antwortete Bodenstein. »Das hat mich ziemlich ... nun ja ... überrascht.«

»Warum?«

»Ralf war ... ich weiß nicht, wie ich das beschreiben kann.« Bodenstein schüttelte unbehaglich den Kopf. »Als Kind war er mir unheimlich. Er war völlig unberechenbar. Wusste nie, wann Schluss ist.«

»Geht's etwas genauer?« Pia wurde ungeduldig. Immer, wenn es um die Vergangenheit ging, verlor ihr Chef jegliche Präzision, erging sich in Andeutungen und Gemeinplätzen.

»Ich hatte Angst vor Ralf, und er wusste das«, sagte Bodenstein. »An einem Tag war er dein bester Freund, am nächsten Tag hat er dich vor allen mit Wonne bloßgestellt. Bei den Erwachsenen kam er mit allem durch, niemand traute ihm je etwas Schlechtes zu, denn er sah so harmlos aus.«

»Muss mal kurz stören«, unterbrach Kai ihr Gespräch. »Der Mobilfunkanbieter von Elias Lessing hat sich endlich gerührt. Sie haben gerade das Bewegungsprofil geschickt. Er hat sich in den letzten Wochen sehr häufig in einem Gebiet zwischen zwei Funkmasten aufgehalten. Ich habe mir die Koordinaten angesehen. Der Ort, an dem er so oft gewesen ist, befindet sich in einem Dreieck zwischen Eppenhain, Ruppertshain und Schloßborn. Laut Karte ist da vorwiegend Wald. Aber es gibt da auch ein Gebäude, eine alte Mühle nämlich.«

»Die kenne ich«, sagte Bodenstein grimmig. »Und ich weiß auch, wer dort wohnt. Das passt ja.«

»Was passt?«, wollte Pia wissen.

»Die Hasenmühle. Sie gehört Ralf Ehlers.«

»Hat Paulines Schwester vorhin nicht auch von einer Mühle gesprochen?«, mischte Cem sich ein.

»Doch!« Pia versuchte sich daran zu erinnern. »Sie sagte irgendetwas, dass Elias schon lange nicht mehr in der Mühle gewesen sei.«

»Der Herr Ehlers hat ein recht beachtliches Vorstrafenregister«, verkündete Kai. »Schwere und gefährliche Körperverletzung in mehreren Fällen. Verstöße gegen das BtmG. Hausfriedensbruch. Sachbeschädigung. Betrug. Hehlerei. Saß ein Jahr im Knast wegen einer KV. Und Pauline kennt ihn ziemlich gut, wie mir scheint. Ich habe mir mal ihre Facebook-, Instagram- und Twitter-Seiten angesehen. Sie ist in sämtlichen sozialen Netzwerken ausgesprochen aktiv, betreibt auch einen eigenen Blog, in dem es in erster Linie um Naturschutz geht. Es gibt allerdings auch jede Menge Fotos von ihr im Netz mit Männern. Sie steht auf reifere Herren. Und ganz besonders auf Herrn Ehlers.«

»Ralf ist so alt wie ich.« Bodenstein war angewidert. »Das Mädchen ist höchstens fünfundzwanzig.«

»Der Typ sieht ziemlich gut aus für sein Alter.« Kai scrollte durch eine Reihe von Bildern auf seinem Bildschirm. »Eher Sugardaddy als Lustgreis.«

»Na, vielen Dank für den Lustgreis«, sagte Bodenstein gekränkt. »Ralf und ich sind ein Jahrgang.«

»Los geht's«, sagte Pia und blickte auf die Uhr an der Wand. In zwei Stunden sollte sie bei Frau Dr. Basedow sein. »Lass uns deinen alten Kumpel besuchen.«

***

»Fahr langsamer«, sagte Bodenstein vom Beifahrersitz aus. »Irgendwo geht es hier links rein. Ja, da vorne!«

Pia setzte den Blinker und bog in einen geschotterten Waldweg ein. Gefolgt von einem Streifenwagen, holperten sie die von Schlaglöchern und Herbstlaub übersäte Straße entlang, die mitten durch den Wald steil bergab ins Silberbachtal führte. Hinter einer Wegbiegung tauchte eine Ansammlung verfallener Gebäude auf. Ein vergammeltes Holztor hing schief in den Angeln, von der Mauer, die das Gelände einmal umschlossen hatte, existierten nur noch zwei Pfeiler. Pia hielt an.

»Bist du dir sicher, dass wir richtig sind?«, fragte sie. »Sieht nicht danach aus, als ob hier jemand wohnen würde.«

»Doch, das ist die Hasenmühle«, bestätigte Bodenstein. »Früher stand sie mal am Waldrand, aber das ist lange her. Sie war jahrzehntelang unbewohnt, und der Wald hat sie regelrecht verschluckt.«

»Hier wollte ich nicht mal tot über'm Gartenzaun hängen«, sagte Pia. »Das ist ja gruselig.«

»Jakob hat mir erst kürzlich erzählt, dass sein Bruder die Mühle vor einer Weile gekauft hat, um sie zu renovieren«, erwiderte Bodenstein. »Sehr weit ist er offenbar nicht damit gekommen.«

Die anderen beiden Schloßborner Mühlen, die in attraktiverer Lage vorne an der Landstraße standen, waren schon vor Jahren von neuen Eigentümern restauriert und in wahre Schmuckstücke verwandelt worden, aber diese Mühle, früher einmal die stolzeste und größte von allen, hatte weniger Glück gehabt. Selbst im Hochsommer gelangte selten ein Sonnenstrahl in das Tal, und die hohen Nadelbäume verliehen dem heruntergekommenen Ensemble aus Wohnhaus, Mühlengebäude und Scheune etwas Unheimliches. Ein dunkelblauer Volvo älteren Baujahrs stand mit geöffneter Heckklappe vor dem Haus. Bodenstein, Pia und die beiden Kollegen von der Schutzpolizei stiegen aus, betraten den Hof und blickten sich um. Tatsächlich schien man mit der Renovierung der Gebäude begonnen zu haben, aber dann war dem Bauherrn entweder irgendwann die Lust vergangen oder das Geld knapp geworden. Im Hof lagerten Sand, Kies und Bauschutt, längst von Unkraut überwuchert. Gerüstteile standen herum, Verbundsteine auf einer Holzpalette hatten schon Moos angesetzt, zwischen Zementsäcken fristete eine rostige Betonmischmaschine ein trauriges Dasein. Müll faulte unter mehreren Schichten verrottenden Herbstlaubes vor sich hin.

»So einen Saustall habe ich ja schon lange nicht mehr gesehen«, sagte Pia missbilligend. »Wie kann man in so einem Dreck leben?«

»Ich wette, hier gibt es Ratten.« Bodenstein verzog das Gesicht.

»Ist zu befürchten«, bestätigte Pia, die sich über die ausgeprägte Rattenphobie ihres Chefs lustig zu machen pflegte. Sie warf einen Blick in den Volvo. »Auf jeden Fall gibt's hier einen Hund, wenn nicht sogar mehrere.«

Die Rücksitzbank war umgeklappt, die Ladefläche war mit schmuddeligen, von Hundehaaren übersäten Decken ausgelegt.

»Katzen wären mir lieber. Ich hasse Ratten.« Bodenstein blieb am Auto stehen, die Hand fluchtbereit am Türgriff, für den Fall, dass eine dreiste Ratte die Nase aus den Müllbergen steckte.

»Jetzt stell dich nicht so an«, sagte Pia ungeduldig. »Lass uns lieber nachschauen, ob Sugardaddy Ralf zu Hause ist.«

Sie ging auf die Haustür zu, die ein Kranz aus verblichenen Plastikblumen zierte, ein vergeblicher Versuch, diese trostlose Müllhalde etwas wohnlicher zu gestalten. Mehrere Paare Schuhe und Gummistiefel drängten sich auf den zwei Treppenstufen, vor denen gelbe Säcke und Müllsäcke zu einem stattlichen Haufen angewachsen waren. Bodenstein folgte ihr, den Blick auf den Boden gerichtet.

»Immerhin trennen sie ihren Müll«, bemerkte Pia spöttisch.

Eine Klingel gab es nicht, deshalb klopfte sie nachdrücklich an die Holztür, von der die ehemals grüne Farbe fast völlig abgeblättert war. Nichts geschah.

»Ihr bleibt hier vorne im Hof«, wies Bodenstein die beiden Streifenbeamten an. »Wir gehen um das Haus herum.«

Unter einem Vordach an der Hauswand lagerten etwa drei Dutzend Gasflaschen, manche rostig und alt, manche noch neu und glänzend. Daneben standen 20-Liter-Benzinkanister aus Metall.

»Siehst du, was ich sehe?«, raunte Pia.

»Allerdings«, erwiderte Bodenstein, machte ein Beweisfoto mit seinem Smartphone und schickte es an Kai Ostermann.

Hinter dem Haus befand sich ein weiterer, größerer Hof, genauso ungepflegt wie der vordere. Der Beton war überall geplatzt, Unkraut und Baumwurzeln wucherten in den Rissen. An das verfallene Mühlengebäude, dessen Mühlrad nicht mehr existierte, schloss sich eine große Scheune aus verwittertem Holz an, deren Flügeltore geschlossen waren. An der Scheunenwand lagerten noch mehr Gasflaschen in Gitterboxen. Und Benzinkanister. Die hohen Fichten ließen kaum Sonne durch, so dass der

Hof in ein düsteres Zwielicht getaucht war. Der Bach rauschte, überlaut brummte ein Generator.

Urplötzlich brach ein wildes Gebell los, Bodenstein zuckte erschrocken zusammen, aber die Hunde – zwei Pitbull Terrier und zwei rötlich graue Hunde mit spitzen Ohren und hellblauen Augen – befanden sich glücklicherweise in zwei stabilen Zwingern an der rückwärtigen Seite des Hauses. Es waren die Pitbulls, die bellten, die anderen beiden Hunde standen nur reglos da.

Eine Seitentür der Scheune ging auf, und ein Mann trat heraus. Obwohl Bodenstein ihn seit mehr als dreißig Jahren nicht mehr gesehen hatte, erkannte er ihn sofort. Sein blondes Haar war grau geworden, und bis auf einen modischen Spitzbart, für den er eigentlich zu alt war, hatte sich Ralf Ehlers kaum verändert.

»He, ihr zwei!«, rief er den Pitbulls zu, die sofort verstummten und schwanzwedelnd am Gitter hochsprangen. »Seid nett zu unserem Besuch!«

»Wow!«, entfuhr es Pia. »Richard Gere!«

»Nein. Ralf Ehlers«, entgegnete Bodenstein trocken.

Der Mann fuhr erschrocken herum.

»Das hier ist Privatbesitz!«, sagte er unfreundlich. »Verschwinden Sie, sonst lasse ich die Hunde raus!«

»Hallo, Ralf«, entgegnete Bodenstein. »Das ist aber keine nette Begrüßung.«

Die Augen des Mannes wurden schmal.

»Oliver?« Er kam näher. Schulterlanges silbergraues Haar, ein sonnengebräuntes Gesicht, von Lachfältchen umgebene Augen. Er trug eine verwaschene Jeans und ein enges weißes T-Shirt, das seine durchtrainierte Figur perfekt zur Geltung brachte. Ralf Ehlers wirkte ausgesprochen vital und sportlich und, abgesehen von seiner grauen Haarmähne, erheblich jünger als Mitte fünfzig. Kein Wunder, dass er auf ein junges Mädchen wie Pauline anziehend wirkte.

»Tatsächlich! Oliver von Bodenstein!«, rief Ehlers nun, eher bestürzt als erfreut. »Dich hab ich ja ewig nicht mehr gesehen!«

Bodenstein ging auf die vertrauliche Ansprache nicht ein, stellte stattdessen Pia vor.

»Hallo, Herr Ehlers.« Pia präsentierte ihren Ausweis, aber er warf keinen Blick darauf.

»Lasst uns ins Haus gehen. Fremde regen meine Hunde auf.« Er zwang sich zu einem Lächeln, konnte seine Nervosität aber kaum verbergen.

»Wozu brauchen Sie diese vielen Gasflaschen?«, fragte Pia.

»Welche Gasflaschen?« Ehlers war kurz irritiert, dann lächelte er. »Ach die! Die gehören nicht mir, sondern den Leuten, denen ich die Scheune vermietet habe.«

»Was sind das für Leute?«, fragte Bodenstein. »Was machen sie damit?«

»Ich habe an ein paar Türken vermietet, sie zahlen gut«, erwiderte Ehlers. »Sie stellen da drin irgendwelche türkischen Süßigkeiten her. Ist das jetzt etwa Sache der Kriminalpolizei?«

Das Gesundheitsamt würde an den hygienischen Zuständen dieser Produktionsstätte sicherlich eine Menge auszusetzen haben, aber das interessierte Bodenstein nicht. Sie hatten vier Morde aufzuklären.

»Sie haben sicherlich davon gehört, dass in den letzten Tagen drei Menschen ermordet wurden«, sagte Pia nun.

»Ja, das ist sogar bis zu mir ins finstere Tal vorgedrungen.« Ehlers lächelte noch immer. »Was habe ich damit zu tun?«

»Heute Morgen wurde in Ruppertshain eine schwerverletzte junge Frau aufgefunden«, sagte Pia. »Und an der Tatwaffe hat man Ihre Fingerabdrücke festgestellt.«

»Wie bitte?« Ralf Ehlers warf Bodenstein einen raschen Blick zu. »Das ist jetzt ja wohl ein Scherz, oder?«

»Nein.«

»Aha. Und wen bitte soll ich schwer verletzt haben?« Sein Lächeln verkrampfte, etwas Zorniges blitzte in seinen Augen auf.

»Pauline Reichenbach.«

»Was?« Ehlers' Augen weiteten sich. Er hörte auf zu lächeln. Ungläubigkeit und Entsetzen machten sich auf seinem Gesicht breit. »Pauline? Oh mein Gott! Aber sie ... sie war doch noch hier. Sie war ...«

»Sie war – was?«, fragte Pia scharf.

»Mein Paulinchen!« Ralf Ehlers wirkte ehrlich betroffen. »Wie geht es ihr? Was ist passiert?«

War das die Sorge eines Freundes oder das Interesse eines potentiellen Mörders, der sein Opfer tot gewähnt hatte? Bodenstein betrachtete ihn und überlegte, ob sein Verhalten echt war oder Theater. Er war schon als Kind ein guter Schauspieler gewesen, »die Unschuld in Person« seine Paraderolle.

»Das würden wir gerne von Ihnen wissen«, sagte Pia.

»Was wollen Sie von mir wissen?« Ehlers starrte sie einen Moment verständnislos an, dann kehrte die Farbe in sein Gesicht zurück. Sorge verwandelte sich in Zorn. »Was soll diese blöde Unterstellung? Warum sollte ich Pauline etwas antun wollen?«

»Vielleicht, weil Sie eine Meinungsverschiedenheit hatten. Weil Ihre junge Geliebte nicht so wollte wie Sie.«

»Junge Geliebte? Jetzt machen Sie mal halblang!«

»Haben Sie ein Verhältnis mit Pauline oder nicht?«

»Verhältnis!« Ehlers schüttelte den Kopf. »Wir haben manchmal Sex, das stimmt, aber das ist kein Verhältnis! Wir lieben uns alle hier. So ist das bei uns.«

»Wer liebt wen?«, forschte Pia nach. »Und wer sind ›wir‹? Sie und lauter junge Leute, vor denen Sie den großen Mann spielen, hm?«

»Sie haben doch keine Ahnung«, warf Ehlers ihr vor.

»Stimmt. Es interessiert mich auch nicht, solange Ihre Gespielinnen volljährig sind«, entgegnete Pia trocken. »Wo waren Sie am Samstagabend zwischen neun Uhr und Mitternacht?«

»Das ist jetzt nicht Ihr Ernst!«

»Davon können Sie ausgehen. Ihre Fingerabdrücke sind an der Tatwaffe«, erinnerte Pia ihn unbeeindruckt. »Ihrem Vorstrafenregister lässt sich entnehmen, dass Sie zu körperlicher Gewalt neigen. Ich nehme Sie vorläufig fest wegen des Verdachts, Pauline Reichenbach angegriffen und schwer verletzt zu haben. Sollte sie den Folgen ihrer Verletzungen erliegen, lautet der Vorwurf auf Mord.«

»Oliver!« Ehlers wandte sich hilfesuchend an Bodenstein, er hob bittend die Hände, auf seinem Gesicht erschien ein demütiges, um Verständnis werbendes Lächeln. »Das kannst du doch nicht ernsthaft glauben! Pauline ist mein Patenkind! Ich habe sie übers Taufbecken gehalten! Nie und nimmer könnte ich ihr etwas antun! Ja, ich habe Vorstrafen, das stimmt, aber das waren Jugendsünden. Dummheiten! Ich war immer zu impulsiv, das war mein Problem! Hinterher tat es mir jedes Mal leid. Aber ich habe mir seit Jahren nichts mehr zuschulden kommen lassen!« Seine Augen quollen aus den Höhlen, in seinen Mundwinkeln sammelten sich Speichelbläschen. »Ich habe mich geändert, Oliver, wirklich!«

Bodenstein war fast geneigt, ihm zu glauben, doch dann erkannte er die Berechnung in Ehlers' Augen. Er war genau der geblieben, der er schon als Kind gewesen war: Einer, der keine Grenzen akzeptierte, sich an keine Regel hielt und dem die Konsequenzen seines Tuns völlig gleichgültig waren.

»Oliver, bitte, wir kennen uns doch so lange!« Wie früher zog Ralf auch jetzt alle Register, um sich aus der brenzligen Situation zu winden. »Wir waren Freunde! Du weißt, dass ich so etwas niemals tun würde.«

»Tut mir leid«, entgegnete Bodenstein.

Es tat ihm in Wirklichkeit nicht im Geringsten leid, und er schämte sich ein bisschen für die Genugtuung, die er empfand. Längst vergessen geglaubte Erinnerungen stürzten mit absurder Klarheit auf ihn ein: *Jetzt gehörst du der Bande. Bis in den Tod. Wer uns verrät, wird bestraft und muss sterben.* Manch schlaflose Nacht hatten ihm diese Worte, an die Ralf und Peter ihn regelmäßig erinnert hatten, damals beschert. Er hatte in ihren Augen die Bande verraten, indem er sich von ihr befreit und Artur zugewandt hatte. Und er war bestraft worden. Plötzlich schoss ihm eine Vermutung durch den Kopf, und er bekam vor Aufregung eine Gänsehaut. Aber jetzt war nicht der richtige Augenblick für die Frage, die er Ehlers stellen wollte.

Die beiden uniformierten Kollegen betraten den Hof, und Pia belehrte Ehlers über seine Rechte. Ralf Ehlers erkannte die Aussichtslosigkeit seines Appells an eine alte Freundschaft, von der er selbst nur zu gut wusste, dass sie nie eine gewesen war. Wie früher, wenn man ihn zur Rede gestellt und in die Enge getrieben hatte, schaltete sein Verteidigungsmechanismus auch jetzt blitzschnell auf Angriff.

»Ich glaube, ich weiß, wer Pauline das angetan hat«, behauptete er, als die Handschellen um seine Handgelenke schnappten.

»Wir brauchen Verstärkung«, sagte Pia zu Bodenstein. »Kai hat mir gerade den Haftbefehl und einen Durchsuchungsbeschluss aufs Handy geschickt.«

»Wieso? Was wollt ihr durchsuchen?«, mischte sich Ehlers ein. »Ich komme doch mit und erzähle alles, was ihr wissen wollt.«

Zum ersten Mal schwang echte Besorgnis in seiner Stimme mit, die rein gar nichts mit Pauline Reichenbach zu tun hatte.

»Kommen Sie«, forderte einer der Uniformierten Ehlers auf. »Gehen wir.«

»Halt! Nein!«, protestierte Ehlers und blieb stehen. »Was passiert mit meinen Hunden?«

»Um die kümmern wir uns«, sagte Pia. »Wie heißen sie?«

»Mayday. Und Fiona«, erwiderte Ehlers. Die Besorgnis hatte sich in Panik verwandelt. »Hören Sie, ich …«

»Und die beiden anderen Hunde?«

»Die kenne ich nicht. Elias hat sie wohl letzte Nacht hergebracht.«

Als er seine Hunde vorhin aufgefordert hatte, nett zu ihrem Besuch zu sein, hatte er die fremden Hunde gemeint, nicht die Polizisten, die er bis dahin noch gar nicht gesehen hatte! Pia warf Bodenstein einen Blick zu.

»Elias?«, fragte Bodenstein nach. »Peters Sohn?«

»Ja.« Ehlers nickte heftig. »Er kommt oft her. Seit Jahren schon. Immer dann, wenn er's zu Hause nicht aushält.«

Das war nicht gelogen, das bewies das Bewegungsprofil von Elias' Handy. Und es war gleichzeitig die Erklärung für das, was Letizia Lessing Pia und Tariq erzählt hatte: Wenn ihr Bruder seine Ruhe wollte, ging er in den Wald und blieb manchmal tagelang weg.

»Wann hast du ihn zuletzt gesehen?«, wollte Bodenstein wissen.

Ehlers dachte nach, ohne seinen alten Schulkameraden aus den Augen zu lassen. Er beschrieb mit seinem Kopf einen Kreis, als wollte er seine Nackenmuskulatur lockern. Seine Miene war völlig ausdruckslos geworden.

»Wann war Elias das letzte Mal hier?«, wiederholte Pia.

»Das weiß ich nicht genau. Er kommt und geht, wie es ihm passt, und meldet sich nicht jedes Mal bei mir.« Ehlers zuckte die Schultern. »Fragen Sie am besten Pauline nach ihm. Sie hat überall nach ihm gesucht. Und vielleicht hat sie ihn ja gefunden.«

***

Nach der Festnahme von Ralf Ehlers hatte Pia es gerade noch geschafft, rechtzeitig um dreizehn Uhr in der Praxis von Frau Dr. Basedow zu sein. Die Arzthelferin, eine vierschrötige Mittvierzigerin mit kupferrot gefärbtem Bubikopf und einem Tribal-Tattoo im speckigen Genick, stellte gerade den Türschnapper um und bedachte Pia mit einem unfreundlichen »Jetzt ist zu. Kommen Sie um drei wieder«, ohne sie auch nur anzusehen.

»Ich habe einen Termin«, erwiderte Pia und griff nach der Tür, bevor sie ins Schloss fallen konnte.

»Momendemal«, begehrte die Stämmige auf und drängte sich energisch an Pia vorbei. »So geht des hier aber net!«

»Ist schon in Ordnung, Petra.« Frau Dr. Basedow erschien im Türrahmen. »Ich habe vergessen, Ihnen Bescheid zu sagen, dass ich noch eine Patientin eingeschoben habe.«

»Isch muss den Marvin jetzt von der Schul abhole.« Die Arzthelferin funkelte Pia verärgert an, weil sie um ihre Mittagspause fürchtete.

»Gehen Sie nur«, beruhigte Frau Dr. Basedow sie. »Ich kriege das schon alleine hin.«

Sie wartete, bis ihre Angestellte im Treppenhaus verschwunden war, dann schloss sie die Tür und führte Pia in ihren Behandlungsraum.

»Bitte, nehmen Sie Platz.«

»Danke.« Pia setzte sich auf einen der Besucherstühle. »Wie geht es Pauline?«

»Sie hat die OP überlebt«, antwortete die Ärztin und nahm hinter ihrem Schreibtisch Platz. »Sie hatte insofern Glück im Unglück, als dass sich durch den offenen Bruch des Schädelknochens die Hirnschwellung ausdehnen konnte und der Druck vielleicht keine so gravierenden Schäden angerichtet hat, wie es ohne Schädelbruch der Fall gewesen wäre. Man hat sie jetzt ins künstliche Koma gelegt, damit sich ihr Körper regenerieren kann. Außer Lebensgefahr ist sie aber noch nicht.«

Dr. Renate Basedow blickte Pia über den Rand ihrer Lesebrille an. Goldene Staubkörner tanzten in den Sonnenstrahlen, die schräg durchs Fenster fielen. Einen Moment herrschte Stille.

»Warum bin ich hier?«, brach Pia das Schweigen.

Renate Basedow starrte sie an. Sie zog die Augenbrauen so stark zusammen, dass sie sich über ihrer Nasenwurzel trafen.

»Ich habe zu oft weggeschaut, wo ich hätte Mut beweisen müssen. Aber ich hatte Angst vor den Konsequenzen, das gebe ich zu. Jetzt sind drei Menschen, die ich gut gekannt habe, umgebracht worden, und ein junges Mädchen, das noch sein ganzes Leben vor sich hat, schwebt in Lebensgefahr. Ich kann einfach nicht länger so tun, als ginge mich das, was hier passiert, nichts an.«

Ihre Finger spielten ruhelos mit den Bügeln ihrer Brille. Sie war nervös.

»Die meisten Leute, die da unten leben, sind meine Patienten. Viele von ihnen seit dreißig Jahren«, sagte die Ärztin scheinbar zusammenhanglos. »Ich kenne ihre Namen und Krankheiten und weiß über ihre Verwandtschaftsverhältnisse Bescheid, aber oft denke ich, dass ich sie gar nicht kenne. Ich bin in den Augen der Alteingesessenen eine Zugezogene und werde das wohl immer bleiben, obwohl ich seit meiner Kindheit hier lebe. Meine Eltern gehörten zu den Ersten, die ein Haus am alten Steinbruch bauten, das war damals ein Neubaugebiet. Zum Studium ging ich von hier weg, ich arbeitete in Berlin, dann in Frankfurt. Die meisten meiner Kommilitonen und Kollegen träumten von großen Karrieren, ich nicht. Ich wollte immer Landärztin sein. Deshalb kehrte ich nach Ruppertshain zurück, als meine Mutter mir erzählte, dass Dr. Lessing einen Nachfolger für seine Praxis suchte.«

Sie seufzte.

»Die Lessings leben seit Generationen hier. Dr. Lessing war geachtet und respektiert – und er war ein Mann. Ich hingegen war eine junge, leidlich attraktive Frau, der man nichts zutraute. Man lächelte mir auf der Straße zu und ließ mich am ausgestreckten Arm verhungern. Die Leute fragten heimlich den alten Herrn Doktor um Rat, statt zu mir zu kommen. Hätte ich die Lessings nicht dazu überreden können, für eine Weile in die Praxis zurückzukehren, dann wäre ich wohl innerhalb eines halben Jahres pleitegegangen. Er war der Herr Doktor, aber seine Frau hielt im Hintergrund die Zügel in der Hand.«

»Warum hat Dr. Lessing Ihnen seine Praxis verkauft? War er schon so alt?« Pia konnte nicht besonders gut rechnen, aber wenn Peter Lessing so alt wie Bodenstein war, konnte dessen Vater 1984 noch nicht im Rentenalter gewesen sein.

»Nein, er war krank. Parkinson«, antwortete die Ärztin knapp. Sie hielt kurz inne, und als sie weitersprach, war ihr Ton verändert, betont gleichmütig. »Zwei Jahre später starb er dann doch völlig überraschend an einem Herzinfarkt. Mit gerade mal sechzig Jahren. Auf seiner Beerdigung versammelte sich das ganze Dorf, aber niemand vergoss eine Träne um den Mann, dem sie angeblich so viel verdankten. Sie heuchelten Betroffenheit, doch insgeheim waren sie froh, dass er tot war. Ich war bis dahin der festen Meinung gewesen, die Leute hätten ihn gemocht, aber das Gegenteil war der Fall gewesen. In Wirklichkeit haben sie ihn gehasst.«

»Wieso das?«

»Er bildete sich viel darauf ein, als einer der ersten aus dem Ort studiert und promoviert zu haben, und er liebte es, die Leute seine Überlegenheit spüren zu lassen. Mit einem gütigen Lächeln im Gesicht traf er unerbittlich jeden wunden Punkt. Er war ein böser Mensch. Und seine Frau war noch schlimmer. Sie war nur zufrieden, wenn sie Zwietracht säen konnte. Man hatte Angst vor ihnen. Vor der ganzen Familie.«

Diese Formulierung ließ Pia aufhorchen. Hatte Bodenstein nicht genau das über Peter Lessing gesagt?

»Dass Menschen nicht grundsätzlich nett sind, war wohl die bitterste Lektion, die ich in meinem Leben lernen musste«, sagte die Ärztin nun. »Ich war früher viel zu naiv und glaubte fest an das Gute im Menschen. Aber hinter freundlichen Fassaden gähnt manchmal ein finsterer Abgrund aus Niedertracht und Selbstsucht. Ich habe schon in viele dieser Abgründe schauen müssen und dachte, mich könnte nichts mehr überraschen, aber es gibt für alles immer noch eine Steigerung. Es gibt Menschen, die sich besser nie begegnen sollten, denn sie bringen nur das Schlechteste in einander zum Vorschein.«

Ein Schatten flog über ihr Gesicht, für einen winzigen Moment entgleiste ihre Mimik und offenbarte einen alten Schmerz, hervorgerufen durch eine Kränkung oder Zurückweisung, die sie bis heute nicht verwunden hatte.

»Von wem sprechen Sie?«, erkundigte Pia sich behutsam, obwohl es ihr schwerfiel, ruhig zu bleiben.

»Unter anderem von meiner jüngeren Schwester«, erwiderte die Ärztin zu Pias Überraschung, ohne ihrem Blick auszuweichen. »Sie verliebte sich unglücklicherweise in Peter Lessing, zog trotz aller Warnungen zu ihm. Er behandelte sie wie den letzten Dreck, demütigte und erniedrigte sie, wann immer er konnte, und machte sich in aller Öffentlichkeit über sie lustig. Sie war bald nur noch ein Schatten ihrer selbst. Dann lernte Peter Henriette kennen. Er machte mit meiner Schwester auf eine brutale Weise Schluss, wenig später gab es eine pompöse Hochzeit im Kronberger Schlosshotel. Meine Schwester hat den seelischen Schaden, den Peter ihr zugefügt hat, nie verwinden können. Sie wurde depressiv und alkoholabhängig und brachte sich schließlich um. Mit sechsunddreißig Jahren.«

Sie verstummte. Die Arme vor der Brust verschränkt, nagte sie versonnen an ihrer Unterlippe. Pia zweifelte keine Sekunde an dem, was die Ärztin ihr erzählte. Sie dachte an die Kälte, mit der Peter Lessing seine Frau behandelt hatte, und an die Katze, die er getötet hatte, als er kaum zehn Jahre alt gewesen war.

»Glauben Sie, Elias ist dazu fähig, jemanden umzubringen?«, fragte Pia.

»Ich wollte, ich könnte voller Überzeugung ›nein‹ sagen, aber das kann ich nicht.« Die Ärztin stieß einen tiefen Seufzer aus und lehnte sich in ihrem Drehsessel zurück. »Wer kann schon sagen, wozu ein Mensch fähig ist, wenn er in die Enge getrieben wird? Elias hat schon eine Menge Dummheiten gemacht, aber er hat nie einem anderen absichtlich Schaden zugefügt. Er hat einen labilen Charakter.«

Pia registrierte etwas in ihrem Blick, das weit über die professionelle Sorge um einen Patienten hinausging, und sie fragte sich, was es war. Elias Lessing schien der Ärztin am Herzen zu liegen, aber warum? Gab es eine Verbindung zu dem Jungen, die ihn für die Ärztin besonders machte?

»Seine Schwester hat uns erzählt, dass er sie mit sechs Jahren aus dem Rohbau ihres Hauses geschubst hat und dass er zu Gewalttätigkeiten neigt.«

»Ich habe diese Geschichte mit dem Fenstersturz nie geglaubt«, erwiderte Frau Dr. Basedow. »Aber sie war nicht zu widerlegen. Elias hatte als Kind eine Lese- und Rechtschreibschwäche und erhebliche Probleme, sich zu konzentrieren. Seine Eltern sind sehr ehrgeizig, sie ließen ihm deswegen schon in der Grundschule Nachhilfe geben. Unter dem Druck, dem er ausgesetzt war, entwickelte er Verhaltensauffälligkeiten. Zu der Kinderärztin hatten seine Eltern angeblich kein Vertrauen mehr, deshalb kamen sie mit ihm zu mir und behaupteten, er sei schizophren. Er war ungefähr vierzehn damals, aber ich konnte keine Anzeichen für eine Schizophrenie bemerken, deshalb hielt ich Rücksprache mit seiner früheren Kinderärztin. Sie erzählte mir, dass Lessings darauf gedrungen hatten, Elias zu einem Spezialisten oder gar in eine psychiatrische Klinik zu überweisen, was sie abgelehnt hatte. Als ich ihnen quasi dasselbe sagte wie die Kinderärztin, wurden sie wütend. Sie beschimpften mich und verlangten, dass ich ›diesen Mist‹ nicht noch einmal äußere, schon gar nicht Elias gegenüber. Er sei psychisch krank. Punkt.« Sie schnaubte, eher frustriert als verärgert. »Ich habe dann nichts mehr gesagt. Peter Lessing weiß, wie man Worten Nachdruck verleiht.«

»Er hat auch versucht, mich einzuschüchtern«, antwortete Pia. »Er ist ein Kontrollfreak, der seine Familie und jeden Menschen in seiner Umgebung dominieren muss, um sich gut zu fühlen.«

Renate Basedow schenkte ihr einen schwer zu deutenden Blick. Zustimmung? Verwunderung?

»Ich war fassungslos, als ich begriff, dass Peter und Henriette ihren Sohn als geisteskrank in eine Klinik abschieben wollten, nur um ihr Versagen als Eltern zu kaschieren. Sie schickten den Jungen in Kliniken, stopften ihn mit Medikamenten voll, die er gar nicht brauchte. Das, was Elias eigentlich fehlte, waren Liebe, Verständnis und Geduld. Stattdessen wurde er ein Opfer von Überbehütung einerseits und übertriebenem Anspruchsdenken andererseits. Er lehnte sich dagegen auf, machte allerhand Unsinn, lief immer wieder von zu Hause weg und rutschte schließlich in die Drogensucht ab. Das ist eine Tragödie, gegen die ich nichts tun konnte. Diejenige, die meiner Meinung nach krank ist, ist seine Schwester. Letizia ist eine notorische Lügnerin. Sie kann Menschen manipulieren, ist hochintelligent und schreckt vor nichts zurück, um ihr Ziel zu erreichen.«

»Wie ihr Vater.« Pia machte keinen Hehl daraus, dass sie Peter Lessing nicht mochte. »Ist Elias denn nun krank oder nicht?«

»Meines Erachtens nach nicht. Er war einfach dem starken Leistungsdruck nicht gewachsen und hat sich dem auf die einzige Weise entzogen, die ihm möglich war.« Frau Dr. Basedow zuckte die Schultern.

»Wieso erzählen Sie mir das alles?«, fragte Pia.

Die Ärztin beugte sich vor und starrte Pia mit einer Eindringlichkeit an, die geradezu beunruhigend war. Ihr Körper war steif vor Anspannung, ihr Atem ging schneller. Sie wusste etwas, und sie hatte Angst.

»Im Ort wird momentan viel geredet, vor allen Dingen, seitdem das Skelett des Jungen aufgetaucht ist. Ich weiß nicht, wie viel Sie darüber wissen, was hier damals geschehen ist. Ich selbst war fünfzehn, als der Junge verschwand, aber ich erinnere mich noch an die Stimmung hier im Ort und an die Gerüchte ...«

Das Geräusch der sich öffnenden Praxistür ließ sie verstummen. Eine Tür fiel ins Schloss, Schritte knarrten auf dem Laminatfußboden. Renate Basedow legte warnend ihren Zeigefinger an die Lippen und stand auf. Ihre Körpersprache veränderte sich, als sie zurück in die Rolle der Ärztin schlüpfte.

»Um ganz sicherzugehen, sollten Sie am besten Ihre Schulter röntgen lassen«, sagte sie zu Pia. Ihre Stimme klang neutral, sie wirkte souverän und gelassen. »Ich schreibe Ihnen eine Überweisung zum Radiologen. Ja, was ist denn, Petra?«

»Ei, isch wollt' nur Bescheid gebbe, dass isch wieder da bin, Frau Dokter!« Die Sprechstundenhilfe warf einen neugierigen Blick über die Schulter ihrer Chefin.

»Ja, danke.« Die Ärztin nickte ihrer Arzthelferin zu. »Legen Sie mir bitte die Akten für die Hausbesuche raus. Und ich brauche die Laborergebnisse von Frau Roos und Herrn Bornemann.«

Sie traute ihrer Mitarbeiterin nicht. Wahrscheinlich traute sie überhaupt niemandem. Das war der Preis, den ihr schlechtes Gewissen forderte.

»Mach isch, Frau Dokter.« Die Rothaarige zog sich nach einem letzten prüfenden Blick zurück und schloss die Tür hinter sich.

»Wovor haben Sie Angst?«, erkundigte Pia sich, aber Frau Dr. Basedow blieb ihr eine Antwort schuldig. Sie öffnete hastig eine Schublade ihres Schreibtisches, zog einen dicken verblichenen Umschlag hervor und legte ihn vor Pia auf die Schreibtischplatte.

»Den habe ich in Dr. Lessings Büro gefunden«, sagte sie mit gesenkter Stimme. »Er war mit Reißzwecken unter seinem Schreibtisch befestigt. Ich habe ihn natürlich geöffnet, bin aber aus dem Inhalt nicht schlau geworden. Dann habe ich ihn vergessen. Erst nach dem Mord an Rosie ist er mir wieder eingefallen. Ich weiß noch immer nicht, warum Lessing das aufgehoben hat, aber ich hoffe, es hilft Ihnen weiter.«

»Danke«, antwortete Pia. »Vor allen Dingen danke für Ihr Vertrauen.«

»Melden Sie sich, wenn Sie Fragen haben. Sie haben meine Nummer.« Die Ärztin reichte ihr flüchtig die Hand und verließ das Büro. Eine Tür draußen im Flur klappte. Pias Herz pochte heftig, als sie den Umschlag ergriff und rasch in ihren Rucksack stopfte. Sie hatte das prickelnde Gefühl, endlich das Ende eines Fadens in die Finger bekommen zu haben, der sie durch das Dickicht jahrzehntealter Lügen und Geheimnisse leiten würde.

* * *

Eilig lief Pia die Treppe hinunter. Kai hatte versucht, sie zu erreichen, aber bevor sie ihn zurückrief, vergewisserte sie sich mit einem Anruf bei Haverlands, ob Elias sich noch einmal gemeldet hatte. Hatte er nicht.

Es war kurz vor zwei. Sie war neugierig auf den Inhalt des Umschlags, aber sie wollte sich gedulden, bis sie wieder im Büro war. Bodenstein ging nicht an sein Handy, deshalb hinterließ sie ihm eine Nachricht auf der Mailbox. Trotz des herrlichen Sonnenscheins war die Terrasse des Restaurants Merlin leer; auf dem Parkplatz standen nur drei Autos. Die Presseleute lauerten unten im Ort, das hatte jemand vorhin Bodenstein erzählt. Sie hatten im Grünen Wald ihr Quartier aufgeschlagen und sorgten dort und in der gegenüberliegenden Bäckerei Pokorny für Rekordumsätze.

Nach hier oben hatte sich bisher kein sensationslüsterner Reporter verirrt. Einer spontanen Eingebung folgend, lief Pia die Treppe zum Restaurant hoch. Auch im Gastraum waren alle Tische unbesetzt – die Nachricht von dem Überfall auf Pauline hatte längst die Runde gemacht, Entsetzen und Angst hatten die Straßen leergefegt und das Dorf gelähmt.

»Hallo, Pia!« Bandi, der Wirt, legte bei ihrem Anblick das Telefon weg und erhob sich von dem Tisch in der Nische neben der Eingangstür. Er war ganz grau im Gesicht und sichtlich mitgenommen. »Du bist heute mein erster Gast und wahrscheinlich auch der Einzige. Willst du was essen?«

»Ja.« Scheiß auf die Kalorien. »Eine Pizza mit …«

»… Thunfisch, Kapern und Sardellen«, ergänzte Bandi, der ihre Vorlieben kannte. »Und eine Cola light.«

»Genau.« Pia lächelte kurz und setzte sich an den Tisch. Bandi verschwand in der Küche, und sie nutzte die Gelegenheit, Kai zurückzurufen. Ihr Magen knurrte in der Stille.

»Pia, der Polizeipräsident ist gerade eben hier aufgetaucht«, teilte er ihr beinahe im Flüsterton mit, als fürchte er, belauscht zu werden. »Er hockt mit der Engel im Aufenthaltsraum. Sie warten darauf, dass du zurückkommst.«

»Danke, Kai. Ich esse noch schnell was und komme dann.« Der Druck wuchs. Pia kannte den Polizeipräsidenten aus Wiesbaden bisher nur von Fotos und aus Rundschreiben im Intranet. Keiner seiner Vorgänger hatte die RKI Hofheim in den zehn Jahren, seit Pia dort arbeitete, je beehrt. Weshalb war er hier? Wollte er sich, bevor er eine Entscheidung über Bodensteins Nachfolge traf, ein Bild von ihr machen und überprüfen, wie sie mit ihrem ersten eigenen Fall vorankam? Was sollte sie ihm sagen, wenn er sie nach Ergebnissen fragte? »Hast du was vom Chef und von Cem gehört?«

»Der Chef will einen Verhörspezialisten für die Vernehmung von Ralf Ehlers dazu holen«, informierte Kai sie. »Ach ja, in der Scheune der Hasenmühle haben sie eine hübsche kleine Hanfplantage entdeckt. Mit Beleuchtung, Heizung, Beregnungsanlage und allem Drum und Dran. Christian und seine Jungs sind schon vor Ort und die Kollegen von der Drogenfahndung auf dem Weg.«

»Na, jetzt kapiere ich, wofür Ehlers die Gasflaschen und das Benzin braucht.« Pia schüttelte den Kopf. »Er hat behauptet, er hätte die Scheune an ein paar Türken verpachtet, die dort Süßigkeiten produzieren.«

»Wenn man einen Joint als Süßigkeit betrachtet, hat er euch nicht mal belogen.« Kai war amüsiert. »Also, bis gleich.«

Bandi kehrte aus der Küche zurück und stellte ihr die Cola light hin.

»Es ist so furchtbar, was hier gerade passiert«, sagte Bandi und nahm Pia gegenüber Platz. »Ich kenne Pauline, seitdem sie ein kleines Kind war. Sie hat eine ganze Weile bei mir als Kellnerin gejobbt, bevor sie studiert hat. Wer macht so was?«

»Das werden wir hoffentlich schnell herausfinden.« Pia trank ein paar Schlucke und musterte den Inder, der die Ruppertshainer besser kannte als die meisten Einwohner. »Wann hast du sie zuletzt gesehen?«

»Das ist noch nicht lange her.« Der Wirt legte nachdenklich die Stirn in Falten, dann erhellte sich seine Miene. »Am Samstag? Ja, das war am Samstag gegen Mittag. Auf dem Parkplatz vom SELGROS in Eschborn. Sie war mit ein paar jungen Leuten da, und sie hatten einen ganzen Wagen voller Einkäufe.«

Das passte zu dem, was Simone Reichenbach vorhin erzählt hatte.

»Kanntest du jemand von diesen jungen Leuten?«

»Vom Sehen. Sie gehören auch zu diesem Naturschutzverein. Pauline war mit denen schon öfter hier. Ich weiß leider nicht, wie sie heißen. Ach doch, das eine Mädchen kenne ich. Das ist die Tochter vom Wieland.«

»Dem Förster?«

»Ja, genau.«

»Hm. Wann war das?«

»Vor dem Mittagsgeschäft. Ich musste noch Rinderfilet besorgen, das hatte der Lieferant vergessen. Also war es vor zwölf Uhr.«

»Danke. Das hilft mir weiter.«

Sie schwiegen einen Moment. Aus der Küche drang gedämpft das Gewirr von Stimmen. Eine Stubenfliege stieß brummend gegen die Fensterscheibe.

»Meine Frau hat gesagt, dass sie heute den Kindergarten geschlossen haben«, sagte Bandi düster. »Alle Eltern mussten ihre Kinder abholen. Und ich werde wohl auch zumachen. Es kommt sowieso niemand zum Essen.«

»Was reden die Leute hier im Ort?«, wollte Pia wissen. »Du hörst doch sicherlich immer was, oder?«

»Alle haben Angst.« Bandi wiegte den Kopf. »Jeder glaubt, er könnte der Nächste sein.«

»Und was ist mit dir? Hast du auch Angst?«

Der Wirt zögerte, dann zuckte er die Schultern.

»Ja. Doch. Ich auch. Alle wissen, dass ich viele Leute kenne. Vielleicht denkt der Mörder, ich wüsste etwas, obwohl das gar nicht stimmt.« Er beugte sich ein Stück nach vorne und senkte die Stimme. »Es reicht ja schon, wenn dich jemand hier rausgehen sieht. Verstehst du, was ich meine?«

»Ja, das tue ich.« Pia nickte. Misstrauen und Angst verwandelten sich in rasender Geschwindigkeit in eine gefährliche Paranoia. Wie lange würde es dauern, bis die Angst in Wut umschlug und die Leute einen Sündenbock suchen würden?

»Ich werde meine Familie zu Freunden schicken«, sagte Bandi. »Bis das hier alles vorbei ist.«

Die Pizza kam. Pia ließ sie sich einpacken, zahlte und verließ das Restaurant.

Ganz sicher war der indische Wirt nicht der Einzige, der so dachte. Der ganze Ort war in Aufruhr, und Pia konnte es den Leuten nicht verdenken. Diese Verbrechen waren keine Affekttaten, die hin und wieder, oft ausgelöst durch Alkohol und Eifersucht, vorkamen und die Menschen nach kurzem Schaudern wieder zur Tagesordnung zurückkehren ließen. Hier war jemand am Werk, der einen mörderischen Plan verfolgte und nicht davor zurückschreckte, Greise und junge Mädchen zu töten. Und dieser Jemand war einer von ihnen.

***

Obwohl der Polizeipräsident wartete, machte Pia noch einen Umweg, um mit Ronja Kapteina, der Tochter des Revierförsters, zu sprechen. Vor dem Forsthaus, das unweit von Gut Bodenstein mitten im Wald lag, parkten jede Menge Autos, und Pia erkannte den einen oder anderen Reporter.

»Morgen gibt es Informationen!«, erwiderte sie nur auf den Sturm der Fragen nach Paulines Befinden und dem Stand der Ermittlungen und bahnte sich einen Weg zur Haustür, die vorsichtig einen kleinen Spaltbreit geöffnet wurde. Pia hielt der zierlichen Frau mit dem auberginefarbenen Kurzhaarschnitt ihren Ausweis hin und wurde eingelassen.

»Die belagern uns schon seit Stunden«, beklagte sich Madeleine Kapteina. »Woher wissen die nur, dass Ronja mit Pauline befreundet ist?«

»Auch Journalisten sind bei Facebook«, erwiderte Pia. »Es ist keine Kunst, herauszufinden, mit wem jemand befreundet ist. Ich muss mit Ihrer Tochter sprechen. Ist sie da?«

»Ja, sie ist in der Küche, kommen Sie mit.« Frau Kapteina nickte. »Und sagen Sie ihr das ruhig mal, das mit Facebook und dem ganzen Internetkram! Wir haben ständig Streit deswegen, weil sie jeden Mist sofort postet. Ich halte das für extrem leichtsinnig. Jeder weiß doch, wo sie gerade ist und was sie macht!«

Ronja Kapteina saß am Küchentisch vor ihrem Laptop und war – wie Pia es befürchtet hatte – damit beschäftigt, ihre Sorge um ihre beste Freundin via Facebook, Instagram und Twitter in die Welt hinauszuposaunen.

»Ich kann das nicht verstehen«, schluchzte sie sofort los, als Pia sie fragte, wann sie zuletzt mit Pauline gesprochen hatte. »Es ist so schrecklich! Aber die Leute schreiben total süße Sachen da rein. Gucken Sie doch mal! #*Prayforpauline!* Irgendwie tröstet mich das voll.«

Sie zog geräuschvoll die Nase hoch und drehte den Laptop so, dass Pia den Monitor sehen konnte. Die Facebook-Seite von Pauline Reichenbach war aufgerufen.

»Sie machen uns unsere Arbeit nicht gerade leichter, wenn Sie im Internet die Spekulationen anheizen«, sagte Pia und machte sich in Gedanken eine Notiz, Tariq darum zu bitten, Paulines Seite vorübergehend abschalten zu lassen.

Seit dem Kindergarten habe sie Pauline gekannt, erzählte Ronja und bemühte sich trotz ihres offensichtlichen Schocks aufrichtig, Pias Fragen zu beantworten. Sie hatten am Samstag tatsächlich im SELGROS-Markt für die Geburtstagsfeier eines Freundes eingekauft, die am Abend in Ginnheim in der Hofreite der Eltern des Freundes stattgefunden hatte. Obwohl Pauline versprochen hatte, spätestens um halb zehn dort zu sein, war sie nicht aufgetaucht. Ronja hatte ihr zunächst einige WhatsApp-Nachrichten geschickt, auf die Pauline einmal geantwortet hatte. Als sie gegen elf immer noch nicht erschienen war, hatte Ronja mehrfach auf Paulines Handy angerufen. Erst hatte sich die Mailbox eingeschaltet, später war der Ruf nicht mehr hingegangen. Bereitwillig zeigte Ronja Pia ihren letzten WhatsApp-Chat mit Pauline.

Bin gleich fertig, muss nur eben noch die Welt im Wald retten, hatte Pauline geschrieben und einige Emoticons angehängt.

»Ich hab keine Ahnung, was sie damit gemeint haben könnte.« Ronja Kapteina zupfte ein Papiertaschentuch aus einer Spenderbox, die neben ihr auf der Eckbank stand, und putzte sich die Nase. »Aber das ist irgendwie typisch für Pauline. Sie hat echt voll das krasse Helfersyndrom. Mutter Teresa vom Taunus nennen wir sie immer aus Spaß.«

Als Pia nach Paulines Verhältnis zu ihrem Patenonkel Ralf fragte, druckste Ronja herum, bis Pia aufstand und die Küchentür schloss.

»Was läuft da auf der Hasenmühle?«, fragte sie die junge Frau. »Ist das so eine Hippie-Sache? Alle ziehen sich ein Pfeifchen rein, einer spielt auf der Sithar und Onkel Ralf ist der große Guru, der sich eins von euch Küken rauspickt, wenn ihr high seid?«

Ronja lief rot an.

»Ich weiß gar nicht, warum alle so schlecht von Ralle denken«, sagte sie kratzbürstig. »Er ist voll okay. Wenn irgendjemand mal nicht weiß wohin, dann kann er bei ihm pennen. Und es ist immer was los auf der Hasenmühle.«

»Hat Ralf ein Verhältnis mit Pauline?«

»Ja, kann schon sein«, gab Ronja zu. »Aber das ist nichts Festes. Eher irgendwie so 'ne Mitleidsache.«

»Eine Mitleidsache?«, wiederholte Pia ungläubig.

»Na ja. Er ist halt einsam.« Ronja zuckte die Schultern. »Und Pauline hat ein weiches Herz.«

Pia schüttelte den Kopf. Wenn Ralf Ehlers erfuhr, dass dies der Beweggrund für die Zuneigung einer Fünfundzwanzigjährigen war, dann wäre das ein herber Schlag für sein Ego.

Mit einer Cannabis-Plantage habe Pauline ganz sicher nichts zu tun, sie finde Drogen megascheiße, sagte Ronja dann. Bis dahin hatte die junge Frau, zwar oftmals von Schluchzern unterbrochen, aber ohne zu zögern, auf alle Fragen geantwortet, doch als Pia Elias Lessing erwähnte, wurde sie wortkarg.

»Pauline hat mal auf der Straße 'ne Vollbremsung gemacht, um 'ne Kröte von einer Seite auf die andere zu tragen«, sagte Ronja. »Ich glaube, der Elias ist auch so 'ne Art Krötenprojekt für sie.«

Pia bedankte sich für die Auskünfte, legte der jungen Frau noch einmal nahe, vorsichtig mit Äußerungen in den sozialen Medien zu sein, und verabschiedete sich. Als sie wieder im Auto saß, meldete ihr Smartphone den Eingang einer E-Mail. Henning hatte den vorläufigen Untersuchungsbericht über die skelettale Autopsie von Artur Berjakov geschickt. Als sie in Fischbach an einer roten Ampel halten musste, öffnete Pia die angehängte Datei, überflog die ersten Sätze und beschloss, ihren Exmann direkt anzurufen. Er meldete sich auch gleich.

»Was bedeutet noch mal ›perimortal‹?«, fragte sie, ohne sich mit einem Gruß aufzuhalten.

»Das solltest du eigentlich wissen«, erwiderte Henning spitz. »Als perimortale Verletzungen bezeichnet man solche, die im unmittelbaren zeitlichen Zusammenhang mit dem Tod des Individuums – also kurz vor, während oder auch kurz nach Eintritt des

Todes – auftreten.« Noch ganz im Vorlesungsmodus, bediente er sich des Rechtsmedizinerjargons, wechselte aber schließlich in eine verständlichere Sprache. »Das Skelett war sehr gut erhalten, und es ist anzunehmen, dass die Leiche nach der Verbringung in das Grab nicht mehr bewegt wurde. Das Opfer erlitt multiple Knochenbrüche, vitale Reaktionen des Knochengewebes wie eine beginnende Kallusbildung sind jedoch nicht festzustellen, was wiederum dafür spricht, dass die Frakturen kurz vor dem Tod entstanden sind, meiner Meinung nach aber nicht gleichzeitig erfolgten und unterschiedliche Ursachen hatten. Die Handgelenksfraktur rechts und die glatten Brüche von Elle und Speiche, sowie die Fraktur des Fersenbeins und des Knöchels rechts deuten auf einen Sturz aus einiger Höhe hin. Derartige Brüche an Arm und Hand sind typisch für den Versuch, die Landung abzumildern. Die Trümmerbrüche der Oberschenkelknochen rechts und links in fast gleicher Höhe lassen die Vermutung zu, dass das Opfer auf Rücken oder Bauch liegend von einem Fahrzeug überrollt wurde.«

»Der Junge wurde überfahren?« Pia massierte mit dem Fingerknöchel ihre rechte Schläfe, hinter der ein drückender Kopfschmerz pochte. »Also könnte er auch bei einem Unfall getötet worden sein?«

»Pia, bitte!«, mahnte Henning. »Es ist eine bloße *Vermutung*, dass der Junge von einem Auto überrollt wurde, ob absichtlich oder unabsichtlich, das kann ich dir beim besten Willen nicht beantworten.«

Eine Weile sagte Pia nichts und versuchte, das Gehörte einzuordnen. Was, wenn Artur gar nicht ermordet worden war? Machte es einen Unterschied, wie er ums Leben gekommen war?

»Willst du meine unmaßgebliche Meinung dazu hören, was sich damals abgespielt haben könnte – wohlgemerkt: *könnte*?«, fragte Henning.

»Ja, natürlich.« Selten genug ließ er sich zu Spekulationen hinreißen, insofern war es interessant, den Fall aus dem Blickwinkel des Forensikers zu betrachten. Pia kramte in ihrem Rucksack, der auf dem Beifahrersitz lag, auf der Suche nach einer Aspirin-Tablette.

»Der Junge war verletzt, konnte sich wahrscheinlich kaum bewegen.« Henning räusperte sich. »Du weißt, dass es nicht meine Art ist, derlei Vermutungen anzustellen, aber ich könnte mir vorstellen, dass er auf eine Straße geriet und hoffte, dort Hilfe zu finden. Stattdessen wurde er überfahren. Was gruschst du denn da herum? Hörst du mir überhaupt zu?«

»Ja, natürlich. Ich suche nach Kopfschmerztabletten.«

»Du solltest mehr Flüssigkeit zu dir nehmen.«

»Ja, Papa.« Pia hatte die Packung gefunden, nach der sie gesucht hatte, und drückte eine Tablette aus dem Blister. Mit einem Auge behielt sie die Straße im Blick. »Ich bin ein bisschen übernächtigt.«

»Da sage ich nur: Augen auf bei der Berufswahl«, erwiderte Henning trocken. Pia würgte die Tablette ohne Flüssigkeit herunter. »Die Tierknochen stammen eindeutig von einem Exemplar der Gattung *Vulpes vulpes*, besser bekannt als der gemeine oder auch Rotfuchs. Ich habe für die Untersuchung des Skeletts einen Spezialisten hinzugezogen und bin mit ihm übereinstimmend der Meinung, dass der Fuchs einen Genickbruch erlitten hat, was wahrscheinlich zu seinem Tod geführt hat. Allerdings hatte das Tier auch mehrere Rippenfrakturen und eine Schädelfraktur.«

Unwillkürlich blitzte in Pias Kopf die Erinnerung an das Foto auf, das Bodenstein ihr gezeigt hatte. Hatte Inka Hansen den Fuchs damals absichtlich getreten, oder hatte sie ihn abgewehrt, weil er sie angegriffen hatte?

Sie bedankte sich bei Henning und drückte das Gespräch weg. Vielleicht war doch alles viel banaler gewesen, als sie dachten. Rosie Herold hatte den Jungen womöglich aus Versehen überfahren und in Panik seine Leiche versteckt, als sie bemerkt hatte, dass er nicht mehr atmete. Möglicherweise hatte sie Alkohol getrunken und Probleme mit der Polizei gefürchtet. War Artur überhaupt tot gewesen? Wenn das Auto nur über seine Beine gerollt war, dann musste das nicht zwangsläufig der Fall gewesen sein. Aber wie hätte Rosie alleine die schwere Grabplatte hochstemmen sollen? Hatte sie ihren Ehemann informiert, und der hatte ihr dabei geholfen? Oder jemand anderes? Und warum war der tote Fuchs ins Grab gelegt worden? Wer wollte die Wahrheit nach über vierzig Jahren so dringend verbergen, dass er gleich drei Menschenleben brutal auslöschte? Das ergab alles keinen Sinn. Oder vielleicht doch? Pia stieß einen Seufzer aus. Drei Todesfälle und eine schwere Körperverletzung, die vielleicht miteinander in Verbindung standen, vielleicht aber auch nicht. Ein schier undurchschaubares Geflecht von Vermutungen und Geheimnissen. Wie konnte sie das alles entwirren, ohne einen Fehler zu machen, der erneut ein Menschenleben kostete?

***

Die Ungewissheit war einfach nicht mehr auszuhalten. Warum war Pauline nicht bei Nike gewesen, wie sie es ihm hoch und heilig versprochen hatte? Wenigstens hatte er heute Morgen mit Nike sprechen können, wenn auch nur kurz. Sie hatte komisch geklungen, so anders als sonst. Fremd. Und irgendwie hatte er ein seltsames Gefühl gehabt. Er war nach Bad Soden gefahren und mit den Hunden am Haus ihrer Eltern vorbeigejoggt, in der Hoffnung, einen Blick auf sie zu erhaschen, aber statt Nike hatte er eine fremde Frau am Fenster stehen sehen. Und in der Auffahrt von Haverlands Haus zwei auffällig unauffällige Autos mit Wiesbadener Kennzeichen. Solche Autos fuhren nur die Bullen! Die Frau am Fenster war eine Polizistin gewesen! Sie hatte hinunter auf die Straße gestarrt, ihn aber nicht erkannt. Kein Wunder, mit den kurzen Haaren und der Brille sah er sich nicht mehr besonders ähnlich. Die Bullen rechneten also damit, dass er bei Nike auftauchte, und sein Verdacht war gerechtfertigt: Sie hörten Nikes Handy ab, hundertpro! Die Enttäuschung darüber, dass Nike dieses Scheißspiel mitspielte und ihn in die Falle locken wollte, war bereits wieder verflogen. Wahrscheinlich hatten die Bullen und ihre Alten sie dazu gezwungen.

Was er nicht verstehen konnte, war, warum Pauline ihr den Brief nicht gebracht hatte, wie sie es ihm versprochen hatte. Was war mit seinem Smartphone? Sie war doch ganz wild darauf gewesen, das Handy den Bullen zu bringen, und er hatte ihr echt vertraut. Er hatte die Hunde auf der Hasenmühle gelassen und war stundenlang durch die Gegend gefahren, um Pauline zu suchen, aber vergeblich. Sie war weder bei ihren Eltern noch in ihrer Wohnung. Ja, sie hatte sogar ihr Handy ausgeschaltet! Seine letzte Hoffnung war Ralf. Der wusste immer alles. Als er von Ruppertshain aus Richtung Schloßborn durch den Wald fuhr und gerade den Blinker setzen wollte, um zur Hasenmühle einzubiegen, kamen ihm zwei Streifenwagen entgegen und fuhren in den Waldweg. Sein Herz schlug vor Schreck einen Salto, er zwang sich, nicht in Panik zu verfallen und Gas zu geben. Suchten sie auf der Hasenmühle nach ihm? Hatte Ralf ihn verpfiffen?

Wo sollte er jetzt hin? Sein einziger Zufluchtsort war das Waldfreundehaus. Felicitas würde zwar stinksauer auf ihn sein, und das zu Recht, aber sie würde ihm kaum den Kopf abreißen. Eigentlich war sie nämlich froh, dass er ihr Gesellschaft leistete und sie nicht alleine im Wald hocken musste. Sie war eine genauso arme Sau wie er selbst. Er fuhr durch Schloßborn Richtung Glashütten, bog auf die B8 ab und hatte zehn Minuten später den Weg erreicht, der zum Waldfreundehaus führte. Im Geiste formulierte er die Erklärung, die er Felicitas geben würde. Er würde sie erst mal toben lassen und ganz reumütig tun. Das klappte eigentlich immer. Auf ein paar freundliche Worte sprang sie jedes Mal an und schmolz dahin wie Butter in der heißen Pfanne. Er stellte den Defender in der Garage ab, ergriff seinen Rucksack und ging zum Haus hinüber. Die Haustür war nur angelehnt, was ihn ein wenig überraschte. Hatte sie sich aus dem fensterlosen Badezimmer im ersten Stock befreien können? Erst jetzt rührte sich sein schlechtes Gewissen. Er war viel länger weggeblieben als eigentlich geplant und hatte Felicitas zwischenzeitlich völlig vergessen.

»Ich bin wieder da!«, rief er.

Nichts rührte sich oben. Er ließ seinen Rucksack auf den Boden fallen und warf einen Blick in die Küche. Nichts. Nur der Korkenzieher, auf dem noch ein Korken aufgespießt war, lag auf dem Küchentisch. Also war es ihr gelungen, sich aus dem Bad zu befreien. Sein schlechtes Gewissen ließ etwas nach. Wahrscheinlich lag sie besoffen im Bett. Er stieß die Tür zum Bad auf und öffnete seine Hose, weil er dringend pinkeln musste. Mit dem Ellbogen betätigte er den Lichtschalter und erstarrte. Sein Herzschlag setzte aus. Sein Gehirn weigerte sich zu begreifen, was seine Augen sahen. Er hörte ein Geräusch, ein würgendes Stöhnen, und er brauchte ein paar Sekunden, um zu begreifen, dass es aus seinem Mund gekommen war. Mit der Gewalt eines Schmiedehammers setzte sein Herzschlag wieder ein, ihm brach vor Entsetzen der kalte Schweiß aus. Magensäure kroch ihm die Speiseröhre hoch.

»Scheiße!«, stieß er hervor, presste die Hand vor den Mund und taumelte zurück in den Flur. Er schaffte er gerade noch bis nach draußen, dann kotzte er, bis ihm das Blut in den Kopf stieg und er Sternchen sah. Schluchzend kauerte er auf dem Boden, Tränen strömten ihm übers Gesicht. Felicitas war tot! Noch nie zuvor in seinem Leben hatte er so viel Blut gesehen! Das würden die Bullen ihm in die Schuhe schieben, keine Frage! Seine Fingerabdrücke waren überall im Waldfreundehaus, seine Klamotten lagen herum. Er musste weg hier, sofort. Nur, wohin sollte er gehen?

***

»Du sollst zur Chefin kommen, sobald du da bist«, teilte ihr der KvD mit, als sie die Sicherheitsschleuse betrat. »Ohne Umwege, hat sie gesagt.«

»Alles klar«, sagte Pia. Die Glastür sprang mit einem Summen auf, und sie ging gleich geradeaus in Richtung Treppe. Doch dann erinnerte sie sich an den Umschlag in ihrem Rucksack, machte auf dem Absatz kehrt und betrat den Aufenthaltsraum. Alle Schreibtische waren leer, nur Kai hielt die Stellung.

»Da bist du ja!« Er blickte von seinem Computer auf. »Die Engel will sofort mit dir …«

»Ich weiß. Bin schon auf dem Weg.« Pia zog den abgegriffenen Umschlag hervor und reichte ihn Kai. »Ich weiß nicht, was drin ist. Den hat mir die Hausärztin aus Ruppertshain vorhin gegeben. Vielleicht kannst du es dir mal anschauen. Es könnte totaler Müll sein, aber es kann auch wichtig sein.«

»Ich schaue es mir an.« Kai nickte. »Wir sind auch so gut wie fertig mit dem Täterprofil. Und Gianni Lombardi ist da. Er wollte aber mit der Vernehmung von Ehlers auf dich warten.«

Pia nickte nur und eilte hinaus in den Flur und die Treppe hoch in den ersten Stock. Wie früher in ihrer Schulzeit, wenn sie zur Direktorin zitiert worden war, überschlugen sich ihre Gedanken. Es war nicht so, dass sie durch die Beziehung ihrer Schwester mit der Kriminalrätin irgendwelche Vorteile hatte – eher war das Gegenteil der Fall –, und Nicola Engel achtete auch bei privaten Treffen peinlich genau darauf, die Form zu wahren. Ein vertrauliches »Du« war undenkbar, und Pia selbst hätte das auch nicht gewollt. Aber was wollte die Chefin jetzt von ihr? Würde sie jetzt einen Anschiss dafür kassieren, dass sie noch immer im Dunkeln tappten und keine echten Fortschritte gemacht hatten? Hatte sie irgendetwas vergessen, übersehen? Oder hatte sich jemand über sie beschwert? Vor der Tür zu Nicola Engels Vorzimmer holte Pia tief Luft, klopfte und trat ein. Die Assistentin der Kriminalrätin winkte sie durch. Frau Dr. Engel saß hinter ihrem Schreibtisch und las etwas auf ihrem Smartphone, legte das Gerät aber sofort weg, als Pia eintrat.

»Ach, da sind Sie ja.« Sie war so perfekt geschminkt und gekleidet wie immer, nur ihren Augen sah man an, dass sie in der letzten Nacht wenig Schlaf bekommen hatte. »Bitte, setzen Sie sich. Wie kommen Sie voran?«

»Ähm …«, begann Pia und fühlte sich selten blöd. »Ich … es hat heute Morgen noch ein Vorkommnis gegeben.«

»Schon gut.« Die Kriminalrätin winkte ab. »Erzählen Sie das alles gleich unten, wenn der Polizeipräsident dabei ist.«

Sie stieß einen Seufzer aus und massierte ihren Nasenrücken mit Daumen und Zeigefinger, bevor sie wieder aufblickte.

»Ich tue das höchst ungern während einer laufenden Ermittlung«, sagte sie dann. »So etwas stört meiner Meinung nach die Konzentration. Aber der Präsident besteht darauf.«

›Jetzt kommt's‹, dachte Pia beklommen. ›Jetzt entzieht sie mir die Leitung der Ermittlung und sagt mir, dass Cem Bodensteins Nachfolger wird.‹

Ihre Handflächen waren schweißfeucht, und die Kopfschmerzen meldeten sich zurück.

»Sie können sich vielleicht denken, worum es geht«, sagte Nicola Engel geschäftsmäßig. »Das Thema ist ja allgegenwärtig.«

»Ja.« Pia zwang sich zu einem mühsamen Lächeln. Plötzlich

hatte sie alles so schrecklich satt. Sie riss sich ein Bein aus, aber das würdigten die hohen Herren in Wiesbaden nicht. Mit Nicola Engel hatte die RKI schon einen weiblichen Boss, man würde keine Frau zur Leiterin des K11 machen. Und die Kriminalrätin, die sich ganz sicher keine Vetternwirtschaft nachsagen lassen wollte, hatte höchstwahrscheinlich Cem favorisiert. Pia hatte sich nicht darauf versteift, Bodensteins Nachfolgerin zu werden, aber insgeheim hatte sie es doch ein wenig gehofft. Enttäuschung stieg in ihr auf. War es eine Niederlage, nachdem sie jetzt schon ein paar Mal kommissarisch die Leitung des K11 innegehabt hatte? Ein Gesichtsverlust?

»In Wiesbaden ist die Entscheidung gefallen, wer Herr von Bodenstein während seines Urlaubs oder auch längerfristig ersetzt«, sagte die Kriminalrätin. »Und der Polizeipräsident hat mir gerade mitgeteilt, dass man sich dazu entschieden hat, Ihnen die Leitung des K11 anzuvertrauen. Herzlichen Glückwunsch.«

»Was?« Pia starrte ihre Chefin an, ihr Herz begann zu klopfen, und um ein Haar wäre ihr die Kinnlade hinuntergesackt.

»Ich habe mich für Sie starkgemacht, Frau Sander. Und das hat keine politischen Gründe. Ich halte Sie für die beste Nachfolgerin, die wir für Bodenstein finden können. Also, lösen Sie jetzt den Fall und enttäuschen Sie mich nicht.«

»Äh, ja … ja, natürlich«, stammelte Pia, von dieser unerwarteten Wendung der Dinge völlig aus dem Konzept gebracht. »Danke.«

»Sie müssen mir nicht danken. Sie sind eine hervorragende Polizistin und haben den Job mehr als verdient.« Die Kriminalrätin lächelte. »Und jetzt lassen Sie den Polizeipräsidenten nicht länger warten. Wir sehen uns gleich.«

***

Wie benommen ging Pia die Treppe hinunter ins Erdgeschoss. Leiterin des K11! Oh Gott! *Sie sind eine hervorragende Polizistin!* Auf einmal fühlte sie sich wie eine Hochstaplerin. War sie dieser Aufgabe wirklich auf Dauer gewachsen? Sie fürchtete sich vor den Veränderungen, die ihre neue Position unweigerlich mit sich bringen würde. Würden ihre Kollegen sie als Vorgesetzte akzeptieren? Besaß sie überhaupt genug Autorität, um sich durchzusetzen?

»Alles okay bei dir?«

Pia fuhr erschrocken herum. Kathrin Fachinger war aus der Damentoilette gekommen und blickte sie besorgt an.

»Du bist ja käseweiß im Gesicht.«

»Hab wohl ein bisschen schnell die Pizza in mich reingefuttert«, log Pia und ärgerte sich sofort darüber. Sie sollte sich über das Vertrauen des Polizeipräsidenten und der Kriminalrätin freuen und stolz auf sich sein, anstatt sich von Selbstzweifel zerfressen zu lassen! Cem hätte an ihrer Stelle die Champagnerkorken knallen lassen, und wahrscheinlich auf der Stelle neue Visitenkarten beantragt.

Sie betraten den Aufenthaltsraum. Kim saß an einem der Tische über ihr MacBook gebeugt. Cem und Tariq waren mittlerweile eingetroffen, auch Bodenstein war da, er sprach mit dem Polizeipräsidenten, dessen Pressesprecherin und einem großen, grauhaarigen Mann, den Pia von Fortbildungen als Referent kannte. Gianni Lombardi war ein renommierter Verhörspezialist, Autor von verschiedenen Fachbüchern, die als Standardwerke galten, und Dozent an der Polizeihochschule. Pia steuerte jedoch direkt auf den Tisch zu, auf dem Kai seine Unterlagen ausgebreitet hatte. Sie gab Tariq ein Zeichen, zu ihr zu kommen.

»Geht es dir gut?«, erkundigte sie sich bei ihrem jungen Kollegen.

»Ja, alles okay«, versicherte er ihr.

»Ist das Profil von Pauline bei Facebook vorübergehend gelöscht?«

»Ja. Ich hab mir allerdings den Umweg über eine Anfrage gespart und mich …«

»Stopp! Falls es illegal war, was du getan hast, will ich nicht mehr wissen.« Sie nickte und wandte sich an Kai. »Ich möchte, dass ihr jetzt eure Erkenntnisse und das Täterprofil präsentiert.«

»Okay.« Kai nickte.

»Was war in dem Umschlag?«, erkundigte Pia sich.

»Alte Patientenakten, Arztberichte, Protokolle. Weißt du, was das soll?«

»Ich kann es nur ahnen.« Pia blickte zu ihrem Chef hinüber. Sie musste ihm unbedingt von ihrem Gespräch mit Frau Dr. Basedow und Ronja Kapteina berichten. Ralf Ehlers saß in einem der Vernehmungsräume, der vorläufige Obduktionsbericht über Artur Berjakov war zu besprechen. Und sie wollte ihren Kollegen ihre Strategie erklären. »Wir ziehen das hier schnell durch, dann treffen wir uns oben im Besprechungsraum. Nur das K11, dazu Christian, Kim und Lombardi.«

»Alles klar, Chefin«, erwiderte Kai, und Pia durchzuckte ein winziger Schreck. Sie warf ihm einen scharfen Blick zu. War die Neuigkeit etwa bereits durchgesickert? Aber ihr Kollege hatte schon wieder den Kopf über die alten Patientenakten gebeugt und schien sich nichts dabei gedacht zu haben. Sie checkte kurz ihr Smartphone und ging zu Bodenstein hinüber, begrüßte Gianni Lombardi und nickte Stefan Smykalla, dem Pressesprecher der RKI zu, der kein besonders glückliches Gesicht machte. Er wurde seit Tagen mit Anfragen überhäuft, sein Telefon stand nicht mehr still.

»Freut mich, Sie kennenzulernen, Frau Sander.« Der Polizeipräsident reichte ihr die Hand. Forschende, dunkle Augen, die sie intensiv musterten, ein fester, trockener Händedruck. »Wir sprechen gerade über die Pressekonferenz. Ich halte es für sinnvoll, sie im Präsidium in Wiesbaden abzuhalten. Dort ist die Infrastruktur optimal. Das zu organisieren ist kein Problem, oder, Frau Völker?«

»Überhaupt nicht«, bestätigte seine Pressesprecherin, und Pia verstand, weshalb Smykalla so missvergnügt dreinschaute.

»Danke für das Angebot«, erwiderte sie. »Aber wir werden die Pressekonferenz in der Schönwiesenhalle in Ruppertshain machen. Mit Beteiligung der Öffentlichkeit.«

Ihr Blick begegnete dem Bodensteins und sie las Zustimmung in den Augen ihres Chefs.

»Halten Sie das für eine gute Idee?«, fragte Frau Völker zweifelnd. »In dem Ort geht es momentan doch drunter und drüber.«

»Gerade deshalb«, sagte Pia und sah Bodenstein an. »Was denkst du?«

»Ich finde die Idee gut«, antwortete er. »Nach dem Angriff

auf Pauline Reichenbach brauchen wir die Mithilfe der Bevölkerung dringender denn je, und wir müssen die Einwohner von Ruppertshain warnen. Wir gehen davon aus, dass der Mörder in Ruppertshain lebt oder sehr enge Verbindungen dorthin hat.«

»Sprechen Sie jetzt wieder von dem Fall von vor zweiundvierzig Jahren?« Nicola Engel hatte sich zu der Runde gesellt und gab sich keine Mühe, ihre Bedenken zu verbergen. »Ich darf Sie daran erinnern, dass Ihre Abteilung drei aktuelle Morde und eine Körperverletzung aufzuklären hat.«

Pia sah ihrem Chef an, wie genervt er war. Als er seinen Mund öffnete, um zu antworten, berührte sie kurz seinen Arm.

»Wir haben Anlass zur Vermutung, dass das Motiv unseres Täters tatsächlich mit dem Tod von Artur Berjakov zu tun hat«, sagte sie. »Bisher gibt es dafür keine Beweise, und wir warten noch auf Ergebnisse aus der Rechtsmedizin und dem Labor. Mit einer Pressekonferenz in Ruppertshain hoffe ich, die Menschen zu erreichen, die möglicherweise deshalb schweigen, weil sie die Zusammenhänge nicht erkennen oder den Täter aus falsch verstandener Loyalität schützen wollen. Im Augenblick steht der ganze Ort unter Schock: Der Kindergarten ist geschlossen, die Restaurants sind zu. Es herrschen Angst und Verunsicherung, und diesen Moment müssen wir für unsere Zwecke ausnutzen.«

»Und wenn der Täter daraufhin Amok läuft, weil er seine Entdeckung fürchtet?« Nicola Engel ließ sich nicht so leicht überzeugen. »Wollen Sie diese Verantwortung tragen, Frau Sander?«

»Er läuft doch schon längst Amok«, erwiderte Bodenstein an Pias Stelle. »Oder wie würden Sie das nennen, wenn jemand innerhalb von vier Tagen drei Menschen umbringt und eine junge Frau halb totschlägt?«

Darauf sagte niemand etwas. Es war der Polizeipräsident, der das beklommene Schweigen brach, indem er Pia bat, ihn auf den aktuellen Stand der Dinge zu bringen. Alle Anwesenden nahmen Platz.

»Die aktuelle Lage ist folgende«, begann sie. »Heute Morgen wurde Pauline Reichenbach schwerverletzt auf einer Wiese ein Stück außerhalb von Ruppertshain aufgefunden. Sie wurde erfolgreich operiert, liegt aber im künstlichen Koma und ist noch nicht außer Lebensgefahr. Pauline betreut ein Wildkatzenscreening-Projekt für den NABU und hat uns am Donnerstag auf den Bändern der Wildkameras eine Person gezeigt, die kurz nach dem Brandanschlag auf den Wohnwagen am Waldfreundehaus im Wald unterwegs war. Bei dieser Person handelte es sich um den 19-jährigen Elias Lessing aus Ruppertshain, der seitdem zur Fahndung ausgeschrieben ist. Pauline Reichenbach stammt ebenfalls aus Ruppertshain und ist das Patenkind von Ralf Ehlers, den wir vorübergehend festgenommen haben, denn an der Tatwaffe, einem Brecheisen, wurden seine Fingerabdrücke festgestellt. Eine Vernehmung wird noch heute stattfinden.«

Sie blickte in aufmerksame Gesichter. Niemand stellte eine Frage.

»Ob Ehlers' Fingerabdrücke ein Beweis für seine Täterschaft sind, ist noch fraglich. Es hat auf jeden Fall für einen Haftbefehl ausgereicht. Im Zusammenhang mit dem Mord an Rosemarie Herold wurde ein Schal ihres Sohnes Edgar gefunden. Clemens Herold wurde mit einem Hammer erschlagen, den wir ebenfalls eindeutig seinem Bruder zuordnen konnten. Der Wohnwagen wurde mit Hilfe von Propangasflaschen angezündet, die aus dem Besitz von Edgar Herold oder Ralf Ehlers stammen könnten.«

»Denken Sie, jemand legt absichtlich falsche Spuren?«, erkundigte sich der Polizeipräsident.

»Das ist eine Möglichkeit, die wiederum darauf schließen ließe, dass unser Täter sehr geplant vorgeht.« Pia nickte. »Er hat womöglich leichten Zugang zum Grundstück und zur Werkstatt von Edgar Herold oder zum Anwesen von Ralf Ehlers und fällt dort nicht auf, weil man ihn kennt. Herold selbst ist in unseren Augen kein Verdächtiger mehr, er hat Alibis, die ihn entlasten.«

»Wollen Sie morgen auch so sehr ins Detail gehen?«, fragte die Pressesprecherin zweifelnd.

»Natürlich nur so weit, wie das aus ermittlungstaktischen Gründen vertretbar ist«, antwortete Pia ungeduldig. »Aber wenn wir die Leute um ihre Mithilfe bitten, müssen wir ein paar Namen und Orte nennen. Wir werden auf jeden Fall das Täterprofil öffentlich machen. Dazu haben sich die Kollegen Ostermann und Omari und Frau Dr. Freitag Gedanken gemacht. Bitte, Kai.«

Kai nickte und klappte seinen Laptop auf.

»Wir sind in erster Linie unter kriminalistischen Gesichtspunkten an die Sache herangegangen und haben dabei auch den Fall Artur Berjakov nach dem Studium der Fallakte von 1972 berücksichtigt«, schickte er voraus. »Nach Analyse der einzelnen Tatverläufe konnten wir keine Hinweise auf sexuelle Komponenten erkennen und auch keine sadistische Vorgehensweise.«

Pias Blick begegnete dem von Kim. Ihre Schwester zwinkerte ihr zu, und Pia grinste kurz. Nicola Engel hatte Kim also schon über ihre Beförderung informiert.

»Für jede Tat gibt es einen Auslöser und ein Motiv«, fuhr Kai fort. »Der Auslöser für die drei ersten Morde war etwas, was Rosemarie Herold gesagt und vielleicht auch getan hat, das scheint festzustehen. Die Suche nach dem Motiv gestaltet sich schwieriger. Die Kernfrage lautet: Warum ist es dem Täter so wichtig, dass nichts über den Tod von Artur bekannt wird? Was hat er zu verlieren?«

»Es besteht noch immer die Möglichkeit, dass die Morde überhaupt nichts mit Artur Berjakov zu tun haben«, wandte Nicola Engel ein. »Wieso sollte jemand drei Morde begehen, nur um etwas zu verschleiern, was vor zweiundvierzig Jahren passiert ist?«

»Weil dieser Jemand weiß, dass Mord nicht verjährt«, entgegnete Kai. »Deshalb gehen wir auch davon aus, dass Artur ermordet wurde und Rosemarie Herold darüber Bescheid wusste oder sogar beteiligt war. Sie erzählte es dem Pfarrer, als ihr klar war, dass sie bald sterben würde. Und der Pfarrer, der den Mörder kannte, sprach mit ihm. Dadurch geriet dieser unter Druck und sah keinen anderen Weg mehr, als seine Mitwisser zum Schweigen zu bringen. Ob Pauline etwas von Elias erfahren hat und dem Mörder dadurch in die Quere gekommen ist oder ein tragischer Kollateralschaden ist, müssen wir noch herausfinden.«

»Angenommen, es war so, wie Sie vermuten – warum brennt er den Wohnwagen nieder?«, fragte die Kriminalrätin.

»Weil er befürchten musste, dass Rosie Herold dort irgendwelche Beweise aufgehoben hatte. Ein Tagebuch oder so etwas.«

»Und Clemens Herold war nur ein Zufallsopfer?«

»Nein. Er war auch Mitwisser. Vielleicht hat er denselben

Fehler wie Pfarrer Maurer gemacht und den Mörder angesprochen.«

»Apropos Pfarrer«, meldete sich Kim zu Wort. »Wir haben uns natürlich gefragt, warum der Täter in diesem Fall seine Vorgehensweise verändert hat, und sind zu dem Schluss gekommen, dass der vorgetäuschte Suizid eine ähnlich falsche Fährte sein sollte wie der Schal oder die Gasflaschen, die den Verdacht ganz offensichtlich auf Edgar Herold lenken sollten. Wir halten es im Augenblick noch für besser, den Täter glauben zu lassen, dass wir darauf hereingefallen sind und von einem Selbstmord ausgehen.«

»Den Taten unseres Täters liegen keine Emotionen wie Hass, Neid oder Eifersucht zugrunde«, sagte Kai. »Er ist intelligent, handelt rational und mit Kalkül. Sein Modus Operandi ist zwar immer unterschiedlich, aber er plant jede seiner Taten akribisch, überlässt nichts dem Zufall und passt sie den Notwendigkeiten und örtlichen Gegebenheiten an. Zum Beispiel entscheidet er sich bei Rosemarie Herold für eine möglichst unauffällige Tötungsart wie das Erwürgen. Das hatte nichts damit zu tun, dass er sie persönlich kannte, sondern damit, dass er in der Umgebung, in der er und sein Opfer sich befanden, kein Aufsehen erregen wollte. Unser Täter verlässt sich nicht auf Waffen der Gelegenheit, was dafür spricht, dass er in der Lage ist, komplexe Pläne auszuarbeiten und durchzuführen. Dabei ist er flexibel genug, auf Unvorhergesehenes zu reagieren. Er lässt die Tatwaffen absichtlich am Tatort zurück, um falsche Spuren zu legen. Er hinterlässt keine DNA. Wir sind der Meinung, dass der Täter hochgefährlich ist, weil er keine Skrupel hat und absolut gewaltbereit ist.«

»Und wie wollen Sie anhand dieser Informationen den Täterkreis eingrenzen?«, erkundigte sich die Kriminalrätin. »Ihr Profil trifft auf Hunderte von Leuten zu.«

Bodensteins Handy klingelte. Er warf einen Blick aufs Display und ging hinaus.

»Nicht ganz«, erwiderte Kai. »Frauen können wir ausschließen, das Täterprofil ist männlich. Frauen morden anders als Männer, außerdem ist selbst eine sehr kräftige Frau körperlich nicht in der Lage, eine Leiche aufzuhängen, so wie es der Täter mit dem Pfarrer getan hat. Ebenso können wir jeden ausschließen, der 1972 jünger als zehn Jahre war. Viel älter als siebzig kann der Täter heute nicht sein, sonst wäre es ihm schwergefallen, den Brandanschlag auf den Wohnwagen auf diese Weise zu verüben. Außerdem muss er in Ruppertshain leben.«

»Wieso das?«, fragte der Polizeipräsident.

»Er kennt die Örtlichkeiten gut«, sagte Kai. »Er kann sich in Ruppertshain völlig frei bewegen, weil sein Anblick jedem vertraut ist und er deshalb nicht auffällt. Wir arbeiten uns gerade durch die Daten der Einwohnermeldeämter von Kelkheim, Königstein und Glashütten, und suchen nach Männern zwischen Anfang sechzig und Anfang siebzig, die 1972 in der Umgebung wohnten und das heute noch tun. Dann grenzen wir nach den Vorgaben ein, die ich eben erwähnt habe, und suchen Schnittmengen.«

»Hm.« Pia runzelte die Stirn. »Aber falls der Täter noch ein anderes Motiv als bloßen Selbstschutz hat, falls er seine Familie schützen will, den Ruf seiner Eltern zum Beispiel, dann könnte er auch jünger sein, oder?«

»Ja, durchaus«, bestätigte Kai. »Daran haben wir auch gedacht. Es ist nicht auszuschließen, dass er nicht alleine arbeitet, sondern einen Komplizen hat. Jemanden, der die Taten, die er geplant hat, für ihn ausführt.«

»Wobei wieder eine Riesenmenge potentieller Täter zur Auswahl stünde«, warf die Kriminalrätin ein. »Das bringt uns keinen Schritt weiter.«

»An dieser Stelle möchte ich gerne aus meinem Buch *Der Mensch, die Bestie* zitieren.« Kim lächelte liebenswürdig. »Ein Profil ist nie mehr als ein gut begründeter Verdacht. Ein Treppengeländer, nicht der Haustürschlüssel.«

***

»Karoline hat mich gerade angerufen«, verkündete Bodenstein vor der Tür des Aufenthaltsraumes. »Es ist ihr tatsächlich gelungen, Valentina Berjakov, Arturs Schwester, ausfindig zu machen, dem Internet sei Dank. Sie arbeitet als Dolmetscherin bei der UNO in New York. Als sie gehört hat, dass Arturs sterbliche Überreste gefunden worden sind, hat sie beschlossen, mit dem nächstmöglichen Flug nach Frankfurt zu kommen.«

Der Polizeipräsident hatte sich verabschiedet, nachdem er Pia noch unter vier Augen zu ihrem bevorstehenden Karrieresprung gratuliert und ihr für die aktuellen Fälle alle Unterstützung, die sie brauchte, zugesagt hatte.

Pia fiel es schwer, sich zu konzentrieren. Leiterin des K11! Demnächst also würde sie für jeden Fall die Verantwortung tragen, aber ohne Bodenstein um Rat fragen zu können. Würde sie das schaffen? Wollte sie das überhaupt?

»He, was ist los mit dir?«, fragte Kai, als Frau Dr. Engel verschwunden war. »War der PP nicht nett zu dir?«

»Doch, doch.« Sie lächelte zerstreut. »Das mit dem Profil vorhin hast du übrigens wirklich gut gemacht. Tolle Arbeit von euch.«

»Danke.« Kai zuckte nur betont cool die Schultern. Ihm fiel es immer schwer, Lob anzunehmen.

»Was gibt es sonst noch?«

»Die Fahndung nach Elias Lessing und Pauline Reichenbachs Auto läuft auf Hochtouren«, informierte er sie auf dem Weg nach oben. »Rund um Ruppertshain gibt es mobile Verkehrskontrollen. Momentan gelangt niemand über die regulären Straßen in den Ort, ohne kontrolliert zu werden.«

Sie hatten den Flur im ersten Stock erreicht, in dem sich die Büros des K11 befanden, und versammelten sich im Besprechungsraum rings um den Tisch. Die Anwohnerbefragung hatte bisher nichts ergeben, was hilfreich für die Ermittlungen gewesen wäre. Niemand wollte in der Nacht etwas gesehen oder gehört haben. Eines stand jedoch fest: Pauline Reichenbach war woanders angegriffen und lediglich am Reitplatz abgelegt worden. Pia berichtete von ihren Gesprächen mit Dr. Basedow, Bandi Arora und Ronja Kapteina.

»Lombardi und ich werden jetzt Ralf Ehlers befragen«, antwortete Pia. »Kathrin und Cem, ihr fahrt in die BG Unfallklinik und sorgt dafür, dass Pauline Reichenbach in ein Einzelzimmer gebracht wird und rund um die Uhr Polizeischutz hat. Niemand außer ihren Eltern, den Ärzten und vorher akkreditiertem Pflegepersonal hat Zutritt zu ihrem Zimmer. Wenn der Täter erfährt, dass sie noch lebt, ist sie in akuter Lebensgefahr. Tariq und Kai, ihr beschäftigt euch mit den Patientenakten, die ich von Frau Dr. Basedow bekommen habe, und arbeitet zusammen mit Kim weiter am Täterprofil. Stefan, du organisierst die Pressekonferenz für morgen. Lass dir von Kai alle nötigen Informationen geben. Chef, du fährst bitte noch mal nach Ruppertshain.«

Alle nickten, die Runde löste sich auf.

»Hast du Hennings Bericht schon gelesen?«, fragte Pia ihren Chef. »Er hat ihn uns beiden vorab per Mail geschickt.«

»Ja, habe ich.« Ein Schatten huschte über Bodensteins Gesicht. »Ich hatte mir mehr Klarheit erhofft, aber das ist nach einer so langen Zeit wahrscheinlich unmöglich. Stattdessen gibt es nur neue Rätsel.«

»Fakt ist, dass Artur irgendwo hinuntergestürzt ist. Und dass seine Leiche zusammen mit dem toten Fuchs in das Grab gelegt wurde«, erwiderte Pia. »Alles andere ist reine Spekulation. Wir kennen weder den exakten Todeszeitpunkt, noch wissen wir, ob er an dem Tag starb, an dem er verschwand, oder vielleicht erst ein paar Tage später.«

»Wie finden wir heraus, was am 17. August 1972 geschehen ist?« Bodenstein schürzte nachdenklich die Lippen. »Die Vergangenheit ist der Schlüssel zu allem.«

»Befragen wir deine alten Freunde«, schlug Pia vor. »So mies ich mich dabei auch fühle, aber ich denke, die Reichenbachs sind kooperativ, wenn sie begreifen, dass die Attacke auf Pauline womöglich damit in Verbindung steht.«

»Okay.« Bodenstein nickte zustimmend. »Soll ich das jetzt machen?«

»Ja. Fang mit Inka Hansen an. Und Leonard Keller ist wichtig. Lombardi und ich werden Ralf Ehlers durch den Wolf drehen.«

»Was ist mit Peter Lessing?«, wollte Bodenstein wissen.

»Den«, sagte Pia, »soll sich Lombardi vornehmen. Nach allem, was ich von Renate Basedow über die Familie Lessing erfahren habe, halte ich ihn für dringend tatverdächtig.«

»Warum?«

»Denk doch an das Profil: Der Täter ist intelligent und skrupellos, er fällt in Ruppertshain nicht auf«, erwiderte Pia. »Peter Lessing ist sportlich und durchtrainiert. Er ist locker in der Lage, einen Menschen zu überwältigen. Er ist selbständig, kann also durch die Gegend fahren, ohne jemandem dafür Rechenschaft ablegen zu müssen. Er hat als Kind bereits Macht und Druck ausgeübt, indem er die anderen Kinder zu Schweigen und Solidarität gezwungen hat, unter Androhung körperlicher Gewalt. Er hat früher Tiere gequält und getötet, und das ist eines der wichtigsten Warnsymptome in der Entwicklung gewalttätiger Kriminalität. Willst du noch mehr hören?«

»Peter war elf, als Artur verschwand«, wandte Bodenstein ein.

»Ja, das ist der einzige Punkt, der mir etwas Kopfzerbrechen bereitet hat«, gab Pia zu. »Aber möglicherweise haben Peter Lessing und Edgar Herold zusammen etwas getan, und Edgars Mutter wollte ihren Sohn schützen, indem sie Arturs Leiche versteckt hat. Lessing hat davon profitiert und will jetzt verhindern, dass das herauskommt.«

»Indem er ausgerechnet Edgar als Verdächtigen dastehen lässt?« Bodenstein schüttelte den Kopf. »Nein, ich glaube nicht, dass Peter unser Mörder ist. Aber ich bin davon überzeugt, dass er weiß, was damals passiert ist. Wie alle anderen auch.«

***

Die Nachricht vom Angriff auf Pauline Reichenbach hatte sich wie ein Lauffeuer in Ruppertshain verbreitet. Der ganze Ort war in Aufruhr, vor der Polizeiabsperrung waren Stofftiere und Blumen abgelegt worden und junge Leute entzündeten Kerzen. Auch ältere Anwohner pilgerten die Wiesenstraße entlang, sie standen in Grüppchen oder alleine da, betroffen, fassungslos und entsetzt. Niemand wusste etwas Genaues, aber es war bekannt geworden, dass Pauline dem Tode näher war als dem Leben. Das Böse hatte sich wie ein Spinnennetz über den ganzen Ort gelegt. Misstrauen und Angst sickerten wie Gift in die Köpfe der Menschen, die bisher so getan hatten, als gingen sie all die Tragödien nichts an. Gerüchte gingen um. Mutmaßungen machten die Runde. Kaum jemand glaubte noch, dass der Mörder ein Fremder war. Und das bedeutete, dass einer von ihnen der Täter war, einer aus dem Dorf. Diese Erkenntnis ließ die Stimmung kippen, sie war feindselig und explosiv geworden, und ein Funke würde genügen, um zu einer gefährlichen Eskalation zu führen.

Vertreter von Medien aus ganz Deutschland hatten den Weg in das Taunusdorf gefunden. Jeder, der sich nicht schnell genug aus dem Staub machte, bekam ein Mikrophon vor den Mund gehalten. Viele genossen es, für einen Moment im Mittelpunkt des Interesses zu stehen, und wahrscheinlich würde spätestens morgen in den Zeitungen und im Internet zu lesen sein, dass Pauline Reichenbach die beliebteste junge Frau von ganz Ruppertshain war, obwohl neunzig Prozent der Befragten bisher nicht einmal ihren Namen gekannt hatten. Die Reporter gierten nach O-Tönen, die sie in ihren Berichten zitieren konnten, und ihnen war alles recht, was sich irgendwie zu einer Schlagzeile machen ließ.

Noch immer waren Polizeibeamte dabei, die Einwohner Ruppertshains mit methodischer Präzision zu befragen; sie arbeiteten sich durch jede Straße, klingelten an jeder Haustür – niemand durfte ausgelassen werden.

Bodenstein war so in Gedanken, dass er sich kaum daran erinnern konnte, wie er von Hofheim nach Ruppertshain gefahren war, und sein eigenes Haus erschien ihm fremd, als er auf dem Weg zur Pferdeklinik daran vorbeifuhr. Stärker als sonst bei Ermittlungen fühlte er sich auf seltsame Weise zwiegespalten: Auf der einen Seite war er der Polizist, sachlich, nüchtern beobachtend und das Puzzle von Informationen und Fakten schlüssig zusammensetzend, auf der anderen Seite war er Oliver von Bodenstein: mitfühlend, zornig und voller Zweifel an der Notwendigkeit und Richtigkeit dessen, was er tun musste. Normalerweise gelang es ihm problemlos, diese beiden Facetten seines Ichs miteinander zu verbinden, doch diesmal waren sie voneinander getrennt, als bestünde er aus zwei unterschiedlichen Personen. Warum ließen ihn das Leid und die Angst von Simone und Roman Reichenbach so unberührt? Woher kam diese Distanz – oder war es sogar Gleichgültigkeit in seinem Innern? Er hatte sich sogar bei dem Gedanken erwischt, dass sie nun womöglich endlich einmal am eigenen Leib erfuhren, wie es sich anfühlte, wenn einem das Liebste im Leben genommen wurde. In dem Moment, in dem ihm das durch den Kopf gegangen war, hatte es ihn zutiefst schockiert, und seitdem suchte er nach dem passenden Begriff für diese schäbigen Gefühle, die wie giftige Gasblasen in ihm emporgestiegen und an die Oberfläche gekommen waren. War es Häme? Genugtuung? Oder schlimmer noch ... Schadenfreude?

Er bog nach rechts in den schmalen asphaltierten Weg ein, der zwischen rückwärtigen Gärten und Pferdekoppeln ins Tal hinab zur Pferdeklinik führte. Unbeeindruckt von der Stimmung im Ort, herrschte dort reger Betrieb; die vierbeinigen Patienten und ihre Besitzer kamen von überall her. Wahrscheinlich redeten sie über die Dramen, die sich hier abgespielt hatten, aber es berührte sie nicht sonderlich. Das Leben ging eben immer weiter, was auch geschah.

Bodenstein ließ sein Auto auf der Straße vor Inkas Wohnhaus stehen, dort, wo er in den letzten Jahren oft geparkt hatte. Er ging am Verwaltungsgebäude vorbei in den Hof. Pferde wurden untersucht und herumgeführt. Auf dem Parkplatz parkten Pferdetransporter mit heruntergelassenen Verladerampen und mehrere Autos mit Anhängern. Pferdebesitzer warteten auf Diagnosen oder die Untersuchung, allein oder in Grüppchen.

Bodenstein fragte nach Inka, aber niemand hatte sie in der Klinik gesehen. Ihr Geländewagen parkte am Haus vor der Küchentür, die sie häufiger benutzte als den eigentlichen Hauseingang. Die hintere Klappe stand offen, ebenso die Tür. Gerade als er das Auto erreicht hatte, kam Inka aus der Küche, in beiden Händen trug sie Reisetaschen.

»Hallo, Inka«, sagte er.

Bei seinem Anblick ließ sie vor Schreck die Taschen sinken, fing sich aber sofort wieder und wuchtete das Gepäck in ihr Auto.

»Was machst du denn hier?« Sie war offensichtlich alles andere als erfreut über seinen Besuch, aber er hatte auch nicht mit einem herzlichen Empfang gerechnet. Ihre Beziehung und deren Ende hatte ihre ohnehin fragile, von Missverständnissen und Unausgesprochenem geprägte Freundschaft komplett zerstört. Bodenstein warf einen Blick durch die weit geöffnete Küchentür und sah zwei Koffer und mehrere Klappboxen neben dem Küchentisch stehen.

»Willst du verreisen?«, erkundigte er sich.

»Ein Kongress. In … Wien.« Sie lächelte nervös. »Ich hab's eilig. Was willst du?«

Bodenstein fiel auf, wie schlecht sie aussah. In ihren Augen lag ein gehetzter Ausdruck. Inka war nicht auf dem Weg zu einem Kongress, sie war auf der Flucht.

»Ich muss dich etwas fragen.«

»Ausgerechnet jetzt? Ich bin sowieso schon zu spät dran.«

»Ich bin nicht zum Plaudern hier, sondern als Polizist. Es dauert nicht lange. Aber ich kann dich auch gerne aufs Kommissariat bestellen, wenn dir das lieber ist.«

»Wenn's sein muss.« Inka zerrte einen der Koffer zum Auto. Ihre ganze Körperhaltung signalisierte Abwehr. »Dann frag schon.«

Wie sollte er anfangen? Sie fragen, weshalb sie sich mit ihren alten Freunden im Merlin getroffen hatte? Nein, damit würde er nur den Wirt in Schwierigkeiten bringen. Bodenstein beschloss, nicht lange um den heißen Brei herumzureden.

»Gestern Morgen haben wir im Wald ein Skelett gefunden«, sagte er also. »Die Untersuchung hat zweifelsfrei ergeben, dass es sich um die sterblichen Überreste von Artur Berjakov handelte. Du erinnerst dich vielleicht noch an ihn, er …«

»Hast du nichts Besseres zu tun?«, fiel Inka ihm ins Wort. »Die Tochter von Simone und Roman schwebt in Lebensgefahr, und drei Menschen sind ermordet worden! Das sollte doch wohl wichtiger sein als diese alte Geschichte.«

Sie wollte wieder zurück ins Haus gehen, aber er verstellte ihr den Weg.

»Glaub mir, ich weiß, was ich tue«, versicherte er ihr. »Wir vermuten, dass derjenige, der Artur damals getötet und begraben hat, auch Rosie, Clemens und Pfarrer Maurer ermordet hat. Wahrscheinlich hat er nicht nur diese Morde auf dem Gewissen, sondern wollte auch Pauline umbringen.«

Inka wurde blass. Sie presste die Lippen zusammen.

»Was geht mich das an? Ich hab nichts damit zu tun, und ich weiß auch nichts.«

Sie drängte sich unsanft an ihm vorbei, ergriff eine der Klappboxen. Sein Blick fiel auf den Inhalt der Box. Gerahmte Fotografien, Bücher, in Zeitungspapier eingewickelte Gegenstände. Nicht gerade das, was man mit zu einem Kongress nahm.

»Wir haben Arturs Skelett in einem Grab auf dem alten Familienfriedhof im Wald gefunden. Und neben seinen Knochen lagen die von Maxi, meinem Fuchs. Du erinnerst dich doch sicher noch an ihn, oder?« Er bemerkte, wie Inka für den Bruchteil einer Sekunde erstarrte. »Maxi verschwand am selben Abend wie Artur, und ich bin damals fast verrückt geworden vor Sorge. Artur ist an dem Abend, es war der 17. August 1972, bei uns weggegangen, aber er kam nie zu Hause an. Ich hatte seinen Eltern versprochen, auf ihn aufzupassen. Bis heute mache ich mir Vorwürfe, dass ihm etwas zugestoßen ist. Es war meine Schuld! Ich hätte ihn nicht alleine nach Hause gehen lassen dürfen!«

Inka feuerte die Klappbox in den Kofferraum ihres Autos.

»Lass mich mit diesen alten Kamellen in Ruhe!«, fauchte sie.

Bodenstein sah den Hass in ihren Augen, aber auch Entsetzen und Angst. Der Moment war gekommen, in dem sie sich den Dämonen ihres Lebens stellen musste, und das hatte sie begriffen.

»Wovor flüchtest du?«, fragte er. »Das da ist kein Gepäck für eine Geschäftsreise, das ist ein Umzug. Du hast die Pferdeklinik und dein Elternhaus an Micha und Georg verkauft und willst von hier verschwinden. Warum?«

»Das geht dich nichts an.«

Sie starrten sich an, dann schlug Inka den Blick nieder.

»Was ist damals passiert?«, drängte er unerbittlich. »Du weißt es, Inka, hab ich recht?«

»Lass mich in Ruhe!«, fuhr sie Bodenstein mit tränenerstickter Stimme an. »Verschwinde endlich aus meinem Leben!«

»Ich kann dich nicht in Ruhe lassen«, erwiderte Bodenstein. »Es geht um einen Mord. Warum hast du dich am Freitagabend mit Simone, Roman und den anderen im Merlin getroffen? Worüber habt ihr gesprochen? Was habt ihr getan?«

»Warum tust du mir das an?«, flüsterte Inka, ohne ihn anzusehen. »Hast du überhaupt eine Ahnung, wie ich gelitten habe? Seit über vierzig Jahren versuche ich, das alles zu vergessen. Ich tue so, als sei nie etwas passiert. Nur so kann ich es einigermaßen ertragen.«

Diese Antwort machte Bodenstein für einen Augenblick sprachlos. Das Blut pochte ihm so sehr in den Schläfen, dass ihm das Denken schwerfiel.

»Wie *du* gelitten hast?«, wiederholte er ungläubig. »*Du*? Warum hast *du* denn wohl gelitten?«

»Das … das verstehst du nicht.« Sie wich seinem Blick aus. Ihm kam das Foto in den Sinn, das für alle Ewigkeit dokumentiert hatte, wie Inka Maxi, ein argloses Tier, getreten hatte. Aus Eifersucht? Oder purem Neid?

»Nein, das verstehe ich wirklich nicht«, erwiderte Bodenstein bitter. Alles, was Inka und er jemals miteinander erlebt hatten – und das war weit mehr als nur ihre Beziehung –, zerfiel bei ihren selbstmitleidigen Worten zu Asche. Die Erkenntnis, dass sie in all den Jahren ihrer Freundschaft diese schreckliche Wahrheit gekannt und niemals auch nur ein einziges Wort darüber verloren hatte, war zutiefst niederschmetternd.

»Ich … ich muss jetzt losfahren«, stammelte Inka. Wieder einmal wollte sie flüchten, so, wie sie das immer in ihrem Leben getan hatte, wenn es unangenehm wurde. Bodenstein öffnete die Fahrertür und zog den Zündschlüssel ab.

»Du fährst nirgendwohin.« Er sprach so ruhig, wie es ihm möglich war, während in ihm ein wilder Aufruhr tobte. »Ich nehme dich vorläufig fest wegen des Verdachts, an der Ermordung von Artur Berjakov am 17. August 1972 beteiligt gewesen zu sein.«

»Wie bitte?« Inka starrte ihn aus weit aufgerissenen Augen an.

»Als Beschuldigte hast du das Recht zu schweigen und einen Anwalt hinzuzuziehen. Du musst nichts sagen, was dich belasten könnte.«

»Das ist nicht dein Ernst!« Ihre Stimme war kaum mehr als ein Flüstern, ihr Blick war panisch, wie der eines in die Enge getriebenen Tieres.

»Oh doch«, sagte er kalt. Alle freundlichen Gefühle, die er jemals für diese Frau gehegt hatte, waren verschwunden. Das war nicht mehr die schöne, begehrenswerte Inka, nach der er sich seine ganze Jugend hindurch insgeheim verzehrt hatte. Vor ihm stand eine sehnige Mittfünfzigerin mit verhärmtem Gesicht und

Tränensäcken unter müden Augen. Eine Fremde. Eine Lügnerin. Eine Frau, die ihn auf unverzeihliche Weise belogen und die er überhaupt niemals richtig gekannt hatte. Ein alles verzehrender Zorn loderte in ihm auf.

Bevor er die Beherrschung verlor und Dinge tat oder sagte, die er später bereuen würde, wandte Bodenstein sich ab und entfernte sich ein Stück. Inka war vor ihrer Haustür in die Hocke gegangen und schluchzte hysterisch, aber das berührte ihn nicht. Seine Finger zitterten so sehr, dass es ihm erst beim dritten Versuch gelang, sein Handy zu entsperren und Pia anzurufen.

»Oliver, was gibt's?«, hörte er die Stimme seiner Kollegin an seinem Ohr. »Warst du schon bei Inka Hansen?«

»Ja. Da bin ich gerade«, antwortete er. »Ich brauche einen Haftbefehl für Dr. Inka Hansen. Wegen Beihilfe zum Mord an Artur Berjakov. Bitte schick einen Streifenwagen zur Pferdeklinik. Ich muss noch kurz woanders hin.«

Seine Stimme versagte. Er drückte das Gespräch weg. *Es tut mir leid, Artur, so leid. Bitte verzeih mir, dass ich dich nicht beschützt habe. Aber ich finde denjenigen, der dein Leben auf dem Gewissen hat, und ich sorge dafür, dass er seine gerechte Strafe bekommt.*

***

»Der Chef hat seine Ex festgenommen?« Cem schüttelte ungläubig den Kopf. »Er dreht durch.«

»Unsinn!«, widersprach Pia.

»Eigentlich müsste er von den Ermittlungen ausgeschlossen werden, zu seinem eigenen Besten«, erwiderte Cem. »Er steckt da einfach zu tief drin.«

»Wir brauchen im Moment jeden Mann«, entgegnete Pia, obwohl sie ihrem Kollegen insgeheim recht geben musste. Sie machte sich Sorgen um ihren Chef. Nie zuvor hatte sie Bodenstein derart aufgewühlt erlebt, nicht einmal bei dem Fall vor fünf Jahren, als der beste Freund seines Vaters erschossen worden und seine Familie in den Fokus von zu allem entschlossenen Verbrechern geraten war.

Pia kannte Inka Hansen schon seit dem allerersten Fall, den

sie nach ihrer Rückkehr zur Kriminalpolizei mit Bodenstein bearbeitet hatte. Damals war die Frau eines Tierarztkollegen ermordet worden. Warm geworden war Pia mit der Frau nie. Inka Hansen war eine seltsame Person: verschlossen, unnahbar, nicht zu durchschauen. Pia hatte nie verstanden, was ihren Chef an ihr fasziniert haben mochte. Was war jetzt wohl passiert? Was hatte Bodenstein herausgefunden, das ihn veranlasst hatte zu glauben, Inka Hansen habe etwas mit der Ermordung von Artur Berjakov zu tun?

»Ich sage Kai Bescheid, dass er sich um den Haftbefehl kümmern soll«, sagte Cem, der bereits von der Unfallklinik zurückgekehrt war. Paulines Zustand war unverändert. Man hatte sie in ein Zimmer gebracht, das besser zu sichern war, und vor der Tür des Zimmers saß nun vierundzwanzig Stunden lang ein Polizeibeamter.

»Danke.« Just in dem Moment, als Bodenstein sie angerufen hatte, hatte Pia die Vernehmung von Ralf Ehlers beendet. Der Patenonkel von Pauline Reichenbach hatte zunächst auf anwaltlichen Beistand verzichtet und sich kooperativ gezeigt, aber ganz plötzlich hatte er es sich anders überlegt. Die eilig herbeigerufene Anwältin hatte beim Anblick von Gianni Lombardi, dem unter Strafverteidigern der Ruf vorauseilte, jeden zum Reden zu bringen, ihrem Mandanten sofort geraten, keinen Ton mehr von sich zu geben, deshalb war die Fortsetzung der Vernehmung auf den morgigen Tag verschoben worden. Ralf Ehlers musste die Nacht in Haft verbringen; morgen würde er dem Ermittlungsrichter vorgeführt werden, der dann zu entscheiden hatte, ob Ehlers' Fingerabdrücke auf dem Brecheisen ausreichten, um ihn weiter festzuhalten.

Auf dem Weg in den Aufenthaltsraum machte Pia am Getränkeautomat halt und zog sich eine Cola Zero. Gianni Lombardi entschied sich für eine Sprite. Die trockene, stickige Luft in den kleinen Vernehmungsräumen machte durstig.

»Glaubst du Ehlers, dass er mit dem Mordversuch an Pauline nichts zu tun hat?«, fragte sie den Verhörspezialisten. »Er schien ehrlich betroffen zu sein. Immerhin ist sie seine Patentochter, auch wenn er nicht mit ihr blutsverwandt ist.«

»Er hat ein sexuelles Verhältnis mit der Tochter seiner ältesten Freunde«, gab Lombardi zu bedenken. »Juristisch unproblematisch, da beide alt genug sind, aber in moralischer Hinsicht ziemlich bedenklich. Das kümmerte ihn jedoch nicht. Ehlers ist ein Mensch, der sich über Recht und Gesetz erhaben fühlt. Er kann einem ungerührt in die Augen schauen und knallhart lügen, deshalb glaube ich ihm momentan nichts, außer, dass er sich um seine Hunde sorgt.«

»Aber warum sollte er Pauline umbringen wollen?«, rätselte Pia. »Und wenn er etwas zu verbergen hätte, hätte er uns ganz sicher nicht so bereitwillig eine Speichelprobe gegeben, oder?«

»Ehlers ist ein Choleriker.« Lombardi trank die Flasche aus und stellte sie in den Leergutkasten neben dem Getränkeautomat. »Er kann charmant und freundlich sein, wenn alles so läuft, wie er das will. Aber wenn ihm jemand widerspricht, rastet er aus. Besonders, wenn er Alkohol getrunken hat. Seine erste Frau hat wohl rechtzeitig die Kurve gekriegt, aber seine zweite Frau wurde von ihm so brutal geschlagen, dass sie mehrfach stationär im Krankenhaus behandelt werden musste.«

»Sie hat nie Anzeige gegen ihn erstattet.« Pia, die Ehlers' Vorstrafen und die Verhaltensweisen von Männern seines Kalibers kannte, nickte frustriert. Nur in den seltensten Fällen trauten sich Frauen, ihre gewalttätigen Männer anzuzeigen. Und oft genug bezahlten sie ihren Mut später mit dem Leben, wenn es ihnen nicht gelang, sich weit entfernt in Sicherheit zu bringen.

»Vielleicht hat Pauline irgendetwas getan, was ihn aufs Blut gereizt hat«, vermutete Lombardi. »Er ist ausgerastet und hat ihr das Brecheisen über den Kopf gezogen.«

»Das würde zum Choleriker passen«, fand Pia. »Aber wieso lässt er die Tatwaffe in der Nähe der Leiche zurück? Er müsste das Brecheisen mitgenommen und dann dort ins Gras geworfen haben. Das ergibt keinen Sinn.«

»Vielleicht schon. Er sieht sich in seiner Logik nicht als Kriminellen und betrachtet seine Vergehen und Verbrechen nur als Lappalien«, sagte Lombardi. »Illegaler Hanfanbau, Drogenhandel, Körperverletzung, unerlaubter Waffenbesitz, Steuerhinterziehung, Betrug – er findet für alles Begründungen und Entschuldigungen, die für ihn schlüssig sind. Ehlers ist zwar clever genug, um seine Lage und die Bedrohung seiner Freiheit zu erkennen, aber völlig ohne Einsicht oder gar Reue.« Lombardi zuckte die Schultern.

Pia ließ die Vernehmung noch einmal im Geiste Revue passieren. Und plötzlich war sie da, die Erkenntnis, die alle ihre Zweifel an Bodensteins Theorie verschwinden und sie Licht am Ende des Tunnels sehen ließ. Aus einer Möglichkeit wurde Wahrscheinlichkeit.

»Ehlers hat mit dem versuchten Mord an Pauline nichts zu tun«, sagte sie, bemüht um einen ruhigen Tonfall, obwohl sie vor Aufregung beinahe geplatzt wäre. »Deshalb wollte er keinen Anwalt! Er wusste, dass er in dieser Sache unschuldig ist, auch wenn er eigentlich kein Alibi hat. Überleg doch mal, nach welcher deiner Fragen er einen Anwalt verlangt hat.«

Lombardi blickte Pia aus schmalen Augen an, dann nickte er.

»Du könntest recht haben.« Er lächelte anerkennend. »Wirklich besorgt wurde er erst, als ich ihn nach Artur Berjakov gefragt habe. Was hat das zu bedeuten?«

Es war nicht unüblich, zu Vernehmungen von Verdächtigen externe Spezialisten hinzuzuziehen, die mit der eigentlichen Ermittlung nichts zu tun hatten. Lombardi hatte von Bodenstein einen Fragenkatalog bekommen und einige Erklärungen, deren genaueren Hintergrund der Vernehmungsspezialist jedoch nicht kannte.

»Das hat zu bedeuten, dass Bodenstein die ganze Zeit mit seiner Vermutung richtiglag.« Pia zog ihr Handy hervor. Sie musste auf der Stelle ihren Chef erreichen. »Es gab damals eine Gruppe von Kindern, eine Art Bande, zu der auch Bodenstein gehörte. Als Artur mit seiner Familie nach Ruppertshain kam und er sich mit dem Jungen anfreundete, wurden die anderen Kinder eifersüchtig. Sie schikanierten Artur, hassten ihn regelrecht. Mein Chef glaubt schon die ganze Zeit, dass sie etwas mit Arturs Verschwinden zu tun hatten, aber ich hatte Zweifel, immerhin waren die Kinder damals gerade mal elf oder zwölf Jahre alt.«

»Jon Venables und Robert Thompson waren 1993 zehn Jahre alt, als sie den zweijährigen James Bulger entführten und zu Tode folterten«, entgegnete Lombardi. »Und auch hier in Deutschland gibt es leider mehr als genug Fälle von Kindern, die andere Kinder töten.«

Natürlich! Die Kinder hatten Artur umgebracht und auch den kleinen Fuchs, auf den sie neidisch gewesen waren, und ihre Eltern hatten die beiden Leichen entsorgt, um ihre Kinder zu schützen! Und als Rosie Herold, von später Reue getrieben, diese Sache dem Pfarrer gestanden hatte, hatte das Unheil seinen Lauf genommen. Mord verjährte nicht. Allerdings waren die Kinder, falls sie die Täter gewesen waren, damals strafunmündig gewesen und würden auch heute, als Erwachsene, deshalb nicht verurteilt werden können. Aber die Presse würde sich zweifellos darauf stürzen, und eine Berichterstattung konnte Ansehen, Leben und Familien zerstören. Das Motiv für die Morde und den Mordversuch war die Verdeckung einer zweiundvierzig Jahre alten Straftat, genau wie Bodenstein es vermutet hatte.

»Was hast du jetzt vor?«, erkundigte sich Lombardi.

»Wir werden sie alle einbestellen«, antwortete Pia. »Irgendeiner von ihnen wird sein Schweigen brechen. Und dann reden sie alle.«

***

Er wusste nicht mehr, wohin er gehen sollte. An jeder Ortseinfahrt von Ruppertshain kontrollierte die Polizei die Autos, deshalb hatte er den Defender auf dem Parkplatz am Landsgraben stehen gelassen. Er hatte gewartet, bis es dunkel war, und war zu Fuß weitergelaufen. Zu Nike konnte er nicht. Felicitas war tot. An der Hasenmühle lauerten die Bullen. Und Pauline war irgendetwas zugestoßen, das hatte er im Radio gehört. Kurz hatte er überlegt, zu Frau Dr. Basedow zu gehen, aber womöglich würde der Killer dann auch ihr etwas antun, so, wie er Felicitas getötet hatte, nur weil sie ihn versteckt hatte. Sosehr er seinen Vater auch hasste, er war der einzige Mensch, der ihm jetzt noch helfen konnte. An der Haustür wollte er nicht klingeln. Sie würden ihn auf dem Monitor der Überwachungskamera erkennen und sofort die Polizei rufen. Aber er kannte einen anderen Weg, um ungesehen in den Garten und von dort aus ins Haus zu gelangen.

Ein paar Minuten später kroch er hinter dem Teich mit den Kois durch die Büsche. Und er hatte Glück! Seine Schwester saß auf der Terrasse und rauchte. Sie achtete nicht auf ihre Umgebung, sondern starrte auf ihr Smartphone.

»Letizia?« Das war die Stimme seiner Mutter. »Ich habe uns einen Tee gemacht, Schätzchen.«

Er duckte sich zwischen die Büsche. Der Griff der Pistole, die in seinem Hosenbund steckte, bohrte sich gegen seine Rippen. Seine Mutter kam hinaus auf die Terrasse. Jetzt musste er schnell sein. Entschlossen stand er auf und ging über den Rasen auf sie zu.

»Elias!« Seine Mutter starrte ihn an, als sei er ein Geist.

»Hallo«, sagte er und blieb stehen. Er schwitzte und bebte am ganzen Körper, seine Handflächen waren ganz nass.

»Was willst du denn hier?«, fragte Letizia feindselig. »Du hast Hausverbot. Und die Polizei sucht dich. Sie waren schon hier und haben uns nach dir gefragt.«

»Was ist mit Pauline passiert?«, fragte er. Seine Stimme war rau vor Anspannung. Mama und Letizia wechselten einen Blick.

»Sie liegt im Koma«, erwiderte Letizia. »Stell dir vor, jemand wollte sie umbringen. Kein Wunder eigentlich, wenn man bedenkt, mit was für Pennern die sich abgibt.«

Sie zuckte die Schultern, schnalzte geringschätzig mit der Zunge.

Tausend Gedanken fluteten durch sein Gehirn. Pauline hatte sein Handy. Sie hatte den Brief. Und auf dem Brief stand Nikes Adresse!

»Am besten, wir rufen die Polizei an«, hörte er Letizia zu Mama sagen. Sie hob ihr Handy.

Plötzlich wurde ihm schwindelig vor Hass. Sie hatten ihn gequält, verstoßen und verjagt, sie hatten ihm sein Leben gestohlen. Er machte einen Schritt auf seine Schwester zu und pflückte ihr das Smartphone aus der Hand. *Plopp* machte es, als es im Teich landete und versank.

»Hast du noch alle Tassen im Schrank?« Wutentbrannt versetzte sie ihm einen Stoß gegen die Brust. Ihre hellen Augen waren wie Glas. Frostig. Eisig.

»Elias, bitte. Geh!«, mischte Mama sich ein. Sie klang besorgt. »Wenn du Geld brauchst, kann ich dir welches geben.«

»Ich brauch dein Geld nicht«, krächzte er, ohne den Blick von Letizia zu wenden.

»Bitte. Elias. Tu deiner Schwester nichts. Ich ... ich muss sonst die Polizei rufen. Und das will ich nicht.«

»*Ich* soll meiner Schwester nichts tun?« Ungläubig blickte er seine Mutter an. »Verwechselst du hier nicht gerade irgendwas?«

Auf einmal war alles so klar, als ob in seinem Kopf ein Schalter umgelegt worden sei. Schon immer hatten seine Eltern Letizia mehr geglaubt als ihm. Sie hatten nie durchschaut, was für eine niederträchtige Hexe seine Schwester war.

Unversehens tat sich vor seinen Augen ein Abgrund auf. Mama ließ ihn wieder mal im Stich. Wie so oft zuvor. Wie eigentlich immer. Er hatte es satt, erniedrigt und beschimpft zu werden, er konnte dieses Gefühl der Unzulänglichkeit und des Versagens nicht länger ertragen. Gerade jetzt, wo er beschlossen hatte, sich zu ändern, wo er es geschafft hatte, clean zu sein, lief alles so verdammt schief! Die Gesichter seiner Mutter und seiner Schwester verschwammen hinter einem Schleier heißer, alles verzehrender Wut. *Du hast eine Pistole*, sagte eine Stimme in seinem Kopf. *Erschieß sie doch einfach. Dann hast du deine Ruhe.*

***

»Pia!« Tariq blickte auf, als sie den Raum betrat, und winkte ihr aufgeregt. »Wir sind hier auf etwas Seltsames gestoßen! Schau dir das mal an.«

»Was habt ihr denn?«

»Die Patientenakten, die du mitgebracht hast, sind nicht komplett«, erklärte Tariq. »Es sind zum Teil nur einzelne Seiten, und sie sind alt.«

»Zweiundvierzig Jahre alt?«, riet Pia.

»Genau.« Tariq grinste mit leuchtenden Augen. »Wir haben hier Krankenblätter von Peter Lessing, Ralf Ehlers, Klaus Kroll, Roman Reichenbach, Karl-Heinz Herold, Inka Hansen und Leonard Keller.«

Kai, Kim und Tariq hatten vier Tische zusammengeschoben und darauf alle Unterlagen ausgebreitet. Auf Whiteboards hatten sie erste Erkenntnisse notiert.

»Jeder von ihnen hatte die eine oder andere Verletzung«, übernahm Kai. »Schnittwunden, Prellungen, einen verstauchten Knöchel, Quetschungen. Das ist auf den ersten Blick nichts Ungewöhnliches, aber alle verletzten sich …«

»… am 17. August 1972.«

»Genau.«

»Karl-Heinz Herold war der Vater von Edgar und Clemens«, sagte Pia. »Welche Verletzung hatte er?«

»Eine Quetschung an der rechten Hand«, erwiderte Kai. »Ein Finger musste sogar amputiert werden.«

»So etwas kann man sich zuziehen, wenn man zum Beispiel eine schwere Grabplatte hochstemmt«, merkte Tariq an.

»Was ist mit Inka Hansen?«, erkundigte Pia sich.

»Ein Hundebiss, der sich infiziert hatte«, sagte Kai. »Ihre Behandlung war langwieriger, sie bekam eine Blutvergiftung.«

»Weil sie nicht von einem Hund, sondern von einem Fuchs gebissen wurde«, folgerte Pia.

Sie jubilierte innerlich. Das war er, der Durchbruch, auf den sie alle gewartet hatten! Dank Frau Dr. Basedow war nun die eine Erkenntnis da, die ihre Ermittlungen plötzlich auf die richtige Spur schickte.

»Sie alle wurden bei Dr. Hans-Peter Lessing behandelt. Als herauskam, was ihre Kinder getan hatten, verständigten sich die Eltern darauf, alles geheim zu halten. Dr. Lessing ließ die Blätter der Patientenakten verschwinden, damit die Polizei nicht zufällig darauf stoßen konnte.«

»Gleichzeitig verhinderte sein Schwager, Raimund Fischer, als Leiter der Königsteiner Polizeidienststelle die Einschaltung der Kripo aus Frankfurt so lange, bis die Verletzungen der Kinder ausgeheilt waren«, ließ sich Bodenstein hinter ihr vernehmen. Er hatte unbemerkt den Aufenthaltsraum betreten. »Nämlich fünf Tage lang.«

»Da bist du ja!«, rief Pia erleichtert. »Ich glaube, wir können jetzt beweisen, dass du recht hattest!«

Sie wollte ihm von Ralf Ehlers' Vernehmung erzählen, aber ein Blick auf Bodensteins Miene ließ sie innehalten.

»Ich habe herausgefunden, warum die Kinder an dem Abend im Wald unterwegs waren«, sagte er, blass zwar, aber entschlossen. »Ich habe mich mit dem Archiv des Ruppertshainer Sportvereins beschäftigt, das seit 1954 mit typisch deutscher Gründlichkeit geführt wurde. Und da habe ich eine äußerst interessante Entdeckung gemacht.«

In knappen Worten erzählte er, auf was er gestoßen war und welche Folgerungen er daraus gezogen hatte.«

»Gewagte Vermutung.« Gianni Lombardi, der mit der Geographie der Gegend nicht vertraut war, legte skeptisch die Stirn in Falten.

»Ein Strohhalm«, gab Bodenstein zu. »Der in irgendeinen Strohballen passt.«

»Wir werden spätestens morgen nach der Pressekonferenz mit allen sprechen, die damals dabei waren«, versprach Pia ihrem Chef. »Einer von ihnen wird auspacken.«

»Was ich nicht verstehe, ist, warum dieser Arzt die Patientenakten nicht einfach im Kamin verbrannt hat«, meldete sich Tariq zu Wort. »Er wollte seine Freunde schützen und hat trotzdem das Zeug aufgehoben, das macht doch keinen Sinn.«

»Oh doch.« Bodenstein lächelte bitter. »Niemand von denen ist miteinander befreundet. Sie wohnen nur im selben Ort und wurden durch das, was passiert ist, zu einer Art Schicksalsgemeinschaft. Dr. Lessing hat die Beweise aufgehoben, um ein Druckmittel zu haben, ganz einfach. Und wie ich ihn einschätze, hat er im Laufe der Zeit diese Karte mehr als nur einmal gespielt.«

»Das ist ja mies«, sagte Tariq angewidert.

»Nein«, erwiderte Bodenstein. »Das ist leider menschlich. Und wir Polizisten können nur froh sein, dass Menschen so niederträchtig sind, denn jetzt haben wir etwas, wo wir ansetzen können.«

»Wir sind noch über eine andere Sache gestolpert«, sagte Kai. »Die Patientenakte von Leonard Keller war komplett in dem Umschlag, mitsamt Berichten von Krankenhäusern und Rehakliniken, in denen er nach seinem Suizidversuch behandelt wurde. So etwas wird ja auch immer an den behandelnden Hausarzt geschickt. In der Fallakte über Artur haben wir Fotos von diesem Bolzenschussgerät gefunden, mit dem Keller sich umbringen wollte. Und da stutzten wir.«

»Warum?«, fragte Pia.

»Also, ich hab mich im Internet erst mal darüber schlaugemacht, was so ein Bolzenschussgerät eigentlich ist«, sagte Tariq eifrig. »Die korrekte Bezeichnung lautet Schlachtschussapparat, und das Gerät sieht aus wie ein etwas größerer Akkuschrauber. Mittels Gasdruck wird ein Schlagbolzen in den Schädel des Tieres getrieben. Erfunden wurde das Gerät Anfang des 20. Jahrhunderts vom Direktor des Straubinger Schlachthofs, um die Tiere vor der Schlachtung zu betäuben und ihnen so unnötiges Leid zu ersparen. Man kann also sagen, diese Geräte sind beim Schlachten schon seit Ewigkeiten gang und gäbe. Es gibt unterschiedliche Bauformen. Einmal die penetrierende Form, bei der der Bolzen in das Gehirn des Schlachttieres eindringt, dann die stumpfe Form, die ein abgeflachtes Bolzenende hat und die nicht bis ins Hirn vordringt. Bei dem Gerät, das Leonard Keller benutzt hat, handelte es sich um die stumpfe Form. Und jetzt kommt's!«

Er legte eine dramatische Pause ein und vergewisserte sich, dass ihm jeder gespannt folgte.

»Als Munition werden Platzpatronen benutzt, deren Treibladung den Bolzen hervorstößt. Diese Patronen sind farblich gekennzeichnet, denn für ein Schwein braucht man nicht dieselbe Durchschlagskraft wie für einen Ochsen. Bei der eingehenden Betrachtung der Fotos haben wir festgestellt, dass Keller grüne Patronen benutzt hat, das sind die mit der schwächsten Leistung, die für Schweine, Kälber oder Schafe benutzt werden. Und wir fragten uns, warum er das getan hat.«

»Er hat sich halt einfach in der Metzgerei das Gerät geschnappt und ist in seine Hütte gelaufen«, sagte Pia.

»Nein, nein, nein.« Tariq schüttelte heftig den Kopf. »Leonard Keller war ein erfahrener Metzger. Er hat bei der Metzgerei Hartmann gelernt, danach hat er ein Jahr lang im Schlachthof in Frankfurt gearbeitet, bevor er als Geselle zu Hartmanns zurückging. Er kannte sich also aus und hätte garantiert eine blaue oder rote Platzpatrone benutzt, um ganz sicherzugehen. Wenn man von einem Haus springen will, um sich umzubringen, dann sucht man sich den Maintower aus, aber nicht irgendein zweistöckiges Haus, bei dem man nur *eventuell* tot ist, sich aber viel eher nur die Beine bricht oder mit etwas Pech für den Rest seines Lebens im Rollstuhl sitzt.«

»Aber jemand anderes, der sich nicht so gut auskannte, nicht viel Zeit und wahrscheinlich auch Angst hatte, hätte sich genau so verhalten, wie du es eben gesagt hast, Pia«, ergänzte Kai. »Er hätte sich in die Metzgerei geschlichen, das Bolzenschussgerät gegriffen und fertig.«

Pia dämmerte, worauf ihre Kollegen hinauswollten.

»Keller hätte sich das Gerät wahrscheinlich auch gegen die Stirn gedrückt, wie man es bei Schlachttieren tut«, fügte Kim hinzu. »Nicht an den Hinterkopf, was aus anatomischen Gründen ohnehin schwierig ist.«

»Wir haben Christian gebeten, eine Computersimulation anzufertigen.« Kai wirkte sehr zufrieden. »Aufgrund der Körpergröße von Leonard Keller, der Lage des Einschusslochs im Schädel und der Größe und Schwere des Geräts können wir so herausfinden, wie groß der Täter gewesen sein muss.«

Pia ließ sich das Gesagte durch den Kopf gehen. Sie wechselte einen Blick mit Bodenstein.

»Wow«, machte sie dann beeindruckt. »Ihr habt recht.«

»Kein versuchter Selbstmord, sondern ein missglückter Mordanschlag!«, bestätigte Tariq mit einem triumphierenden Lächeln. »Darauf sind die Kollegen damals nicht gekommen.«

»Weil sie unbedingt einen Täter präsentieren wollten, um die unerfreuliche Angelegenheit irgendwie abschließen zu können«, sagte Bodenstein mit finsterer Miene.

»Und weil der feine Herr Doktor wahrscheinlich gewusst hat, wer der verhinderte Mörder war, hat er auch die Akte Keller zu seinen Erpressungsunterlagen getan«, schloss Tariq. »Dafür danken wir ihm posthum ganz herzlich.«

***

Der Verdacht, dass Leonard Keller keinen Selbstmordversuch begangen, sondern einen Mordanschlag überlebt haben könnte, veränderte alles. Die große Bahnhofsuhr an der Wand des Aufenthaltsraumes zeigte zehn nach acht, und allen Anwesenden war klar, dass sie sich auf eine Nachtschicht einstellen mussten. Kim und Tariq entfernten die Papierbahnen, die Kim für ihre Notizen zur Erstellung des Täterprofils benutzt hatte, man begann wieder ganz von vorne.

Bodenstein diktierte Tariq Omari und Kai Ostermann Namen und Verwandtschaftsverhältnisse, denn im Fokus der Aufmerksamkeit standen nun seine Kinderfreunde und deren Eltern, gleichzeitig lauschte er mit einem Ohr, wie Pia am Nachbartisch Gianni Lombardi für die Vernehmung von Inka Hansen briefte.

Es gab viel zu tun und zu bedenken, und vor allen Dingen blieb zu klären, von wem und warum der Anschlag auf Leo Keller verübt worden war, knapp vierzehn Tage nach Arturs Verschwinden, als die Kriminalpolizei aus Frankfurt längst die Ermittlungen übernommen hatte. Was hatte er gewusst? Wem hatte er mit diesem Wissen gefährlich werden können? Warum war der Anschlag nicht viel eher verübt worden? Oder hatte er gar nichts gewusst, sondern man hatte ihn einfach zum Sündenbock auserkoren, um endlich die schnüffelnden Polizisten loszuwerden, und dabei kaltherzig in Kauf genommen, seine ganze Familie zu ruinieren? Wozu Menschen fähig waren, die sich selbst retten wollten, erlebten sie in ihrem Job leider oft genug.

Bodensteins Handy klingelte. Karoline. Er entschuldigte sich, stand auf und ging hinaus auf den Hof.

»Valentina hat einen Nachtflug nach Frankfurt gekriegt«, teilte ihm Karoline mit. »Sie landet morgen früh um 6:20 Uhr. Ich habe ihr angeboten, dass sie bei mir absteigen kann. Ist das okay?«

»Ja, natürlich. Wenn es für dich okay ist.«

»Sicher.« Sie machte eine kurze Pause. »Wie geht es dir?«

»Ich war vorhin bei Inka und habe sie festgenommen.«

Als er das aussprach, dämmerte ihm erst die Ungeheuerlichkeit dessen, was er getan hatte. Bisher war ihm sein Handeln klar und folgerichtig erschienen, besonders vor dem Hintergrund dessen, was Ostermann und Omari herausgefunden hatten, aber nun kamen ihm Zweifel. Was, wenn Inka gar nichts damit zu tun hatte? Sie war ein Teil seiner Familie, die Schwiegermutter seines Sohnes. Hätte er darauf Rücksicht nehmen sollen?

»Was, wenn ich einen Fehler gemacht habe?«, fragte er und stieß einen Seufzer aus. »Vielleicht habe ich mich komplett verrannt.«

»Du musst jeder Spur nachgehen«, entgegnete Karoline. »Und wenn sie nichts damit zu tun hatte, entschuldigst du dich und lässt sie wieder laufen. Aber ich kann mir gut vorstellen, dass du richtigliegst.«

»Wieso?«, fragte Bodenstein überrascht.

»Kann ich dir nicht genau sagen«, antwortete sie. »Es ist bloß so ein Gefühl. Ich bin Inka ja nur ein paar Mal begegnet, aber ich hatte immer den Eindruck, dass sie ... hm ... unaufrichtig ist und irgendetwas verbirgt.«

Unaufrichtig. Das traf es auf den Punkt. In all den Jahren ihrer Freundschaft und auch in den zwei Jahren, in denen sie ein Paar gewesen waren, hatte Inka sich ihm niemals wirklich geöffnet. Es gab eine unsichtbare Grenze, die sie ihn nicht überschreiten ließ. Ihre Gespräche hatten sich stets nur um Alltägliches oder um ihn und seine Familie gedreht, aber niemals war es um sie gegangen. Sobald das Thema in eine Richtung ging, die ihr unangenehm wurde, hatte Inka abgeblockt. Wenn ihr etwas nicht passte, dann schwieg sie oder entzog sich. Oft hatte er sich gefragt, warum sie sich so verhielt, ob es an Sophia lag oder an ihm. Er hatte versucht, mit ihr darüber zu sprechen, aber vergeblich.

»Ich wünschte, der Fall wäre gelöst«, sagte Bodenstein und seufzte. »Ich möchte mit dir verreisen. Mit dir und den Mädchen, irgendwohin, so weit weg wie möglich.«

»Ich bin dabei.« Er konnte das Lächeln in Karolines Stimme förmlich hören. »Und dann ziehst du zu mir, und wir überlegen in Ruhe, ob wir uns vielleicht nicht doch irgendwo einen schönen, kleinen Bauernhof kaufen.«

Zu gerne wäre Bodenstein jetzt zu ihr gefahren, aber daran war nicht zu denken. Die morgige Pressekonferenz musste vorbereitet werden, und er durfte Pia nicht das Gefühl geben, sie im Stich zu lassen, auch wenn er genau das am liebsten getan hätte.

»So machen wir das«, erwiderte er und lächelte auch. »Es wird spät heute. Vielleicht müssen wir die ganze Nacht dranhängen.«

»Kein Problem. Schreib mir einfach eine Nachricht, wenn du fertig bist. Ansonsten sehen wir uns morgen bei der Pressekonferenz, okay?«

»Okay. Ich freue mich auf dich.«

»Und ich mich auf dich. Ich liebe dich.«

»Ich liebe dich auch.« Sein Herz wurde ganz leicht und weit bei dem Gedanken, dass diese Frau auf ihn wartete, heute Nacht und für den Rest seines Lebens, wenn alles gut lief, und daran hatte er keinen Zweifel mehr. Sie hatte Verständnis für ihn und würde sogar diese niedrigen Gefühle verstehen, für die er sich einerseits schämte, die ihn aber andererseits antrieben und ihm die Kraft gaben, die er brauchte, um mit dem düstersten Kapitel seiner Vergangenheit für immer abzuschließen.

Mental gestärkt und wieder ein wenig mehr im inneren Gleichgewicht, wollte er gerade zurück ins Gebäude gehen, als eine dunkle Limousine neben ihm hielt. Die Seitenscheibe surrte nach unten.

»Hallo, Oliver«, sagte Dr. Florian Clasing. »Meine Schwester hat mich angerufen und mich darum gebeten herzukommen. Du hast Inka festgenommen.«

Clasing war einer der bekanntesten Strafverteidiger Deutschlands und zufällig der Bruder von Anna-Lena Kerstner, der Ehefrau von einem von Inkas Teilhabern der Pferdeklinik. Bodenstein kannte ihn schon lange, und im Laufe der Jahre war eine Freundschaft zwischen ihnen entstanden.

»Hallo, Florian. Du bist Inkas Rechtsbeistand?«

»Ich habe noch nicht mit ihr gesprochen, aber ich denke, das werde ich wohl sein«, bestätigte Clasing ernst. Er fuhr das Auto auf den ersten freien Parkplatz, stellte den Motor ab und stieg aus.

»Worum geht es?«, erkundigte er sich. »Was wird ihr vorgeworfen? Hat es etwas mit der Mordserie zu tun?«

Natürlich wusste er darüber Bescheid. In der Presse waren die Morde und die fehlenden Ermittlungserfolge der Polizei das alles beherrschende Thema der letzten Tage. Allerdings war bisher noch nicht durchgesickert, dass es Verbindungen zu dem Verschwinden von Artur geben könnte. Darüber musste Bodenstein den Anwalt jetzt allerdings in Kenntnis setzen. Auf dem Weg zum Eingang der Regionalen Kriminalinspektion erklärte er Clasing also mit knappen Worten, weshalb er Inka vorübergehend in Polizeigewahrsam genommen hatte.

»Du weißt, dass das für den Haftrichter nie und nimmer ausreicht«, sagte Clasing, als er geendet hatte.

»Ja, das ist mir klar.« Bodenstein nickte. Der wachhabende Beamte hatte ihn gesehen und drückte auf den Summer für die Eingangstür. »Ehrlich gesagt, hoffe ich darauf, dass Inka uns verrät, was damals wirklich geschehen ist. Ich denke nicht, dass sie einen Mord auf dem Gewissen hat. Aber sie weiß etwas, und das ist sehr wichtig für uns.«

»Kann ich mit ihr reden?«, fragte Clasing.

»Natürlich. Aber meine Kollegin Pia Sander leitet die Ermittlungen. Ich informiere sie, dass du hier bist.«

»Gut. Ich warte solange.« Clasing warf einen Blick auf seine Uhr, dann sah er Bodenstein an. »Inka kann sehr stur sein. Ich hoffe, ich kann sie dazu bringen, mit dir zu reden. Was passiert, wenn sie das nicht tut?«

»Wir können sie vierundzwanzig Stunden festhalten«, entgegnete Bodenstein. »Aber wenn ich den Haftrichter davon überzeugen kann, dass Flucht- oder Verdunklungsgefahr besteht, dann bleibt sie eine Weile in U-Haft.«

»Diese Gefahr besteht nicht.«

»Leider doch.« Bodenstein musterte den Anwalt. »Ich habe sie dabei überrascht, wie sie ihr Auto beladen hat, um sich aus dem Staub zu machen. Über den Verkauf der Pferdeklinik bist du informiert, nehme ich an.«

Clasing zuckte nur die Schultern, statt zu antworten.

»Dieses Argument und die Tatsache, dass sie gestern online eine neue ESTA-Genehmigung für die USA beantragt hat, dürften den Haftrichter von einer bestehenden Fluchtgefahr überzeugen.«

***

Sie saßen vor ihm wie verschreckte Kinder, wenn Nikolaus und Knecht Ruprecht kommen. Er hatte ihnen die Arme auf den Rücken und die Knöchel aneinander gefesselt, und damit sie endlich die Klappe hielten, hatte er ihnen mit dem reißfesten silbernen Gewebeband den Mund zugeklebt. Letizia hatte er es überdies um den Kopf gewickelt. Das würde besonders weh tun, wenn sie jemand befreite. Eine winzige Rache für all das, was sie ihm angetan hatte.

Nachdem er sich davon überzeugt hatte, dass sie sich nicht gegenseitig befreien konnten, war er nach oben gegangen, hatte ausgiebig geduscht und sich rasiert. Dann hatte er frische Klamotten angezogen und eine Reisetasche gepackt. Seit Jahren hatte er sich nicht mehr so gut gefühlt. Er hatte sich zwei Brote gemacht und ein paar Eier in die Pfanne geschlagen, erst dann war er wieder hinunter in den Heizungskeller gegangen. Dass die Tür absolut schalldicht war, wusste er aus eigener leidvoller Erfahrung, deshalb machte er sich keine Sorgen, selbst wenn sie ihre Knebel irgendwie loswurden. Von hier unten drang kein Geräusch bis hoch auf die Straße.

Er hatte sich vor sie auf einen Hocker gesetzt und angefangen zu reden. Jetzt *mussten* sie ihm zuhören. Sie konnten ihn nicht niederbrüllen, weggehen oder ihn irgendwo einsperren. Jetzt war er am Zug! Seine Eltern waren entsetzt, als er ihnen erzählte, wie Letizia ihn benutzt, ja, für ihre schäbigen Zwecke missbraucht hatte, und das jahrelang, ohne dass er jemals die Chance gehabt hatte, sich zu wehren. Er erklärte ihnen, warum er sich so auffällig verhalten hatte, immer wieder weggelaufen war. Verzweifelt hatte er gehofft, irgendjemand würde ihn ansprechen, ihn fragen, was denn los sei. Aber in all den Jahren hatte ihm nur ein einziger Mensch geglaubt, nämlich Frau Dr. Basedow. Und die hatte sein Vater so eingeschüchtert, dass sie nichts getan hatte. Vor lauter Angst.

»Ich hab einen Entzug gemacht und bin seit fast vierzehn Tagen clean«, sagte er. »Und ich hab mich mit dem Krankheitsbild ›paranoide Schizophrenie‹ beschäftigt, das ihr mir ja so unbedingt anhängen wolltet. Bereit für einen kleinen Vortrag? Im Internet habe ich nämlich ein paar ganz interessante Theorien gefunden.«

Er zeigte mit der Pistole erst auf seinen Vater, der wie ein Wackeldackel nickte, dann auf seine Mutter.

»Laut der sogenannten ›Milieutheorie‹, die Anfang der 70er Jahre aufkam, entstehen psychische Krankheiten vor allen Dingen in der Familie. Untersuchungen haben ergeben, dass bei schizophrenen Menschen oft mindestens ein Elternteil ihnen nicht die Möglichkeit gab, ein eigenes Selbstbild und eigene Ziele zu entwickeln.« Er lächelte kalt. »Je mehr ich darüber nachgedacht habe, umso klarer ist mir geworden, wer hier perfekt in das Bild der schizophrenieerzeugenden Familien passt: Eltern, die eine Tendenz dazu haben, zu dominieren, aber null Verständnis für die Bedürfnisse und Gefühle ihrer Kinder aufbringen. Die nicht etwa offen repressiv sind, sondern sich auf eine verlogen-freundliche, aber alles beherrschende Art und Weise gegen das Kind durchsetzen, was wiederum für das Kind einen Riesenstress darstellt. Na, erinnert euch das an was?«

Er stand auf und versetzte Letizia einen Tritt.

»Ihr habt nicht mich irre gemacht, sondern die da«, sagte er. Dann riss er den Klebestreifen vom Mund seiner Schwester ab und bohrte ihr den Lauf seiner Pistole in die Rippen. »Erzähl ihnen, wie das mit deinem Unfall wirklich war! Na los! Keiner wird dich unterbrechen!«

»Ich … ich weiß nicht, was du meinst«, wimmerte sie. Da zog er den Abzug durch. Der Schuss krachte ohrenbetäubend laut, der Rückschlag war stärker als erwartet. Putz rieselte von der Wand.

»Die nächste Kugel trifft dein Knie«, drohte er seiner verhassten Schwester. »Los, fang an zu reden!«

***

Inka Hansen hatte sich geweigert, mit dem Anwalt zu sprechen, den ihre Kollegen geschickt hatten, und so war Dr. Florian Clasing unverrichteter Dinge wieder gegangen. Mit ausdrucksloser Miene hatte sie die Belehrungen über ihre Rechte angehört und nur knapp genickt, als Pia sie darüber informierte, dass die Vernehmung in Ton und Bild aufgezeichnet werden würde. Seit einer halben Stunde log sie, was das Zeug hielt. Hoffte sie noch immer, sich irgendwie aus der ganzen Sache herauswinden zu können?

»Wo wollten Sie eigentlich hinfahren?«, fragte Pia.

»Auf einen Kongress. Nach Wien.«

»Da gibt es aber gar keinen veterinärmedizinischen Kongress, das haben wir überprüft.«

»Ich ... ich wollte mit meiner Tochter nach ... nach Südfrankreich fahren.«

»Aha. Und wohin in Südfrankreich wollten Sie beide?«

»Nach ... Arles.«

»Hm. Dann haben Sie ja sicherlich ein Hotel gebucht, oder?«

»Nein. Wir wollten uns vor Ort umschauen. Dort bleiben, wo es uns gefällt.«

»Warum haben Sie gestern eine ESTA-Genehmigung für die USA beantragt?«

»Weil ich dort auch zu einem Kongress eingeladen bin.«

Die Lügen gingen Inka Hansen flüssig über die Lippen. Pia seufzte. Sie hatte genug davon.

»Erinnern Sie sich an Maxi, den Fuchs, den Oliver mit der Flasche großgezogen hat?«, wechselte sie das Thema.

»Ja.« Inka Hansen warf ihr einen misstrauischen Blick zu.

»Mochten Sie ihn?«

»Ich mag alle Tiere.«

»Hm.« Pia legte der Tierärztin eine Vergrößerung des Fotos hin, das Bodenstein ihr gegeben hatte. »Das sieht aber nicht so aus, als ob Sie Maxi gemocht hätten.«

Auf Inka Hansens Stirn erschienen winzige Schweißperlen.

»Sie haben Maxi gehasst, nicht wahr?«, fragte Pia. »Sie haben Oliver den Fuchs nicht gegönnt und waren neidisch und eifersüchtig, weil er mit Ihnen und den Kindern aus dem Dorf nichts mehr zu tun haben wollte, Ihnen einen Russenjungen als Spielkamerad vorzog. Stimmt's?«

Inka Hansen gab keine Antwort. Unverwandt starrte sie auf einen Punkt hinter Pias Schulter.

»Frau Dr. Hansen«, sagte Pia eindringlich. »Ein kleiner Junge ist gestorben, er war gerade mal elf Jahre alt. Sie haben selbst eine Tochter. Lässt es Sie tatsächlich so kalt, dass die

Familie von Artur seit über vierzig Jahren in Ungewissheit leben muss?«

Sie schob ihr die Fotos von Arturs Skelett zu, das, anatomisch korrekt angeordnet, auf dem Metalltisch der Rechtsmedizin im grellen Licht lag.

»Sehen Sie sich die Bilder an!«

Inka Hansens Miene blieb so verschlossen, wie Pia das von ihr kannte. Sie wirkte konzentriert, wie bei einer Prüfung, bei der sie keine Fehler machen durfte. Mit Freundlichkeit und Appellen an mütterliche Gefühle würden sie nicht weiterkommen, es war an der Zeit, stärkere Geschütze aufzufahren.

Lombardi konsultierte seine Notizen. Bodenstein hatte Pia und ihn bis ins Detail instruiert.

»Wovor haben Sie Angst, Frau Dr. Hansen? Werden Sie von irgendjemandem bedroht? Ist das der Grund, weshalb Sie ganz plötzlich Ihre gutgehende Klinik verkauft haben und aus Ruppertshain wegwollen?« Das Mitgefühl in Gianni Lombardis Stimme ließ Inka Hansen schlucken. Sie schüttelte den Kopf, veränderte ihre Sitzposition, zupfte an ihrem Ohrläppchen. Immer wieder wanderte ihr Blick zu der verspiegelten Scheibe, hinter der Bodenstein saß und die Vernehmung verfolgte.

»Vor wem fürchten Sie sich?«, insistierte Lombardi. »Womit hat man Ihnen gedroht?«

»Ich hab vor niemandem Angst.« Inka Hansen schüttelte den Kopf, aber ihre ganze Körpersprache verriet, dass sie log. »Was soll denn diese ganze Fragerei?«

»Was ist mit Peter Lessing?«, fragte Pia und registrierte, wie die Tierärztin zusammenzuckte. Treffer! Gnadenlos stieß sie nach.

»Erinnern Sie sich daran, wie er und die anderen Jungs damals Tiere gequält und getötet haben? Frösche und Meerschweinchen, Hasen und Katzen. Waren Sie dabei? Hat es Ihnen gefallen? Hatten Sie vielleicht sogar Spaß daran, an der Qual, an den Todesschreien, an dieser Macht über Leben und Tod?«

Das, was sie hier tat, war brutal und grausam. Pia hasste diese Art von Vernehmungen, die einzig und allein darauf abzielten, ihr Gegenüber an seiner empfindlichsten Stelle zu treffen, und ihm Geheimnisse zu entringen, die der Vernommene unter allen Umständen für sich behalten wollte.

»Nein, ich erinnere mich nicht.« Inka Hansen verweigerte stur jede Kooperation. »Ich weiß nicht, wovon Sie überhaupt sprechen.«

»Wir sprechen vom 17. August 1972«, sagte Pia. »Sie waren elf Jahre alt. Ein Junge, den Sie gut kannten und der so alt war wie Sie selbst, verschwand an diesem Tag spurlos.«

»Ich kann Ihnen nicht helfen«, erwiderte die Tierärztin. »Ich erinnere mich nicht.«

»Artur wäre heute so alt wie Sie. Haben Sie in all den Jahren mal darüber nachgedacht, was mit ihm passiert sein könnte?«

»Oder mussten Sie das gar nicht?«, fragte Lombardi. »Weil Sie ja wussten, was damals vorgefallen ist?«

Keine Antwort.

»Als Sie gestern erfuhren, dass man Arturs und Maxis Knochen gefunden hat, waren Sie da überrascht?«

»Wie würden Sie sich fühlen, wenn Ihre Tochter spurlos verschwunden wäre und Sie nie erfahren hätten, was mit ihr passiert ist?«

Pia und Lombardi wechselten sich ab, und jede ihrer Fragen traf Inka Hansen wie ein Messerstich, das konnte Pia an dem panischen Flackern in ihren Augen erkennen und daran, wie sie ihre Hände ineinander verkrallte, aber sie ließ sich nicht aus der Reserve locken. Egal, was sie fragten, ihre Antwort war stereotyp immer dieselbe.

»Ich weiß nicht, wovon Sie sprechen. Ich kann mich nicht erinnern.«

Pia und Lombardi wechselten einen raschen Blick. Wovor hatte sie eine solch kolossale Angst? Oder besser: vor wem?

»Möchten Sie etwas trinken?«, fragte Lombardi. »Ich kann Ihnen ein Glas Wasser holen. Wir können eine Pause machen.«

»Nein, ich will nichts trinken. Ich will nach Hause«, sagte Inka Hansen. »Sie können mich hier nicht einfach festhalten. Das ist Polizeiwillkür.«

»Wir dürfen Sie vierundzwanzig Stunden festhalten«, verbesserte Pia sie. »Und das werden wir auch tun. Morgen werden Sie dem Haftrichter vorgeführt, der dann entscheiden wird, ob Sie gehen dürfen oder länger in Gewahrsam bleiben. Und ich sage Ihnen jetzt schon, dass Ihre Aussichten, nach Hause zu dürfen, nach all den Lügen, die Sie uns schon aufgetischt haben, verschwindend gering sind.«

Erst jetzt schien Inka Hansen der Ernst ihrer Lage zu dämmern.

»Was wollen Sie eigentlich von mir?« In ihrer Stimme schwang Aggressivität mit. »Ihr Chef hat rein persönliche Motive, mich hier festzuhalten. Er will sich an mir rächen! Wahrscheinlich sitzt er hinter der Scheibe und genießt es, wie Sie mich fertigmachen, oder?«

Da waren sie endlich, die Emotionen, auf die Pia gewartet hatte! Inka Hansen hatte sich in eine Sackgasse manövriert und setzte sich zur Wehr. Sie näherten sich einem Punkt, vor dem sie sich fürchtete.

»Niemand will Sie fertigmachen.« Pia schüttelte den Kopf. »Wir wollen nur wissen, was an dem Abend passierte, als Artur verschwand.«

»Ich habe Ihnen doch gesagt, dass ich mich nicht erinnere!«

»Das glauben wir Ihnen nicht.«

»Vielleicht können wir Ihrem Gedächtnis ein wenig auf die Sprünge helfen.« Lombardi beugte sich ein Stück nach vorne. »Am Nachmittag des 17. August 1972 fand in Schneidhain ein Fußballturnier statt, die sogenannten Sommermeisterschaften. Die Mannschaft der D-Jugend des SV Ruppertshain verlor kläglich.«

Inka Hansens Mund reagierte bei Erwähnung des Fußballspiels mit einem verräterischen Zucken. Sie hatte wohl nicht damit gerechnet, dass sich jemand nach so vielen Jahren noch an dieses unbedeutende Ereignis erinnern konnte.

»Was geschah, nachdem Sie mit den anderen Kindern von dem verlorenen Fußballspiel aus Schneidhain durch den Wald zurückkamen? Sie waren doch dabei, oder? Ist Artur Ihnen zufällig über den Weg gelaufen?«

»Ich kann mich nicht erinnern.« Inka Hansens verhärmtes Gesicht war eine Maske aus Stein. Ihre Atmung ging schneller. Schweiß tropfte ihr vom Kinn in den Schoß.

»Sie lügen«, stellte Pia gelassen fest.

»Nein«, murmelte Inka Hansen und senkte den Blick auf ihre Hände.

»Oh doch.« Pia ließ nicht locker. »Sie haben eine Scheißangst. Panische, jämmerliche Angst. Drei Menschen sind schon umgebracht worden, weil sie zu viel über diese Sache wussten. Sie könnten die Nächste sein, oder vielleicht Ihre Tochter! Sie und Ihre Freunde haben etwas Schlimmes getan und sich geschworen, nie ein Wort darüber zu verlieren. Vierzig Jahre lang haben Sie verdrängt, was damals geschehen ist, aber jetzt hat die Vergangenheit Sie eingeholt. Wir werden morgen mit allen Ihren alten Freunden sprechen. Mit einem nach dem anderen. Ralf Ehlers sitzt schon im Nachbarraum. Ihn haben wir heute festgenommen. Ich denke, die Reichenbachs werden nicht so stur schweigen wie Sie, wenn sie erfahren, warum ihre Tochter fast totgeprügelt wurde und vielleicht nie mehr aus dem Koma erwacht.«

»Ich habe nichts getan!«, fuhr die Tierärztin auf. Ihre Stimme klang schrill.

»Aber Sie wissen Bescheid. Sie waren dabei«, entgegnete Pia. »Und auch, wenn Sie juristisch nicht belangt werden können, weil Sie zum Tatzeitpunkt noch strafunmündig waren, so wird man Ihren bisher unbescholtenen Namen mit vier Morden in Verbindung bringen. Es bleibt immer etwas an einem kleben, wenn man mit Dreck beworfen wird. Sie werden diese Sache nie mehr los, egal, was Sie tun.«

Stille.

Pias Worte zeigten Wirkung. Inka Hansen begriff, dass alles Lügen und Leugnen nichts mehr nützte. Sie kniff die Augen zusammen, um die aufsteigenden Tränen zu verdrängen.

Lombardi blätterte weitere Fotos auf den Tisch. Die verbrannte Leiche von Clemens Herold, ein schauerlicher Anblick. Die bis auf das Skelett abgemagerte Leiche von Rosie Herold mit blauen Lippen. Der angeschwollene Kopf von Adalbert Maurer mit getrockneten Blutspuren an Nase und Mund. Tote, leere Augen. Alpträume auf Hochglanzpapier.

»Schauen Sie sich die Fotos an«, befahl Lombardi.

»Die Tochter Ihrer besten Freundin wurde fast totgeschlagen

und wie ein Stück Müll auf eine Wiese geworfen, keine fünfhundert Meter Luftlinie von Ihrem Haus entfernt!«, sagte Pia. »Berührt Sie das gar nicht?«

»Doch, natürlich«, hauchte Inka Hansen.

»Was haben Sie am Freitag besprochen, als Sie sich mit Ihren alten Freunden getroffen haben? Haben Sie sich darauf geeinigt, alle zu behaupten, Sie könnten sich nicht erinnern?«

Die Tierärztin hatte die Arme vor der Brust verschränkt, in dem vergeblichen Versuch, ihren zitternden Körper zur Ruhe zu zwingen.

»Schauen Sie sich jetzt verdammt noch mal die Bilder an!«, brüllte Lombardi so unvermittelt los, dass sie zusammenzuckte. »Schauen Sie sich an, was Sie und Ihre Freunde angerichtet haben! Vier Menschen, die Sie alle gut gekannt haben: bei lebendigem Leib verbrannt, erwürgt, erdrosselt und fast zu Tode geprügelt! Wissen Sie, wie es ist, zu verbrennen? Oder bei klarem Verstand qualvoll zu ersticken? Können Sie sich vorstellen, was sich Pauline gedacht haben mag, als ihr der erste Schlag mit dem Brecheisen das Jochbein zerschmetterte?«

Inka Hansens Blick streifte die Fotos, und Pia konnte sehen, wie ihr Widerstand zerbrach. Ihr Gesicht wurde aschfahl, ihre Augen füllten sich mit Tränen. Sie sackte in sich zusammen, schlug die Hände vors Gesicht und begann zu weinen, ob aus Reue oder Selbstmitleid, vermochte Pia nicht zu beurteilen, und es war ihr auch egal.

»Frau Dr. Hansen«, insistierte sie. »Was ist damals passiert? Erzählen Sie es uns!«

»Nein, nein!«, wimmerte die Tierärztin. »Ich kann's nicht sagen, wenn Sie dabei sind.«

»Okay.« Pia stand auf. »Dann gehe ich raus.«

Sie verließ den Vernehmungsraum und betrat den benachbarten Beobachtungsraum. Schweigend nahm sie neben Bodenstein Platz. Lombardi spielte nun den einfühlsamen, verständnisvollen Zuhörer, und damit erreichte er sie schließlich.

»Artur hat alles kaputtgemacht!«, schluchzte sie gequält auf. »Ich war so glücklich bis dahin, aber dann tauchte *er* plötzlich auf, und mit einem Mal war alles anders. Wir … wir wollten ihm nur einen Denkzettel verpassen! Wir wollten nicht, dass er stirbt. Nur, dass er … dass er wieder verschwindet. Damit wieder alles so wird, wie es vorher war.«

»Was genau hat sich abgespielt?«

»Wir waren bei diesem Fußballspiel.« Sie sprach mit einer irritierend weinerlichen Kleinmädchenstimme. »Die Jungs hatten das Spiel verloren, und es hatte noch Streit mit dem Trainer gegeben. Der hat sie dann zur Strafe nicht im Bus mit zurück nach Ruppertshain genommen. Simone und ich sind aus Solidarität mit unseren Freunden auch zu Fuß gelaufen. Es war heiß, richtig schwül an dem Tag, ein Gewitter lag in der Luft. Vor allen Dingen Peter und Edgar waren wahnsinnig wütend. Sie wollten im Löschteich vom Gut schwimmen gehen und da … da saß Artur.« Sie schluchzte wieder auf. »Artur hat auf dem Steg gesessen und mit … mit Maxi gespielt.«

Pia warf ihrem Chef einen raschen Blick zu, aber Bodensteins Miene war wie versteinert. Er saß vorgebeugt da, die Ellbogen auf die Knie gestützt und starrte durch das verspiegelte Fenster die Frau an, die einmal seine große Liebe gewesen war. Was mochte wohl in ihm vorgehen?

»Wer war Maxi?«, fragte Lombardi.

»Der Fuchs. Der zahme Fuchs von Oliver«, erwiderte Inka Hansen und wischte sich mit beiden Händen die Tränen von den Wangen. »Artur ist weggerannt, als er uns gesehen hat, und wir haben ihn verfolgt. Es war eigentlich nur ein Spiel. Wir wollten ihm nichts tun, ihm vielleicht nur ein bisschen Angst einjagen. Normalerweise war er ja nie allein. Oliver hat immer auf ihn aufgepasst.« Ihre Stimme bekam einen bitteren Beiklang. Sie nahm die Hände vom Gesicht, räusperte sich, sprach schneller, als ob sie es hinter sich bringen wollte. »Peter, Edgar und Ralf sind wütend geworden, weil Artur uns abgehängt hatte, aber dann haben wir ihn gesehen. Irgendwann ist er auf einen Baum geklettert. Die Jungs wollten warten, aber Simone musste nach Hause. Deshalb … deshalb sind wir gegangen, Simone und ich. Das ist alles, was ich weiß. Ich habe erst am nächsten Tag gehört, dass Artur an dem Abend nicht nach Hause gekommen war. Peter hat unsere Bande einberufen, wir haben uns an unserem geheimen Treffpunkt getroffen. Peter hat uns auf das Leben unserer Eltern schwören lassen, niemandem zu verraten, dass wir Artur begegnet sind. Irgendetwas Schlimmes musste passiert sein, das haben wir gemerkt, aber die Jungs haben Simone und mir nie verraten, was.«

»Und an diesen Schwur haben Sie sich alle gehalten?«, erkundigte sich Lombardi.

»Ich glaube schon. Ja.« Inka Hansen nickte, strich sich eine Haarsträhne aus dem Gesicht. Sie wirkte erleichtert. Ruhiger. Sie richtete sich auf.

Gianni Lombardi blickte sie an, ohne etwas zu sagen. Eine Minute verstrich, dann noch eine. Schweigen war eine der wirkungsvollsten Methoden, Verunsicherung zu schaffen. Nur die wenigsten Menschen konnten es ertragen, nichts zu sagen.

»Warum sagen Sie nichts?« Es wirkte. Inka Hansen hatte fest geglaubt, die Geschichte, die sie erzählt hatte, würde reichen.

Lombardi antwortete nicht. Er faltete die Hände, legte die Zeigefinger vor Mund und Nase und sah die Tierärztin unverwandt an. Sie rutschte unruhig auf ihrem Stuhl hin und her, fasste sich in die Haare, ans Ohr. Ihre Augen schweiften von rechts nach links. Sie wurde von Sekunde zu Sekunde nervöser. Schlug die Beine übereinander. Stellte sie wieder nebeneinander.

Drei Minuten Stille.

Vier Minuten.

»Was soll denn das?«, begehrte sie auf. »Sagen Sie doch etwas. Sonst kann ich ja gehen, wenn Ihnen nichts mehr einfällt.«

»Ich warte darauf, dass Sie weitersprechen«, sagte Lombardi dann.

»Ich? Was soll ich denn noch sagen? Ich habe alles erzählt.«

»Nein. Das stimmt nicht.«

»Ach ja? Und was habe ich nicht erzählt?« Ihre Stimmlage veränderte sich, wurde schrill.

»Die hat keine Angst«, sagte Pia hinter der Glasscheibe zu Bodenstein. »Sondern Dreck am Stecken.«

»Wie kam es dazu, dass Sie von Maxi gebissen wurden?«, fragte Lombardi.

»Wie kommen Sie denn auf so was?« Inka Hansen riss die Augen in gespielter Verwunderung auf. Lachte etwas zu laut.

»Die Narbe an Ihrer rechten Hand. Stammt sie nicht von diesem Biss?«

»Nein.« Die Tierärztin steckte die Hand zwischen ihre Knie. »Da bin ich von einem Hund gebissen worden.«

»1972 bekamen Sie durch den Biss sogar eine Blutvergiftung.« Lombardi blieb ungerührt und schob ihr eine Kopie der Patientenakte hin. »Sie waren deswegen vom 18. bis zum 24. August täglich bei Dr. Lessing in Behandlung.«

Alle Farbe wich aus Inka Hansens Gesicht. Sie schluckte. Der Schrecken war ihr deutlich anzusehen.

»Also?«

»Maxi …«, murmelte sie und ihre Augen füllten sich mit Tränen. »Ja, er hat mich gebissen. Dabei wollte ich ihn doch nur mal streicheln.«

»Haben Sie ihm das Genick gebrochen?«

»Nein!«, fuhr sie auf. »Das war ich nicht! Die Jungs haben Artur gedroht, sie würden Maxi töten, wenn er nicht vom Baum herunterkäme.«

»Und?«

Bodenstein erhob sich mit einem Ruck.

»Ich fahre nach Hause«, sagte er entschlossen. »Das kann ich nicht länger ertragen.«

Dienstag, 14. Oktober 2014

Es war kurz nach Mitternacht, als Bodenstein das Ortsschild von Ruppertshain passierte und nach rechts in die Straße einbog, in der sich sein Haus befand. Am liebsten wäre er direkt zu Karoline gefahren, aber er hatte seiner Schwiegermutter versprochen, noch ein paar Kleidungsstücke und Spielsachen von Sophia zu holen. Inkas Geständnis hatte ihn erschüttert und erschreckt. Er hätte nie für möglich gehalten, dass er der Auslöser für die schrecklichen Ereignisse gewesen sein könnte. Die anderen hatten es ihm übelgenommen, dass er sich von ihnen abgewendet hatte, und ihre Wut über die Veränderung an Artur ausgelassen.

Inka betrachtete sich als Opfer, nicht als Täterin. Jämmerlich, wie lange sie geleugnet, wie sie sich in Ausflüchte verstrickt und wie verzweifelt sie um Verständnis für ihr Tun gebettelt hatte. Nicht ein einziges Wort der Reue hatte sie über die Lippen gebracht. Wie hatte sie das bloß all die Jahre für sich behalten können? Wie war es ihr mit diesem Wissen gelungen, seinen Anblick Tag für Tag zu ertragen? Sie waren immerhin über zwei Jahre hinweg ein Paar gewesen, sie hatten Tisch und Bett und ihr Leben geteilt. Was hatten die anderen, die Bescheid gewusst hatten, darüber wohl gedacht? Welch eine Demütigung! Hatten sie sich insgeheim über ihn, den Ahnungslosen, den Gutgläubigen, lustig gemacht? *Haha, wenn er nur wüsste, der Bodenstein!* Sein hilfloser Zorn mischte sich mit Bitterkeit.

Seine ganze Jugend hindurch hatte er für Inka geschwärmt, und es hatte ihm das Herz gebrochen, als er sie nach seinem schweren Reitunfall ausgerechnet mit Ingvar knutschend in einer Pferdebox überrascht hatte. Er war zum Studium nach Hamburg gegangen, um sie zu vergessen. Erst Jahrzehnte später hatte sie ihm gestanden, zwischen ihr und Ingvar sei nie etwas Ernsthaftes gewesen und sie sei immer nur in ihn verliebt gewesen! Nur zu bereitwillig hatte er ihr das geglaubt. Aber hatte das überhaupt gestimmt? Was von all dem, das sie jemals zu ihm gesagt hatte, war keine Lüge gewesen? Wie wäre sein Leben wohl verlaufen, wenn er nicht so schwer verunglückt wäre, ja, wenn nicht Ingvar Rulandt, sondern er ein erfolgreicher Springreiter geworden wäre, wie es damals sein Traum gewesen war? Wäre Inka dann womöglich seine Frau geworden? Nicht auszudenken, wie furchtbar seine Enttäuschung dann erst gewesen wäre, wenn die Wahrheit über Inkas Lebenslüge ans Licht gekommen wäre!

Bodenstein war erschöpft, aber gleichzeitig hellwach und erfüllt vom Drang nach Vergeltung. Der Fluch, den Arturs Mutter ausgestoßen hatte, kam ihm in den Sinn: Krankheit, Unglück und qualvoller Tod sollten als Strafe jeden heimsuchen, der sich an ihrem Kind schuldig gemacht hatte, auch deren Familien, Kinder und Kindeskinder, bis ihrem Sohn Gerechtigkeit widerfahren sei. Bodenstein war nicht abergläubisch, doch zumindest Rosie Herold hatte ihre Tat mit Krankheit und einem schrecklichen Tod bezahlt. Und auch Inka war niemals glücklich geworden, weil die Schatten der Vergangenheit sie ihr Leben lang verfolgt hatten.

Er ließ sein Auto in der Einfahrt stehen und stieg aus. Erst, als der Bewegungsmelder den Strahler unter dem Balkon aufflammen ließ, bemerkte er die Gestalt, die ihm in der Dunkelheit auflauerte. Der Angriff erwischte ihn völlig unvorbereitet. Als ein Körper mit voller Wucht gegen seinen prallte, verlor er das Gleichgewicht, stolperte und fiel zu Boden.

***

Ihr Körper war todmüde, aber ihre Gedanken wollten einfach nicht zur Ruhe kommen. Wenn sie doch nur mehr Zeit hätte, um die Ereignisse von heute und damals sorgfältiger durchdenken, miteinander in Verbindung bringen und die ganzen Lügen und falschen Spuren aussortieren zu können! Trotz des Geständnisses von Inka Hansen gab es noch immer zu viele unbekannte Puzzleteile, und es hakte irgendwo. Etwas fehlte und wollte nicht passen.

Pia lag neben ihrem friedlich schnarchenden Mann in der Dunkelheit und fand keinen Schlaf. Immer wieder wanderte ihr Blick zu den roten Ziffern, die der Wecker an die Decke des Schlafzimmers projizierte. Sie hatte Christoph von Inkas Geständnis erzählt, schließlich kannte er die Tierärztin, die mit ihren Kollegen die Tiere des Opel-Zoos betreute, auch seit vielen Jahren. Er war genauso fassungslos gewesen wie sie selbst.

00:49.

Pia schloss die Augen und ließ Inka Hansens Geschichte, diese unheilvolle Verkettung unglücklicher Zufälle, Revue passieren. Die Geschichte klang schlüssig und passte zu den Knochenbrüchen, die Henning an Arturs Skelett festgestellt hatte. Artur, dem der Fuchs wichtiger gewesen war als er selbst, war beim Versuch, vom Baum herabzuklettern, aus einiger Höhe gestürzt und hatte sich dabei schwer verletzt, den Fuchs hatte er trotzdem nicht mehr retten können, denn die Kinder hatten dem Tier in ihrem Zorn das Genick gebrochen. Danach waren angeblich nur Inka und Simone Reichenbach nach Hause gelaufen. Was hatten die anderen Kinder getan? Hatten sie Artur getötet oder ihn einfach verletzt und hilflos im Wald zurückgelassen? Strafrechtlich gesehen, war diese unterlassene Hilfeleistung irrelevant; keines der Kinder war damals strafmündig gewesen. Aber das schlechte Gewissen würde diejenigen von ihnen, die eines besaßen, für den Rest ihres Lebens quälen. Und das geschah ihnen recht.

Wie waren Artur und Maxi in das Grab auf dem Familienfriedhof geraten? Wenn es stimmte, was Inka Hansen gesagt hatte, dann hatte niemand zu Hause von dem Vorfall erzählt. Woher hatte Rosie Herold dann also gewusst, was passiert war? Hatte doch eines der Kinder den Schwur gebrochen und geredet?

01:36.

Es musste so gewesen sein, denn warum sonst hätte der Vater von Peter Lessing die Beweise in Form der Patientenakten verschwinden lassen sollen? Aber wieso hatte er überhaupt Vermerke in den Patientenakten gemacht, wenn er von Anfang an Bescheid gewusst hatte? Hatte er möglicherweise Verdacht geschöpft und die Gelegenheit ergriffen, gegen einige der Dörfler etwas in die Hand zu bekommen? Hatte man ihn erst im Nachhinein eingeweiht, als es unumgänglich geworden war? Oder war es vielleicht ganz anders gewesen? War er auf die Idee gekommen, die Sache zu verschleiern, nachdem er erfahren hatte, dass sein eigener Sohn beteiligt gewesen war?

01:55.

Sie musste herausfinden, wie die Leute damals zueinander gestanden hatten, welche Animositäten, welche Feindschaften es 1972 in Ruppertshain gegeben hatte. Dr. Lessing hatte nicht ohne Grund diese Unterlagen aufbewahrt; er hatte etwas damit bezweckt. Aber was?

***

»Du Mistkerl!«, zischte Thordis, ihr ebenmäßiges Gesicht war wutverzerrt. »Was fällt dir ein, meine Mutter zu verhaften?«

Bodenstein, der vor Schreck am ganzen Körper bebte, kam wieder auf die Beine und klopfte sich den Schmutz von der Kleidung. Zwar hatte er damit gerechnet, dass sich seine Schwiegertochter früher oder später bei ihm melden würde, aber diese nächtliche Attacke und ihre Wut überraschten ihn.

»Kriege ich vielleicht mal eine Antwort?«, forderte Thordis angriffslustig. »Ist das ein billiger Racheakt von dir, weil sie dich verlassen hat, oder was soll das sein?«

»Erstens wurde deine Mutter nicht verhaftet, sondern vorübergehend in Polizeigewahrsam genommen, und zweitens …«

»Erspare mir deine Spitzfindigkeiten«, unterbrach Thordis ihn grob. »Verhaftet oder Gewahrsam – das kommt doch wohl auf dasselbe raus!«

»… hat nicht sie mich, sondern ich sie verlassen«, beendete Bodenstein den Satz. Sein Herzschlag hatte sich wieder einigermaßen normalisiert. »Und jetzt verschwinde hier, sonst zeige ich dich wegen Hausfriedensbruch an.«

»Ich will mit meiner Mutter reden, und zwar auf der Stelle!«

»Ganz sicher nicht.«

»Du hast ihren Anwalt weggeschickt!«, warf Thordis ihm vor. »Dafür wird sie dich verklagen!«

Im Nachbarhaus auf der anderen Seite der Straße gingen Lichter an, ein Rollladen wurde hochgezogen.

»Dr. Clasing war da und hat mit ihr gesprochen.« Bodenstein gelang es kaum mehr, sich zu beherrschen. Er war nicht in der Verfassung, sich von dieser hysterischen Furie ungerechtfertigte Vorwürfe machen zu lassen. »Sie hat ihn weggeschickt.«

»Du lügst doch!«, schnaubte Thordis wütend. »Wann lasst ihr sie gehen?«

»So bald wohl nicht. Sie hat ein Geständnis abgelegt. Offenbar wollte sie nicht, dass Florian hört, was sie zu sagen hatte, weil sie sich deswegen zu Tode schämt.«

»Ein *Geständnis*?«, wiederholte Thordis und lachte spöttisch. »Was sollte meine Mutter denn bitte zu *gestehen* haben?«

Ihr sarkastischer Tonfall reizte Bodenstein.

»Dass sie und ein paar Freunde gemeinsam einen Jungen in den Tod getrieben haben«, erwiderte er mit schonungsloser Offenheit.

»Das stimmt niemals«, behauptete Thordis, aber ihre Selbstsicherheit begann zu schwinden. »Du hast doch nur irgendetwas gesucht, um sie in die Pfanne zu hauen!«

»Dazu habe ich keinen Grund. Es war übrigens zufällig mein bester Freund, den sie und die anderen Kinder umgebracht haben.«

Die Fassungslosigkeit seiner Schwiegertochter erfüllte ihn mit einer boshaften Befriedigung. Die bitteren Enttäuschungen und Erkenntnisse der letzten Tage brachten wahrlich schäbige Charaktereigenschaften in ihm hervor, die er sich selbst niemals zugetraut hatte.

»Es ist zwar zweiundvierzig Jahre her, aber Mord verjährt nicht.«

Thordis wurde blass. Ihre Kiefermuskulatur vibrierte, sie ballte die Hände zu Fäusten, als wolle sie sich erneut auf ihn stürzen. Nichts war mehr übrig von der Ausstrahlung, die sie als junge Frau so außergewöhnlich hübsch gemacht hatte.

»Ich glaube dir kein Wort«, zischte sie. »Du hasst sie und willst ihr etwas anhängen, ganz klar.«

»Ich hasse sie nicht, ich verachte sie«, korrigierte Bodenstein die Ehefrau seines Sohnes. »Was für eine Meisterin im Lügen, Verschweigen und Ausredenerfinden deine Mutter ist, solltest du doch wohl am besten wissen. Oder hat sie dir mittlerweile verraten, wer dein Erzeuger ist?« Er ließ es absichtlich geringschätzig klingen, um sie zu verletzen. Das war ihr wunder Punkt, und das wusste er. »Hast du dich nie gefragt, warum sie dir das verschweigt, hm?«

Plötzlich kämpfte Thordis mit den Tränen, und Bodenstein wurde bewusst, wie niederträchtig und grausam das war, was er da tat. Er ließ seinen Zorn auf Inka an ihrer Tochter aus, die nun wahrhaftig gar nichts für all das konnte. Sein Ärger verflog, als er Thordis' Tränen sah.

»Ich hätte das nicht sagen sollen«, sagte er zerknirscht. »Es tut mir leid.«

»Du hast doch nur die Wahrheit gesagt.« Die junge Frau sah auf einmal so traurig und verloren aus, dass es Bodenstein im Herzen weh tat.

»Ich wollte dich nicht verletzen«, sagte er leise. »Ich war so enttäuscht über das, was deine Mutter heute gesagt hat, und habe es an dir ausgelassen. Das war nicht in Ordnung. Bitte verzeih mir.«

Thordis starrte ihn einen Moment lang an. Ihre Unterlippe zitterte, dann fiel der Rest ihrer Selbstbeherrschung in sich zusammen, und sie brach in Tränen aus. Sie warf sich in seine Arme und weinte so verzweifelt, wie Bodenstein schon lange keinen Menschen mehr hatte weinen sehen. Er hielt sie fest, streichelte ihren Rücken und murmelte beruhigende Worte, so, wie er sie zu Sophia gesagt hätte.

»Mir tut es leid.« Ihre Worte klangen abgehackt, wurden von Schluchzern unterbrochen. »Mein Leben lang habe ich mir einen Vater wie dich gewünscht. Und jetzt, wo du mein Schwiegervater bist, benehme ich mich dir gegenüber so mies.«

»Ich bin dir nicht böse deswegen«, sagte er, und daraufhin weinte sie noch etwas heftiger. Er führte sie zur Treppe, sie setzten sich auf die Stufen, und er kramte eine Packung Papiertaschentücher aus seiner Jackentasche. Thordis putzte sich die Nase, von Weinkrämpfen geschüttelt.

»Ich versteh einfach nicht, warum meine Mutter so ein Geheimnis daraus macht, wer mein Vater ist.« Ihre Stimme brach. »Lorenz und ich haben deshalb dauernd Streit.«

»Weil du nicht weißt, wer dein Vater ist?«, fragte Bodenstein überrascht.

»Weil ich deswegen keine Kinder haben möchte!« Thordis begann wieder zu schluchzen und schlang die Arme um ihren Oberkörper. »Ich weiß doch gar nicht, was ich für Gene in mir habe! Mama muss ja einen Grund dafür haben, dass sie mir verschweigt, wer mein Vater ist! Vielleicht ist sie ja von irgendeinem Psychopathen vergewaltigt worden!«

Der abgrundtiefe Kummer und die Verzweiflung, die aus diesen Worten sprachen, entfachten Bodensteins Wut auf Inka aufs Neue. Diese Frau hinterließ wahrlich eine Schneise der Verwüstung! Aus purem Egoismus oder auch aus Feigheit quälte sie ihre Tochter, anstatt ihr die Wahrheit zu sagen.

»Komm«, sagte er zu Thordis. »Lass uns ins Haus gehen, hier holen wir uns ja eine Erkältung. Du schreibst Lorenz eine Nachricht, damit er weiß, dass es dir gut geht und du heute Nacht hierbleibst.«

»Du bist so nett zu mir, und ich hab dich beschimpft!« Der Kummer übermannte die junge Frau erneut. »Es tut mir so leid.«

»Das muss es nicht. Ich habe ja auch ziemlich gemeine Sachen zu dir gesagt.« Bodenstein ergriff ihre Hand und zog sie hoch. Er legte den Arm um ihre Schulter und stützte sie bis zur Haustür. »Na, komm, mein Mädchen. Jetzt trinken wir beiden erst mal einen Cognac. Oder auch zwei.«

* * *

Es war die Stunde tiefster Dunkelheit, die der Morgendämmerung vorausgeht, als Bodenstein um zwanzig vor vier zum wiederholten Mal an Lessings Haustür klingelte, ohne dass sich im Innern des Hauses etwas regte. Alle anderen Häuser in der Straße waren zwar dunkel, aber nicht so komplett unbeleuchtet wie das, vor dem sie standen. Hier leuchtete eine Hausnummer, dort schimmerte das rote Auge einer Überwachungskamera. Lessings Haus lag jedoch in totaler, stummer Finsternis.

»Hier stimmt was nicht. Zwei Autos sind da, aber nichts rührt sich«, stellte Pia fest. »Lessings Handy ist ausgeschaltet.«

Darüber, dass Bodensteins Anruf sie aus dem Tiefschlaf gerissen hatte, hatte sie kein Wort verloren. Besondere Umstände verlangten eben besondere Maßnahmen, das wussten sie beide. Nur eine halbe Stunde später war sie in Ruppertshain auf dem Parkplatz des Zauberbergs eingetroffen, wo Bodenstein mit zwei Streifenwagenbesatzungen gewartet hatte. Auf der kurzen Fahrt zu Lessings hatte er ihr von dem Gespräch mit Thordis berichtet und ihr erklärt, weshalb er so unbedingt und sofort mit Peter Lessing sprechen wollte. Die Beweggründe für das, was Lessings Vater damals getan hatte, konnten das fehlende Puzzleteil sein, nach dem sie suchten, zu diesem Schluss war Pia ebenfalls gekommen.

»Was machen wir jetzt?«, erkundigte sich einer der Uniformierten.

»Ihr versucht, in den Garten zu gelangen und checkt dort die Lage«, bestimmte Pia. »Wir klingeln noch mal vorne.«

Zwei der Kollegen verschwanden in der Dunkelheit. Als ihre Schritte verklungen waren, war es ganz still. Nur das schaumige Rauschen des Windes in den Bäumen des nahen Waldes war zu hören. Noch war es trocken, aber die Luft roch nach Regen. Pia gähnte immer wieder verstohlen, ihre Augen waren noch ganz klein, dennoch arbeitete ihr Verstand auf Hochtouren.

»Die Vehemenz, mit der Inka ihrer Tochter verschweigt, wer ihr Vater ist, macht keinen Sinn«, sagte sie in die Stille der Nacht. »Es sei denn, sie hätte etwas wirklich Furchtbares zu verbergen. Bei der Vernehmung hat sie gestern mit Angst auf die Erwähnung von Peter Lessing reagiert. Ich denke nicht, dass sie sich vor ihm fürchtet, weil sie ein zweiundvierzig Jahre altes Kinderversprechen bricht.«

»Sondern?«

»Vielleicht hatte Inka was mit seinem Vater. Was ist schlimmer und peinlicher als ein Verhältnis mit dem Vater eines Sandkastenfreundes? Möglicherweise hatte Lessings Mutter davon erfahren und fürchtete sich vor der Demütigung, wenn das eines Tages ans Licht käme. Was wäre, wenn *sie* die Patientenakten aufgehoben hat, um ein Druckmittel in der Hand zu haben? Frau Dr. Basedow sagte mir, dass sie ohnehin diejenige war, die im Hause Lessing das Sagen hatte.«

»Interessante Theorie. Aber ich kann mir kaum vorstellen, dass Lessing senior sich auf eine so riskante Affäre eingelassen hätte«, gab Bodenstein zu bedenken. »Damit wäre er erpressbar gewesen, und dafür war er zu clever.«

Einer der beiden Beamten kehrte zurück und berichtete, dass die Glasschiebetür der Terrasse sperrangelweit offen stand.

»Gut. Wir gehen rein«, entschied Bodenstein. »Ich habe ein ungutes Gefühl.«

»Stopp! Nicht ohne Schutzweste.« Pia öffnete den Kofferraum ihres Dienstwagens, angelte zwei Kevlar-Westen heraus und reichte ihrem Chef eine. Sie steckten Taschenlampen ein und machten sich auf den Weg. Ein erster Regentropfen traf Bodensteins Gesicht, als er über den Gartenzaun kletterte und sich hinter dem Streifenbeamten durch die Büsche zwängte. Pia folgte ihm. Auf dem Rasen zückten sie ihre Dienstwaffen und die Taschenlampen. Niemand sprach ein Wort.

»Schaut mal!« Pia wies auf den Teakholztisch. Dort stand ein Tablett mit zwei Tassen, eine Teekanne, Zucker und Milchkännchen.

»Sieht so aus, als seien diejenigen, die hier ein Tässchen Tee trinken wollten, von jemandem überrascht worden«, sagte sie.

Bodenstein betrat das finstere Haus als Erster. Totenstille. Auch hier unten funktionierten die Bewegungsmelder nicht. Keine Alarmanlage. Kein Summen eines Kühlschranks. Die Rauchmelder an der Decke blinkten nicht.

»Jemand hat die Sicherungen raus gedreht«, vermutete Bodenstein. Langsam arbeiteten sie sich durch das Haus, jeden Raum sichernd, die Nerven zum Zerreißen angespannt. Pia öffnete den beiden Kollegen, die auf der Straße gewartet hatten, die Tür, und sie setzten die Sicherung des großen Hauses zu sechst fort. Die Betten in den Schlafzimmern waren leer und unbenutzt. Im Keller fanden sie den Sicherungskasten. Tatsächlich war die Hauptsicherung gelockert worden. Bodenstein drückte sie hinein, und im ganzen Haus flammten die Lichter auf. Rumpelnd sprangen die Kühlschränke oben in der Küche an. An der Tür des Sicherungskastens klebte ein grellgelber Notizzettel. *Die Überraschung wartet im Heizungskeller!* stand dort.

Bodenstein und Pia wechselten einen kurzen Blick. Was mochte sie hinter der schweren rot lackierten Metalltür erwarten?

»Ich hasse Heizungskeller seit damals«, murmelte Pia.

»In diesem hier scheint es wenigstens warm zu sein.« Bodenstein erinnerte sich nur zu gut an die Stunden, die sie vor Jahren gemeinsam im eisig kalten Heizungskeller im Haus eines Verdächtigen verbracht hatten, bevor man sie befreit hatte.

Einer der Beamten drehte den Schlüssel, der im Schloss steckte. Ein beißender Geruch nach Urin und Fäkalien schlug ihnen entgegen. Peter und Henriette Lessing saßen auf dem blanken Betonboden, geknebelt und an Füßen und Händen gefesselt, und zwinkerten benommen in das helle Licht. Sie sahen entkräftet, aber weitgehend unverletzt aus. Erleichtert steckte Bodenstein, der fest mit einem Blutbad gerechnet hatte, seine Dienstwaffe ins Schulterhalfter zurück, beugte sich über Henriette Lessing und zog den Klebestreifen von ihrem Mund ab.

»Sind Sie verletzt?«, erkundigte er sich und ging vor ihr in die Hocke, um ihre Hände und Knöchel zu befreien. Der Gestank nach Urin war kaum auszuhalten. Sie mussten schon eine ganze Weile hier sitzen.

»Nein.« Frau Lessing fuhr sich mit der Zungenspitze über die ausgetrockneten Lippen. »Ich habe nur Durst.«

Ihr Mann rührte sich nicht, er lehnte an der Wand und starrte blicklos vor sich hin.

»Hat Elias Sie hier eingesperrt?«, fragte Pia seine Frau.

»Ja. Aber er hat uns nichts getan.« Frau Lessing fing an zu weinen. »Ich schäme mich so. Es ist alles so schrecklich. Oh Gott, ich wollte, ich wäre tot.«

»Wo ist Ihre Tochter? Ihr Auto steht draußen vor der Garage. Sie fährt doch den dunkelgrünen Mini, oder?«

»Elias … hat sie mitgenommen.« Frau Lessing schluchzte auf. Sie war völlig verstört.

»Ihr müsst den Jungen finden.« Peter Lessing kam mühsam auf die Beine und rieb sich die angeschwollenen Handgelenke. »Er kann für das alles nichts.«

Alle Kraft und Energie schien aus seinem Körper gewichen, er war um Jahre gealtert, seitdem Pia ihn am vergangenen Donnerstag gesehen hatte. Er und seine Frau standen unter Schock, eine andere Erklärung konnte es kaum dafür geben, dass sie sich so wenig um ihre Tochter sorgten.

»Sie sprechen in Rätseln«, sagte Pia. »Was ist denn passiert?«

»Elias hat eine Waffe«, sagte Lessing nur und verließ, begleitet von Bodenstein, den Heizungskeller. Seine Frau hatte er nicht einmal angesehen. *Falls meine Eltern sich jemals geliebt haben, dann ist das lange her. Jetzt hassen sie sich nur noch*, hatte Letizia gesagt. Pia half Henriette Lessing auf.

»Wir haben das alles nicht gewusst«, stammelte diese und griff reflexartig nach dem Anhänger ihrer Halskette. »Wirklich, wir hatten ja keine Ahnung, das müssen Sie mir glauben. Wir haben so schlimme Fehler gemacht!«

»Jetzt beruhigen Sie sich erst einmal und erzählen Sie mir, was genau passiert ist.« Pia ahnte, wovon Henriette Lessing sprach, aber die Frau war so durcheinander, dass sie bezweifelte, etwas Sinnvolles von ihr zu erfahren. Dennoch musste sie es versuchen. »Warum glauben Sie, dass Elias seiner Schwester etwas antun will?«

»Ich … ich kann es sogar verstehen«, flüsterte Frau Lessing. »Es ist schrecklich. Wir … wir waren auf der Terrasse, da stand Elias plötzlich vor uns. Letizia hat ihn sehr verächtlich behandelt, wie … wie sie das immer getan hat. Elias hat ihr Handy in den Teich geworfen und uns in den Keller gesperrt. Irgendwann hat er auch meinen Mann zu uns gesperrt. Und dann … dann hat er Sachen erzählt … so schreckliche Sachen! Letizia hat Elias dazu gebracht, diese ganzen Dinge zu tun, weswegen wir glaubten, er sei psychisch krank! Als Letizia sich so schlimm verletzt hat, ist sie in Wirklichkeit betrunken aus dem Fenster gefallen! Elias hat sie gar nicht gestoßen! Wir haben Elias für einen Lügner gehalten, für einen … einen Psychopathen, dabei hat er nur gemacht, wozu seine große Schwester ihn gezwungen hat! Dafür hat mein Mann ihn immer wieder … Oh mein Gott, wie kann ich das jemals wiedergutmachen?«

Sie presste die Hand vor den Mund, sie war kurz davor zu hyperventilieren. Der Gestank, der von den Kleidern der Frau ausging, drehte Pia beinahe den Magen um, und sie musste die

Information, dass Elias eine Waffe hatte, unbedingt weitergeben.

»Was hat Ihr Mann immer wieder getan?«, fasste Pia nach.

»Er hat … er hat Elias jedes Mal in den Heizungskeller gesperrt und das Licht ausgemacht, wenn er wieder etwas angestellt hatte.« Henriette Lessing liefen die Tränen über die Wangen.

»Und das haben Sie einfach geschehen lassen?«, fragte Pia ungläubig.

»Er wollte doch nur, dass er zur Besinnung kommt und begreift, was richtig und was falsch ist!«, begehrte die Frau auf. »Wir glaubten, dass Elias eben eine feste Hand braucht! Peters Vater hat das früher mit ihm auch so gemacht, und er meinte, es habe ihm nicht geschadet!«

Pia konnte nicht fassen, was sie da hörte.

»Bitte! Suchen Sie meinen Jungen!«, flehte Frau Lessing und griff nach Pias Hand. »Ich habe schreckliche Angst, dass er etwas tut, was er für den Rest seines Lebens bereuen wird!«

»Wir suchen seit fünf Tagen nach ihm«, erwiderte Pia scharf. »Wären Sie von Anfang an ehrlich zu uns gewesen, dann hätten wir längst mit ihm sprechen können und das hier hätte gar nicht passieren müssen!«

»Sie haben ja recht, wenn Sie mir Vorwürfe machen. Wir haben Elias so viel angetan. Das können wir niemals wiedergutmachen.« Henriette Lessing ließ Pias Hand los. Sie schlug die Hände vor das Gesicht und sackte in die Knie. »Ich glaube, Letizia ist im Revisionsschacht in der Garage. Da hat sie Elias oft eingesperrt, als er noch ein Kind war.«

***

Die Frage, ob Elias' Waffe echt oder nur eine Attrappe war, erübrigte sich angesichts der verformten Kugel, die in der Wand des Heizungskellers steckte. Pia fand die ausgeworfene Patronenhülse, die unter das Waschbecken gerollt war.

»Neun Millimeter«, stellte sie besorgt fest und ließ Hülse und Kugel in einen Beweissicherungsbeutel gleiten.

Elias hatte in dem kleinen Raum einen Schuss abgegeben, um seinen Worten Nachdruck zu verleihen. Mit einer Waffe herumzufuchteln, um Menschen einzuschüchtern, war das eine, das andere war, tatsächlich den Abzug zu betätigen. Diese Hemmschwelle hatte Elias überwunden, und das bedeutete, dass er in Zukunft nicht davor zurückschrecken würde, die Waffe zu benutzen, wenn er sich bedroht fühlte. Der Junge befand sich in einer extremen emotionalen Ausnahmesituation. Er hatte den schwarzen BMW X5 seiner Mutter gestohlen und er hatte eine Pistole mit scharfer Munition. Pia gab diese neuen Informationen an die Zentrale durch und ging nach oben. Die Kollegen hatten Letizia Lessing tatsächlich im Revisionsschacht in der Garage aufgefunden, an Händen und Füßen gefesselt, geknebelt, die Augen mit dem starken Gewebeband verklebt. Zur allgemeinen Überraschung aller Anwesenden war Letizia bei ihrer Befreiung nicht im Geringsten traumatisiert gewesen, nur fürchterlich erbost über die wenig schmeichelhafte Lage, in der sie sich befunden hatte. Eine halbe Stunde später saß Pia der jungen Frau gegenüber. Letizia nippte an einem Becher mit dampfendem Kaffee, den sie zwischen ihren Händen hielt, als ob sie sich aufwärmen wollte.

»Erzählen Sie mir bitte, was passiert ist«, bat Pia sie.

»Mein Bruder kam in den Garten und hat meine Mutter und mich mit einer Waffe bedroht«, sagte Letizia und pustete in den Kaffee. »Er hat uns in den Keller gesperrt und gefesselt. Dann hat er meinem Vater aufgelauert. Er sieht übrigens nicht mehr so aus wie auf den Fotos, mit denen Sie nach ihm fahnden. Seine Haare sind jetzt ganz kurz, und er trägt eine Brille.«

»Was wollte Elias von Ihnen?«, fragte Pia.

»Keine Ahnung.« Schulterzucken. »Er hat mit der Pistole herumgefuchtelt, und als ich Papa anrufen wollte, hat er mein Handy in den Teich geworfen. Dann hat er uns eingeschlossen.«

»Aber er muss einen Grund gehabt haben, hierherzukommen.«

»Falls er den hatte, hat er ihn uns nicht verraten.«

»Ihr Bruder ist ein hohes Risiko eingegangen, denn überall in Ruppertshain ist Polizei unterwegs, und es gibt Fahrzeugkontrollen an jedem Ortseingang«, beharrte Pia. »Er muss doch irgendetwas zu Ihnen gesagt haben, als er Sie in den Keller gebracht hat.«

»Ich weiß nicht, was er von uns wollte!«, beteuerte die junge

Frau. »Ich hatte Todesangst, weil dieser Irre mit einer Waffe auf mich gezielt hat! Ich habe eine halbe Ewigkeit im Keller in der Dunkelheit gehockt, und dann hat er mich in dieses Loch gesperrt!«

Plötzlich glänzten Tränen in ihren Augen und ihre Hände zitterten. Kam jetzt erst der Schock, oder zog sie eine Schau ab? Die Worte von Frau Dr. Basedow blinkten in Pias Kopf auf wie eine Leuchtreklame: *Letizia ist eine notorische Lügnerin. Sie kann Menschen manipulieren, ist hochintelligent und schreckt vor nichts zurück, um ihr Ziel zu erreichen.*

»Mein Bruder ist total durchgedreht!« Die junge Frau schluchzte auf, presste kurz die Faust auf die Lippen. Verzweiflung verdunkelte ihre Augen, sie bot einen bemitleidenswerten Anblick. »Er ist geisteskrank, und jetzt hat er eine Waffe! Ich brauche Polizeischutz! Und es würde mich nicht wundern, wenn er Pauline …«

»Jetzt reicht es! Hör endlich auf zu lügen!« Pia drehte sich erstaunt um. Hinter ihr stand Henriette Lessing, ihr ebenmäßiges Gesicht weiß vor Wut. »Pack deine Sachen und verschwinde aus diesem Haus, du verlogenes Stück!«

»Aber Mama! Wie könnt ihr ihm den ganzen Mist glauben, den er dahergeredet hat? Das hat er doch nur getan, um sich an mir zu rächen!« Letizia hob beschwörend die Hände, Tränen strömten ihr über die Wangen. »Die ganzen Geschichten hat er sich ausgedacht, weil er schon immer eifersüchtig auf mich war.«

»Elias hat also doch mit Ihnen gesprochen«, bemerkte Pia, die diese ganze Familie allmählich satthatte. »Ich dachte, Sie wüssten nicht, weshalb er hier war?«

»Das habe ich nie gesagt«, behauptete Letizia unverfroren und wischte sich die Tränen ab. Ihr gelang sogar ein kleines Lächeln. Eine Soziopathin, die schon wieder Oberwasser hatte und fest davon überzeugt war, sich aus ihrer prekären Situation herauswinden zu können. »Sie hätten mich nur ausreden lassen sollen.«

Da riss Pia der Geduldsfaden. Seit fast einer Woche hatte sie so gut wie gar nicht geschlafen, sie hatte drei Morde aufzuklären und den Überfall auf Pauline Reichenbach. Sie hatte keine Lust mehr, ihre Zeit zu vergeuden.

»Es reicht jetzt«, sagte sie scharf. »Frau Lessing, ich stelle Ihnen jetzt Fragen und ich wünsche knappe und korrekte Antworten. Sparen Sie sich Selbstvorwürfe und überflüssige Adjektive, sonst wird dieses Gespräch auf der Dienststelle weitergeführt. Haben Sie mich verstanden?«

»Ja.«

»Also: Warum war Elias hier?«

»Sag jetzt nichts Falsches, Mama!«, mischte sich Letizia ein.

»Sie haben Sendepause!«, beschied Pia die junge Frau.

»Elias hat uns erzählt, was seine Schwester all die Jahre mit ihm gemacht hat«, sagte Frau Lessing. »Wir hatten keine Ahnung. Wir waren bei zig Ärzten mit ihm, weil wir glaubten, er sei psychisch krank. Anders konnten wir uns sein Verhalten nicht erklären.«

»Er ist ...«, begann Letizia wieder. Da winkte Pia einem der uniformierten Beamten, die am Esstisch saßen und darauf warteten, wie es hier weiterging.

»Bringen Sie die junge Dame nach Hofheim für eine Befragung. Kollege Lombardi soll sich darum kümmern, sobald er zum Dienst kommt.«

Der Beamte nickte, froh, etwas zu tun zu haben.

»He, was soll das?«, begehrte Letizia auf. »Bist du bescheuert, du dämliche Bullenschlampe?«

»Ich hatte Sie gewarnt«, erwiderte Pia kühl.

»Kommen Sie«, forderte der Beamte die junge Frau auf und streckte die Hand aus.

»Fass mich nicht an, du Drecksau!«, fauchte Letizia. »Weg mit deinen Wichsgriffeln, sonst zeig ich dich an!«

»Letizia!«, stieß ihre Mutter indigniert hervor.

»Das sind schon vier Beleidigungen nach Paragraph 185 StGB. Das wird teuer für Sie.« Pia lächelte, weil sie wusste, dass es Elias' Schwester zur Weißglut treiben würde. Und so war es auch. Letizia bedachte Pia, ihre Mutter und die beiden Polizeibeamten mit unflätigen Beschimpfungen und weigerte sich, das Haus zu verlassen. Peter Lessing, der im Wohnzimmer gesessen und das Gesicht in den Händen verborgen hatte, stand auf und kam in den Bereich der offenen Küche. Bevor ihn jemand daran hindern konnte, holte er aus und verpasste seiner Tochter eine schallende Ohrfeige, die diese fast von den Füßen riss.

»Du hast uns die längste Zeit getäuscht«, sagte er mit gepresster Stimme. »Verschwinde aus meinem Haus und lass dir nicht einfallen, deinen Fuß jemals wieder über diese Schwelle zu setzen.«

»Das wirst du bereuen«, knirschte Letizia Lessing hasserfüllt und spuckte ihrem Vater vor die Füße. Dann wandte sie sich ab und ging mit hochgerecktem Kinn, flankiert von den beiden Beamten, die Treppe hinauf zur Haustür.

***

Peter Lessing hatte eine Dusche genommen und saß auf einem Barhocker am Frühstückstresen in der Küche, vor sich eine Tasse Kaffee, die er jedoch nicht anrührte. Bodenstein lehnte an der granitenen Arbeitsplatte, ebenfalls mit einem Kaffee in der Hand. Beide Männer schwiegen, als Pia dazukam.

»Ihr Sohn hat den X5 Ihrer Frau gestohlen«, informierte sie Lessing.

»Der ist mit einem eingebauten GPS-Sender ausgerüstet«, sagte er. »Als Diebstahlschutz. Uns ist schon mal ein Auto gestohlen worden.«

›Wer's glaubt wird selig‹, dachte Pia bei sich. ›Du willst doch nur kontrollieren, wo deine Frau herumfährt.‹

»Bitte sorgen Sie dafür, dass Elias nichts geschieht«, sagte Lessing mit müder Stimme.

»Ich kann für nichts garantieren«, antwortete Pia. Sie musste ihre heftige Abneigung gegen den Mann zügeln und durfte sich auf keinen Fall zu unbedachten Bemerkungen hinreißen lassen. »Wenn er in eine Polizeisperre gerät und die Waffe zieht, hat er ein Problem.«

Lessing stieß einen Seufzer aus. In der letzten Nacht war eine Veränderung mit ihm vorgegangen. Von seiner Überheblichkeit war nichts mehr übrig. Stoisch starrte er hinaus in den Garten, der im heller werdenden Grau des Morgens allmählich Konturen annahm.

»Ich weiß, dass Sie eine schlimme Nacht hinter sich haben«,

sagte Pia. »Aber wir müssen Ihnen einige Fragen stellen. Ist das in Ordnung?«

»Ja. Natürlich.«

Sie belehrte Lessing kurz über seine Rechte und bat ihn der Form halber um sein Einverständnis, das Gespräch auf Band aufnehmen zu dürfen, dann aktivierte sie die Aufnahmefunktion ihres Smartphones und legte es neben Lessing auf den Tresen.

»Es geht um die Mordfälle, die sich in den letzten Tagen ereignet haben. Bei allen Opfern handelt es sich um Personen, die Sie kannten, ist das richtig?«

»Ja, das ist korrekt«, erwiderte Lessing.

Zu Pias Enttäuschung kooperierte der Mann ohne Widerspruch. Seine Antworten waren knapp und präzise, er verzichtete auf Abschweifungen und Rechtfertigungen.

»Wie war Ihr Verhältnis zu Ihren Eltern?«, wollte sie wissen.

»Warum fragen Sie das?« Zum ersten Mal suchte sein Blick den ihren.

»Waren sie streng oder eher ... lässig?«

»Sie waren ziemlich streng.«

»Wie haben sie reagiert, als sie erfuhren, dass Sie Tiere quälen?«

Zu Pias Überraschung quittierte Lessing diese Frage nur mit einem matten Lächeln.

»Hören Sie«, sagte er. »Ich weiß nicht, was Oliver Ihnen über mich erzählt hat. Ja, ich habe damals diese Katze getötet, und dafür schäme ich mich bis heute. Es war eine Art ... Mutprobe, ich war zehn Jahre alt, und ich bin dafür bestraft worden.«

»War es nicht so, dass Sie Ihre Freunde unter Androhung von Sanktionen instruiert haben, den Mund zu halten?«

»Doch. Das stimmt.«

»Und wie kam es also heraus? Redete doch einer von ihnen?«

»Nein. Ich habe mich selbst verraten.« Peter Lessing fuhr sich mit einer Hand über das Gesicht. »Ich hatte Alpträume deswegen. Ich fing wieder an, ins Bett zu machen. Meine Eltern merkten, dass irgendetwas mit mir nicht stimmte, und stellten mich zur Rede. Sie waren nicht gerade zimperlich. Irgendwann habe ich es ihnen erzählt.«

Pia, die mit Widerstand oder Ausflüchten gerechnet hatte, warf

Bodenstein einen raschen Blick zu. Das, was Lessing sagte, klang glaubwürdig. Bodenstein nickte leicht, als Zeichen dafür, dass sie fortfahren sollte.

»Wer hat diese ›Mutprobe‹ von Ihnen verlangt?«, fragte sie.

Ein winziges Zögern.

»Daran erinnere ich mich nicht mehr.«

Das war gelogen. Er erinnerte sich sehr genau. Aber Pia ließ die Sache für den Moment auf sich beruhen.

»Wo waren Sie am vergangenen Freitagabend zwischen 21 und 23 Uhr?«

»Hier.«

»Und in der Nacht von Mittwoch auf Donnerstag letzte Woche?«

»In Erfurt. Geschäftlich.«

»Da gibt es ja sicherlich eine Hotelrechnung, nicht wahr?«

»Nein, aber Tankquittungen«, erwiderte Lessing. »Ich bin nach Hause gefahren. Ich fahre gerne nachts, da sind die Autobahnen leer, und ich kann in Ruhe nachdenken. Gegen Mitternacht war ich zu Hause.«

»Und wo waren Sie am Samstagabend zwischen acht Uhr und Mitternacht?«

»Auch hier zu Hause. Wir haben eine Flasche Wein getrunken und sind relativ zeitig zu Bett gegangen.«

Er versuchte nicht einmal, sich Alibis auszudenken. Wusste er nicht, wann die Morde begangen worden waren? Oder war seine Offenheit ein Zeichen für seine Unschuld?

»Am 17. August 1972 haben Sie sich eine tiefe Schnittwunde an der rechten Hand zugezogen«, wechselte sie übergangslos das Thema. »Wie ist das passiert?«

Bisher hatte keine Frage Lessing wirklich interessiert, aber nun bemerkte Pia eine leichte Röte, die vom Hals an aufwärts in sein Gesicht kroch. Eine Ader an seiner Schläfe begann zu pochen. Er richtete sich auf.

»Falls das so war, kann ich mich nicht mehr daran erinnern.« Das war eindeutig gelogen, das zeigte sein nonverbales Verhalten, die unbewusste Reaktion seines Körpers. »Das ist über vierzig Jahre her.«

»Vielleicht hilft es Ihrem Gedächtnis etwas auf die Sprünge, wenn ich Ihnen sage, dass Sie mit der D-Jugendmannschaft am Nachmittag des 17. August ein Fußballspiel gegen den FC Schneidhain 0:6 verloren haben.«

»Ich habe fünfzehn Jahre aktiv Fußball gespielt.« Lessing war jetzt auf der Hut. »Seitdem ich fünf Jahre alt war. Glauben Sie, ich kann mich an jedes einzelne Spiel erinnern?«

»Nein, das glaube ich nicht.« Pia lächelte verständnisvoll, und Lessing entspannte sich ein bisschen. »Vielleicht aber doch an dieses. Denn danach sind Sie und Ihre Freunde am Löschteich von Gut Bodenstein Artur Berjakov begegnet.«

Lessings vernarbtes Gesicht lief rot an.

»Leugnen nützt nichts mehr«, sagte Pia kalt. »Wir haben gestern mit Inka Hansen und Ralf Ehlers gesprochen. Falls Sie die beiden am Freitagabend bei Ihrem Treffen im Merlin an den alten Schwur erinnert haben, so haben sie ihn gestern gebrochen.«

Lessing hob den Kopf und starrte wieder aus dem Fenster. Sein zuckender Adamsapfel verriet seinen inneren Aufruhr, den er durch eine unbewegte Miene zu verbergen suchte.

Pias Smartphone, das auf dem Tresen lag, begann zu summen.

»Der Schweizer Psychiater Carl Gustav Jung hat einmal gesagt: *Der gesunde Mensch quält andere nicht. Für gewöhnlich sind es die Gequälten, die wieder andere quälen.* Sie sind nicht ohne Grund so geworden, wie Sie sind. Ihr Vater hat Sie gedemütigt und im Keller eingesperrt, wenn Sie etwas getan haben, was in seinen Augen falsch war. Und Ihre Mutter hat wahrscheinlich tatenlos dabei zugesehen. So, wie Ihre Frau dabei zugesehen hat, wenn Sie Elias in den Heizungskeller gesperrt haben. Wenn Sie nicht so viel Leid verursacht hätten, dann täten Sie mir sogar leid.«

»Es wäre zu simpel, würde ich alle Fehler, die ich in meinem Leben gemacht habe, auf meine Eltern schieben.« Lessing blickte sie an. Er war ganz grau im Gesicht und seine Augen waren stumpf. »Ja, es stimmt, sie waren keine freundlichen, verständnisvollen Eltern. Mein Vater war jähzornig und hatte ein lockeres Handgelenk, aber damit konnte man leben. Die Methoden meiner Mutter waren perfider. Sie heuchelte Verständnis und wollte dabei nichts anderes als Kontrolle. Ich konnte nie etwas vor ihr verbergen, sie verhörte mich, bis sie alles wusste. Und dann gab es Strafen. Unverhältnismäßig harte und demütigende Strafen.«

Er fuhr sich mit der Hand über das Gesicht.

»Ich habe nie gewusst, woran ich bei ihr war. Ich habe sie geliebt und gehasst, hatte immer das Gefühl, nicht ihren Erwartungen zu entsprechen. Dadurch war ich permanent wütend, aber meine Wut richtete sich nicht gegen sie und meinen Vater, sondern gegen die, die mir unterlegen waren. Bei meinen eigenen Kindern wollte ich später alles besser machen, aber ich habe auf ganzer Linie versagt, indem ich die Fehler meiner Eltern wiederholt habe.«

»Sind Sie deshalb erst nach Ruppertshain zurückgekommen, als sie tot war?«

»Ja.«

»Warum sind Sie überhaupt hierhergezogen? Sie hätten sich doch überall ein Haus bauen können?«

»Ich weiß es auch nicht.« Er zuckte die Schultern.

»Sie wissen es ganz genau«, entgegnete Pia. »Sie hatten das Gefühl, nach dem Tod Ihrer Mutter das Geheimnis hüten zu müssen. Erst recht, nachdem Sie erfahren hatten, dass auch Ihre alte Freundin Inka Hansen nach Ruppertshain zurückgekehrt war.«

Bei der Erwähnung dieses Namens zuckte Lessing fast unmerklich zusammen, und Pia wusste, dass sie ins Schwarze getroffen hatte.

»War sie es, die von Ihnen verlangt hatte, die Katze zu töten?« Pia begegnete Bodensteins entgeistertem Blick.

»Ja«, sagte Lessing leise.

»War es auch ihre Idee, Artur durch den Wald zu hetzen?«

»Ja.« Die Stimme des Mannes war nur noch ein Flüstern. Er stützte die Ellbogen auf den Frühstückstresen und verbarg das Gesicht in den Händen.

»Warum hatte sie eine solche Macht über Sie?«, wollte Pia wissen.

Dieser Frage folgte ein quälend langes Schweigen, aber Pia hatte Geduld. Oben im Haus klappte eine Tür, und Pia signalisierte Bodenstein mit einem Blick, Henriette Lessing davon abzuhalten, in das Gespräch hineinzuplatzen. Lessing würde in der Anwesenheit seiner Frau kein Wort mehr sagen.

»Was wusste Inka Hansen über Sie, einen damals zehnjährigen Jungen?«, fragte Pia behutsam.

»Inkas Mutter war mit meiner Mutter befreundet«, sagte Lessing heiser. »Ich hatte ein ... ein Problem, unter dem ich sehr gelitten habe. Niemand wusste etwas darüber, aber Inka hatte es herausgefunden, weil meine Mutter es ihrer erzählt hatte. Sie zog mich damit auf und drohte, es allen zu erzählen. Ich dachte, ich müsste sterben vor lauter Scham, und ich habe Inka dafür gehasst. Aber ich konnte auch nichts dagegen tun.«

»Was war das für ein Problem?«, forschte Pia nach.

Lessing schluckte. Kämpfte mit sich. Schloss die Augen.

»Eine Vorhautverengung.«

Pia, die eine gewaltige Offenbarung erwartet hatte, geriet angesichts der Banalität dieses Problems für einen Moment aus dem Konzept. Lessing öffnete wieder die Augen, bemerkte ihre Fassungslosigkeit.

»Ja, ich weiß, das mag für Sie lächerlich klingen, und heute kann ich es selbst nicht mehr glauben«, sagte er. »Aber damals war es für mich entsetzlich und demütigend. Inka hatte mich in der Hand. Und sie hat das ausgenutzt. Sie wusste immer alles, und nicht nur über mich. Ihre Mutter war das, was man heute als ›gut vernetzt‹ bezeichnen würde.«

Auf einmal wirkte er erleichtert, so, als ob durch dieses Geständnis eine schwere Last von ihm genommen worden sei.

»Wir sind nach Ruppertshain zurückgekommen, weil ich das Haus meiner Eltern geerbt hatte und wir dadurch einen schönen Bauplatz hatten«, fuhr er fort. »Erst als wir eingezogen waren, kam auch Inka zurück. Henriette hätte es nicht verstanden, wenn ich vorgeschlagen hätte, das Haus zu verkaufen und woandershin zu ziehen. Ich hätte ihr diese ganze beschämende Geschichte erzählen müssen, und das konnte ich einfach nicht.«

»Stattdessen haben Sie das alles lieber verdrängt.«

»Ja. Ich habe Inka nur mal aus der Ferne gesehen. Sie hielt Abstand von uns allen. Das machte es leichter.«

»Aber jetzt ist alles wieder hochgekommen«, sagte Pia. »Die

Geschichte mit Artur, die Sie und Ihre Freunde geheim halten wollten. Plötzlich sind Sie wieder mit Ihrer Vergangenheit konfrontiert worden.«

Lessing sah Pia abwartend an.

»Warum haben Sie sich am Freitagabend mit Ihren alten Freunden im Merlin getroffen? Worüber haben Sie diskutiert?«

»Das Treffen war Simones Idee. Sie hat uns erzählt, Rosie sei umgebracht worden, und Oliver würde die Mordermittlung leiten. Wir wussten auch, dass Rosies Wohnwagen abgebrannt ist, und ich hatte ja sogar schon Besuch von Oliver und Ihnen gehabt.«

»Und weiter?«

Lessing holte tief Luft, hielt sie einen Moment an und stieß sie wieder aus.

»Wir haben ausgemacht, dass wir unter keinen Umständen etwas über die Sache mit Artur sagen würden, falls Oliver jemanden von uns befragen sollte«, sagte er. »Niemand durfte sich verquatschen.«

»Wieso haben Sie angenommen, dass dieses Thema mit den drei Morden in Verbindung gebracht werden könnte?«, fragte Pia.

»Weil …« Sein Blick zuckte zu Bodenstein hinüber. »Weil wir seit damals immer befürchtet haben, dass diese Sache eines Tages durch einen dummen Zufall zur Sprache kommen könnte.«

»Tja. Schuld ist eine entsetzlich schwere Bürde, Herr Dr. Lessing, und es tut gut, sie abzulegen«, sagte Pia, und Lessing schlug die Augen nieder. In dieser Nacht hatte er sich eingestehen müssen, dass er auf ganzer Linie gescheitert war. Das, was er von Elias erfahren hatte, war die Bankrotterklärung seines ganzen Lebens. Er war ein Opfer, das zum Täter geworden war, dennoch war sein Versagen unentschuldbar. »Manchmal geraten Situationen außer Kontrolle, ohne dass man das wirklich will. Und manchmal führt so etwas zu einer Katastrophe. Wir wissen, dass Sie und Ihre Freunde auf dem Rückweg von dem Fußballspiel Artur begegnet sind. Sie haben Jagd auf ihn gemacht, und er hatte keine Chance, denn Sie waren zu neunt. Artur kletterte in seiner Not auf einen Baum, aber Sie und Ihre Freunde kannten in Ihrem

Hass kein Erbarmen. Sie haben den Fuchs getötet, der Artur verteidigen wollte. Wir nehmen an, dass Sie Artur nicht umgebracht haben, sondern dass er sich verletzt bis zur Straße geschleppt hat und dort von Rosie Herold überfahren wurde. Ihr Vater hat von der ganzen Sache erfahren. Er wusste Bescheid, all die Jahre.«

Lessing erstarrte. Seine Augen weiteten sich, alle Farbe wich aus seinem Gesicht.

»Wir denken, dass er gemeinsam mit Rosie Herold und deren Mann die Leiche von Artur und den Kadaver des Fuchses auf dem Familienfriedhof im Wald versteckt hat. Ihr Onkel, der damals Chef der Polizei in Königstein war, hat noch tagelang verhindert, dass die Kripo eingeschaltet wurde. Wir gehen davon aus, dass Ihre Eltern wussten, was damals passiert ist, deshalb breiteten sie den Mantel des Schweigens über die ganze Sache. Ihr Vater hat sämtliche Unterlagen über die Verletzungen, die Sie und Ihre Freunde sich an dem Tag im Wald zugezogen hatten, zurückgehalten, damit die Polizei nicht darauf stößt. Wir nehmen an, dass er die anderen Eltern damit über Jahre hinweg erpresst hat, wenn er ein Druckmittel brauchte.«

»Das ist nicht wahr!«, flüsterte Lessing.

»Doch. Ich fürchte, das ist es.« Pia nickte. »Sie und Ihre Freunde wurden von Ihren Eltern bewusst in dem Glauben gelassen, Artur getötet zu haben. Bis heute halten Sie sich deshalb für Mörder.«

Lessing sackte in sich zusammen, und Pia konnte regelrecht sehen, wie etwas in ihm zerbrach.

»In diesem Ort gibt es einen Menschen, der das ganze Geheimnis kennt und mit allen Mitteln verhindern will, dass es gelüftet wird. Wir denken, Rosie hat Clemens und dem Pfarrer seine Identität verraten. Deshalb mussten sie alle drei sterben. Und die Ironie des Schicksals ist, dass dieser Mensch ausgerechnet von Ihrem Sohn beobachtet wurde, als er den Wohnwagen in Brand gesetzt hat. Er kennt Elias' Namen. Elias ist eine Gefahr für ihn. Er wird ihn töten, wenn er ihn in die Finger kriegt, bevor wir ihn in Sicherheit bringen können.«

»Oh mein Gott«, flüsterte Lessing und legte seinen Kopf auf die Arme. Sein Entsetzen war echt. Er besaß nicht mehr genug

Energie, um ihnen etwas vorzuspielen. Und diese Gelegenheit nutzte Pia.

»Zwei Fragen noch, Herr Dr. Lessing«, sagte sie. »Wie ist Ihre Mutter gestorben?«

»Sie ist die Treppe hinuntergefallen«, murmelte er. »Oberschenkelhalsbruch. Sie musste operiert werden und hat die Operation nicht überlebt.«

»Haben Sie jemals ein sexuelles Verhältnis mit Inka Hansen gehabt?«, fragte Pia.

Lessing hob den Kopf.

»Kein Verhältnis.« In seinen Augen erschien ein hasserfülltes Funkeln. »Aber ich hab sie einmal gefickt.«

»Und wann war das?«

»Während der Hochzeitsfeier von Simone und Roman. Sie war ganz verzweifelt, denn Oliver war mit seiner Freundin da und hat sie kaum beachtet.« Lessing lächelte bitter. »Ich habe mich um sie gekümmert, sie getröstet und mit ihr geflirtet. Sie ist darauf reingefallen. Typisch für sie. Sie war immer achtlos und unsensibel. Wir sind in den Wald gegangen. Ganz romantisch. Bis zu *der* Stelle. Sie hat sie gar nicht wiedererkannt. Da habe ich ihr bewiesen, dass mein Problem, über das sie sich so köstlich amüsiert hatte, nicht mehr existierte.«

»Das war im Sommer 1983, nicht wahr?«

»Ja.« Lessing nickte. »Wenig später ging sie nach Amerika. Und sie schrieb mir, dass sie schwanger sei. Ich schrieb ihr zurück, lauter verlogenes Zeug. Ich bin sogar nach Amerika geflogen, im Januar 1984. Sie war hochschwanger und ganz glücklich, mich zu sehen. Sie hat allen Ernstes geglaubt, ich würde sie heiraten. Als ob ich all das, was geschehen war und was sie mir angetan hatte, einfach vergessen könnte! Ich habe ihr ins Gesicht gesagt, dass ich sie hasse und sie nicht glauben sollte, ich würde mich um sie und das Kind kümmern. Dann habe ich sie stehenlassen. Damit hatte ich meine Rache. Sie hat mir noch jahrelang geschrieben, aber ich habe ihre Briefe ungeöffnet weggeworfen. Für mich war das Kapitel Inka abgehakt.«

»Warum hat sie keinen Unterhalt von Ihnen verlangt?«, wollte Pia wissen.

»Dazu war sie wohl zu stolz.« Lessing schnaubte bitter. »Sie hat nicht einmal meinen Namen in der Geburtsurkunde vermerken lassen.«

***

»Sodom und Gomorrha«, sagte Pia kopfschüttelnd, als sie das Haus der Lessings verließen. »Das ist ja alles nicht zu fassen.«

»Mir fällt dazu nichts mehr ein«, erwiderte Bodenstein resigniert. »Ich muss das erst mal sacken lassen.«

Peter Lessing stieg in den Streifenwagen, um auf dem Kommissariat in Hofheim seine Aussage zu wiederholen und zu unterschreiben.

Wieder summte Pias Handy. Genervt nahm sie das Gespräch entgegen.

»Pia, es tut mir so leid«, meldete sich eine Frauenstimme schon nach dem ersten Freizeichen.

»Wer ist denn da?«, fragte Pia ungehalten. Sie hasste es, wenn Leute nicht zuerst ihren Namen nannten.

»Ich bin's, Merle. Nike ist verschwunden! Als ihre Mutter eben nach ihr schauen wollte, war ihr Zimmer leer!«

»Verdammte Scheiße!«, fluchte Pia aus tiefstem Herzen. »Wie kann denn so was passieren?«

»Ich muss auch mal schlafen«, entgegnete Merle gekränkt. »Und ich kann ja schließlich nicht auf dem Bettvorleger einer Siebzehnjährigen nächtigen!«

»Elias Lessing hat eine Waffe.« Pia überhörte den Vorwurf ihrer Kollegin. »Und er hat den X5 seiner Mutter gestohlen.«

»Na toll.«

»Hat sie eine Nachricht hinterlassen?«

»Nein. Nichts. Aber sie hatte wohl eine zweite E-Mail-Adresse. Und ein iPad, was ihre Eltern doch glatt vergessen haben, uns mitzuteilen. Auf der Aufnahme der Überwachungskameras am Haus ist zu sehen, dass sie um 3:58 Uhr einfach aus der Kellertür spaziert ist, mit einem Rucksack über der Schulter. Ich fürchte, Nike hat ein doppeltes Spiel mit uns gespielt.«

»Das fürchte ich auch.« Ein feiner, alles durchdringender Nieselregen fiel aus tiefhängenden grauen Wolken. Pia lief mit eingezogenem Kopf um den Dienstwagen herum. Bodenstein hielt ihr die Beifahrertür auf, und sie ließ sich auf den Sitz fallen. »Wir haben alles getan, was wir konnten, Merle. Fahr nach Hause und schlaf dich aus.«

»Was ist passiert?«, erkundigte Bodenstein sich und ließ den Motor an.

»Nike ist abgehauen«, erwiderte Pia düster. »Sie hatte nie vor, uns dabei zu helfen, Elias zu schnappen. Jetzt ist sie wahrscheinlich mit ihm unterwegs, was einen Zugriff nicht unbedingt einfacher macht. Verdammt.«

»Vielleicht doch«, sagte Bodenstein. »Wenn das Mädchen bei ihm ist, können wir ihn auf jeden Fall über ihr Handy erreichen.«

»Falls sie es überhaupt dabeihat.«

»Hm. Elias hat doch bei ihr angerufen, also haben wir die Nummer des Handys, das er benutzt, oder?«

»Nein. Er hatte die Nummer unterdrückt.«

»Wie haben die beiden kommuniziert?«

»Per E-Mail. Nike hat um kurz vor vier das Haus ihrer Eltern durch den Keller verlassen. Mit einem Rucksack.«

»Sie müssen irgendein Ziel haben.« Bodenstein bog in die Robert-Koch-Straße ein und fuhr zum Zauberberg hoch, wo Pias Auto stand. »Einen Ort, an dem sie sich sicher fühlen. Elias weiß, dass er gesucht wird und hier in der Gegend überall Kontrollen stattfinden.«

Pias Handy klingelte wieder. In einem der Teiche des Angelsportvereins Taunusruh e.V. war ein Auto gefunden worden. Feuerwehr und DLRG waren bereits mit einem Kranwagen auf dem Weg, um das Fahrzeug zu bergen.

»Wo ist die Anlage vom Angelsportverein Taunusruh? Weißt du das?«, fragte Pia ihren Chef. »Sie haben in einem der Teiche ein Auto gefunden.«

»Im Wald an der B8. Und zwar dort, wo man zum Waldfreundehaus einbiegt«, antwortete Bodenstein und stoppte neben Pias Auto auf dem Parkplatz unterhalb der Terrasse des Restaurants Merlin. »Haben wir eigentlich mittlerweile die DNA von dem Blut, das ich am Landrover von Frau Molin gesichert habe?«

»Keine Ahnung.« Pia begriff, worauf ihr Chef hinauswollte.

»Du meinst, Elias könnte gar nicht mit dem Auto von Pauline unterwegs gewesen sein, sondern den Landrover genommen haben?«

»Das wäre zumindest eine Möglichkeit«, bestätigte Bodenstein. »Warum sind wir eigentlich davon ausgegangen, dass er das Auto von Pauline genommen hat?«

»Weil Paulines Freundin Ronja gesagt hat, dass Pauline sich mit Elias treffen wollte.«

»Elias wird seit Donnerstag überall gesucht, aber niemand hat ihn irgendwo gesehen«, rekapitulierte Bodenstein und stellte den Scheibenwischer ab, der über die trockene Windschutzscheibe kratzte. »Vielleicht war er ja die ganze Zeit über im Waldfreundehaus. Falls das Blut am Landrover seines war, dann könnte ihn die Schwester der Pächterin im Wald aufgelesen und bei sich versteckt haben.«

»Elias hat zwei Hunde bei Ralf Ehlers in den Zwinger gesperrt!« Jetzt fiel es Pia wie Schuppen von den Augen. »Am Waldfreundehaus gibt es Hunde, das weiß ich. Ich habe ihr Gebell gehört, als wir am Donnerstagmorgen dort waren.«

»Aber warum hat er sie mitgenommen?«

Pia und Bodenstein wechselten einen Blick.

»Wir machen jetzt Folgendes«, sagte sie entschlossen. »Bis zur Pressekonferenz haben wir noch vier Stunden Zeit. Cem und ich fahren zum Angelverein und zum Waldfreundehaus. Nach der Pressekonferenz bringen wir alle, die damals bei diesem Fußballspiel dabei waren, nach Hofheim. Wir werden sie mit dem konfrontieren, was wir von Inka Hansen und Peter Lessing erfahren haben, auch Ralf Ehlers. Und zwar nicht einzeln, sondern alle gemeinsam. Du wirst sehen, unter Gruppendruck wird etwas passieren.«

»Gut.« Bodenstein nickte. »Was ist mit Leo Keller? Ich hätte ihn gerne in Gewahrsam, zu seinem eigenen Schutz, falls bei der PK sein Name fällt und die Leute auf dumme Gedanken kommen.«

»Haben wir überhaupt noch Platz für ihn?« Pia verzog das Gesicht, öffnete die Tür und zückte ihr Handy, um Cem anzurufen.

»Ich bringe ihn schon irgendwo unter«, entgegnete Bodenstein. »Ach, und Pia …«

»Ja?« Sie war schon halb ausgestiegen, hielt noch einmal inne und blickte ihn an.

»Du machst das klasse«, sagte er ernst. »Wirklich. Sie wären dumm, wenn sie dich nicht zu meiner Nachfolgerin machen würden.«

»Danke.« Pia zögerte, aber dann entschied sie, dass dies der richtige Moment war, Bodenstein mitzuteilen, was sie bisher nur Christoph gesagt hatte. »Du weißt, dass es mir lieber wäre, du würdest bleiben. Aber ... die Engel hat mir gestern gesagt, dass in Wiesbaden eine Entscheidung gefallen ist.«

»Ach ja? Und?«

»Ich werde dich beerben.«

»Mensch, das ist doch großartig!« Bodenstein lächelte. »Herzlichen Glückwunsch! Ach, Pia, ich bin froh! Ich hatte zwischenzeitlich das Gefühl, die Engel würde dich nur deshalb übergehen, weil ich dich empfohlen hatte.«

»Sie hat wohl auch hart mit sich gerungen.« Pia versuchte ebenfalls ein Lächeln, das ihr jedoch nicht recht gelang. »Aber letztendlich hat sie sich dann doch für mich starkgemacht.«

»Sie konnte gar nicht anders entscheiden. Du bist die Beste für den Job, und das wissen alle.«

»Danke.« Pia stieg aus, beugte sich aber noch einmal ins Auto. »Solltest du in einem Jahr Sehnsucht nach dem K11 kriegen, werde ich dir deinen Schreibtisch allerdings mit Freuden wieder überlassen.«

***

»Hoffentlich finden wir nicht noch eine Leiche im Kofferraum«, sagte Pia zu Cem, als der Kran den rostigen Toyota von Pauline Reichenbach Zentimeter für Zentimeter aus dem Teich zog. Schlammiges Wasser strömte aus den geöffneten Autofenstern, die silbrigen Leiber toter Fische platschten auf die Wasseroberfläche. Aus dem aufgerissenen Tank war das Benzin in den Teich geströmt und hatte den Zuchtfischen den Garaus gemacht; Motoröl trieb in Lachen auf dem Wasser. Fünf alte Männer standen im Nieselregen am Ufer des kleinen Sees und beobachteten mit finsteren Mienen die Bergungsaktion, die Hände in den

Taschen ihrer Anglerwesten. Ein dicker, kleiner Mann mit einer verblichenen Basecap redete seit zwanzig Minuten erregt auf die Kollegen der Königsteiner Polizei und den Einsatzleiter der Feuerwehr ein. Sein Lamento übertönte sogar den Motor des Kranwagens.

»Das Auto liegt nicht erst seit heute Morgen hier drin«, erwiderte Cem. Er war direkt nach Ruppertshain gekommen, auf der Fahrt hierher hatte Pia ihm berichtet, was sich in der vergangenen Nacht abgespielt hatte. »Lass uns zum Waldfreundehaus fahren und mit Frau Molin sprechen.«

Ganz Gentleman, hielt er einen Schirm über Pia. Er selbst trug einen eleganten anthrazitfarbenen Regenmantel und farblich passende Gummistiefel und sah aus wie ein Fotomodell bei einem Outdoor-Shooting.

»Hallo, Sie! Sin Sie der Kripo-Scheff?« Der dicke Mann kam auf sie zugestapft, nachdem er von den Polizisten und Feuerwehrleuten offenbar nicht die erhofften Auskünfte bekommen hatte. Er blieb vor ihnen stehen, stemmte die Hände in die Seiten und sah Cem mit unverhohlenem Misstrauen an. »Sie sin doch 'n Ausländer, oder?«

»Wir sind alle irgendwo Ausländer«, erwiderte Cem höflich. »Meine Familie stammt aus der Türkei.«

»So, so. Na ja, wenigstens spresche Se 'n bissi unsre Sprach.« Der Dicke zuckte die Schultern und sprach noch etwas lauter, als ob Cem schwerhörig sei. »Kenne Se misch verstejhe?«

»So gerade eben.« Cem fand das Ganze komisch. »Aber sprechen Sie bitte ganz langsam und deutlich. Ich habe manchmal Probleme mit dem hessischen Dialekt.«

Der Mann hatte keinen Sinn für Ironie.

»Mei Name is Kohl, Werner. Isch bin de Vorsitzende vom Angelsportverein 1974 Taunusruh e. V.«

Er sagte tatsächlich E Punkt Vau Punkt. Pia unterdrückte ein Grinsen.

»Neunzehnhundertvierundsiebzisch, weil wir uns da gegründet habbe, verstehe Se des?«

»Ich denke schon, Herr Kohlwerner«, bestätigte Cem todernst. »Und was bedeutet E Punkt Vau Punkt?«

Pia versetzte ihm einen Stoß mit dem Ellbogen. Sie hatten jetzt keine Zeit für solche Späße.

»Ei, mer sin en eingetraachene Verein, gelle!« Werner Kohl nickte bekräftigend mit dem Kopf. »Mer sin achtundzwanzisch Mitglieder, zwölf davon aktiv. Un jetzt sin uns hier dorsch die Sauerei do Fisch für fuffzischtausend Euro kaputtgange!« Kohl fuchtelte mit den Armen, um seinen Worten Nachdruck zu verleihen. »Forelle, Schleie, Karpfe – die Jungfisch für die nechste Seesong! Alles habbe se kaputtgemacht hier, die Raudis! De Zaun, die Böschung, der ganze Teisch is im Arsch, des sehe Se jo. Is ja net des erste Mol, abbä so bees hat's hier noch nie ausgesehje.«

»Wenn Sie der Vorsitzende sind, sollten Sie wohl besser direkt mit meiner Chefin reden.« Cem wies mit dem Kopf auf Pia. »Ich bin nur ihr Schirmherr.«

»Wie? Wos?« Werner Kohl musterte Pia geringschätzig durch seine verschmierte Bifokalbrille. »Des Meedsche do is Ihne Ihre Scheffin?« Er wandte sich zu seinen Anglerkollegen um und hob die Arme. »'n Ausländer un e Fraa schigge se uns her – des is die Kripo heutzutaach, so was! Armes Deutschland, saach ich da nur.«

Pia kannte Leute wie diesen Mann, die gegen alles, was über ihren beschränkten Horizont hinausging, Vorbehalte hatten, zur Genüge, und wusste, dass sich dieser Menschenschlag nur durch Autorität einschüchtern ließ. Sie zückte ihren Ausweis und streifte dabei wie unabsichtlich ihre Jacke zur Seite, so dass der Dicke ihre Dienstwaffe sehen konnte.

»Ich bin Kriminalhauptkommissarin Sander von der Mordkommission Hofheim«, sagte sie streng. »Ich kann Ihre Aufregung nachvollziehen und habe Ihre diskriminierenden Äußerungen deshalb jetzt einfach mal überhört, Herr Kohl.«

»*Mord*kommission?« Kohls rundes Mondgesicht lief puterrot an.

»Das Fahrzeug gehört einer jungen Frau, die Opfer eines Verbrechens wurde«, sagte Pia. »Dieser Teich und der Bereich ringsum sind mögliche Tatorte, und ich bitte Sie und Ihre Kollegen, das Gelände an dieser Stelle nicht mehr zu betreten.«

»Ei, des versteh isch net.« Kohl war fassungslos. »Wieso hat die Fraa ihr Audo in unsern Aufzuchtteisch gefahrn?«

»Sie selbst hat das wohl kaum getan«, antwortete Pia genervt, und Cem drehte sich um, weil er über so viel Borniertheit lachen musste.

»Ei dann war'n des gar net die Raudis aus Königstein?«

»Ich fürchte nicht. Haben Sie denn nicht mitbekommen, dass am letzten Donnerstag auf dem Campingplatz am Waldfreundehaus bei einem Wohnwagenbrand ein Mann ums Leben gekommen ist?«

Wie weltfremd konnte man sein?

»Naa, isch war mit maaner Fraa für e Woch im Harz.« Kohl kratzte sich verlegen am Kopf und wandte sich ratlos zu seinen Anglerfreunden um. Mit so etwas hatte er nicht gerechnet.

Da hatte Pia eine Idee.

»Kommen Sie doch mal näher, meine Herren.« Sie winkte den Männern, die sich nur zögernd näherten. »Sie sind als passionierte Angler doch sicher regelmäßig hier auf der Anlage, oder?«

Ein kollektives Nicken war die Antwort.

»Ist Ihnen am vergangenen Donnerstag hier etwas aufgefallen?«

Die fünf Senioren wechselten stumme Blicke.

»Da war viel los, da hinne im Wald«, sagte schließlich einer. »'s hat gebrennt.«

Hundert Punkte.

»Der Kurti und isch habbe grad den Filter vom große Teisch saubergemacht«, meldete sich ein anderer zu Wort, ein dürrer Mann mit einer Hasenscharte und einem nervösen Tick. »Da kame zisch Audos vom Fernsehe. Un die musste stoppe, direkt dott drübbe, weil die Madamm mit ihr'm Geländewaache angerauscht kam. Is in den Weesch da nunner eingebooche und hat dabei fast den Zaun umgefahrn.«

Pia horchte auf.

»Haben Sie die Frau vorher schon mal gesehen?«

»Ei klar. Des is die Schwester von der Manuela. Vom Waldfreundehaus. Ziemlisch bleed Kuh. Kann net emol grüße, wenn se hier vorbeizischt.«

Beifälliges Gemurmel der weißhaarigen Anglerkollegen.

»Wann ist das ungefähr gewesen?«, forschte Pia nach.

»Weiß net. So um neune? Oder, Kurti?«

»Jo«, bestätigte der Angesprochene maulfaul.

»Haben Sie sie auch zurückkommen sehen?«

Kurti und die Hasenscharte schüttelten den Kopf.

»Erst so … zwaa oder drei Stund späder.«

»Mer habbe uns gefraacht, was die so lang im Wald getribbe hat, denn der Weesch, der führt eischentlisch nirgends hi.«

»Also, die Frau kam zwei oder drei Stunden später den Weg wieder hochgefahren«, fasste Pia geduldig zusammen. »Und sie fuhr zurück zum Waldfreundehaus?«

»Genau. Aber … die blond Hex, die saß uf'm Beifahrersitz.« Kurti ergriff das Wort. »Gefahren ist irgendwer anners.«

Elias Lessing vielleicht? Das wäre auf jeden Fall eine Erklärung dafür, dass der Spurensuchhund mitten im Wald die Fährte verloren hatte. Pia bedankte sich und kündigte an, dass die Angler ihre Beobachtungen später noch einmal zu Protokoll geben müssten, dann gingen Cem und sie zu dem Abschleppwagen, auf dem sich das Auto von Pauline Reichenbach mittlerweile befand.

***

»E Punkt Vau Punkt«, murmelte Pia kopfschüttelnd und schlüpfte in ein Paar Latexhandschuhe. Dann kletterte sie auf den Abschleppwagen, öffnete die Fahrertür des Toyota und warf einen Blick in das Innere des Wagens. Cem war ihr gefolgt und übernahm den Kofferraum.

»Keine Leiche«, verkündete er. »Zumindest keine menschliche.«

Er warf ein paar tote Fische in das Unterholz auf der anderen Seite des Weges. Pia beugte sich in das Innere des Autos. Es stank brackig. Sie öffnete das Handschuhfach, das auch mit Wasser vollgelaufen war. In dem Schlamm konnte man einzelne Gegenstände kaum identifizieren, das würde sie Christians Leuten überlassen. Sie fuhr mit der Hand in die Seitenablage und berührte etwas mit den Fingerspitzen. Ein Smartphone!

»Ich hab was«, sagte sie.

»Ich auch. Hier ist jede Menge Zeug drin«, rief Cem von

hinten. »Unter anderem ein Laptop. Was machen wir mit dem ganzen Kram?«

»Nichts. Das müssen sich die Techniker anschauen.« Pia steckte das Handy in einen Beweismittelbeutel und sprang von dem Abschleppwagen herunter. Was hatte sich hier abgespielt? War Pauline, die Elias auf den Aufnahmen der Wildkamera erkannt hatte, zum Waldfreundehaus gefahren und hatte den Nachbarssohn bedrängt, sich der Polizei zu stellen? Und hatte Elias sie aus Angst davor, sie könne ihn verraten, im Affekt halb totgeschlagen? Hatte er ihr Auto, um Spuren zu verwischen, in den Fischteich geschoben und die bewusstlose Pauline mit dem Landrover der Eule nach Ruppertshain gefahren? Aber wo war sie in der Zwischenzeit gewesen? Sie war am späten Samstagabend verschwunden und erst am Montagmorgen verletzt gefunden worden.

»Ich fürchte, Elias ist total außer Kontrolle geraten«, sagte sie auf dem Weg zum Auto. »Es gibt niemanden, dem er vertraut.«

»Und jetzt hat er auch noch seine hochschwangere Freundin bei sich«, pflichtete Cem ihr besorgt bei und öffnete ihr die Beifahrertür.

Wieso hatte Elias die Hunde auf die Hasenmühle zu Ralf Ehlers gebracht? Warum hatte er Pauline nicht getötet? Hatte er gedacht, sie sei tot?

Cem gab Gas und machte eine heftige Lenkbewegung, um einem tiefen Schlagloch auszuweichen. Der schattige Wald wurde lichter. Das Ausflugslokal und das dazugehörige Wohnhaus tauchten zwischen den Baumstämmen auf.

»Die Garage ist leer«, stellte Pia beim Vorbeifahren fest. »Der Landrover ist weg. Mist! Elias war tatsächlich die ganze Zeit mit diesem Auto unterwegs, und wir haben nach dem Toyota gefahndet!«

Auf dem Parkplatz erwarteten sie zwei uniformierte Kollegen aus Königstein. Cem und Pia stiegen aus und blickten sich um. Der Wald war still. Kein Vogel zwitscherte, nur der Nieselregen wehte schräg über die große Lichtung. Bei den Wohnwagen rührte sich nichts.

»Wir sind einmal um die Gebäude herumgelaufen«, sagte einer der Beamten. »Scheint keiner da zu sein.«

»Okay, wir gehen rein.« Pia nickte. »Wir nehmen die Haustür, ihr sichert bitte die Hintertür bei der Garage, damit sich im Zweifel niemand aus dem Staub machen kann.«

Sie verteilten sich, Pia und Cem näherten sich dem Wohnhaus, das sich direkt an das flache Gebäude der Gaststätte anschloss. Die Haustür war nur angelehnt. Sie wechselten einen Blick und zogen ihre Dienstwaffen. Im Kofferraum lagen die schusssicheren Westen. Pia zögerte. Sie trug die Verantwortung. Sollten sie besser erst die Westen anlegen, bevor sie das Haus betraten? Was hätte Bodenstein jetzt getan?

»Okay?«, flüsterte Cem.

Pia nickte angespannt, die Waffe im Anschlag. Sie konnte ihren Herzschlag in den Fingerspitzen spüren. Cem schob die Tür mit dem Fuß auf und ging ins Haus, sie folgte ihm. Warme Luft drang ihnen entgegen, vermischt mit dem unverwechselbar süßlichen Geruch fortgeschrittener Verwesung.

»*Aman allahım!*«, stieß Cem hervor und blies angewidert die Backen auf. »Wir kommen zu spät!«

Pia schluckte mühsam, um einen heftigen Brechreiz zu unterdrücken. Sie folgten dem engen, dunklen Flur mit gezückten Waffen, öffneten eine Tür nach der anderen und blickten in alle Räume. Dunkle Holzdecken ließen die Zimmer niedriger und noch kleiner erscheinen, als sie ohnehin waren. Die mit Holz getäfelten Wände, vollgehängt mit kitschigen Bildern in Baumarktqualität, machten es nicht besser. Das kleine Büro war leer, ebenso das Schlafzimmer, dessen Doppelbett nur auf einer Seite benutzt worden war. Auch die Küche war ordentlich aufgeräumt. Hinter der letzten Tür des Flures befand sich das Badezimmer. Der Geruch nach verwesendem Fleisch wurde stärker.

»Hier ist sie«, würgte Cem hervor. »Boah, ist das ekelhaft.«

Die Badewanne war halbvoll, das Wasser hatte eine rostbraune Färbung. Im Wasser lag die Leiche von Frau Molin, und sie war alles andere als ein schöner Anblick. Sie trug ein Kleid, das wohl einmal weiß gewesen war, sich durch das blutige Wasser aber rosa verfärbt hatte. Der Rand der Badewanne war mit getrocknetem Blut verschmiert, auf dem Fußboden lagen die Scherben einer Weinflasche, ein halbvolles Glas mit Rotwein stand auf dem

Hocker neben der Wanne. Cem beugte sich über die Leiche und begutachtete sie.

»Sieht für mich so aus, als hätte man ihr die Kehle durchgeschnitten«, sagte er mit nüchterner Stimme. »Wenn das der Fall war, hat sie wenigstens nicht lange gelitten.«

So wenig Sympathie Pia auch für Frau Molin gehegt haben mochte, einen solchen Tod verdiente niemand.

»Wieso liegt die Frau angezogen in der Badewanne?«, fragte sie sich laut.

»Er wird sie überwältigt und in die Wanne gestoßen haben«, vermutete Cem. »Sie hat sich Wasser einlaufen lassen, ein Fläschchen Wein bereitgestellt und wollte sich ein schönes, heißes Bad gönnen. Aber bevor sie in die Wanne steigen konnte, hat er sie überwältigt.«

»Hm.« Pia nickte nachdenklich. »So könnte es gewesen sein. Ich rufe Kai an.«

Sie steckte ihre Waffe weg, zückte das Handy und flüchtete ins Freie. Gierig sog sie die frische Luft in ihre Lungen, dann wählte sie und teilte Kai im Telegrammstil mit, was los war.

»Wir haben hier auch News«, sagte er. »Bei der Untersuchung der Kleidung von Pauline Reichenbach hat das Labor Hundehaare festgestellt.«

»Das passt«, erwiderte Pia. Elias hatte die bewusstlose Pauline in den Kofferraum des Landrovers gelegt, in dem die beiden Hunde des Pächterehepaars transportiert wurden.

»Ach ja, und das Blut am Landrover von Frau Molin war das von Elias Lessing.«

Keine Überraschung. Das Puzzle setzte sich allmählich zusammen.

»Der gestohlene X5 von Frau Lessing wurde in Bad Soden geortet«, fuhr Kai fort. »Leider haben die Kollegen an der Stelle nur den GPS-Transponder gefunden, nicht das Auto.«

Elias hatte das Gerät also entfernt, und dadurch war das Fahrzeug nicht mehr zu orten. Pia beendete das Gespräch und ging zurück ins Haus. Cem kam gerade die Treppe hinunter.

»Der hier lag im Schlafzimmer oben neben dem Bett«, sagte er und reichte ihr einen Zettel, den er bereits in einen Beweisaufnahmebeutel gesteckt hatte. Die krakelige Handschrift konnte Pia nur mit Mühe entziffern.

Tut mir echt leid, dass ich dich eingesperrt habe. Muss mit Nike reden, unbedingt. Hoffe, du verstehst mich. Leihe mir dein Handy und den Laptop nur aus, geb dir alles wieder. Bitte nicht zu den Bullen gehen! Ich erklär dir alles. Musst dir keine Sorgen um die Hunde machen, die nehm ich mit. Auto bring ich auch zurück. Hat übrigens nur Sprit gefehlt. Bis später! ☺

Pia blickte auf. »Das hat Elias geschrieben.«

»Klingt für mich nicht so, als ob er Frau Molin umgebracht hätte«, sagte Cem. »Er hatte vor, zurückzukommen.«

»Das hat er vielleicht auch getan«, erwiderte Pia. »Sie war sauer, es gab Streit, er hat ihr die Kehle durchgeschnitten und sie in die Badewanne gestoßen.«

»Dann ist er geflüchtet und hat in seiner Panik vergessen, die Haustür zuzumachen«, ergänzte Cem. »So könnte es gewesen sein.«

Sie verließen das Haus, um keine Spuren zu zerstören.

»Sie hat Elias hier Unterschlupf gewährt«, sagte Cem grimmig. »Um ihn zu schützen, hat sie den Chef und mich belogen, als wir am Freitag hier waren. Als Dank für ihre Hilfe hat dieser kleine Mistkerl sie abgemurkst.«

»Vielleicht hat sie ihm nicht freiwillig Unterschlupf gewährt. Er könnte sie eingeschüchtert und bedroht haben. Und als Pauline hier auftauchte, ist alles eskaliert.« Pia dachte an Elias' Vater. Peter Lessing hatte zugegeben, dass er bei seinen Kindern dieselben Fehler gemacht hatte wie seine Eltern. Das Jung-Zitat, das sie ihm an den Kopf geworfen hatte, traf zu. Gemeinhin dachte man an körperliche und sexuelle Gewalt, wenn es um Kindesmisshandlung ging, aber psychische Gewalt war oft noch viel brutaler und wirkte erheblich nachhaltiger. Eltern besaßen eine unglaubliche Macht über ihre Kinder, die ihnen hilflos ausgeliefert waren. Und egal, wie schlimm die Misshandlungen auch sein mochten, jedes Kind würde alles tun, um seine Eltern zu schützen. Bis es kein Kind, sondern ein erwachsener Mensch war. Welche unheilvolle Dynamik wirkte in dieser kaputten Familie, die seit Generationen respektabel und erfolgreich schien? War Elias gerade dabei, sich für erlittenes Unrecht zu rächen, oder war das, was er tat, der verzweifelte Ruf um Hilfe? Was auch immer seine Beweggründe waren, sie änderten nichts daran, dass er eine Gefahr für jeden war, der sich ihm in den Weg stellte.

***

Bodenstein überquerte den Vorplatz des Kelkheimer Rathauses, eines zweckmäßigen Siebziger-Jahre-Baus am Gagernring schräg gegenüber der Stadthalle. Normalerweise bescherte ihm die Nachricht von einem Leichenfund immer einen heftigen Adrenalinstoß, aber als Pia ihm vorhin am Telefon mitgeteilt hatte, dass Cem und sie die Leiche von Felicitas Molin in der Badewanne des Waldfreundehauses gefunden hatten, hatte er überhaupt nichts empfunden und gedacht, außer einem fatalistischen *Auch das noch!* Zu viel Unfassbares war in den letzten Tagen und Stunden auf ihn eingestürmt, er war zu keiner Empfindung mehr fähig. Es kam ihm so vor, als schaltete sich das limbische System seines Gehirns aus purem Selbstschutz gelegentlich einfach ab; der Rest seines Verstandes arbeitete hingegen, unbeeinflusst von Gefühlen wie Zorn und Enttäuschung, mit einer fast pathologischen Nüchternheit auf Hochtouren. Er wählte die Nummer von Tariq Omari. Die alte Witwe Keller, die er vor einer halben Stunde aufgesucht hatte, hatte ihm gesagt, Leo sei um halb sieben mit seinem Mofa zur Arbeit gefahren, wie jeden Morgen. Natürlich hatte sie besorgt wissen wollen, weshalb er so dringend mit ihrem Sohn sprechen wolle. Sie wusste, was im Ort los war und fürchtete, dass die Leute sich an die Verdächtigungen gegen Leo erinnern würden, wenn der »ganze alte Kram« nun wieder hochkochte. Genau das sei der Grund, weshalb er Leo zu seiner eigenen Sicherheit mit aufs Kommissariat nehmen wolle, denn er teile diese Befürchtungen, hatte er der Alten versichert. Daraufhin hatte sie ihm Leos Handynummer gegeben, aber er konnte ihn nicht erreichen. In der Friedhofsverwaltung, die im Erdgeschoss des Rathauses untergebracht war, hatte ihm eine freundliche Dame mitgeteilt, Leo arbeite heute Vormittag auf dem Hauptfriedhof, er gehe aber prinzipiell nie ans Telefon, wenn er eine Nummer nicht kenne. Bodenstein verstünde sicher, weshalb, mit dem Sprechen habe er es nicht so, der Leo. Sie versprach, ihn sofort anzurufen und ihm zu sagen, er solle zur Trauerhalle kommen.

»Ja, Chef?«, meldete Omari sich, als Bodenstein gerade aufgeben wollte. »Ich bin gleich in Ruppertshain.«

»Vorher holen Sie bitte Leonard Keller in Kelkheim am Hauptfriedhof ab und bringen ihn auf die Polizeistation. Die Kollegen wissen Bescheid, und Keller ist informiert. Er wartet an der Trauerhalle. Sagen Sie ihm, dass diese Maßnahme nur zu seinem Schutz ist und seine Mutter Bescheid weiß. Ich hole ihn nach der Pressekonferenz ab und werde ihm dann alles erklären.«

»Okay.« Tariq nickte. »Und dann?«

»Dann kommen Sie nach Ruppertshain«, sagte Bodenstein. »Sorgen Sie dafür, dass genug Fahrzeuge zur Verfügung stehen, um sechs Leute nach Hofheim zu transportieren. Lombardi soll sich bereithalten. Und Inka Hansen, Ralf Ehlers und Peter Lessing müssen unbedingt auch dabei sein.«

»Geht klar, Chef. Bis später.«

Tariq Omari hatte sich als absoluter Glücksgriff für das K11 erwiesen. Nichts musste man ihm zwei Mal sagen, keine Aufgabe war ihm zu schwierig oder zu unangenehm. Bodenstein erinnerte sich an ganz andere Zeiten, als Frank Behnke und Andreas Hasse sich ständig über die Arbeitsaufteilung beschwert hatten. Immer wieder war es zu Streitereien gekommen, die das Arbeitsklima schwer belastet hatten. Er freute sich, dass Pia seine Nachfolge antreten würde, und wusste, dass sie mit Cem Altunay und Tariq Omari Kollegen hatte, die wirklich auf Zack waren. Cem würde es schon verwinden, dass man ihm Pia vorgezogen hatte, und ein Ersatz für ihn selbst würde sich auch finden.

Wieder musste er an den Bahnschranken in Kelkheim warten, wieder fuhr er durch Fischbach hoch nach Ruppertshain. Karoline hatte Valentina Berjakov am Flughafen abgeholt und war mit ihr bereits auf dem Weg zur Schönwiesenhalle, wo er die beiden treffen würde. Wie musste es sich für Valentina anfühlen, nach all den Jahren in dieses Dorf zurückzukehren, in dem man sie und ihre Familie so feindselig behandelt hatte? Was, wenn sie ihm die Schuld daran gab, dass er damals nicht auf ihren Bruder aufgepasst und so die ganze Tragödie zumindest möglich gemacht hatte? Bisher war Bodenstein nicht dazu gekommen, sich darüber Gedanken zu machen, wie das Wiedersehen mit Arturs Schwester wohl verlaufen würde, aber plötzlich spürte er Beklommenheit in sich aufsteigen.

In Ruppertshain war eine wahre Völkerwanderung im Gange, und Bodenstein kam, als er von der Straße Ober den Birken in die Wiesenstraße einbog, nur im Schritttempo voran. Rings um die Schönwiesenhalle war die Hölle los. Kastenwagen mit Sendeschüsseln von allen möglichen Fernsehsendern parkten an den Straßenrändern, das Medieninteresse war noch größer als erwartet. Ein Großaufgebot der Polizei schleuste die Besucher nach einer gründlichen Leibesvisitation ins Innere der Mehrzweckhalle. Nachdem es vor ein paar Jahren bei einer Bürgerversammlung in Ehlhalten zu einer entsetzlichen Massenpanik mit einer Toten und vielen Schwerverletzten gekommen war, ließ man diesmal nur eine begrenzte Anzahl von Personen ein. Bodenstein wurde durch die Absperrung gewinkt und fuhr auf den Parkplatz hinter der Halle, der so voll besetzt war, dass er sich einfach hinter eines der anderen Autos stellte. Die Straße, die zur Reitanlage führte, war wieder passierbar, und viele Menschen pilgerten zu der Stelle, an der Pauline gefunden worden war. Kamerateams filmten den Berg von Blumen, Stofftieren und Kerzen, die sich am Zaun des Sportplatzes auftürmten, bis Leo Keller und seine Kollegen von der Stadtreinigung alles in ein paar Tagen entsorgen würden.

Ein kalter Wind war aufgekommen, hatte die Regenwolken vertrieben und wirbelte durch die Äste der Bäume, die den kleinen Parkplatz umgaben. Buntes Herbstlaub rieselte herab, tanzte raschelnd über das feucht glänzende Pflaster. Ein prächtiger Gingko biloba leuchtete mit seinen goldgelben Blättern im Schein der Oktobersonne. Bevor Bodenstein die Halle betrat, atmete er tief durch. Bald würde er solche Tage einfach genießen können, ohne an Mörder und Tote denken zu müssen. Plötzlich konnte er seinen letzten Arbeitstag beim K11 kaum noch erwarten.

***

In der Küche der Mehrzweckhalle sprach Pia mit Staatsanwalt Rosenthal, Kim und Nicola Engel. Auch Kai, Cem, Stefan Smykalla und die Pressesprecherin vom Polizeipräsidium lauschten ihr konzentriert. Bodenstein sah sich um. Wo war Karoline mit Valentina?

»Da bist du ja!« Pia unterbrach sich mitten im Satz, ließ alle stehen und eilte auf ihn zu. Sie wirkte erschöpft. Die ganze Mannschaft ging auf dem Zahnfleisch. Sie hatten mehrere Nächte durchgearbeitet und noch immer keine heiße Spur.

»Alles deutet darauf hin, dass Elias ein paar Tage bei Felicitas Molin untergekommen ist«, sagte sie mit gesenkter Stimme. »Wir haben einen Brief von ihm gefunden, in dem er schreibt, dass es ihm leidtue, sie einsperren zu müssen, er aber unbedingt zu Nike fahren müsse. Er hat ihre Hunde zu Ehlers auf die Hasenmühle gebracht und ist mit dem Landrover von Frau Molins Schwester unterwegs. Elias war oft auf der Hasenmühle. Es dürfte also kein Problem für ihn gewesen sein, das Brecheisen zu entwenden.«

»Wie lange ist Frau Molin ungefähr tot?«

»Grob geschätzt seit Sonntagmittag, sagt Henning«, antwortete Pia. »Alle Heizungen im Haus waren voll aufgedreht, und sie lag in der Badewanne, die wahrscheinlich anfangs noch voll mit heißem Wasser war, deshalb ist eine genauere Feststellung des Todeszeitpunkts schwierig.«

»Hm.« Bodenstein, der sich vorstellen konnte, in welchem Zustand die Leiche gewesen war, beneidete Pia nicht um ihr Erlebnis. »Warum sollte Elias die Frau umbringen und Pauline halb totschlagen?«

»Wenn er es gewesen ist, waren es sicherlich Affekttaten. Vielleicht wollte Pauline ihn überreden, sich der Polizei zu stellen. Elias hat ihr Auto im Fischteich versenkt, um Spuren zu verwischen. Die Waffe, die er bei sich hat, gehört dem Schwager von Frau Molin, Christian hat eine Waffenbesitzkarte und Munition im Waldfreundehaus gefunden.« Pia machte eine kurze Pause, kaute nachdenklich auf ihrer Unterlippe. Sie war blass vor Anspannung. »Und Frau Molin wird wütend gewesen sein, weil Elias sie eingesperrt hatte. Wenn sie ihm Vorwürfe gemacht hat, kann er ausgetickt sein.«

»Auf jeden Fall ist Elias jetzt bewaffnet und bereit, die Waffe zu benutzen. Er hat Nike Haverland bei sich. Wäre er unschuldig, könnte er sich stellen«, sagte Bodenstein. »Bisher sind wir davon ausgegangen, dass er nicht Auto fahren kann, aber das stimmt nicht. Er hat nur keinen Führerschein.«

»Was, wenn er mit seinem Vater unter einer Decke steckt?«, fragte Pia. »Die Gasflaschen und das Benzin könnten sie an der Hasenmühle geholt haben, es würde dort nicht auffallen, wenn sie fehlen. Elias ist ein routinierter Einbrecher, er kann den Schal von Edgar Herold besorgt haben, um falsche Spuren zu legen. Lessing hat seinen Sohn instrumentalisiert, und Elias tut alles, um seinem Vater zu gefallen. Und falls etwas herauskommt, dann kann und wird Lessing mit dem Finger auf seinen Sohn zeigen, der als Neunzehnjähriger noch auf einen Prozess beim Jugendgericht hoffen kann. Im Gegensatz zu ihm selbst.«

Alle Gespräche waren verstummt. Neugierig scharten sich die Anwesenden um Pia und Bodenstein, verfolgten den Gedankenaustausch.

»Wir müssen in zwanzig Minuten anfangen, Leute«, drängte Stefan Smykalla. »Seid ihr euch allmählich einig, was ihr da draußen sagen wollt?«

Bodenstein beachtete den Pressesprecher nicht.

»Ich hatte vorhin nicht den Eindruck, dass Lessing uns etwas vorgespielt hat. Es macht ihm zu schaffen, dass er dieselben Fehler bei seinen Kindern gemacht hat wie seine Eltern bei ihm. Und er wirkte völlig schockiert, als du ihm gesagt hast, dass er und die anderen Artur gar nicht umgebracht haben. Warum sollte er jetzt vier Menschen töten?«

»Lessing wollte den Deckel auf der Kloake halten.« Pia sprach schnell, ihre Augen glänzten fiebrig vor Aufregung. »Als wir ihn heute Morgen mit dieser Verletzung von 1972 konfrontiert haben, war er total überrascht! Er hat nicht gewusst, dass Frau Dr. Basedow die Unterlagen seines Vaters hatte, aber auch sonst weiß niemand, wo sie sind. Die Erpressten gehen wahrscheinlich einfach davon aus, dass Lessing sie hat.«

Bodensteins Intuition wehrte sich gegen Pias Theorie. Krampfhaft bemühte er sich, den richtigen Weg in dem Gewirr falscher Fährten zu identifizieren.

»Das ist doch sowieso unwichtig«, mischte sich Nicola Engel

ein. »Sämtliche Straftatbestände sind längst verjährt oder waren nie welche, weil die Täter strafunmündig waren.«

»Diese Patientenunterlagen sind Beweise«, widersprach Pia.

»Beweise wofür? Die Kinder haben sich verletzt. Dafür kann es völlig harmlose Erklärungen geben.« Die Kriminalrätin spielte den Advocatus Diaboli und bewies wieder einmal detaillierte Aktenkenntnis. »Karl-Heinz Herold war meines Wissens Schlosser. Eine Quetschung mit Verlust eines Fingers ist ein typisches Berufsrisiko. Außerdem haben wir doch Geständnisse von Lessing und Frau Hansen, oder nicht?«

»Leider keine richtigen Geständnisse.« Pia schüttelte den Kopf.

»Dann sehen Sie zu, dass Sie welche bekommen«, antwortete Dr. Nicola Engel.

»Ich glaube, wir sehen das alles viel zu rational«, schaltete sich Kim ein, die die Diskussion bisher schweigend verfolgt hatte. »Hier geht es darum, ein totgeschwiegenes Dorfgeheimnis zu bewahren. Da sind Befindlichkeiten im Spiel, alte Feindschaften. Es geht um Macht und Ansehen. Die Wahrheit könnte die Hierarchie des Dorfes erschüttern. Und deshalb würde ich an eurer Stelle nicht an den Verstand der Leute appellieren, sondern an ihr Herz und ihr Gewissen. Ihr müsst sie emotional erreichen, nur so könnt ihr sie zum Reden bringen.«

Eine Tür ging auf. Das Gewirr von Stimmen schwoll an und wurde wieder leiser.

»Ich könnte etwas sagen.«

Alle wandten den Kopf, und Bodensteins Herz machte beim Anblick von Karoline einen Hüpfer. Dann wanderte sein Blick zu der Frau, die neben ihr stand. Valentina. Arturs Schwester. Aus dem hübschen, langbeinigen Mädchen mit den blonden Zöpfen war eine schlanke, attraktive Frau mittleren Alters geworden. Ihre Schönheit verschlug Bodenstein für einen Moment den Atem. Das ehemals blonde Haar war ergraut, aber ihre Augen waren dieselben wie früher: kornblumenblau und hellwach und doch voller Traurigkeit.

»Ich denke, das wäre sehr emotional, wenn ich als Arturs Schwester zu den Leuten spreche.« Diese Stimme, warm und melodiös, löste in Bodenstein sofort Erinnerungen an fröhliche

Abende bei den Berjakovs aus. Genauso hatte die Stimme ihrer Mutter geklungen. Arturs Augen, schoss es Bodenstein durch den Kopf. Aber der Gedanke schmerzte nicht, sondern fühlte sich tröstlich an.

»Valentina!«, sagte er und lächelte. »Du hast dich ja gar nicht verändert!«

»Ich habe dich auch sofort wiedererkannt.« Valentina lächelte ebenfalls. Ihr Deutsch war flüssig und ohne jeden Akzent. »Du siehst aus wie dein Vater früher!«

Sie betrachteten sich forschend, wohlwollend nach etwas Vertrautem in den gealterten Gesichtszügen des anderen suchend. Bodenstein hatte Valentina zuletzt gesehen, als sie siebzehn oder achtzehn gewesen war. Nach ihrem Abitur war sie zum Studium, für das sie ein Stipendium bekommen hatte, nach England gegangen, und danach hatte er sie nie wiedergesehen.

»Ich danke dir, dass du hergekommen bist«, sagte Bodenstein rau. In einer herzlichen Geste streckte sie beide Hände aus, und er ergriff sie.

»Und ich danke dir, dass du nie aufgegeben hast«, erwiderte Valentina. Sie war offenbar nicht zornig auf ihn, trug ihm nicht nach, dass er versagt hatte. »Mama war sehr froh, als ich ihr erzählt habe, dass man Artur endlich gefunden hat.«

»Ach!« Bodenstein war erstaunt. »Ich wusste nicht, dass deine Mutter noch lebt!«

»Sie ist jetzt sechsundachtzig. Nach Papas Tod ist sie zu mir nach Long Island gezogen.« Zum ersten Mal lächelte Valentina, aber es war ein trauriges Lächeln. »Leider ist sie dement. Die guten Tage sind selten geworden.«

Sie ließen sich los. Bodenstein stellte Valentina seine Kollegen vor.

»Es könnte wirklich sehr hilfreich sein, wenn Sie jetzt gleich ein paar Worte an die Presse richten«, sagte Pia. »Trauen Sie sich das zu?«

»Ja, selbstverständlich.« Valentina nickte. »Ich werde alles tun, um herauszufinden, was damals geschehen ist.«

Und plötzlich wusste Bodenstein, wie die Pressekonferenz ablaufen musste. Kim hatte völlig recht. Es spielte keine Rolle, was sie bisher herausgefunden und welche Vermutungen sie hatten. Hier und jetzt ging es darum, das Schweigen zu brechen.

***

Wo blieb Tariq? Er hätte längst hier sein müssen! Bodenstein blickte durch den Türspalt in die Halle. Vor dem Podium drängte sich die Presse. Ein Wald an Mikrophonen war vor dem Tisch aufgebaut, an dem Pia, Staatsanwalt Rosenthal, Valentina Berjakov und Nicola Engel Platz genommen hatten. Hinter der Phalanx der Presseleute mit ihren Kameras und Mikrophonen hatte sich halb Ruppertshain versammelt. Bodenstein registrierte bekannte Gesichter in der Menge und auch viele junge Leute, Freunde von Pauline Reichenbach wahrscheinlich. Er sah Wieland mit Frau und Tochter. Bandi. Sonja Schreck und ihren Mann Detlef, Irene Vetter, Jakob Ehlers mit Patrizia und seiner Mutter. Die Pokornys, die Hartmanns, Klaus Kroll. Frau Dr. Basedow. Luzia Landenberger vom Hospiz Abendrot. Auch seine Eltern waren gekommen, zusammen mit Quentin und Marie-Louise. Die Morde bewegten die ganze Region. Dass Reichenbachs nicht hier, sondern lieber im Krankenhaus bei ihrer Tochter waren, fand Bodenstein nachvollziehbar. Und es verwunderte ihn auch nicht, dass Edgar Herold und Henriette Lessing fehlten.

Ob es Angst war oder letztendlich eher Sensationslust und Neugier, die die Menschen hierhergetrieben hatte, spielte keine Rolle. Je mehr Informationen die Leute bekamen, desto höher war die Chance, dass jemand, der etwas beobachtet hatte, angesichts der Attacke auf Pauline auch den Mut haben würde, darüber zu sprechen. Die Wahrheit war ganz nah. Irgendjemand musste nur sein Schweigen brechen.

Niemand achtete auf ihn, als er die Küche verließ. Alle folgten aufmerksam den einführenden Worten von Dr. Engel. Cem hatte sich vorne mit dem Rücken zum Podium postiert, den Blick auf die Menge gerichtet, wie ein Ordner bei einem Fußballspiel.

»Oliver!« Bodensteins Vater streckte die Hand aus, als er an ihm vorbeiging. Er blieb stehen und ging in die Hocke.

»Was ist?«

»Hier, das sind die Fotos, die dein Kollege uns geschickt hat«, flüsterte sein Vater und zog eine Stofftasche unter dem Stuhl hervor. »Wir wissen ja nicht, wonach ihr genau sucht, deshalb haben wir einfach die Namen der abgebildeten Leute hinten drauf geschrieben. Ich hoffe, das hilft euch weiter.«

»Das ist großartig. Danke für eure Mühe.«

»Wer ist die Frau da neben deiner Chefin?« Seine Mutter beugte sich vor und musterte ihn prüfend.

»Das ist Valentina Berjakov.« Bodenstein hängte sich den Stoffbeutel über die Schulter. »Sie ist extra aus New York gekommen.«

Nun war Pia an der Reihe. Sie schilderte die Morde und die jeweiligen Tatumstände, dann sprach sie über Pauline. Neben dem Tisch stand eines dieser modernen Multimedia-Whiteboards, das von Kai per Laptop bedient wurde. Fotos der Opfer zu ihren Lebzeiten waren zu sehen, das Fahndungsfoto von Elias Lessing. Als das lachende Gesicht von Pauline erschien, ging ein kollektives Aufseufzen durch die Menge.

»Heute Morgen wurde die Leiche einer weiblichen Person im Waldfreundehaus aufgefunden«, sagte Pia. »Wir gehen davon aus, dass sie das fünfte Opfer unseres Täters ist. Dieser Täter kennt sich sehr gut in der Gegend aus, und wir nehmen an, dass sein Anblick jedem von Ihnen hier vertraut ist, so dass er nicht auffällt. Deshalb bitten wir Sie, darüber nachzudenken, ob Sie zu den Zeitpunkten, an denen die Morde geschahen, rings um die Tatorte zufällig eine Beobachtung gemacht haben, die Ihnen vielleicht unwichtig erschien.«

Noch einmal zählte sie die Tatorte, Daten und Uhrzeiten auf. In der Halle war es mucksmäuschenstill. Bodenstein konzentrierte sich darauf, Klaus Kroll, Konni Pokorny und Andi Hartmann im Auge zu behalten. Pia hielt sich exakt an die besprochene Choreographie, die den Täter in die Ecke treiben sollte. Es war die Idee von Kim Freitag gewesen, einen Massen-Gentest bei allen Männern zwischen zwanzig und siebzig Jahren anzukündigen, um den Druck zusätzlich zu erhöhen.

»Wir nehmen an, dass das Motiv für die Verbrechen die Verdeckung einer Straftat ist, die sich vor vielen Jahren hier in Ruppertshain ereignet hat.« Pias Stimme klang ruhig und ernst, als sie nun zum Kernthema der Pressekonferenz kam. Auf dem Whiteboard erschien das Foto von Artur mit Maxi im Arm. Er lachte in die Kamera, voller Lebensfreude und scheinbar sorglos.

»Am Sonntag wurden die sterblichen Überreste von Artur Berjakov gefunden, der am 17. August 1972 verschwunden ist. Man hatte seine Leiche zusammen mit dem toten Fuchs Maxi in eine Grabstätte auf einem privaten Familienfriedhof gelegt. Die Älteren unter Ihnen werden sich an die Ereignisse gut erinnern. An die Ermittlungen der Kriminalpolizei. An die Befragungen. Und auch daran, dass zwei Männer fälschlich der Tat verdächtigt wurden. Dass durch Fehler und falsche Verdächtigungen damals die Existenzen von zwei Familien zerstört wurden. Wir glauben, dass heute Leute unter uns sitzen, die die Wahrheit kennen und wissen, was damals passiert ist. Die uns und den Angehörigen sagen könnten, wie und warum ein elfjähriger Junge sterben musste. Wir hoffen, dass diese Leute – anders als früher – die Kraft und den Mut finden, mit uns zu reden, bevor noch mehr Menschen den Tod finden.«

Pia verstummte. Sofort bestürmten die Journalisten sie mit Fragen.

»Wie kommen Sie darauf, dass die Morde mit diesem alten Fall zu tun haben könnten?«, rief jemand.

»Es gibt ganz klare Indizien dafür«, antwortete Pia.

»Welche?«

»Aus ermittlungstaktischen Gründen kann ich Ihnen dazu momentan nicht mehr sagen«, sagte Pia. »Nur so viel: Uns liegen zwei Geständnisse vor.«

Für ein paar Sekunden herrschte atemlose Stille in der Halle. Klaus Kroll, Andi Hartmann und Konni Pokorny rührten sich nicht. Wer von den älteren Ruppertshainern mochte wissen, von wem die Rede war? Niemand wandte den Kopf. Die Menschen saßen reglos auf ihren Stühlen, wie eingefroren, als fürchteten sie, sich durch Blicke oder unbedachte Bewegungen verdächtig zu machen. Ein Indiz für das kollektive schlechte Gewissen eines ganzen Dorfes.

»Sie bekommen später noch ausführlich Gelegenheit, Fragen zu stellen«, sagte Pia zu den Journalisten. Auf dem Whiteboard wurde kurz ein Foto von Arturs Skelett eingeblendet, auf das die Leute mit einem erschrockenen Atemholen reagierten. Sofort erschien wieder das Bild des lächelnden Artur mit Maxi auf dem Schoß. Pia hielt die Ausführungen über das Ergebnis der rechtsmedizinischen Untersuchung bewusst knapp: Artur hatte sich bei einem Sturz aus beträchtlicher Höhe Knochenbrüche zugezogen. Außerdem wiesen seine Oberschenkelknochen Trümmerbrüche auf, die darauf deuteten, dass er von einem Auto überrollt worden war. Das waren Fakten, die es vor zweiundvierzig Jahren nicht gegeben hatte.

Denkt nach, Leute. Erinnert euch!

»Heute ist Arturs Schwester bei uns«, sagte Pia dann. »Sie lebt in New York, ist aber sofort hierhergereist, als sie erfahren hat, dass die sterblichen Überreste ihres Bruders nach zweiundvierzig Jahren gefunden wurden. Bitte, Frau Berjakov.«

Gemurmel brandete im Saal auf, und die Unruhe legte sich erst wieder, als Valentina das Mikrophon aus der Halterung nahm und aufstand. Sie trat hinter dem Tisch hervor und ging bis zum vorderen Rand des Podiums. Stand eine Weile nur da und sah die Menschen an, die vor ihr saßen. Eine schöne Frau in einem schlichten schwarzen Kleid, Bindeglied zwischen einer längst vergessen geglaubten Vergangenheit und dem Heute. Ein Blitzlichtgewitter ging auf sie hernieder. Mit so etwas hatte niemand gerechnet. Diese Geschichte würde der Aufmacher in allen Medien sein.

»Vor fünfundvierzig Jahren«, begann sie mit klarer Stimme, »durfte meine Familie aus der damaligen Sowjetunion nach Deutschland ausreisen. Wir sprachen Deutsch und fühlten uns als Deutsche, denn unsere Urahnen waren im 18. Jahrhundert nach Russland ausgewandert, weil sie sich dort ein besseres Leben erhofften. Aber nach dem Zweiten Weltkrieg wurden alle Deutschstämmigen von Stalin nach Sibirien oder Kasachstan deportiert. Die Eltern meines Vaters änderten ihren deutschen Namen Berger in Berjakov, aber das nützte nicht viel. Noch fünfundzwanzig Jahre nach Kriegsende litten die Deutschen unter extremer Unterdrückung und Ausgrenzung, eine Chancengleichheit gab es nie. Ich war zwölf Jahre alt, als wir endlich nach Deutschland einreisen durften, unsere Einbürgerungsurkunden und deutsche Pässe erhielten. Wir zogen nach Ruppertshain, weil dort eine weit entfernte Verwandte lebte. Wir waren Deutsche in Deutschland, das dachten wir zumindest. Aber uns schlug Ablehnung entgegen. Mehr als das: Es war blanker Hass. In der Sowjetunion hatte man uns ›Faschisti‹ genannt, hier waren wir die ›Iwans‹, die Drecksrussen. Für meinen kleinen Bruder Artur und mich war das ein Schock. Wir konnten die Feindseligkeit, die uns entgegengebracht wurde, nicht verstehen. Wir hatten niemandem etwas getan. Unsere Eltern hatten Jobs angenommen, die sonst niemand machen wollte. Besonders Artur lebte in ständiger Angst, weil er von den Jungen aus dem Dorf bedroht und verprügelt wurde. Zu Hause sprach er nicht darüber, er wollte nicht, dass unsere Eltern sich Sorgen machten. Artur war ein lieber Junge, aufgeweckt, talentiert und klug. Er wollte aufs Gymnasium gehen, um später Gehirnchirurg oder Astronaut zu werden, aber es war ihm nicht vergönnt, eine Zukunft zu haben.«

Sie hielt kurz inne und holte tief Luft. Ihre Stimme war gefasst. Keine Theatralik, keine Anschuldigungen, keine Bitterkeit. Ein tapfer getragenes ungerechtes Schicksal. Eine schöne Frau, umgeben von einer Aura der Traurigkeit, die sich nicht anmerken ließ, wie schwer es ihr fallen mochte, über all das zu sprechen und die vernarbten Wunden damit wieder aufzureißen. Die Kameras klebten an ihr.

»Am Abend des 17. August 1972 begegnete mein Bruder den falschen Menschen. Er kam nicht mehr nach Hause. Unser Leben war danach nie mehr dasselbe. Zweiundvierzig Jahre lang lebten wir in Ungewissheit darüber, was ihm zugestoßen war. Meine Eltern sind daran zerbrochen, und ich habe mir damals geschworen, niemals mein Herz an einen Menschen oder ein Tier zu hängen. Artur war nicht das einzige Opfer dieses Mörders. Meine Eltern waren genauso seine Opfer. Und auch ich. Arturs Mörder tötet immer weiter. Er ist jemand, den Sie wahrscheinlich alle kennen. Er lebt hier. Wenn Sie etwas wissen, schweigen Sie nicht länger! Erinnern Sie sich, und haben Sie den Mut, zur Polizei zu gehen! Bitte! Sorgen Sie dafür, dass nicht noch mehr Menschen sterben und noch mehr Familien leiden müssen. Ich bedanke mich für

Ihre Aufmerksamkeit, auch im Namen von Artur, der sich so sehr darauf gefreut hat, erwachsen zu sein und es nicht werden durfte. Wäre er nicht ermordet worden, dann wäre er heute vierundfünfzig Jahre alt.«

Die Betroffenheit der Menschen war beinahe mit Händen zu greifen. Einige Frauen wischten sich die Augen. Bodenstein bemerkte, dass er die Luft angehalten hatte, so ergriffen war er von Valentinas Worten. Sie legte das Mikrophon auf den Tisch und verließ die Bühne. Die Journalisten drängten nach vorne, schrien ihre Fragen durcheinander, so dass der Pressesprecher keine Chance hatte, jemandem das Wort zu erteilen, und schulterzuckend aufgab.

›Großartig‹, dachte Bodenstein tief berührt. Genau das hatte er sich erhofft. Er hatte im Gefühl, dass jetzt etwas in Bewegung kommen würde.

* * *

Bodenstein hatte die Schönwiesenhalle als Erster verlassen. Pia hatte ihm nahegelegt, sich im Hintergrund zu halten und die Gespräche mit seinen früheren Schulkameraden ihr und Lombardi zu überlassen, denn sie befürchtete, dass seine Anwesenheit die Aussagebereitschaft hemmen würde. Deshalb stand er nun am Rande des kleinen Vorplatzes und beobachtete die Leute, die, teils schweigsam und bedrückt, teils empört und aufgeregt diskutierend, an ihm vorbeiströmten. Scheue Blicke streiften ihn und wurden rasch niedergeschlagen, wenn er sie erwiderte. Niemand war erpicht darauf, mit ihm zu sprechen. Die Pressekonferenz hatte sie aufgewühlt, aber würde das reichen, um endlich jemanden zum Reden zu bringen?

Im Laufe seines Berufslebens hatte Bodenstein Stück für Stück den Idealismus verloren, der ihn zu Beginn seiner Karriere beseelt hatte, dennoch hatte er bisher daran geglaubt, dass es mehr anständige als böse Menschen auf dieser Welt gab. Aber stimmte das? Er blickte in die Gesichter der Leute und erkannte mit wachsender Frustration die niederschmetternde Wahrheit: Den meisten von ihnen war es scheißegal, was hier passierte. Sie waren heilfroh, dass es nicht sie und ihre Familien getroffen hatte.

Auf seine Bequemlichkeit und die Sicherheit seiner kleinen, beschränkten Welt bedacht, würde sich niemand von ihnen freiwillig exponieren, indem er bei der Polizei anrief. Vielleicht spielte auch die Sorge eine Rolle, einen Nachbarn anzuschwärzen und später als Außenseiter dazustehen, sollte sich der Verdacht als falsch herausstellen. So betrachtet, konnte man den Leuten dieses Verhalten nicht einmal verübeln.

Bodenstein ging um die Schönwiesenhalle herum zu seinem Auto. Tariq Omari hatte sieben Mal versucht, ihn zu erreichen. Bodenstein rief ihn zurück.

»Hat's geklappt?«, fragte er.

»Nein!«, erwiderte Tariq. »Er war nicht an der Trauerhalle. Ich bin den ganzen Friedhof abgelaufen und habe mit Kellers Kollegen gesprochen, aber die wussten auch nicht, wo er ist. Ich fürchte, er hat sich aus dem Staub gemacht.«

»Der Mann ist körperlich eingeschränkt und hat nur ein Mofa«, entgegnete Bodenstein mit einem Anflug von Verärgerung. »Weit kann er nicht sein.«

»Was soll ich jetzt machen?«

»Kommen Sie nach Ruppertshain. Wir treffen uns am Haus von Kellers Mutter in der Wiesenstraße.«

Er beendete das Gespräch und blieb abrupt stehen, denn gerade kletterten Andi Hartmann, Konni Pokorny und Klaus Kroll mit versteinerten Mienen in einen Mannschaftsbus. Als der Bus vom Parkplatz rollte, betrat Bodenstein durch den Hintereingang die Küche der Mehrzweckhalle. Karoline wandte sich zu ihm um, bemerkte seine Anspannung.

»Ich kümmere mich um Valentina«, versicherte sie ihm. »Mach dir darüber keine Gedanken.«

»Danke.« Bodenstein zwang sich zu einem Lächeln, dann machte er sich auf die Suche nach Pia. Sie wartete mit Kim hinter der Bühne darauf, dass die Presseleute Valentina endlich gehen ließen.

»Leo Keller ist verschwunden«, sagte Bodenstein. »Tariq und ich fahren jetzt noch mal zu seiner Mutter. Vielleicht ist er ja nach Hause gefahren, weil er Angst bekommen hatte.«

»Okay.« Pia runzelte die Stirn. »Der Landrover von Frau Molin ist hier in der Nähe im Wald auf einem Parkplatz gefunden worden.«

»Elias hat ihn dort abgestellt und ist zu Fuß zu seinen Eltern gelaufen«, vermutete Bodenstein. »Und dann hat er den BMW seiner Mutter mitgenommen. Aber er kann sich nicht ewig verstecken. Irgendwann muss er tanken, und dann haben wir ihn.«

»Ich mache mir Sorgen um das Mädchen«, erwiderte Pia. »Was, wenn er Nike als Geisel nimmt?«

»Das wird er nicht tun.« Bodenstein versuchte, überzeugend zu klingen, doch wirklich sicher war er sich nicht. Der Junge war eine tickende Zeitbombe. »Der Killer, der hinter ihm her ist, ist die größere Gefahr für die beiden und das Baby.«

»Ich lasse die Reichenbachs gerade an der BGU abholen und nach Hofheim bringen«, sagte Pia. »Ich will sie alle zusammenhaben, wenn die Stunde der Wahrheit schlägt, alle Neune, sozusagen. Heute geht mir keiner ohne Geständnis, und wenn es bis morgen früh dauert.«

Sie wirkte trotzig und gleichzeitig besorgt, und Bodenstein wusste, dass sie nicht mehr lockerlassen würde, bis sie ein Ergebnis hatte. Er kannte dieses Gefühl, diese prickelnde und zugleich eiskalte Jagdlust, die Müdigkeit und Erschöpfung vergessen und einen über sich hinauswachsen ließ. Für einen Kriminalpolizisten war sie so unabdingbar wie Geduld, Durchhaltevermögen, Belastbarkeit und eine gute Kombinationsgabe. Ihm selbst war sie abhandengekommen. Von Monat zu Monat entfernte er sich mehr von seiner Höchstform, und dieser verdammte Fall kostete ihn nun auch seine allerletzten Ressourcen. Ihn trieb eine völlig andere Motivation an, nämlich ein höchst unprofessioneller Drang nach Vergeltung.

***

»Mist.« Elias schlug mit der flachen Hand auf das Lenkrad. »Wir müssen tanken.«

Schon seit dem Morgen stand die Tanknadel auf Reserve, die Reichweite betrug mittlerweile nur noch 60 Kilometer. Alles gestaltete sich viel komplizierter, als er das geplant hatte. Über die Autobahn in das Ferienhaus seiner Eltern nach Frankreich zu fahren kam nicht mehr in Frage. Nike hatte behauptet, die Bullen könnten mit Hilfe der Kameras in den Kontrollbrücken für die LKW-Maut automatisch Nummernschilder von Autos erkennen. Elias hatte keine Ahnung, ob das stimmte, aber ein Risiko wollte er nicht eingehen. Und alle Tankstellen waren videoüberwacht. Sobald er an eine Zapfsäule fuhr, würden sie ihn haben.

Was sollte er jetzt tun? Wo konnten sie die Nacht über bleiben? Er hatte überlegt, einfach bei einem anderen Auto die Kennzeichen abzuschrauben, aber dagegen hatte Nike heftig protestiert. Was hatte sie geglaubt, was das hier werden würde? Ein Urlaub? Elias' Nerven lagen blank, und die ganze Situation wurde auch nicht eben besser, wenn Nike dauernd flennte. Ihre anfängliche Begeisterung über die ungewohnte Freiheit war schlagartig verschwunden, als sie zum ersten Mal die Suchmeldung der Polizei im Radio gehört hatten, die jede halbe Stunde nach den Verkehrsnachrichten gesendet wurde.

Die Polizei sucht im Zusammenhang mit mehreren Mordfällen nach dem 19-jährigen Elias Lessing. Er ist mit einem schwarzen BMW X5 mit dem Kennzeichen MTK-HB 129 unterwegs. Elias Lessing ist 1,78 groß und sehr schlank, er ist dunkelblond und trägt das Haar kurz. Möglicherweise trägt er zeitweise eine Brille. Er ist in Begleitung der 17-jährigen Schülerin Nike Haverland, die im neunten Monat schwanger ist. Elias Lessing ist bewaffnet und gefährlich. Bitte nähern Sie sich ihm nicht, wenn Sie ihn sehen, sondern setzen Sie sich mit der nächsten Polizeidienststelle in Verbindung.

Nike hatte wissen wollen, welche Mordfälle gemeint waren. Schließlich hatte er zugegeben, dass er Felicitas tot in der Badewanne gefunden hatte. Er habe nichts damit zu tun, das hatte er Nike hoch und heilig geschworen, dennoch hatte er die Zweifel in ihren Augen gesehen. Unter hinter den Zweifeln die Angst.

Auf dem Waldparkplatz am kleinen Feldberg war nichts los. Das konnte ein Vorteil sein, aber auch eine Gefahr, denn ein einzelnes Auto fiel natürlich auf. Aber er hatte keinen Spielraum mehr. Keinen Sprit im Tank. Keinen Unterschlupf.

»*Und hier noch eine Meldung der Polizei*«, tönte es wieder aus den Lautsprechern. Elias schaltete abrupt das Radio aus.

»Eli«, flüsterte Nike mit zittriger Stimme. »Bitte. Lass uns doch vernünftig sein.«

»Mann, ich hab dir das schon hundert Mal erklärt!«, fuhr er auf. »Ich hab keinen Bock auf Knast!«

»Aber was willst du denn machen? Du kannst dich doch nicht ewig verstecken!«

Die Wahrheit in diesen Worten war das Schlimmste an der ganzen Sache. Er konnte nicht für den Rest seines Lebens auf der Flucht sein, nicht einmal mehr drei Tage lang, das hielt er nervlich nicht durch.

Wieso war er nicht einfach in dem beschissenen Wohnwagen geblieben? Warum hatte er neugierig draußen herumschleichen müssen? Nur, weil dieser Typ, der den Wohnwagen angezündet hatte, ihn gesehen hatte und durch die verdammten Suchmeldungen seinen Namen kannte, war er überhaupt in diese Scheißlage geraten!

»Die Frau von der Kripo war eigentlich voll nett«, sagte Nike zaghaft. »Wenn wir der alles erklären, dann wird alles wieder gut.«

Wie naiv sie war! Nichts würde jemals wieder gut werden! Er hatte Felicitas bestohlen, er war ohne Führerschein Auto gefahren, er hatte seine Familie mit einer Waffe bedroht und in den Keller gesperrt. Und wahrscheinlich würden sie ihm den Mord an Felicitas anhängen! Elias ließ den Kopf auf das Lenkrad sinken. Plötzlich hatte er keine Kraft mehr. Er wollte keine Angst mehr haben müssen. Warum kriegten die Bullen den Kerl nicht, der ihn umbringen wollte? Dann wäre alles vorbei, und er könnte ein neues Leben anfangen. Zusammen mit Nike. Und bald mit einem Baby, das nur ihnen beiden gehören würde.

»Was machen wir, wenn es dunkel wird?«, fragte Nike. »Wir sind mitten im Wald.«

»Ich kenn mich hier aus«, erwiderte er dumpf. »Mach dir keine Sorgen. Ich passe auf dich auf.«

»Das weiß ich.«

Er spürte ihre Hand auf seinem Oberschenkel und er ergriff sie. Sie vertraute ihm. Noch. Er musste aufgeben, sonst würde er alles, was zwischen ihnen war, für immer zerstören.

»Okay«, sagte er. »Morgen früh gehen wir zur Polizei.«

»Echt?«

Elias wandte den Kopf und blickte Nike an. Sah ihr Lächeln und den Hoffnungsschimmer in ihren Augen.

»Ja. Echt.« Er zwang sich auch zu einem Lächeln, dann ließ er den Motor an. »Ich weiß, wo wir heute Nacht bleiben können.«

***

Tariq wartete schon vor dem Hoftor von Annemie Keller. Im Erdgeschoss des dreistöckigen Hauses in der Wiesenstraße befand sich der ehemalige Gemischtwarenladen, der seit mehr als vierzig Jahren geschlossen war. Die von der Sonne ausgebleichten Jalousien waren bis auf den Boden heruntergelassen, und hinter der Glastür hing ein vergilbtes Schild mit der Aufschrift »Vorübergehend geschlossen«. Bodenstein erinnerte sich bei diesem Anblick an einen Fall, der ihn und Pia in ein anderes Dorf geführt hatte. Auch dort hatte die Dorfgemeinschaft unbarmherzig eine Familie und deren Existenz zerstört, indem sie die Eltern eines Verdächtigen in Sippenhaft genommen hatte.

Er drückte auf die Klingel, und wenig später öffnete sich ein Fenster im ersten Stock. Die alte Frau Keller beugte sich heraus.

»Du schon wieder.« Ihr Mangel an Begeisterung war nicht zu überhören. »Der Leo ist nicht da.«

»Wir müssen mit Ihnen reden, Frau Keller«, sagte Bodenstein unbeeindruckt. »Leo ist verschwunden, und ich mache mir deshalb Sorgen.«

Die Alte starrte ihn ein paar Sekunden lang von oben an wie ein Habicht die Beute. Dann schloss sie kommentarlos das Fenster.

»Und was jetzt?«, fragte Tariq.

»Wir warten«, antwortete Bodenstein. »Sie ist nicht mehr so gut zu Fuß.«

»Ich hatte jetzt aber nicht unbedingt den Eindruck, als ob sie mit uns reden wollte«, zweifelte Tariq.

»Doch«, versicherte Bodenstein ihm. »Warten Sie's ab.«

Ein paar Minuten verstrichen. Dann rumorte es hinter dem Hoftor. Ein Schlüssel drehte sich im Schloss, und der schmale Teil des Tores ging auf. Die Alte musterte Tariq kurz, winkte sie durch das Tor und schloss es hinter ihnen wieder sorgfältig ab. Der quadratische, mit Verbundsteinen gepflasterte Hof war picobello sauber gekehrt. Kein einziges Unkraut wuchs in den Fugen; der kleine Gemüsegarten im hinteren Teil war ordentlich angelegt, und in den Beeten blühten die letzten Herbstblumen. Zur Straße hin erstreckte sich ein Flachbau, der früher einmal ein Pferdestall gewesen sein mochte.

»Der Leo ist unschuldig«, schickte die Alte voraus. »Der hat das, was die ihm damals vorgeworfen haben, nicht getan!«

»Das glauben wir auch nicht«, erwiderte Bodenstein. »Aber wir hätten ihn trotzdem gern für ein paar Tage zu seinem eigenen Schutz bei uns untergebracht. Ich habe kein gutes Gefühl, wenn ich nicht weiß, wo er ist.«

»Er hat Angst, dass das alles wieder von vorne losgeht.« Die alte Frau umklammerte die Griffe ihres Rollators. Unter der blassen, altersfleckigen Haut schlängelten sich blaue Adern. »Und ich auch. Der Leo ist ein guter Bub. Er hat mich nie im Stich gelassen. Und er hat's nicht einfach gehabt. Für den Leo wär's leichter gewesen, wenn er hier weggegangen wäre, damals. Aber er wollt mich nicht allein lassen. Es quält den Bub, dass er nicht mehr weiß, was passiert ist.« Ihre Stimme wurde brüchig, in ihren wässrig blauen Augen schimmerten Tränen. »Du weißt doch, was sie damals mit uns gemacht haben! Keiner ist mehr zu uns gekommen. Die Straßenseite haben sie gewechselt, nur um nicht bei uns am Haus vorbeigehen zu müssen! Und dann diese ganzen bösen Gerüchte, von wegen, der Leo hätte was mit kleinen Jungs gehabt! Er war doch Fußballtrainer und hat das so gerne gemacht. Mein Bub hat sich keinen anderen Rat mehr gewusst, als sich das Leben zu nehmen!«

Sie schluchzte auf und verzog gleichzeitig das Gesicht. Der alte Schmerz war noch immer da, genauso wie die quälende Ungewissheit.

»Frau Keller, wir möchten Leo beschützen.« Bodenstein beugte sich vor und legte seine Hand auf die der Alten. »Wir haben herausgefunden, dass er damals gar keinen Selbstmordversuch begangen hat. Jemand wollte ihn mit dem Bolzenschussgerät umbringen.«

»Was?« Ein Ausdruck verständnisloser Überraschung erschien auf dem Gesicht der Alten. »Aber ... aber ... das haben doch alle gesagt! Die Polizisten! Und die ganzen Ärzte! Jeder hier im Ort hat das gesagt. Man hat doch dieses Gerät in seiner Hand gefunden.«

»Jemand hat einen Mordanschlag auf Leo verübt und es so aussehen lassen, als ob er sich umbringen wollte«, entgegnete Bodenstein. »Wir haben dafür Beweise.«

Diese Neuigkeit überforderte die alte Frau. Sie presste eine Hand auf ihre Brust, dann schob sie den Rollator zu einer Holzbank, die an der Hauswand stand, und ließ sich mit einem Ächzen nieder. Sie putzte sich die Nase, ließ das Papiertaschentuch achtlos fallen. Ihr Blick irrte durch den Hof.

»Ich versteh das nicht«, krächzte sie verwirrt. »Die ganzen Spezialisten. Die Kriminalpolizei. Die können sich doch nicht so geirrt haben! Das ist doch bloß ein Trick von euch, oder?«

Sie sah Bodenstein argwöhnisch an, und ihm wurde bewusst, was diese Frau in ihrem Leben durchgemacht hatte. Er erinnerte sich daran, wie großzügig sie und ihr Mann früher gewesen waren. Jedes Kind, das in ihren Laden gekommen war, hatte in die Bonbonkiste greifen dürfen. Sie hatte angeschrieben, wenn jemand nicht genug Geld dabeigehabt hatte, und die Schulden nie eingefordert. Man hatte es ihr nicht gedankt. Die Ächtung der Dorfgemeinschaft hatte ihren Mann in den Alkohol und das Lebensmittelgeschäft in den Bankrott getrieben. Die alte Frau hatte jeden Grund, misstrauisch zu sein.

»Nein, Frau Keller. Leo ist unschuldig«, versicherte Bodenstein ihr. »Wir wissen, dass er damals nichts getan hat. Jemand hat ihn zum Sündenbock gemacht, um von sich abzulenken.«

»Gottogottogott«, murmelte die Alte. Eine Träne rann über ihre runzelige Wange, dann noch eine. »Was mach ich denn jetzt? Ach, wenn doch mein Heinz noch leben würde! Aber ich bin ganz allein, ich hab doch nur den Leo.«

»Und so soll es ja auch bleiben«, versicherte Bodenstein ihr geduldig. »Wo kann er denn jetzt sein? Ich muss mit ihm sprechen.«

Annemarie Keller schnäuzte sich ein weiteres Mal, wischte die Tränen von den Wangen und richtete sich auf. Die Unsicherheit war aus ihrem Blick verschwunden und hatte einem anderen Ausdruck Platz gemacht.

»Ich hab nie glauben wollen, dass der Leo einen Selbstmordversuch gemacht hat. Ich kenn doch meinen Bub«, sagte sie. Ihr Tonfall hatte sich verändert. »Der das meinem Leo angetan hat, ist das derselbe, der jetzt die Rosie, ihren Bub und den Pfarrer umgebracht hat?«

»Das wäre möglich«, räumte Bodenstein vorsichtig ein.

»Und er ist hier aus dem Ort?« In ihren Augen lag plötzlich ein unheilvolles Glitzern, das bei Bodenstein alle Alarmglocken schrillen ließ.

»Das nehmen wir an, ja.«

»So.« Frau Keller starrte in den Hof und kaute auf ihrem Gebiss. »Ich hab den Leo angerufen, heute Morgen, nachdem du hier gewesen bist. Ich hab ihm gesagt, er soll sich irgendwo verstecken, bis das alles vorbei ist.«

»Aber warum denn das?«

»Weil wir beide keinem mehr trauen«, erwiderte die alte Frau mit einem bitteren Lächeln. »Erst recht nicht der Polizei.«

* * *

»Ich kann's ihr ehrlich gesagt nicht verdenken«, sagte Bodenstein zu Tariq Omari, als sie wieder auf der Straße standen. »Unsere Kollegen haben Leo damals vorverurteilt und ihn ohne jeden echten Beweis als Täter abgestempelt, nur um die Akte schließen zu können. Jeder glaubt seitdem, Leo habe Artur missbraucht, umgebracht und seine Leiche irgendwo verscharrt. Selbst wenn wir jetzt den wahren Täter finden sollten, macht es das erlittene Unrecht nie mehr wett.«

»Sind Sie denn fest davon überzeugt, dass er es damals wirklich nicht gewesen ist?«, wollte Tariq wissen. »Er kann der Mann gewesen sein, mit dem sich Rosie Herold getroffen hat. Eine Frau will ihn gesehen haben, wie er aus dem Wald kam. Warum sollte sie sich das ausgedacht haben?«

»Natürlich bleiben Zweifel«, gab Bodenstein zu. »Aber bei uns gilt eben die Unschuldsvermutung, bis es einen handfesten Beweis für die Täterschaft gibt.«

Er steckte die Hände in die Jackentaschen und starrte nachdenklich zum Zauberberg hinauf, der majestätisch über dem Dorf thronte. Die Sonne war untergegangen, es dämmerte. Am herbstklaren Himmel war die blasse Sichel des Mondes zu sehen. Wo würde er an Leos Stelle hingehen, um sich zu verstecken? Hatte er Freunde, denen er vertrauen konnte?

»Die Hütte«, sagte er schließlich, mehr zu sich selbst als zu Tariq und ging zu seinem Auto. »Fahren Sie hinter mir her.«

Sie fuhren die Wiesenstraße entlang bis zur Schönwiesenhalle, ließen die Autos dort auf dem Parkplatz stehen und gingen die schmale Straße vor dem Sportplatz hinunter, die zum Modellflugplatz im Tal und nach Gut Bodenstein führte. Auf der linken Seite befanden sich hinter rostigen Maschendrahtzäunen und hohen Hecken Privatgrundstücke, die nicht sonderlich gepflegt waren.

»In den sechziger und siebziger Jahren haben Leute aus Frankfurt hier Ackergrundstücke gekauft und illegal Wochenendhäuschen darauf gebaut«, erklärte Bodenstein. »Alle pflanzten kleine Tannen, weil die am schnellsten wachsen. Leider haben sie sich später, als sie älter wurden, nicht mehr richtig gekümmert, und dann ist das passiert.«

Ungehindert waren Tannen, Brombeerhecken und Unterholz in die Höhe gewachsen und bildeten nun einen dichten, finsteren Wald, in dem hier und da heruntergekommene und halb verfallene Hütten standen. Ein einziges Grundstück bildete eine Ausnahme: Es war gepflegt und so akkurat aufgeräumt wie der Hof von Witwe Keller.

»Das ist Leos Hütte«, sagte Bodenstein und rüttelte leicht am Drahttor, das nicht nur abgeschlossen, sondern zusätzlich mit einem stabilen Fahrradschloss gesichert war. »Hier waren wir als Kinder oft. Da gab es die Bäume noch nicht, und wir haben auf der Wiese Fußball gespielt.«

»Wie wollen wir da reinkommen?«, wollte Tariq wissen.

»Wir klettern über den Zaun«, erwiderte Bodenstein, hob das Bein und klemmte eine Schuhspitze in eine Zaunmasche.

»Das ist Hausfriedensbruch, Chef«, erinnerte Tariq ihn.

»Wie bitte? Ich kann Sie nicht verstehen.« Bodenstein schwang sich über das Tor. »Na los, kommen Sie schon.«

»Das ist Anstiftung zum Hausfriedensbruch.« Tariq zuckte die Schultern. »Nur fürs Protokoll.«

Hinter den kleinen Fenstern der Hütte war es dunkel. Leo Kellers Mofa war nirgendwo zu sehen. Eine dicke Schicht Tannennadeln dämpfte das Geräusch ihrer Schritte, als sie um die Hütte herumgingen. Unter den Bäumen war es bereits so finster, dass man kaum die Hand vor Augen sehen konnte.

»Niemand da«, stellte Tariq fest. »Brechen wir jetzt etwa auch noch ein?«

»Worauf Sie sich verlassen können«, antwortete Bodenstein und ging zur Haustür. Sie war nicht abgeschlossen, Leo schien sich auf das Fahrradschloss am Tor zu verlassen. Bodenstein betrat die Hütte und betätigte den Lichtschalter. Die Deckenlampe ging an. Im Innern roch es klamm und unbewohnt. Eine Staubschicht bedeckte die wenigen Möbel. Auf dem blanken Fliesenboden lag hier und da Mäusekot.

»Sieht nicht wirklich bewohnt aus«, stellte Tariq fest. »Aber kürzlich muss jemand da gewesen sein.«

»Wie kommen Sie darauf?«

»Abdrücke von Schuhsohlen im Staub.« Tariq wies auf den Boden. »Da, sehen Sie! Jemand ist quer durch die Hütte gegangen.«

»Sehr gut«, sagte Bodenstein anerkennend. »Machen Sie ein paar Fotos.«

Er folgte vorsichtig, um sie nicht zu verwischen, den Schuhabdrücken bis in die Küche. In dem kleinen Raum gab es eine Küchenzeile mit Oberschränken, Herd, Backofen und Kühlschrank. Einen Tisch mit zwei Stühlen. An der Wand hing ein Kalender von 2011, der zuletzt im März umgeblättert worden war. Nichts stand herum. Das Spülbecken war trocken. Bodenstein öffnete den Kühlschrank, der abgeschaltet und dessen Tür nur angelehnt war. Sofort stieg ihm der typisch kupfrige Geruch von Blut in die Nase. Die Fächer waren leer, bis auf ein paar Tütchen Senf und zwei Dosen Bier. Im Eisfach entdeckte er eine Plastiktüte. Sein Puls beschleunigte sich. Er zog ein Paar Latexhandschuhe aus der Jackentasche und streifte sie über, dann nahm er die Tüte heraus. Sie war nicht besonders schwer. Bodenstein warf einen

Blick hinein. Kein abgetrenntes Körperteil, nur ein Stofflappen, in den etwas eingewickelt worden war. Vorsichtig nahm er den Lappen heraus und schlug ihn auseinander. Beim Anblick des Küchenmessers mit der blutverschmierten Klinge wurde sein Herz schwer. Noch vor zwanzig Minuten hatte er der alten Frau Keller voller Überzeugung versichert, er halte Leo für unschuldig. Und nun das!

»Chef, ich habe alles …« Tariq betrat die Küche und verstummte. »Was ist das?«

»Ein T-Shirt voller Blutflecken«, erwiderte Bodenstein. »Und ein Küchenmesser. Beides war in einer Plastiktüte eingewickelt im Eisfach des Kühlschranks versteckt.«

»Oh«, machte der junge Mann nur.

»Ich glaube, ich habe mich geirrt«, murmelte Bodenstein deprimiert. Pia hatte recht. Seine persönliche Verwicklung in diesen Fall hatte seine Objektivität getrübt und ihn aus lauter Rachsucht auf eine falsche Fährte geführt.

»Wir brauchen die Spurensicherung«, sagte er. »Und einen Durchsuchungsbeschluss für die Wohnung von Keller.« Er stieß einen Seufzer aus. »Außerdem müssen wir Leo zur Fahndung ausschreiben.«

***

»Warte kurz im Auto«, sagte er zu Nike. »Ich gucke erst mal, ob die Luft rein ist.«

»Nein, lass mich bitte mitkommen!« Sie griff ängstlich nach seinem Arm. »Ich will nicht allein hierbleiben, mitten im Wald. Hier ist's so unheimlich.«

Elias zögerte einen Moment, dann zuckte er die Schultern. Er vergaß immer wieder, dass die meisten Leute den Wald nachts als bedrohlich empfanden. Anders als er. Er fühlte sich in der Stille des Waldes wohl.

»Okay«, sagte er.

Er hatte den schwarzen BMW zwischen den dichten Tannen hinter der Scheune geparkt, wo man ihn auf den ersten Blick nicht sehen konnte. Sie stiegen aus, und Nike griff nach seiner Hand.

»Wo sind wir hier?«, flüsterte sie.

»Hier wohnt ein Freund von mir«, erwiderte er.

»*Hier?* Mitten im Wald?«

»Ja. Das ist eine alte Mühle.«

Was hatte die Polizei hier wohl gewollt? Waren sie wegen Pauline hier gewesen? Sie duckten sich unter den tiefhängenden Ästen der Tannen hindurch und erreichten das kleine Tor, durch das man den hinteren Hof der Mühle betrat. Trockene Äste knackten unter ihren Schuhen, eine Eule flog dicht über ihren Köpfen hinweg. Nike stieß einen Schreckenslaut aus und drängte sich dichter an ihn.

»Was war das?«, wisperte sie.

»Nur eine Eule.«

»Oh Gott, ich hab so 'ne Angst!«

»Musst du nicht haben. Ich bin doch bei dir.«

Elias hob den Kopf und lauschte. In der vollkommenen Stille war das Gluckern des Baches das einzige Geräusch. Das Summen des Stromaggregats war verstummt, was bedeutete, dass die Bullen die Plantage in der Scheune entdeckt und abgeräumt hatten. Er versuchte, das Tor zu öffnen, aber es ließ sich nicht bewegen.

»Komm, wir gehen vorne rum«, sagte er und zog Nike mit sich. Seine Augen hatten sich an die Dunkelheit gewöhnt, er kannte hier jeden Quadratzentimeter und hatte keine Mühe, sich durch das Unterholz zu bewegen. Nike strauchelte und stolperte immer wieder und wäre hingefallen, wenn er sie nicht gestützt hätte. Plötzlich stöhnte sie schmerzerfüllt auf und blieb stehen. Sie ließ ihn los und presste beide Hände auf den Bauch.

»Was hast du?«, fragte er besorgt.

»Da war so ein Schmerz«, flüsterte sie angstvoll. »Ich glaub, ich muss mich mal hinlegen. Und ich muss ganz dringend aufs Klo.«

»Kannst du gleich«, versicherte er ihr. »Deshalb sind wir ja hier. Komm, es sind nur noch ein paar Meter.«

Er ergriff wieder ihre Hand und zog sie hinter sich her. Sie hatten die Einfahrt erreicht. Im Hof stand Ralfs alter Volvo mit geöffneter Heckklappe. Die Hunde rührten sich nicht, und im Haus war alles dunkel. Irgendetwas stimmte hier nicht.

»Ich glaube, er ist nicht da«, sagte Elias leise.

»Und was jetzt?« Nikes Stimme zitterte. Sie war den Tränen nahe. Wäre er allein gewesen, so hätte er im Auto übernachtet oder irgendwo im Wald. Aber Nike war in keiner guten Verfassung. Seine Sorge um sie und das Baby war stärker als das komische Gefühl, das ihn beschlichen hatte.

»Ich weiß, wo ein Schlüssel liegt«, antwortete er. »Wir bleiben heute Nacht hier.«

»Ist das denn okay? Wir können doch nicht einfach in das Haus reingehen!«

»Ralf ist ein Freund von mir. Er hat ganz sicher nichts dagegen.« Elias bückte sich und hob einen Blumentopf an, in dem eine Hortensie vertrocknet war. Er tastete nach dem Schlüssel, fand ihn und schloss die Haustür auf. Sie betraten das Haus. Als er die Tür hinter sich abschloss, verspürte er zum ersten Mal seit Tagen Erleichterung. Hier waren sie sicher. Die Polizei würde nicht so bald zurückkehren.

Elias knipste die Stehlampe neben der Kommode an und dimmte das Licht, dann zeigte er Nike die Toilette.

»Komm, jetzt legst du dich erst mal auf die Couch.« Er streichelte zärtlich ihr Gesicht, und sie lehnte sich gegen ihn.

»Er tritt mich die ganze Zeit«, flüsterte sie, nahm seine Hand und legte sie auf ihren Bauch. »Merkst du das?«

»Ja!« Unwillkürlich schossen ihm die Tränen in die Augen. Sein Sohn! Sein Kind! Bald würde es da sein, leben, atmen und nur ihnen gehören!

Nike lächelte ihn an. Sie war so wunderschön. Und sie war bei ihm. Alles andere zählte nicht. Später konnte er wieder darüber nachdenken, wie alles weitergehen würde. Jetzt waren sie fürs Erste in Sicherheit und konnten sich ausruhen. Er legte den Arm um Nikes Schulter, führte sie ins Wohnzimmer und erstarrte. Das Blut gefror in seinen Adern. Im Halbdunkel vor ihnen stand ein Mann, er hatte ein Gewehr auf sie gerichtet. Elias begriff, dass er den größten Fehler seines Lebens gemacht hatte, als er Nike hierhergebracht hatte.

***

Es war eine stumme Runde, die sich um den großen Tisch in einem fensterlosen Besprechungsraum im Untergeschoss der Regionalen Kriminalinspektion eingefunden hatte. Die niedrige Decke ließ den Raum kleiner erscheinen, als er war. Das grelle Neonlicht verlieh den Gesichtern der Anwesenden einen ungesunden grünlichen Farbton. Niemand sagte etwas. Jeder wusste, warum er hier saß. Die Vergangenheit hatte sie eingeholt, die Stunde der Wahrheit, die sie nach so langer Zeit nicht mehr erwartet hatten, war gekommen. Wie aus alter Gewohnheit warfen die Männer Peter Lessing verstohlene Blicke zu, aber der einstige Wortführer der Kinderbande saß nur reglos am Kopfende des Tisches und starrte auf seine gefalteten Hände. War er ein Mörder? Dachte er an seinen Sohn, der in Lebensgefahr schwebte? An seine Frau? Oder nur daran, wie er sich relativ unbeschadet aus diesem ganzen Schlamassel herauswinden konnte?

Pia sah einen nach dem anderen an. Die Bande. Die Anführer. Die Mitläufer. Neben Lessing saß Klaus Kroll, ein Bruder von Rosie Herold und Patrizia Ehlers, Vorsitzender der Freiwilligen Feuerwehr, des Obst- und Gartenbauvereins, Ehrenvorsitzender des Sportvereins, Ortspolizist der Stadt Kelkheim und der letzte Nebenerwerbslandwirt in Ruppertshain, groß und gutmütig, mit vollem, dunklem Haar, das nur von wenigen grauen Strähnen durchzogen war. Jetzt konnte er seine Nervosität kaum verbergen, rutschte unruhig auf dem Plastikstuhl hin und her, wusste nicht wohin mit seinen riesigen Händen und seinen langen Beinen. Für ihn stand alles auf dem Spiel, was ihm etwas bedeutete: sein guter Ruf, sein Ansehen, seine Autorität. Was, wenn er die Morde begangen hatte? Er hätte, ohne Aufsehen zu erregen, Edgar Herolds Werkstatt betreten können. Er gehörte zu Ruppertshain wie die ehemalige Heilstätte und war deshalb so gut wie unsichtbar.

Pias Blick wanderte zu Andreas Hartmann. Für ihn galt dasselbe. Seine Metzgerei, über der er wohnte, lag direkt der Schlosserei Herold gegenüber. Auch er hatte viel zu verlieren. Erinnerte er sich noch an die Ächtung, die Leo Kellers Familie erlebt und die sie ruiniert hatte, nachdem man Leo für einen Kindermörder gehalten hatte? Ihm konnte Ähnliches widerfahren, wenn herauskam, was damals geschehen war. Laut Bodensteins Schilderung war Hartmann ein Hitzkopf, schnell gekränkt und gnadenlos nachtragend, aber trotz dieser Eigenschaften, die ihn nur schwer berechenbar machten, hielt Bodenstein ihn nicht für einen kaltblütig planenden Mörder, dafür war er letzten Endes nicht clever genug. Dasselbe traf auf Konstantin Pokorny, den Bäcker, zu, ein klassischer Mitläufer, der schon aufgrund seines enormen Leibesumfangs und seiner schlechten körperlichen Verfassung als Täter ausschied.

Pia warf einen Blick auf die Uhr an der Wand und wechselte einen Blick mit Gianni Lombardi. Wo blieb Bodenstein? Sollten sie ohne ihn anfangen? Sie wollte das Ganze jetzt und hier zu Ende führen.

Hartmann kaute heftig auf seinem Kaugummi herum. Die Hände in den Hosentaschen, die Beine unter dem Tisch ausgestreckt, wollte er den Eindruck von Selbstsicherheit erwecken, was ihm nicht gelang. Sein Blick zuckte hin und her, er fühlte sich genauso unwohl wie Konni, Edgar und Klaus.

Es klopfte an der Tür. Der Beamte, der auf einem Schemel neben der Tür saß, stand auf und öffnete. Alle wandten die Köpfe.

»Hallo, Jungs.« Ralf Ehlers grinste, als er sich auf den Stuhl am anderen Kopfende des Tisches setzte, den Lombardi ihm zuwies. »Schön, euch zu sehen. Ist ja fast wie in guten alten Zeiten, was?«

Niemand antwortete ihm. Seine Anwältin hatte zuerst heftig gegen Pias Idee protestiert, aber dann die Chance erkannt, die in diesem Deal für ihren Mandanten lag. Ehlers selbst war nur wichtig, dass seine Hunde gut versorgt waren, die drohende Strafe wegen der illegalen Haschplantage interessierte ihn nicht. Im Gegensatz zu allen anderen schien ihn die ganze Situation zu amüsieren.

Inka Hansen hingegen war wachsbleich mit tiefen Ringen unter den Augen. Ohne den Blick zu heben, setzte sie sich. Die erste Nacht in einer Zelle veränderte einen Menschen, der es nicht gewohnt war, eingesperrt zu sein. Die plötzliche Isolation, die Ohnmacht, das Gefühl, allein mit sich, seinen Gedanken und seiner Tat zu sein, ging an kaum jemandem spurlos vorbei. Diese Nacht hatte Inka Hansen zerbrochen. Sie war nur noch ein Schatten.

Zum Schluss kamen die Eltern von Pauline. Stumm nahmen sie Platz, mit rotgeweinten Augen dünsteten sie ihren Kummer und ihre Sorge aus jeder Pore. Befangenheit machte sich breit. Bis auf Ralf Ehlers traute sich keiner, die beiden auch nur anzusehen.

»So«, begann Pia. Sie stand hinter dem Stuhl von Peter Lessing, Lombardi hatte sich am gegenüberliegenden Kopfende positioniert. Die Luft war schon jetzt stickig. Es gab keine Getränke. Nur den blanken Tisch. Pia hatte kein Interesse daran, eine angenehme Gesprächsatmosphäre zu schaffen. »Sie wissen wohl alle, warum Sie hier sind.«

»*Ich* weiß es nicht«, schnappte Simone Reichenbach aggressiv. »Ich weiß nur, dass ich mich über Ihre Rücksichtslosigkeit beschweren werde. Uns ohne Vorwarnung vom Bett unserer Tochter wegzuzerren und hierher zu schleifen ist eine bodenlose Frechheit!«

»Wir versuchen, den Anschlag auf Ihre Tochter aufzuklären«, erwiderte Pia kalt. »Sie alle wissen, was damals passiert ist. Und wir wissen es jetzt auch. Wir möchten von Ihnen erfahren ...«

»Wie kommen Sie dazu, sich hier aufzuspielen wie die Großinquisition?«, fiel Simone Reichenbach ihr zornig ins Wort. »Mein Kind liegt im Koma, und Sie wärmen unter dem Vorwand, Morde aufklären zu wollen, eine uralte Geschichte auf!« Sie schob energisch den Stuhl zurück, stand auf und blickte in die Runde. »Warum lasst ihr euch den Scheiß gefallen? Wir waren Kinder damals – zehn, elf Jahre alt! Es war ein tragischer Unfall, sonst nichts!«

Roman wollte die Hand seiner Frau ergreifen, aber sie schüttelte ihn ab wie ein lästiges Insekt.

»Seit fünf Tagen bringt ihr es nicht fertig, Elias zu fassen!« Simone Reichenbach erhob anklagend die Stimme und wies mit dem Zeigefinger auf Peter Lessing. »Henriette und du, ihr lasst einen Geisteskranken frei herumlaufen! Jeder im Ort weiß, wozu der Kerl fähig ist! Wenn herauskommt, dass er meinem Kind etwas angetan hat, dann werde ich ihn mit meinen eigenen Händen in Stücke reißen!«

Lombardi warf Pia einen fragenden Blick zu, aber sie schüttelte nur leicht den Kopf. Nicht eingreifen.

»Ich glaub nicht, dass Elias der Pauline was getan hat«, meldete sich Ralf Ehlers zu Wort. »Ich kenne ihn. Er ist oft bei mir. Wie Pauline auch. Zu mir kommen sie, eure Kids, und kotzen sich bei mir aus, wenn sie verzweifelt sind und ihr ihnen nicht zuhört! Euch ist ja alles andere immer wichtiger: die Arbeit, der Erfolg, das Ansehen!«

»Ist ja auch leicht, den coolen Onkel für die Kinder von anderen Leuten zu spielen«, knurrte Roman Reichenbach. »Wir haben Pauline verboten, sich mit 'nem Penner wie dir abzugeben.«

»Sie kommt aber gerne zu ihrem Patenonkel.« Ralf Ehlers grinste boshaft, die Beleidigung ließ ihn kalt. »Eure Kinder fühlen sich bei mir wohl, weil ich sie ernst nehme und so respektiere, wie sie sind.«

»Tu nicht so, als ob du ein leuchtendes Beispiel für die Jugend wärst«, sagte Andi Hartmann zynisch. »Du bist ein Faulenzer, der sein Lebtag nix Gescheites geschafft hat!«

»Aus dir spricht doch der pure Neid.« Ehlers' Augen funkelten belustigt. »Ich hab sicher ein besseres Leben gehabt als ihr, die ihr wie die Ameisen geschuftet habt und von früh bis spät dem Mammon hinterher gehechelt seid. Ich war nie reich, aber ich hab auch nichts vermisst. Dafür hab ich die ganze Welt gesehen.«

»Sogar den Knast«, bemerkte Klaus Kroll.

»War auch 'ne Erfahrung.« Ralf zuckte die Schultern.

»Hast dich von Weibern aushalten lassen, pah!«, murmelte Konni Pokorny. »Das tät mir einfallen.«

»Welche Frau wollte dich wohl aushalten?«, entgegnete Ehlers. »Guck dich an, wie du aussiehst! Die Sylvia ist übrigens auch hin und wieder bei mir, raucht 'nen Joint und heult sich über ihr Scheißleben mit dir aus.«

»So was tät die nie mache!« Der dicke Bäcker lief rot an. »Red net so'n Mist!«

»Ich rede keinen Mist.« Ehlers gefiel es, die anderen zu provozieren. Er lehnte sich zurück und verschränkte die Finger über dem Bauch. »Setz dich hin, Simone. Ist so ungemütlich, wenn du da rumstehst wie ein Möbellaster mit 'nem Platten.«

»Wie sprichst du eigentlich mit meiner Frau?«, polterte Roman

Reichenbach los. »Du glaubst wohl immer noch, du könntest dir alles erlauben, was?«

»Kann ich doch auch.« Ehlers grinste. »Ich muss keinem Kunden in den Arsch kriechen wie ihr. Oder mich von 'ner giftigen Alten ankreischen lassen. He, Edgar, du hast dir doch sicher auch schon oft gewünscht, du hättest den Mumm, deiner Conny den Hals umzudrehen, damit sie endlich die Klappe hält, oder?«

»Deine Mutter schämt sich in Grund und Boden wegen dir«, zischte Simone Reichenbach, Speicheltröpfchen sprühten von ihren Lippen. »Wenn sie deinen Bruder und die Patrizia nicht hätte, wäre sie verraten und verkauft.«

»Sie hat die beiden ja. Warum soll ich mich auch noch kümmern? Dieser dämliche Familienkult geht mir eh auf den Sack.«

»Du hast dich echt überhaupt nicht verändert!«, stieß Roman Reichenbach angewidert hervor. »Immer noch dasselbe egoistische Arschloch.«

»Und du bist noch immer derselbe Feigling!«, gab Ralf ungerührt zurück. »Versteckst dich hinter deiner Frau, so, wie du dich früher hinter deiner Mama versteckt hast!«

Die Gemüter fingen an zu kochen, aber Pia dachte nicht daran, einzugreifen, obwohl es ein riskantes Spiel war. Bisher hatten Inka Hansen und Peter Lessing als Einzige zugegeben, was damals passiert war, allerdings ohne ins Detail zu gehen. Schwiegen die anderen weiterhin und leugneten sie, dann waren ihre Geständnisse nichts wert. Geduldig wartete Pia darauf, dass sie bald die Polizisten ringsum, die Mikrophone und die Kamera vergessen und sich im besten Fall um Kopf und Kragen reden würden. Und es funktionierte. Unversehens taten sich Gräben voller Abneigung, Gift und Gehässigkeit auf. Waren sie zunächst gemeinsam auf Ralf Ehlers losgegangen, so hieß es bald: Jeder gegen jeden. Nur Peter Lessing, Inka Hansen und der schweigsame Klaus Kroll hielten sich heraus.

»Wer von Ihnen hat dem Fuchs das Genick umgedreht?«, fragte Lombardi unvermittelt, als alle kurz Luft holten.

»Er war's!«, riefen Hartmann, Edgar Herold und der dicke Bäcker ohne nachzudenken und deuteten auf Klaus Kroll. Eine Stille trat ein, in der man eine Stecknadel hätte fallen hören können. Ralf Ehlers applaudierte träge.

»Ihr Idioten«, sagte er. »Es gibt Leute, die geizen mit ihrem Verstand wie andere mit ihrem Geld.«

»Stimmt das, Herr Kroll?«, vergewisserte sich Pia. »Haben Sie den Fuchs getötet?«

»Ja, das stimmt«, entgegnete der Ortspolizist. »Ich hab ihm das Genick gebrochen.« Sein Blick wanderte zu Inka Hansen, und Hass zuckte über sein Gesicht. So heftige Emotionen nach so vielen Jahren! »Sie hat's von mir verlangt, weil sie es selbst nicht fertiggebracht hat. Aber sie hat den Fuchs gehasst.«

»Und was geschah dann?«, fragte Pia. Ihr Handy vibrierte. Sie zog es hervor und las die Nachricht, die Bodenstein ihr geschickt hatte.

»Als der Fuchs tot war, bin ich nach Hause gerannt«, antwortete Kroll. »Da hat Artur noch gelebt. Ja, ich habe ihn im Stich gelassen, das ist wahr. Aber keiner von uns konnte ihn leiden.«

»Sie haben vor Arturs Augen den Fuchs getötet und riskiert, dass er das erzählen würde?« Lombardi schüttelte den Kopf. »Das ist schwer zu glauben.«

»So war's aber.« Kroll zuckte die Schultern. »Das mit Maxi tat mir schon in der Sekunde leid, als ich's getan habe. Ich hab's bereut, sehr sogar. Seitdem ist kein Tag vergangen, an dem ich nicht an den Fuchs gedacht habe. Ein paar Mal war ich noch im Wald und hab ihn gesucht, weil ich ihn wenigstens beerdigen wollte.« Seine fleischigen Lippen verzogen sich zu einem bitteren Lächeln. »Aber mir war's damals egal, ob Artur das Oliver erzählen würde oder nicht. Alles, was mir wichtig war, war Inka. Dass sie mich nur ausgenützt hat, hab ich erst später begriffen. Zu spät.«

***

Wie betäubt blickte sich Bodenstein in Leo Kellers Wohnung um, die sich in dem langgestreckten Bau befand, der früher einmal ein Pferdestall gewesen war. Niedergeschmettert erkannte er, dass er vollkommen versagt und die gesamte Ermittlung in eine falsche Richtung geführt hatte. Parkettfußböden, geschmackvolle Möbel, eine moderne Küche, ein Arbeitszimmer mit Bücherregalen, die an drei Wänden bis unter die Decke reichten. Auf dem Schreibtisch ein Computer und Stapel von Notizzetteln und Computerausdrucken. Fitnessgeräte. Neben dem Bett im Schlafzimmer ein Buch, darauf eine Lesebrille. *Bleeding Edge* von Thomas Pynchon. Nicht unbedingt die Lektüre, die man bei einem städtischen Arbeiter mit einer Hirnschädigung erwarten würde.

Beinahe sein ganzes Erwachsenenleben lang hatte Bodenstein in Kelkheim gewohnt und Leo gelegentlich aus der Ferne gesehen, auf seinem Mofa oder wie er mit einer Brigade der städtischen Arbeiter Blumen pflanzte, Bäume beschnitt, Schnee räumte oder Mülleimer leerte. In seiner orangefarbenen Arbeitsuniform gehörte er zum Stadtbild, und Bodenstein hatte ihn nie mit Arturs Verschwinden in Verbindung gebracht, das er selbst verdrängt hatte, nur mit der mysteriösen Tragödie, die den gutaussehenden, sportlichen jungen Mann so früh zum Krüppel und gesellschaftlichen Außenseiter gemacht hatte. Aber jetzt war es anders.

Was war damals passiert? Warum das dilettantisch ausgeführte Attentat mit dem Schussapparat? Wer hatte es getan? Und – wer war Leo Keller wirklich?

»Chef?« Cem tauchte im Türrahmen auf. Er war direkt vom Waldfreundehaus hierhergekommen und hatte Kröger und das Team der Spurensicherung gleich mitgebracht. Die alte Frau Keller hatte sich zuerst geweigert, die Tür zu dem ehemaligen Pferdestall aufzuschließen, bis Bodenstein ihr damit gedroht hatte, sie aufbrechen zu lassen. Ein Blick in die beiden Zimmer im zweiten Stock des Hauses hatte ihm genügt, um festzustellen, dass Leo dort ganz sicher nicht wohnte.

»Was gibt's?« Bodenstein wandte sich um.

»Wir haben etwas gefunden. Das solltest du dir ansehen.«

Er folgte Cem in den Vorraum. Jemand hatte die Klapptreppe zum Speicher heruntergezogen, und Bodenstein kletterte hinter Cem die steile Treppe hoch. Über dem ehemaligen Pferdestall befand sich ein Raum, in dem man kaum aufrecht stehen konnte. Unter einem Dachfenster stand ein alter Sessel, umgeben von mehreren weißen Tafeln, auf denen in verschiedenen Farben zahlreiche Namen notiert waren. Pfeile verbanden einige der Namen, manche waren durchgestrichen, andere eingekreist. Bodensteins Blick fiel auf den Namen, der über allen anderen stand, wie eine fettgedruckte Überschrift: ARTUR BERJAKOV.

Bodenstein fröstelte, als er die durchgestrichenen Namen las.

~~Raimund Fischer~~ † 1973
~~Franziska Hartmann~~ † 1978
~~Heinz Keller~~ † 1981
~~Hans-Peter Lessing~~ † 1984
~~Karl-Heinz Herold~~ † 1998
~~Gerlinde Lessing~~ † 2001
~~Heribert Hansen~~ † 2001
~~Rosie Herold~~ † 2014
~~Clemens Herold~~ † 2014
~~Adalbert Maurer~~ † 2014

»Sieht aus wie die Todesliste eines Serienkillers«, bemerkte Cem neben ihm. »Eines äußerst planvoll und organisiert vorgehenden Serienkillers noch dazu.«

Das passte nicht. Leo hatte schwere Hirnverletzungen davongetragen. Er hatte monatelang im Koma gelegen. Er war nicht in der Lage, so etwas zu tun. Oder doch?

»Verstehst du, was das zu bedeuten hat?«, fragte Christian Kröger. Mit einer Mischung aus Grauen und Faszination starrte Bodenstein auf die Tafeln. Erinnerungen an Begegnungen mit Leo Keller explodierten in seinem Kopf. Die unbeholfene Art, sich zu bewegen. Das Gestammel. Der leere Blick. Die Speichelfäden, die ihm aus dem Mundwinkel tropften. Es wollte Bodenstein nicht gelingen, diesen Menschen mit dem in Verbindung zu bringen, was er hier sah. Das war einfach unmöglich.

»Nein, ich verstehe es nicht«, erwiderte er. »Ich fürchte nur, wir sind einer gigantischen Täuschung aufgesessen. Über vierzig Jahre lang.«

***

»So«, sagte Pia energisch. »Jetzt ist Schluss mit den gegenseitigen Anschuldigungen. Beruhigen Sie sich alle, und seien Sie kooperativ, dann sind wir hier in fünf Minuten fertig.«

Die knappe Nachricht, die Bodenstein ihr geschickt hatte, ließ diese Vernehmung plötzlich unwichtig erscheinen. Aber Lombardi und sie waren jetzt zu weit gekommen, als dass sie abbrechen konnte. Sie musste es durchziehen, so schnell wie möglich.

Mit verschränkten Armen ging sie um den Tisch herum und blickte in die Gesichter der neun Menschen, die schon lange keine Freunde mehr waren.

»Sie alle, die Sie hier sitzen, leben seit zweiundvierzig Jahren in dem festen Glauben, ein Kind getötet zu haben«, begann sie. »Sie waren selbst noch Kinder, als Sie etwas getan haben, was nach den Maßstäben unserer Gesellschaft moralisch verwerflich und asozial war. Sie haben nämlich ein Kind, das Sie nicht mochten, gemobbt, wie man heute sagen würde. Für das, was am Abend des 17. August 1972 passiert ist, sind Sie alle bereits bestraft worden. Ihr schlechtes Gewissen hat Ihr Leben überschattet, denn ich nehme an, dass keiner von Ihnen je vergessen hat, was an diesem Tag geschah.«

Die Augen von Pokorny, Hartmann und dem Ehepaar Reichenbach folgten ihr mit einer Mischung aus Hoffnung und der stummen Bitte um Absolution, alle anderen vermieden den Blickkontakt.

»Sie haben sich damals geschworen, mit niemandem über das, was passiert war, zu sprechen. Obwohl Sie noch Kinder waren, wussten Sie also, dass Sie etwas Böses getan hatten. Es ist reine Spekulation, wenn ich sage, dass Sie Artur das Leben hätten retten können, wenn Sie sofort Hilfe geholt hätten, anstatt ihn verletzt und hilflos im Wald zurückzulassen. Sie haben billigend in Kauf genommen, dass Artur noch Schlimmeres zustößt. Auch über die Motivation für dieses Verhalten kann man nur spekulieren. Hatten Sie Angst vor einer Strafe, oder war Ihnen der Junge einfach völlig gleichgültig? Was es auch war, damit muss sich jeder von Ihnen selbst auseinandersetzen, für uns spielt das keine Rolle. Fakt ist, dass irgendjemand von Ihnen das vereinbarte Stillschweigen gebrochen hat, denn Ihre Eltern haben erfahren, was passiert ist. Vielleicht durch die Verletzungen, die Sie sich im Wald zugezogen hatten, vielleicht, weil einen von Ihnen doch sein Gewissen gedrückt hat oder der Mitteilungsdrang stärker war als der Schwur. Wie auch immer. Ihre Eltern haben davon erfahren und haben sich der Sache angenommen – mit fatalen Folgen für alle Beteiligten.«

Pia blieb hinter dem Stuhl von Simone Reichenbach stehen und musterte Edgar Herold. Für das, was sie jetzt vorhatte, hatte sie keinerlei Beweise, es war ein Schuss ins Blaue.

»Herr Herold«, sprach sie den Schlosser direkt an. »Wir vermuten, dass Sie derjenige waren, der seinen Eltern erzählt hat, was Sie getan haben.«

Alle starrten den Mann an. Sein Kopf zuckte hoch, lief flammendrot an.

»Das stimmt nicht! Ich schwör's!«, beteuerte er heftig. »Ich hätt mir eher die Zunge abgebissen, als was zu erzählen! Das müsst ihr mir glauben, wirklich!«

Pia wurde kurz flau vor Erleichterung, denn es war genau die Antwort, die sie sich erhofft hatte.

»Ich glaube Ihnen, Herr Herold«, sagte sie. »Und jetzt erzähle ich Ihnen, was ich denke, wie es abgelaufen ist. Ihre Mutter Rosemarie hat sich an diesem Abend mit jemandem getroffen, wie sie es hinter dem Rücken Ihres Vaters öfter getan hat. Vielleicht hatte sie ein Schäferstündchen, auf jeden Fall war es etwas Verbotenes, was unter keinen Umständen herauskommen durfte. Artur hatte es trotz seiner schweren Verletzungen irgendwie geschafft, bis zur Straße oder an einen Waldparkplatz zu gelangen, in der Hoffnung, dort Hilfe zu finden. Den toten Fuchs, an dem er sehr gehangen hatte, wollte er nicht einfach im Wald liegenlassen, deshalb hat er ihn mitgenommen. Ob es letztendlich ein Unfall war oder Absicht – er wurde von einem Auto überrollt, höchstwahrscheinlich vom Auto Ihrer Mutter, Herr Herold, die Artur möglicherweise mit ihrem Liebhaber überrascht hatte. In ihrer Panik und der Angst vor Entdeckung wussten Ihre Mutter und ihr heimlicher Liebhaber sich nicht anders zu helfen, als die Leiche des Jungen irgendwo zu verstecken. Vielleicht war er schon tot, aber vielleicht haben sie ihn auch getötet, bevor sie seine und

Maxis Leiche in ein Grab auf dem alten und längst nicht mehr genutzten Familienfriedhof der von Bodensteins gelegt haben.«

»Oh mein Gott«, flüsterte Simone Reichenbach und presste die Hand vor den Mund. Auch alle anderen waren erschüttert. Erst ganz allmählich sickerte ihnen die Tatsache ins Bewusstsein, dass nicht sie Artur umgebracht hatten, wie sie es all die Jahre geglaubt hatten, sondern jemand anderes, doch das machte es nicht besser. Im Gegenteil. Sie hätten ihn retten können. Sie hatten es aber nicht getan.

»Danach ist Folgendes passiert«, fuhr Pia fort. »Herr Dr. Lessing, der damalige Arzt in Ruppertshain, erfuhr von der Sache. Wie und von wem – das wissen wir nicht. Aber er hat dafür gesorgt, dass Rosemarie Herold, ihr Liebhaber und Sie alle ungestraft davongekommen sind. Sein Schwager Raimund Fischer, der damals Leiter der Königsteiner Polizei war, verzögerte die Einschaltung der Kripo um fast eine Woche. Herr Dr. Lessing ließ die Patientenakten von Ihnen allen, in denen die Verletzungen dokumentiert waren, die Sie sich an dem Abend zugezogen hatten, scheinbar uneigennützig verschwinden. Die Kripo wurde bewusst irregeführt. Zuerst mag das alle erleichtert haben, aber dann hat Herr Dr. Lessing begonnen, die Beteiligten mit seinem Wissen zu erpressen. Er hatte die Unterlagen nämlich nicht vernichtet, sondern aufbewahrt. Ihm ging es nur um Macht. Und die war ihm danach sicher. Er hatte Ihre Eltern damit alle in der Hand.«

Pia bemerkte, wie sich die Stimmung im Raum veränderte.

»Dr. Lessing senior ist auf diese Weise in Ruppertshain sehr mächtig geworden«, sagte sie. »Er war schon vorher ein einflussreicher Mann im Ort gewesen, doch nun hatte er die Kontrolle, weil ihm eine Menge Leute zur Dankbarkeit verpflichtet waren. Aber Menschen hassen es, dankbar sein zu müssen. Lessing war zwar mächtig, aber unbeliebt. Als er starb, weinte ihm niemand eine Träne nach. Und genau so, wie es sein Vater gemacht hat, hat auch Peter Lessing Sie alle bis heute im Griff gehabt. Er war damals Ihr Anführer. Er hatte das Sagen, und Sie alle haben ihm gehorcht. Das Geheimnis, mit dem er Sie erpresst hat, ist keins mehr. Wir wissen, dass Sie Artur nicht getötet haben.«

Alle Blicke wanderten zu Elias' Vater. Unsicherheit und Angst verwandelten sich in Hass und Verachtung.

»Ich möchte, dass Sie jetzt versuchen, sich an die Ereignisse jenes Abends zu erinnern«, sagte Pia. »Vielleicht fallen Ihnen Details ein, die Sie im Laufe der Zeit vergessen oder verdrängt haben. Namen. Gerüchte. Vermutungen. Wenn wir wissen, mit wem Rosie Herold sich an jenem Abend getroffen hat, dann haben wir denjenigen, der bis heute mit allen Mitteln versucht, dieses Geheimnis zu bewahren. Denjenigen, der vier Menschen ermordet hat und wahrscheinlich auch Pauline umbringen wollte.«

Simone Reichenbach schluchzte auf.

»Das ist so lange her«, gab Klaus Kroll zu bedenken. »Falls die Rosie sich mit einem Mann getroffen hat, dann ist der doch auch längst tot.«

»Wenn derjenige damals Anfang zwanzig war, dann ist er heute Anfang sechzig«, antwortete Pia. »Und falls er wirklich nicht mehr lebt, dann hat er vielleicht einen Sohn, der verhindern möchte, dass der gute Ruf seines Vaters post mortem beschädigt wird.«

Für einen Moment war es ganz still.

»An dem Abend ist meine Mutter nicht nach Hause gekommen«, begann ausgerechnet Edgar Herold, und alle bis auf Pia schienen davon überrascht. Der Mann stützte die Ellbogen auf den Tisch und verbarg sein Gesicht in den Händen. Seine Stimme klang dumpf, als er weitersprach. »Mein Vater hat vor Zorn getobt, aber er konnte nicht weg, denn sie hatte das Auto. Er war betrunken, wie meistens, und hat seine Wut an mir ausgelassen. An meinen Bruder Clemens wagte er sich nicht mehr ran, vor dem hatte er Schiss, weil der mal zurückgeschlagen hatte. Irgendwann war er so besoffen, dass er eingepennt ist, und Clemens und ich sind losgelaufen, um nach unserer Mutter zu suchen. Es hatte ein heftiges Gewitter an dem Abend gegeben, und wir hatten Angst, dass sie vielleicht einen Unfall gebaut hat. Auf der Straße sind wir dem Leo begegnet, unserem Fußballtrainer. Der war ein Kumpel von meinem Bruder und er war total aufgebracht. Ich dachte, er wäre noch sauer auf uns, wegen dem miesen Fußballspiel. Clemens ist wütend geworden und wollte sich mit Leo prügeln. Ich hatte nur ein paar Wörter aufgeschnappt und wollte von Clemens wissen, warum unsere Mutter eine Nutte sei und was das überhaupt bedeute. Das hat er mir aber nicht gesagt.« Er blickte auf und sah Pia mit einem Ausdruck an, der die ganze Verzweiflung über ein verpfuschtes Leben widerspiegelte. Sein derbes Gesicht war aschfahl. Vor ihr saß ein ängstlicher elfjähriger Junge, der aus Selbstschutz gegen die Lieblosigkeit, Gewalt und Verlogenheit, die in seinem Elternhaus geherrscht hatte, hart und zynisch geworden war. Plötzlich tat der Mann Pia leid. »Seit dieser Nacht frage ich mich, was wohl mit Artur passiert ist. Ich kann das alles nicht vergessen. Nichts war danach mehr so wie vorher. Meine Mutter und mein Vater haben sich nur noch angeschrien und geprügelt, und ich habe geglaubt, es wäre meine Schuld.«

Sein Blick fiel auf Peter Lessing, der noch kein einziges Mal den Kopf gehoben hatte.

»Du hast uns das alles eingebrockt!«, explodierte der Schlosser plötzlich. »*Du* warst es, der nicht mehr umkehren wollte! Du hast Konni und Roman angeschrien, weil sie zum Gutshof laufen und Hilfe holen wollten! *Du* hast uns gezwungen, die Klappe zu halten und nichts zu sagen! Du ganz allein bist dran schuld, dass diese ganze Scheiße passiert ist, weil du dich mit dem Schiedsrichter angelegt und 'ne rote Karte gesehen hast! Deshalb haben wir das Spiel verloren! Deshalb mussten wir zu Fuß nach Hause laufen, und nur deshalb warst du so wütend, dass du dich auf Artur gestürzt hast, als wir ihn getroffen haben!« Herold sprang auf, sein Stuhl kippte um. »Erzähl doch mal, wie du uns deine Lügengeschichte eingebläut hast, damit wir bloß alle dasselbe sagen und sich niemand verquatscht!«

Peter Lessing blickte auf und starrte Herold aus stumpfen Augen an. Pia hätte sich nicht gewundert, wenn er angesichts all dieser massiven Anschuldigungen die Fassung verloren hätte. Aber nichts schien ihn mehr zu berühren.

»Jetzt macht endlich das Maul auf und sagt die Wahrheit!«, schrie Edgar Herold seine früheren Freunde an, die steif und unbehaglich dasaßen. »Es nützt doch nichts mehr, zu lügen!«

»Edgar hat recht, aber nicht ganz«, sagte Ralf Ehlers schließlich. »Peter hat uns verboten, Hilfe zu holen. Er hat Artur nicht gemocht, so wie wir alle. Aber Inka war's, die neidisch auf Artur gewesen ist, weil er der beste Freund von Oliver war und der nichts mehr mit uns zu tun haben wollte.«

»Ist das wahr?«, fragte Pia in die Runde.

Zögern. Unbehagen. Niemand blickte Inka Hansen an, die wie erstarrt dasaß und auf ihre Hände blickte.

»Ja, des stimmt«, bestätigte der dicke Bäcker schließlich. »Die Inka, die hatte eigentlich bei uns das Sagen. Und der Peter, der hat sie deswegen gehasst.«

Alle anderen nickten zustimmend.

»Peters Geschichte war, dass wir Artur nicht begegnet sind«, ergänzte Roman Reichenbach. »Wir sind angeblich direkt von Schneidhain aus nach Hause gelaufen.«

Stille.

»Was genau ist denn nun tatsächlich passiert?«, fragte Gianni Lombardi. »Wenn Sie uns das gesagt haben, dürfen Sie aufstehen und gehen.«

Sie mussten das jetzt bis zum Ende durchfechten, auch wenn mittlerweile feststand, dass sie dem Mörder von Rosie und Clemens Herold und Pfarrer Maurer in diesem Moment damit nicht unbedingt näher kamen. Aber die Flut der Erinnerungen dieser Menschen konnte einen Namen emporspülen, der sie auf die richtige Spur führen würde.

»Wir haben Artur gejagt, bis er auf den Baum geklettert ist, so fix wie ein Eichhörnchen«, brach Edgar Herold das angespannte Schweigen. »Keiner von uns konnte so gut klettern. Wir haben unten gestanden und gewartet, dass er wieder runterkommt. Inka ist auf den Fuchs losgegangen, und der hat sie gebissen. Dann kriegte Klaus den Maxi zu fassen, und Inka hat ihn angeschrien, er solle ihm den Hals rumdrehen. Artur hat von oben geschrien, er solle es nicht tun, er würde ja runterkommen, aber da war's schon zu spät. Artur hatte es so eilig, dass er abgerutscht und runtergefallen ist. Simone, Klaus und Andi sind weggerannt. Dann Roman und Konni. Zum Schluss waren nur noch Ralf, Peter, Inka und ich da. Die Inka war wie irre, hat auf den Artur eingetreten, bis es Ralf und mir unheimlich wurde. Wir haben sie weggezerrt. Es hat schon gedonnert und geblitzt, und wir hätten Ärger gekriegt, wenn wir nicht vor dem Gewitter daheim gewesen wären.« Herolds Stimme zitterte. Eine Träne lief ihm über die unrasierte Wange. »Der Artur, der hat … der hat uns nachgerufen. Wir sollten ihm helfen, hat er gerufen. Ich … ich hab mich noch mal umgeguckt. Und ich werde das Bild nicht vergessen, bis ich sterbe. Wie er dalag, der Artur … und … und wie er den toten Fuchs umarmt und … und … geweint hat …« Die Tränen strömten ihm jetzt über das Gesicht. »Seit diesem Tag kann ich mich nicht mehr im Spiegel angucken. Ich schäme mich, weil ich zu feige war. Ich hab's bereut. Und ich hab dafür gebüßt, das können Sie mir glauben. Zweiundvierzig Jahre lang. Jeden beschissenen Tag.«

***

Nachdem Edgar Herold den Anfang gemacht hatte, war es den anderen plötzlich leichtgefallen, zu reden, und die Erleichterung, nach so langer Zeit diese Bürde los zu sein, war allen anzumerken gewesen. Allen bis auf Inka Hansen. Sie hatte kein Wort gesagt, auch nicht, als Lessing seinen alten Kameraden in schonungsloser Offenheit erzählt hatte, womit Inka ihn damals erpresst hatte. Pia hatte alle gehen lassen, bis auf Ralf Ehlers, der nach wie vor keine schlüssige Erklärung dafür geben konnte, wie das Brecheisen mit seinen Fingerabdrücken und den Blutspuren von Pauline auf die Wiese gelangt war.

Pia räumte ihre Unterlagen zusammen. Sie hatte es eilig, nach Ruppertshain zu kommen, um Bodenstein von den Ergebnissen der Vernehmung zu berichten. Die ganze Zeit über hatte sie dieses Flackern in ihrem Hinterkopf verspürt und das deutliche Gefühl, etwas übersehen zu haben. Es war nicht Lessings Vater gewesen, der sich mit Rosie Herold zu einem verbotenen Stelldichein getroffen hatte, dann hätte er wohl kaum die Beweise aufbewahrt, sondern einfach alle Spuren vernichtet. Nein, Lessing hatte die Gelegenheit erkannt, jemanden zu erpressen. Einen Konkurrenten im Wettstreit um die Vormachtstellung im Dorf? Oder einen, dessen Dankbarkeit für ihn wichtig gewesen war. Jemanden, der sehr viel zu verlieren gehabt hatte. War dieser Jemand der Vater von einem der Kinder gewesen?

Als sie die Treppe hochging, kam ihr wieder C. G. Jung in den Sinn. Sein *Prinzip der Synchronizität* bezeichnete zeitlich korrelierende Ereignisse, die nicht über eine Kausalbeziehung verknüpft sind, aber trotzdem als miteinander verbunden und aufeinander bezogen wahrgenommen werden. Pia hielt inne. Jetzt, da sie die Geschichte der Kinder kannte, war klar, dass genau das der Fall war. Die Kinder, die Artur gejagt und verletzt zurückgelassen hatten, hatten nichts mit dem zu tun, was Rosie Herold und der Unbekannte getan hatten. Es waren zwei Ereignisse, die sich nacheinander abgespielt hatten und nur im Nachhinein als zusammenhängend betrachtet wurden. Keines der Kinder hatte seinen Eltern etwas über den Vorfall im Wald verraten. Die Erwachsenen hatten ihre eigenen Schlüsse gezogen und – ob absichtlich oder unabsichtlich – ihre Kinder in dem Glauben gelassen, Artur umgebracht zu haben. Eine weitere Tragödie, hervorgerufen durch mangelndes Vertrauen seitens der Kinder und Dr. Lessings Gier nach Macht.

Aber wie passte Leonard Keller in die ganze Geschichte? Wenn er der Unbekannte gewesen wäre, der sich mit Rosie getroffen hatte, dann hätte er wohl kaum ihrem Sohn ins Gesicht gesagt, seine Mutter sei eine Nutte. Leo Keller hatte etwas beobachtet. Etwas ausgesprochen Verhängnisvolles. Mit wem hatte er darüber gesprochen? Wen hatte er mit seinem Wissen in Gefahr gebracht? Und warum war der Anschlag auf ihn erst viele Tage nach dieser Nacht verübt worden?

Pia lief den Rest der Treppe hoch und schaute noch einmal in dem zur SoKo-Zentrale umfunktionierten Aufenthaltsraum vorbei, um sich nach Reaktionen auf die Pressekonferenz zu erkundigen. Sie ließ ihren Blick über ihre Kollegen schweifen, die trotz der späten Stunde noch immer voller Konzentration und Engagement bei der Sache waren und keinen Gedanken daran verschwendeten, dass sie eigentlich längst Feierabend hätten. Stumm flimmerte der Fernseher an der Wand. Ausschnitte der Pressekonferenz hatten es in jede Nachrichtensendung geschafft. Um neun Uhr abends hatte der komplette Mitschnitt bei YouTube bereits über drei Millionen Aufrufe, in zahllosen Kommentaren bedachten die Leute Valentina Berjakov und die Angehörigen der Opfer mit Mitgefühl, die Polizei dagegen mit scharfer Kritik. Warum gab es noch keine Festnahme? Wieso war es so schwer, einen Mörder zu fassen? Schuld an der Ungeduld der Leute hatten all diese amerikanischen CSI-Serien, in denen Profiler, Labortechniker oder sogar Computeranalysten komplexe Fälle mit Hilfe modernster Technologien scheinbar binnen weniger Stunden oder Tage lösten, und dem Zuschauer wurde vorgegaukelt, man müsse nur ein paar Daten in einen Computer eingeben und bekäme – schwupps – ein Foto des Täters oder des Opfers samt Biographie, aktueller Adresse, Konto- und Telefondaten sowie den exakten Koordinaten seines derzeitigen Aufenthaltsortes geliefert. In Wirklichkeit war die Arbeit extrem mühsam und bestand aus dem akribischen Studium von Aktenbergen und der Sichtung von Unmengen von Daten, wobei absolut nichts übersehen werden durfte.

»Wir haben einen Haufen wertloser Hinweise, wie üblich.« Kathrin Fachinger drehte sich auf ihrem Bürostuhl um und pflückte das Headset von ihrem Ohr. »Eigentlich waren nur zwei Anrufe bisher wirklich interessant.«

Gemeinsam mit vier Kollegen nahm sie die Anrufe entgegen, die bei der neu eingerichteten Telefonhotline eingingen. Sie blätterte die Listen durch und furchte die Stirn. Jeder Anruf galt als Spur und bekam damit eine interne Spurennummer. »Spur Nummer 47. Eine Frau Antje Ortenstein sagte, dass Rosemarie Herold in den siebziger und achtziger Jahren gerne in einem Lokal namens ›Sweet Pussycat‹ in Königstein an der Georg-Pingler-Straße verkehrte. Sie hat dort in dieser Zeit als Bedienung gearbeitet.«

»Das ist doch mal was«, sagte Pia. »Kommt die Frau her?«

»Nein.« Kathrin schüttelte den Kopf. »Sie wohnt in Flensburg. Ich habe ihre Adresse und Telefonnummer. Und dann haben wir noch Spur 111. Claudia Ellerhorst lebte früher in Ruppertshain und war, eine Freundin von Valentina Berjakov. Sie kommt morgen her und hat ihre Handynummer hinterlassen, falls vorher jemand mit ihr sprechen will.«

Pia hatte sich mehr erhofft, wusste aber auch, dass es immer schwieriger war, hilfreiche Hinweise zu bekommen, je länger ein Ereignis zurücklag.

»Es gibt News aus dem Labor«, meldete Kai, ohne von seinem Laptop aufzublicken. »Die Hundehaare, die an der Kleidung von Pauline Reichenbach gefunden wurden, sind lang, schwarz und gewellt.«

»Das heißt, sie stammen nicht von Ralf Ehlers' Pitbulls. Und auch nicht von den Hunden, die Elias auf der Hasenmühle in den Zwinger gesperrt hat«, folgerte Pia aus dieser Information. »Ist ja ganz toll.«

»Das Smartphone und der Laptop aus Paulines Auto sind wahrscheinlich nicht mehr zu retten. Zu lange im Wasser.« Kai blickte auf, verschränkte die Hände hinter dem Kopf und streckte den Rücken. »Aber die Techniker versuchen alles. Von Elias und seiner Freundin gibt es absolut nichts. Sie sind wie vom Erdboden verschluckt.«

»Ruf doch bitte noch mal bei Haverlands an. Frag sie nach Nikes besten Freundinnen und Menschen, zu denen Nike eine enge Beziehung hat. Eine Tante vielleicht. Und erkundige dich, ob sie irgendwo ein Ferienhaus haben.«

»Es ist gleich Mitternacht«, gab Kai zu bedenken.

»Ich glaube nicht, dass sie im Bett liegen«, entgegnete Pia. Ihr Blick blieb am Fahndungsfoto von Elias hängen, das an einem der Whiteboards hing. Im Innern des Waldfreundehauses hatte es von seinen Fingerabdrücken gewimmelt. Jeder schien fest davon auszugehen, dass er derjenige war, der Felicitas Molin getötet hatte. Aber war dieser schmächtige Junge mit dem sensiblen Mund wirklich zu einer solch brutalen Tat fähig? Es gehörte viel Kraft und eine immense Wut dazu, einem Menschen mit einem Küchenmesser den Hals bis zum zervikalen Rückenwirbel zu durchtrennen.

Wo hielt er sich jetzt versteckt? In der Gegend hier war der Boden für ihn zu heiß geworden. Irgendwann musste er tanken. Würde er das riskieren? Insgeheim rechnete sie jederzeit mit der Nachricht, man habe ihn an einer Tankstelle gesehen, und sie hoffte nur, dass niemand den Helden spielen und den Jungen provozieren würde, die Waffe zu benutzen.

Welche Möglichkeiten hatte er sonst? Wem konnte er noch vertrauen? Felicitas Molin war tot. Pauline lag im Koma. Ralf

Ehlers saß in einer Arrestzelle. Sie stutzte. Was hatte Ehlers vorhin gesagt? *Ich glaube nicht, dass Elias der Pauline etwas getan hat. Ich kenne ihn. Er ist oft bei mir.*

»Stopp!«, sagte sie zu Kai, der schon die Nummer von Frau Haverland herausgesucht hatte und sie gerade anrufen wollte. »Ich glaube, ich weiß, wo Elias und Nike sind!«

»Und wo wäre das?«

»In der Hasenmühle von Ralf Ehlers!« Pia kramte ihr Handy hervor und tippte auf die Kurzwahlnummer ihres Chefs. »Er ist oft dort! Er hat die Hunde von Felicitas Molin dorthingebracht. Verdammt, warum ist mir das nicht früher eingefallen?«

Mittwoch, 15. Oktober 2014

Es war ein Uhr morgens, als Pia auf dem Parkplatz am Landsgraben im Wald zwischen Ruppertshain und Schloßborn eintraf, auf dem sich bereits eine kleine Armee versammelt hatte. Die Männer des Mobilen Einsatzkommandos in den schwarzen Uniformen setzten ihre Helme auf und kontrollierten ihre Ausrüstung. Bodenstein und ein großer Glatzkopf beugten sich über eine Landkarte, die auf der Motorhaube eines der hochmotorisierten schwarzen Autos, die die MEK-Leute benutzten, ausgebreitet war. Joachim »Joe« Schäfer, der Einsatzleiter, war zwar ein unverbesserlicher Macho, aber der beste Mann für solche Aktionen. Pia kannte ihn von gemeinsamen Einsätzen und zwei Lehrgängen an der Polizeischule, die er geleitet hatte. Zum letzten Mal hatten sie vor ungefähr fünf Jahren zusammengearbeitet, damals war es auch um einen bewaffneten jungen Mann gegangen, der zwei Geiseln genommen hatte. Glücklicherweise war der Einsatz unblutig ausgegangen.

»Hallo, Joe«, begrüßte Pia den durchtrainierten MEK-Leiter. Schäfer wandte sich um.

»Ach, schau an! Die ehemalige Frau Kirchhoff.« Er grinste. »Hi, Pia! Deinen aktuellen Namen hab ich leider nicht parat.«

»Klingt ja fast so, als würde ich alle zwei Jahre meinen Namen ändern.« Pia stand nach beinahe vierundzwanzig Stunden ohne Schlaf nicht der Sinn nach Joe Schäfers typischem Gefrotzel. »Wie weit seid ihr?«

»Wir haben eine Straßensperre in Schloßborn, eine andere hier in Höhe des Parkplatzes«, erwiderte Bodenstein und bezeichnete die beiden Stellen auf der Karte mit einem Fingertippen. »Das Haus hat zwei Eingänge. Joes Jungs gehen vorne rein und sichern gleichzeitig den Hinterausgang.«

»Mit etwas Glück überraschen wir sie im Schlaf, und es gibt keine Gegenwehr«, sagte Schäfer. »Gibt's dort einen Hund? Oder Bewegungsmelder?«

»Hunde im Moment nicht«, antwortete Pia. »Aber die junge Frau, die sich bei der Zielperson aufhält, ist hochschwanger. Sie ist siebzehn Jahre alt, und wir wissen nicht, ob sie freiwillig dabei ist oder als Geisel. Deshalb: keine Blendgranaten und Tränengas, wenn es sich irgendwie vermeiden lässt.«

»Okay.« Joe Schäfer hob kurz die Augenbrauen und musterte Pia aufmerksam. »Sonst noch irgendwelche Informationen?«

»Die Zielperson ist mit einer Neun-Millimeter-Pistole bewaffnet und hat sie auch schon benutzt.«

»Weiß ich schon.«

Ein Rettungswagen bog auf den Parkplatz ein, gefolgt von einem weiteren Streifenwagen.

»Dann los«, sagte Pia.

Schäfer ging zu seinen Männern, um sie zu instruieren, Pia blieb mit Bodenstein zurück. Bisher hatte sie keine Gelegenheit gehabt, ihm Details von der Vernehmung zu erzählen, aber das musste jetzt bis später warten.

»Weißt du, was ich mich frage?«, sagte sie stattdessen. »Warum hat der Kerl das Skelett von Artur in all den Jahren nicht aus dem Grab geholt und einfach irgendwo anders vergraben? Dann hätten wir es nie gefunden.«

»Darüber habe ich auch nachgedacht«, entgegnete Bodenstein. »Ich glaube, Rosie hat Arturs Leiche am nächsten Tag zusammen mit ihrem Mann versteckt. Wahrscheinlich hat sie ihm erzählt, sie hätte ihn aus Versehen überfahren. Und unser Täter hat nie erfahren, was genau mit Artur passiert ist.«

»Wir reden darüber, als wüssten wir mit Bestimmtheit, was damals abgelaufen ist.« Pia stieß einen Seufzer aus. »Dabei stellen wir nach wie vor nur Vermutungen an, während sich die Öffentlichkeit auf uns einschießt. Noch haben wir Rückendeckung von oben, aber wenn wir den Fall nicht bald aufgeklärt haben, kriegen wir Probleme.«

Bodenstein lehnte sich an den Kotflügel des MEK-Autos. Er zündete sich eine Zigarette an, und im Lichtschein des Feuerzeugs erkannte Pia Selbstzweifel und Frustration in der Miene ihres Chefs.

»Alles in Ordnung bei dir?«, erkundigte sie sich.

»Nein«, erwiderte er. »Alles andere als das. Wie konnte ich mich bloß derart irren?«

»Inwiefern hast du dich geirrt?« Pia war überrascht.

»Ich hätte mich aus dem ganzen Fall heraushalten sollen. Es ist einfach nicht gut, wenn man als Ermittler persönlich betroffen ist.«

»Ich verstehe nicht ganz.«

»Wir hätten uns Leo Keller viel eher vornehmen müssen. Du wolltest schon am Sonntag mit ihm sprechen, aber ich wollte warten, weil ich befürchtet habe, es könnte im Ort eine Hexenjagd geben. Wieso habe ich nicht bemerkt, dass das Täterprofil auf ihn passt?«

»Weil es nicht passte!«, entgegnete Pia nachdrücklich. »Wir sind von einem körperlich fitten, hochintelligenten Täter ausgegangen, der mobil und unabhängig ist und sich problemlos in der Gegend bewegen kann. Leo Keller ist ein leicht debiler Hilfsarbeiter, der mit einem klapprigen Mofa herumfährt und mit sechzig Jahren noch immer bei seiner Mutter wohnt.«

»Trotzdem«, beharrte Bodenstein und zog an seiner Zigarette.

»Nein, nichts trotzdem!« Pia schüttelte den Kopf. »Du hast keinen Fehler gemacht, Oliver! Falls der Mann tatsächlich nicht der sein sollte, als der er sich uns präsentiert hat, dann konntest du das nicht wissen.«

»Wir sind so weit.« Joe Schäfer tauchte neben ihnen aus der Dunkelheit auf. Er hatte einen Helm aufgesetzt und die Sturmmaske bis zum Kinn gezogen. »Ihr fahrt mit uns da runter. Zieht euch Schutzwesten an. Und sobald wir vor Ort sind, kein Wort mehr. Nachts ist im Wald jedes Geräusch doppelt so laut zu hören wie am Tag.«

***

Die Sichel des Mondes war hinter Wolken verschwunden, als sie an der Hasenmühle aus dem Auto kletterten. Im Vordertaunus wurde es nachts nie mehr richtig dunkel, daran waren die nahe gelegene Großstadt, der Industriepark Höchst und der Flughafen schuld. Hier jedoch, im Tal hinter der ersten Bergkette des Taunus, umgeben von hohen Bäumen, war die Nacht pechschwarz. Cem und Tariq, die mit einem anderen Einsatzfahrzeug gefahren waren, gesellten sich zu Pia und Bodenstein. Kaum ein Lüftchen wehte, die Wolken hingen wie festzementiert am nächtlichen Himmel. Die Männer des MEK verteilten sich lautlos wie Schatten im vorderen und hinteren Hof der heruntergekommenen Mühle. Dank ihrer Nachtsichtgeräte konnten sie den Unrat und die Baustellenreste problemlos erkennen und umgehen. Der Volvo von Ralf Ehlers stand unverändert im Hof. Das Haus war stockdunkel. Nichts regte sich. Joe Schäfer materialisierte sich so unvermittelt neben Pia aus der Dunkelheit, dass sie vor Schreck zusammenzuckte.

»In einem Gebüsch ein Stück weit im Wald steht ein schwarzer X5«, raunte er ihr zu, und ihre Anspannung wuchs. Es war etwas anderes, ob man einen nächtlichen Einsatz erlebte, der zwar zielgerichtet, aber dessen Ausgang ungewiss war, oder ob sich die gesuchte Person tatsächlich im Zielobjekt aufhielt. Pias Sorge um Nike Haverland nahm zu.

»Das ist das Auto, mit dem der Junge unterwegs ist«, bestätigte sie. Am liebsten hätte sie mit den Männern das Haus gestürmt, um das Mädchen beschützen und aus der Schusslinie bringen zu können, aber es wäre pure Zeitverschwendung gewesen, Schäfer darum zu bitten, seine Leute begleiten zu dürfen.

»Wir gehen jetzt rein«, flüsterte der Einsatzleiter. »Ich möchte, dass ihr hinter der Palette mit Verbundsteinen da vorne in Deckung geht, bis die Lage geklärt ist. Also los!«

»Wenn du mir dein Nachtsichtgerät gibst, können wir auch sehen, wo diese Palette steht«, sagte Pia trocken.

»Das kriegst du nicht, dafür aber meine Hand«, erwiderte Schäfer und führte sie quer über den Hof. Bodenstein, Cem und Tariq folgten ihnen. Sie kauerten sich hinter die Palette. Schäfer verschwand. Es war völlig still bis auf ein leises Rauschen in den Bäumen ringsum. Die Sekunden verstrichen, wurden zu Minuten, ohne dass irgendetwas geschah. Pia zitterte vor Ungeduld am ganzen Körper. Warum dauerte das so lange?

»Oh mein Gott!«, stieß Bodenstein neben ihr plötzlich mit erstickter Stimme hervor und machte eine heftige Bewegung. »Eine Ratte! Die ist über meine Hand gelaufen!«

Im gleichen Moment krachte es, und die Haustür brach aus dem Holzrahmen. Hinter den Fenstern des Hauses leuchtete es grell auf. Stimmen wurden laut.

»Verdammt!« Pia hielt es nicht länger hinter der Palette. Sie sprang auf und huschte geduckt quer über den Hof. Hatte sie Schäfer, dieses Arschloch, nicht ausdrücklich darum gebeten, aus Rücksicht auf das hochschwangere Mädchen keine Blendgranaten zu benutzen? Sie erreichte das Haus, ohne über irgendetwas zu stolpern, rannte zur Tür und prallte unsanft in einen der MEK'ler, der genauso schnell heraus wollte wie sie hinein. Für ein paar Sekunden sah sie Sternchen.

»Was ist da drin los?«, fuhr sie den Mann verärgert an und rieb sich die Stirn.

»Bei dem Mädchen haben die Wehen eingesetzt.« Die Stimme klang dumpf hinter Sturmmaske und Helm. »Wir brauchen den Rettungswagen und einen Notarzt!«

»Ach du Scheiße!« Pia drängte sich an dem Beamten vorbei ins Hausinnere, das klein und eng erschien, durch all die großen uniformierten Männer, die überall herumstanden.

»War mir klar, dass du nicht draußen warten kannst, Kirchhoff«, sagte Joe Schäfer missbilligend und zog die Sturmmaske herunter. »Wenn du das in einem meiner Lehrgänge gemacht hättest, wärst du durchgefallen.«

»Du wärst genauso durchgefallen, Schäfer«, konterte Pia. »Als leitende Ermittlerin hatte ich die klare Anweisung gegeben, keine Blendgranaten einzusetzen.«

Schäfer funkelte sie verärgert an.

»Und, was ist?« Bodenstein tauchte im Flur auf.

»Keine Gegenwehr«, knurrte Schäfer. »Zielperson entwaffnet. Sie sind allerdings zu dritt.«

»Wie? Ist das Baby doch schon da?«

Schäfer nickte nur stumm in Richtung Wohnzimmer. Bodenstein und Pia schlängelten sich durch die MEK-Beamten.

Elias Lessing kauerte auf dem Teppich und blickte nicht einmal auf. Er hatte Nikes Kopf in seinen Schoß gebettet, tupfte ihr schweißnasses Gesicht mit einem Handtuch ab und hielt ihre Hand. Das Mädchen lag auf dem Rücken. Ihr Atem ging stoßweise, ihre Augen waren weit aufgerissen.

»Ich halt das nicht aus!«, keuchte sie und krümmte sich unter einer heftigen Wehe vor Schmerzen. Erst jetzt bemerkte Pia den zweiten Mann, der neben ihr kniete. Nike hielt seine Hand umklammert.

»Atmen!« Er sprach mit sanfter Stimme und ohne den leisesten Anflug eines Stotterns zu dem Mädchen. »Immer weiter atmen!«

»Hallo, Leo«, sagte Bodenstein.

Der Mann wandte sich um. Ein leichtes Lächeln lag auf seinem Gesicht. Kein Zucken. Kein Sabbern.

»Hallo, Oliver«, antwortete er. »Ich erkläre dir alles. Gib mir noch ein paar Minuten.«

* * *

Das Alter hatte es mit Leonard Keller gut gemeint: Sein Gesicht war zwar faltig geworden, aber er war noch immer so drahtig wie früher als junger Mann. Sein dunkles, von silbernen Fäden durchzogenes Haar war voll und kurz geschnitten, nicht mehr schulterlang wie damals in den Siebzigern.

Das MEK war abgerückt. Im Hof der Hasenmühle stand ein Rettungswagen mit geöffneten Türen, die Eltern von Nike Haverland waren eingetroffen. Ihre Erleichterung darüber, ihre Tochter unverletzt und gesund wiederzuhaben, wurde allerdings von der Tatsache getrübt, dass Nike sie wohl in Kürze zu Großeltern machen würde und nicht mehr daran dachte, ihr Kind herzugeben. Sie lag im Krankenwagen, Elias saß neben ihr und streichelte besorgt ihre Hand.

Leo Keller stand an der offenen Tür des Rettungswagens.

»Bist du so weit?« Bodenstein konnte es kaum mehr erwarten, dem Mann all die Fragen zu stellen, die ihm auf der Seele brannten.

»Sie wollen ihn Leo nennen.« Keller lächelte versonnen.

»Na, hoffentlich wird's kein Mädchen«, erwiderte Bodenstein trocken.

»Dann wird es eine Leonora«, sagte Keller. »Wie deine Mutter.«

Bodenstein schüttelte nur den Kopf.

»Komm, lass uns fahren. Wir haben einiges zu besprechen.«

»Oh ja, das haben wir wohl.« Keller nickte und folgte Bodenstein über den Hof zum Auto, das Cem unterdessen oben am Parkplatz geholt hatte. Auch Peter Lessing und seine Frau waren eingetroffen, aber Elias, der sich schweren Herzens von seiner Freundin trennen musste, würdigte seine Eltern keines Blickes. Pia hatte dem jungen Mann Handschellen angelegt und begleitete ihn zu einem der Streifenwagen.

Morgens um halb vier waren die Straßen leer. Auf der Fahrt durch Königstein nach Hofheim begegneten ihnen nur wenige Autos. Leo saß ruhig auf dem Beifahrersitz. Die Hände im Schoß gefaltet, blickte er durch die Windschutzscheibe nach vorne.

»Du fragst dich sicher, warum ich vierzig Jahre lang den Dorfdeppen gespielt habe«, sagte er nach einer Weile.

»Ja, das tue ich allerdings«, erwiderte Bodenstein, noch immer fassungslos angesichts der Metamorphose des Mannes, den er für geistig und körperlich behindert gehalten und dem zeit seines Lebens sein Mitgefühl gegolten hatte. »Wozu dieses Theater? Wieso bist du nicht einfach von hier fortgegangen, irgendwohin, wo dich niemand kennt?«

»Ich konnte meine Mutter nicht im Stich lassen. Nicht nach allem, was sie und mein Vater wegen mir durchmachen mussten. Sie ist in Ruppertshain geboren und aufgewachsen, genauso wie ihre Eltern, ihre Großeltern und Urgroßeltern. Sie wollte meinen Vater nicht allein auf dem Friedhof zurücklassen, und deshalb habe ich ihr versprochen, dass ich bei ihr bleibe, solange sie lebt.«

»Aber du warst wirklich schwer verletzt und hast monatelang im Koma gelegen. Wie kann es sein, dass du dich so erholt hast und niemand das bemerkt hat?«

»Es ist ja nicht so, dass ich hundertprozentig gesund wäre«, sagte Leo. »Glücklicherweise wurden bei dieser Sache nur Areale des Gehirns verletzt, die sich größtenteils wieder regeneriert haben. Trotzdem habe ich Jahre gebraucht, um wieder sprechen zu lernen und meine Motorik zurückzuerlangen. Ich hatte gute

Ärzte, die ich beinahe in den Wahnsinn getrieben habe, denn sie konnten nicht verstehen, weshalb ich ab einem bestimmten Punkt keine Fortschritte mehr gemacht habe. Es war reiner Selbstschutz, aber jetzt habe ich wohl eine echte Chance auf Rehabilitierung. Im Laufe der Jahre habe ich mich so sehr an die Rolle gewöhnt, dass sie mir schon zur zweiten Natur geworden ist. Und es ist oft gar nicht so schlecht. Die Leute glauben, man kriegt nichts mit, nur weil man stottert, zuckt und hin und wieder etwas vor sich hin sabbert.«

Bodenstein gelang es kaum, die unglaubliche Dimension von Leos Doppelleben zu erfassen, und die Konsequenzen, die sich daraus ergaben. Leo wusste noch nicht, dass er unter Mordverdacht stand und Bodenstein in seiner Wohnung gewesen war. Pia und er hatten vereinbart, den Mann erst auf dem Kommissariat mit diesen Fakten zu konfrontieren.

»Offiziell giltst du im Fall Artur Berjakov als Täter, der nur deshalb nicht angeklagt wurde, weil er dauerhaft vernehmungsunfähig ist«, sagte Bodenstein.

»Und aus Mangel an Beweisen, ich weiß.« Leo Keller nickte. »Es gab keine Leiche, keine Zeugen und keinen Tatort, aber das hat sich jetzt geändert.«

Er seufzte.

»Seit vierzig Jahren versuche ich mich daran zu erinnern, was damals geschehen ist, aber in meinem Kopf ist die Zeit vor und nach meinem Selbstmordversuch ein schwarzes Loch. Ich habe die unmöglichsten Dinge probiert, habe mich von Spezialisten hypnotisieren lassen, Psychotherapien gemacht und Medien darüber befragt, was mit Artur geschehen ist und ob ich etwas damit zu tun habe, aber nichts hat auch nur den geringsten Erfolg gebracht.«

»Du hattest eine schwere Kopfverletzung.«

»In der Tat. Ich begreife aber bis heute nicht, *warum* ich überhaupt versucht haben soll, mir das Leben zu nehmen. Ich kann mir nicht vorstellen, dass ich ein Kind getötet haben soll, und ich weiß, dass ich Artur gernhatte. Er hatte wahnsinnig viel Talent und war ein netter Junge, der keinem etwas zuleide getan hat. Die Vorstellung, vielleicht doch das Leben eines Kindes auf dem Gewissen zu haben, quält mich Tag und Nacht. Bin ich ein Mörder oder bin ich keiner?«

»Wir sind mittlerweile der Meinung, dass du nicht versucht hast, dir das Leben zu nehmen«, sagte Bodenstein. »Jemand wollte dich umbringen.«

»Wie bitte?« Leo starrte ihn entgeistert an.

»Ein cleverer junger Kollege ist darauf gekommen«, entgegnete Bodenstein. »Er hat sich den Schussapparat, den du angeblich benutzt hast, etwas genauer angesehen und festgestellt, dass er nur mit der leichtesten Patrone geladen war.«

»Und?«

»Du warst Metzger, hast im Schlachthof gearbeitet. Ein Profi. Wenn du dich hättest umbringen wollen, dann hättest du wohl eher die stärkste Ladung genommen, oder nicht?«

Ein stummes Nicken war die Antwort.

»Und wahrscheinlich hättest du dir das Ding an die Stirn gehalten, nicht an den Hinterkopf.«

»Ja, wahrscheinlich.« Leos Stimme klang heiser. »Aber ... was ... was hat das zu bedeuten?«

Wusste er es wirklich nicht?

»Dass du eine Gefahr für jemanden dargestellt hast«, erwiderte Bodenstein. »Du hast etwas gewusst, was für den Mörder zum Verhängnis geworden wäre. Deshalb wollte er dich aus dem Weg schaffen und dabei zwei Fliegen mit einer Klappe schlagen, denn dein angeblicher Selbstmordversuch war für die Ermittler damals ein Schuldeingeständnis.«

Er warf Leo einen raschen Seitenblick zu.

»Es hatte einen anonymen Anruf gegeben. Eine Frau hat behauptet, sie hätte dich in der Nacht, in der Artur verschwand, aus dem Wald kommen sehen. Und damit war für die Polizei alles klar.«

***

»Was bedeuten die Namen an den Tafeln, die wir in Ihrer Wohnung gefunden haben?«, wollte Gianni Lombardi wissen.

»Ich habe Nachforschungen angestellt«, antwortete Leo Keller. »Ich wollte herausfinden, was damals passiert ist.«

»Warum gerade jetzt? Weshalb nicht schon vor zwanzig oder dreißig Jahren?«

»Weil sich erst jetzt etwas verändert hat. Durch Rosies und Clemens' Tod.«

»Was hat sich denn verändert?«

»Die Leute haben angefangen, über die alte Sache zu reden.«

»Und das haben sie vorher nicht getan?«

»Nein. Niemals.«

»Was reden die Leute denn?«

»Sie stellen Vermutungen an. Es kursieren Gerüchte.«

»Aha.«

Es war vier Uhr morgens, aber Pia gönnte weder sich noch Leonard Keller eine Pause zum Nachdenken. Mit wachsendem Unbehagen bemerkte Bodenstein, wie sie und Lombardi vorgingen. Keller war in ihren Augen tatverdächtig. Zwar hatten sie ihn über seine Rechte belehrt, ihn aber nicht explizit darauf hingewiesen, dass er sich besser einen Anwalt nehmen sollte, bevor er weitere Fragen beantwortete. Falls er tatsächlich der Mörder war, konnte dieses Versäumnis einen späteren Strafprozess platzen lassen.

»Ich habe vierzig Jahre auf diesen Augenblick gewartet«, sagte Keller. »Ich will wissen, was damals passiert ist. Es lässt mir keine Ruhe. Jemand hat mir mein Leben gestohlen.«

»Wie können Sie da so sicher sein?« Pia saß am Tisch, die Hände gefaltet, und fixierte den Mann, der ihr gegenübersaß aus schmalen Augen. »Vielleicht waren Sie es ja selbst. Sie erinnern sich ja nicht.«

»Genau diese Ungewissheit macht mich verrückt.«

»Und was, wenn Sie herausfinden, dass Sie es waren, der Artur umgebracht hat?«

»Wieso sollte ich das getan haben?« Keller starrte Pia an wie ein Kaninchen die Schlange. Er hatte Angst, das sagte seine ganze Körpersprache. Der fensterlose Vernehmungsraum, das grelle Licht, die Aggressivität von Pia und Lombardi, all das verunsicherte den Mann, wie beabsichtigt.

»Ich sage Ihnen, was wir glauben«, sagte Pia. »Sie haben befürchtet, Rosie könnte sterben und die Wahrheit mit ins Grab nehmen. Deshalb sind Sie ins Hospiz gegangen und haben sie unter Druck gesetzt. Sie erzählte Ihnen jedoch etwas anderes, als Sie erwartet haben, nämlich, dass *Sie* Artur getötet haben! Daraufhin haben Sie sie noch einmal besucht und erwürgt.«

»Nein!« Leo Keller begann zu schwitzen. »Das stimmt nicht!«

»Dummerweise hatte Rosie ihrem Sohn Clemens und dem Pfarrer auch erzählt, was geschehen ist, also mussten Sie die beiden auch aus dem Weg schaffen«, fuhr Pia unbeeindruckt fort. »Es war kein Problem für Sie, die notwendigen Mordwerkzeuge zu besorgen, denn niemand achtet auf Sie, wenn Sie in Ruppertshain unterwegs sind. Aber am Waldfreundehaus sind Sie gesehen worden, von Elias. Also wollten Sie den auch zum Schweigen bringen. Felicitas Molin hat Ihnen nicht gesagt, wo Elias ist, deshalb haben Sie ihr die Kehle durchgeschnitten.«

»A... aber wenn ich Elias hätte töten wollen, dann hätte ich das vorhin auf der Hasenmühle doch tun können«, widersprach Leo Keller.

»Die Anwesenheit des Mädchens hat Sie davon abgehalten.« Pia ließ den Einwand nicht gelten. »Und möglicherweise wurde Ihnen klar, dass Elias Sie überhaupt nicht erkannt hatte. Wie viele Namen stehen noch auf Ihrer Todesliste?«

»Auf was für einer Todesliste?« Keller zitterte am ganzen Körper. War das echt oder gespielt? Der Mann hatte viele Jahre Zeit gehabt, sich auf eine Situation wie diese vorzubereiten. Pia zog einen Zettel aus der Akte.

»Raimund Fischer, Franziska Hartmann, Heinz Keller, Hans-Peter Lessing, Karl-Heinz Herold, Gerlinde Lessing, Heribert Hansen«, las sie vor und blickte auf. »Sind das alles Ihre Opfer?«

»Opfer?«, flüsterte Keller. Ihm quollen beinahe die Augen aus dem Kopf. »*Ich* war das Opfer! Ich musste um mein Leben fürchten.«

»Aber Sie wissen doch erst seit einer halben Stunde, dass Sie angegriffen wurden«, antwortete Pia kühl. »Oder stimmt das gar nicht? Haben Sie Ihre Überraschung nur gespielt? So, wie Sie aller Welt den Dorfdepp vorgespielt haben? Ich glaube nicht, dass Sie ein Opfer waren. Ich halte Sie für einen Täter.«

»Nein!« Keller verlor die Fassung und sprang auf. »Ich habe nichts getan!«

»Setzen Sie sich hin«, sagte Pia scharf, und er gehorchte.

»Wie können Sie so sicher sein, dass Sie nichts getan haben?«, wollte Lombardi wissen. »Angeblich können Sie sich doch an nichts erinnern?«

»Kann ich auch nicht«, beteuerte Leo Keller. »Ich weiß gar nichts mehr, das müssen Sie mir glauben!«

Lombardi und Pia wechselten einen vielsagenden Blick.

»Wieso sollten wir oder ein Staatsanwalt oder ein Richter das tun?«, fragte Pia kopfschüttelnd. »Ein Mann, der sich vierzig Jahre lang in der Öffentlichkeit dermaßen verstellt hat, ist ziemlich unglaubwürdig. Sie sind ein überzeugender Schauspieler. Woher sollen wir wissen, dass Sie ausgerechnet jetzt die Wahrheit sagen?«

Leo Keller atmete schnell und flach. Seine Hände waren zu Fäusten geballt, er schluckte immer wieder nervös.

»Im Kühlschrank in Ihrer Hütte haben wir das Messer gefunden, mit dem Felicitas Molin die Kehle durchgeschnitten wurde«, sagte Pia und schob ihm ein Foto von der Leiche hin. »Es war in ein T-Shirt eingewickelt, in das ein Schildchen mit Ihrem Namen eingenäht ist. Wie erklären Sie sich das?«

»Ich benutze die Hütte seit Monaten nicht mehr«, krächzte Keller. »Ich weiß nicht, wie das in den Kühlschrank kommen kann.«

»Dass Sie die Hütte nicht mehr benutzen, glauben wir Ihnen.« Pia nickte. »Aber Sie waren dort. Vielleicht hätten Sie vorher mal kehren sollen. So haben Sie Schuhabdrücke im Staub hinterlassen. Im Moment überprüfen wir alle Ihre Schuhe im Labor. Und wenn ein Paar die Sohle hat, die zu den Abdrücken passt, dann haben Sie sehr schlechte Karten.«

Keller antwortete nicht. Der Schweiß lief ihm übers Gesicht.

»Leben Sie gerne in Ruppertshain?«, fragte Gianni Lombardi.

»Darüber habe ich nie nachgedacht.« Keller zuckte die Schultern. »Wo hätte ich sonst leben sollen?«

»Sie schreiben unter mehreren Pseudonymen Groschenromane und verdienen damit gutes Geld. Sehr viel mehr, als Sie in Ihrem Job bei der Stadt verdienen. Wir haben Ihre Kontoauszüge gefunden. Sie verfügen über ein Vermögen von ungefähr 650 000 Euro. Damit kann man an jedem Ort der Welt ganz nett leben.«

»Sie verstehen das falsch!« Keller hob die Hände. »Ich habe seit vierzig Jahren mit keinem Menschen außer meiner Mutter mehr ein vernünftiges Wort gesprochen. Das Lesen und das Schreiben haben mir den Verstand gerettet und mich …«

»Sie sind ein Betrüger«, fiel Lombardi ihm ins Wort. »Sie haben sich mit Ihrer Schauspielerei das Mitleid Ihrer Mitmenschen erschlichen. Und ganz nebenbei auch die Einstellung der Ermittlungen wegen Mordes. Jetzt fürchteten Sie die Aufdeckung, und Sie wissen, dass man Sie zur Rechenschaft ziehen wird, denn Mord verjährt in Deutschland nicht.«

»Warum haben Sie Clemens Herold erzählt, seine Mutter Rosie sei eine Nutte?«, fragte Pia.

»Aber das habe ich nicht«, stotterte Keller verständnislos.

»Doch, das haben Sie. Clemens und Edgar waren auf der Suche nach ihrer Mutter, weil die nicht nach Hause gekommen ist. Die beiden sind Ihnen begegnet, in der Nacht vom 17. auf den 18. August 1972.«

Bodenstein hielt es nicht länger auf dem Stuhl im Beobachtungsraum. Woher hatten Pia und Lombardi diese Informationen? Warum setzten sie den Mann derart unter Druck? Er sprang auf, hatte schon die Türklinke in der Hand, um die Vernehmung zu unterbrechen, doch dann besann er sich. Leo Keller war kein alter Freund, er war ein Verdächtiger. Seine eigenen Schuldgefühle durften ihn nicht dazu verleiten, dass er hier etwas durcheinanderbrachte.

»Daran erinnere ich mich nicht«, flüsterte Keller gerade. Er war ganz grau im Gesicht. Rieb wieder und wieder nervös mit den Händen über seine Oberschenkel.

»Erzählen Sie uns von dem Fußballspiel in Schneidhain«, übernahm Pia wieder. »Die Sommermeisterschaften. Ihre D-Jugend vom SVR hatte jämmerlich verloren, und Sie waren so wütend auf Ihre Jungs, dass Sie sie zu Fuß nach Hause laufen ließen, statt sie im Vereinsbus mit zurück nach Ruppertshain zu nehmen.«

Keller starrte sie an, zog die Augenbrauen so stark zusammen, dass sie sich fast berührten.

»Peter hat ganz schlecht gespielt und sich sogar noch mit dem Schiedsrichter angelegt, wofür er eine rote Karte bekam«, fuhr

Pia fort. Sie nahm ein nächstes Foto aus ihren Unterlagen. Eine Vergrößerung des Bildes von der Fußballmannschaft, das sie in der Dropbox von Clemens Herold gefunden hatte. »Können Sie uns sagen, wer von den Jungs wer ist?«

Leo Keller nestelte eine Lesebrille aus der Brusttasche seines Hemdes und setzte sie mit zittrigen Fingern auf. Er beugte sich über das Foto. Nannte, ohne zu zögern, die Namen der abgebildeten Kinder.

»Wie ist das Spiel eigentlich ausgegangen?«, fragte Lombardi beiläufig.

»Null zu sechs«, erwiderte Keller automatisch. Blickte auf. Wurde leichenblass. Ein Ausdruck der Fassungslosigkeit machte sich auf seinem Gesicht breit. »Woher weiß ich das? Ich ... ich habe nie mehr an dieses Spiel gedacht! Wie ... Wieso kann ich mich daran erinnern?«

»Weil es vor Ihrer Verletzung passiert ist.« Lombardi lächelte, zufrieden wie eine Katze, die eine Maus gefangen hatte.

***

Bodenstein verließ das kleine Zimmer, von dem aus man durch eine verspiegelte Scheibe in beide Vernehmungsräume schauen konnte. Er wartete nicht auf Pia und Lombardi, ging durch die Hintertür hinaus und setzte sich auf die Treppenstufen. Zündete sich eine Zigarette an und inhalierte tief.

Wie entsetzlich musste es sein, mit einer solchen Ungewissheit zu leben, und wie unglaublich stark war der Überlebenswille eines Menschen! Hatte es im Leben von Leo hinter der Fassade des leicht debilen Krüppels noch Anlässe zur Freude gegeben? Perspektiven? Glückliche, fröhliche und aufregende Momente, die das Leben doch erst lebenswert machten? Wie konnte man Tag für Tag und Jahr für Jahr weitermachen, wenn doch so gut wie keine Lebensqualität vorhanden war? Die ganze Zeit über hatten Leo und seine Mutter in diesem Dorf gelebt, dessen Einwohner sie erst in Sippenhaft genommen und dann ausgestoßen hatten.

Plötzlich fiel Bodenstein das Motto seines ehemaligen Chefs, Oberkommissar Menzel von der Mordkommission in Frankfurt, ein: *Folge den Spuren zurück!*

Wenn er das tat, dann kam er bei sich selbst an. Hätte er, anstatt »Bonanza« zu schauen, Artur nach Hause begleitet wie jeden Abend, dann wären seine Kameraden ihm nicht im Wald über den Weg gelaufen. Artur wäre wiederum Rosie nicht begegnet und würde heute noch leben, glücklich verheiratet vielleicht. Maxi wäre irgendwann an Altersschwäche gestorben und nicht durch die Hand von Klaus Kroll. Dr. Lessing hätte niemanden erpresst, Leo wäre nicht zum Krüppel geworden, und seine Eltern hätten bis zu ihrer Rente ihr kleines Lebensmittelgeschäft betrieben. All das, worunter so viele Menschen jahrzehntelang gelitten hatten, wäre überhaupt nie passiert! Rosie, Clemens und der alte Pfarrer Maurer wären nicht ermordet worden, Pauline Reichenbach läge nicht im Koma, und Felicitas Molin wäre nicht die Kehle durchgeschnitten worden. Es war die bittere Wahrheit, dass er es war, der das unheilvolle Gesetz unbeabsichtigter Folgen in Gang gesetzt hatte, er ganz allein!

Was hatte er bloß angerichtet? Bodenstein wurde von heftigen Schuldgefühlen überwältigt. Niemand würde ihm je einen Vorwurf machen oder ihn zur Rechenschaft ziehen, und das war das Schlimmste an der ganzen Sache.

* * *

Niemand hatte in dieser Nacht geschlafen. Keiner dachte daran, einfach nach Hause zu gehen und sich ins Bett zu legen. Die Gesichter, in die Pia blickte, waren von Erschöpfung und Müdigkeit gezeichnet. Es gab so gut wie keine Fortschritte und Erfolgserlebnisse. Jede Spur endete in einer Sackgasse. Die ersten Befragungen von Leo Keller und Elias Lessing ließen zwar die Vermutung zu, dass beide mit dem Mord an Felicitas Molin und dem Angriff auf Pauline Reichenbach nichts zu tun hatten, aber sie hatten keine Alibis für die Tatzeit, die bei der Obduktion auf den Sonntagabend zwischen zwanzig und dreiundzwanzig Uhr berechnet worden war. Der Täter hatte sie wieder einmal an der Nase herumgeführt und mit der Mordwaffe und dem T-Shirt in Kellers Hütte eine falsche Spur gelegt.

Kathrin hatte Frühstück für alle besorgt. Belegte Brötchen und noch mehr Kaffee weckten die Lebensgeister ein wenig. Kim und

Gianni Lombardi hatten gemeinsam Elias befragt und gönnten sich eine kurze Pause, bevor sie Leo Kellers nächtliche Vernehmung fortsetzten.

»Motiv, Mittel, Gelegenheit«, sagte Pia kauend. »Keller hatte im Prinzip alles. Niemand achtet auf ihn, wenn er in der Gegend unterwegs ist. Er gehört quasi zum Stadtbild.«

»Und wie gut er sich verstellen kann, wissen wir ja nun«, ergänzte Cem. »Ich kaufe ihm seine Reaktion auf die Mordvorwürfe nicht ganz ab.«

»Von der Beethovenstraße in Kelkheim bis zum Hospiz Abendrot ist es zu Fuß eine ganz ordentliche Strecke«, meldete sich Kai zu Wort. Er blätterte in der Akte. »Edgar Herold hat ihn am frühen Nachmittag bei dem Kunden abgesetzt und ist dann in den Baumarkt gefahren. Keller hatte kein Fahrzeug zur Verfügung, mit dem er mal schnell zum Hospiz hätte hochfahren können.«

Das stimmte. Pia stieß frustriert einen Seufzer aus. Wenn doch bloß Pauline aus dem Koma erwachen oder das Labor Elias' Smartphone etwas entlocken würde! Sie brauchten Fakten. Beweise. Spekulationen reichten nicht aus.

»Was spricht Elias Lessing?«, erkundigte sie sich.

»Wir haben bei ihm eine etwas andere Befragungstechnik angewendet«, sagte Kim. Selbst sie sah müde aus, was bei ihr nur selten der Fall war. »Ich gehe davon aus, dass ihr alle wisst, was eine kognitive Befragung ist, oder?«

Alle nickten. Bei dieser Art der Befragung wurden dem Zeugen nicht einfach Fragen gestellt, sondern man versuchte, verschüttete oder vergessen geglaubte Erinnerungen zu wecken, indem man in die Zeit vor dem eigentlichen Ereignis zurückging. Der Befragte sollte sich an den normalen Alltag vor dem Ereignis erinnern, an Banalitäten, Sorgen oder Glückserlebnisse, die ihn beschäftigt hatten. Manchmal reichte die Erinnerung an einen speziellen Geruch oder ein bestimmtes Gefühl bereits aus, um das eigentliche Geschehen in den richtigen Kontext zu setzen. Die zweite Technik bestand darin, die Abfolge der Erinnerungen zu verändern, damit der Zeuge die Erlebnisse reflektieren konnte. Statt chronologisch vorzugehen, begann man mit dem Ende eines Ereignisses oder fing mittendrin an. Mit einer dritten Technik versuchte man, den Zeugen dazu zu bringen, die Perspektive zu wechseln. Diese kognitiven Befragungstechniken funktionierten jedoch nur bei aussagewilligen Personen; sie folgten einer spezifischen Methodologie, und ihre Anwendung war eine Kunst, die nicht jeder Kriminalpolizist beherrschte.

»Elias ist fix und fertig«, erwiderte Lombardi. »Er kapiert wohl erst jetzt so richtig, dass er an Felicitas Molins Tod schuld ist. Sie hat ihm bei sich Unterschlupf gewährt, weil sie froh war, nicht allein in dem Haus mitten im Wald zu sitzen, gleichzeitig hatte sie Angst, dass der Mörder zurückkommen könnte. Sie hat Elias immer wieder gedrängt, sich zu stellen und uns sein Handy mit dem Film zu geben, aber er hat sich geweigert, weil er befürchtet hat, in den Knast zu wandern. Hätte er's getan, wäre Frau Molin noch am Leben und Pauline Reichenbach läge nicht im Koma.«

»Sie hat den Chef und mich belogen, als wir mit ihr geredet haben«, sagte Cem. »Ein Fehler, der sie das Leben gekostet hat.«

Pia wiegte nachdenklich den Kopf. Vier Tote. Eine schwerverletzte junge Frau. Und mit Elias noch ein traumatisierter Mensch. Eine neue Schuld, die nicht mehr gutzumachen war. Und weswegen? Sollte der Auslöser für all diese Dramen tatsächlich nur ein banaler Seitensprung gewesen sein? Ein Schneeball, der eine gewaltige Lawine verursacht und zahllose Menschen in den Abgrund gerissen hatte.

»Elias' Erinnerungen an die Nacht des Wohnwagenbrandes sind ziemlich enttäuschend. Er hatte den Mann zwar gesehen, kann ihn aber nicht sonderlich gut beschreiben. Schlank, elastische Bewegungen. Etwas kümmerlich.«

»Aber er hat uns erzählt, Felicitas Molin wäre ein paar Tage vor dem Brandanschlag auf den Wohnwagen einem Mann begegnet, der mit seinem Auto aus dem Waldweg am Campingplatz gekommen ist. Und die gute Frau hatte ein besseres Gedächtnis als Elias. Sie erinnerte sich an einen dunklen Kombi, der ohne Licht fuhr.«

Noch eine Nadel mehr in diesem unübersichtlichen Heuhaufen, zu dem sich der ganze Fall entwickelt hatte.

»Ralf Ehlers fährt einen blauen Volvo«, merkte Bodenstein an.

»In der Dämmerung könnte man ihn als dunkles Fahrzeug wahrnehmen.«

»Kai, kann man feststellen, wer in Ruppertshain einen dunklen Kombi fährt?«, fragte Pia.

»Im Prinzip schon. Das kann aber sehr langwierig sein.«

»Egal, wir versuchen es.« Pia räusperte sich. »Heute um 14 Uhr findet die Beerdigung von Rosie und Clemens Herold auf dem Friedhof in Ruppertshain statt. Wir gehen alle hin. Chef, du und Cem, ihr sprecht vorher noch einmal mit Leo Kellers Mutter. Fragt sie bitte, ob sie sich daran erinnert, was Leo damals beschäftigt hat, mit wem er seine Freizeit verbracht hat, wer seine Freunde, Feinde oder Neider waren.«

»Geht klar.« Bodenstein und Cem nickten.

»Tariq, du fährst in die BGU und erkundigst dich nach Paulines Zustand.« Pia entging nicht das Aufleuchten in den Augen ihres jungen Kollegen. »Halte dich aber nicht länger als nötig auf.«

»Ich bleibe am Telefon«, sagte Kathrin. »Außerdem versuche ich, die Schwester von Frau Molin in Australien aufzutreiben.«

»Gut.« Pia nickte. »Letizia Lessing darf heute gehen.«

»Was ist mit Ralf Ehlers?«, erkundigte sich Bodenstein.

»Der muss bleiben, solange nicht eindeutig feststeht, dass er mit dem Angriff auf Pauline nichts zu tun hatte«, entschied Pia nach kurzem Nachdenken. »Außerdem könnte er uns noch nützlich sein. Je nachdem, was Gianni und Kim von Leo Keller erfahren.«

»Wir würden bei Keller auch die kognitive Befragungsmethode einsetzen«, sagte Lombardi. »Er hat erstaunlich gut auf die Rückführung vor den Zeitpunkt des Anschlags reagiert, und er hat jetzt mit dieser konkreten Erinnerung an das Fußballspiel einen Ankerpunkt, von dem aus wir rückwärtsgehen können. Es könnte funktionieren.«

»Zu verlieren haben wir nichts.« Pia nahm sich noch ein halbes Käsebrötchen von der Servierplatte. »Macht das. Ich telefoniere jetzt mit Antje Ortenstein. Wir treffen uns um zwölf Uhr wieder hier.«

»Die Fotos!«, rief Bodenstein und erhob sich von seinem Stuhl.

»Mein Vater hat mir gestern die Fotos von Clemens zurückgegeben. Ich hole sie aus dem Auto, dann können wir sie Leo zeigen. Vielleicht regt das seine Erinnerung an.«

»Gute Idee.« Pia nickte.

Die Aufgaben waren verteilt, die Runde löste sich auf. Und zum ersten Mal hatte Pia das Gefühl, dass die letzten Puzzlestückchen zum Greifen nahe waren. Doch dann fiel ihr noch etwas ein.

»Ach, Oliver!«

Bodenstein wandte sich zu ihr um.

»Es könnte hilfreich sein, wenn die Leute erfahren, dass Leo Keller nicht so behindert ist, wie alle denken«, sagte sie und lächelte. »Vielleicht holt ihr euch in der Bäckerei Pokorny einen Kaffee und plaudert dort ein bisschen.«

***

Das Freizeichen ertönte. Pia ließ es klingeln. Sie war in ihr Büro gegangen und saß an ihrem Schreibtisch. Hier konnte sie sich besser konzentrieren als unten. Gerade als sie wieder auflegen wollte, wurde am anderen Ende der Leitung abgenommen. Die Stimme von Antje Ortenstein klang atemlos, und sie entschuldigte sich, dass es so lange gedauert hatte. Sie musste ihre Enkel hüten, denn ihre Tochter sei gerade beim Arzt und im Kindergarten streikten seit Wochen die Betreuerinnen. Pia ließ die Frau eine Weile reden. Eine geschwätzige Zeugin war allemal besser als eine, der man jedes Wort aus der Nase ziehen musste. Antje Ortenstein stammte aus Schneidhain und war in Königstein zur Schule gegangen. Ihre Eltern hatten einen kleinen Bauernhof gehabt, ihr Vater hatte bei der Hoechst AG gearbeitet, viel Taschengeld hatte sie nie bekommen, deshalb hatte sie sich früh Jobs gesucht, um Geld für ihren großen Traum, eine Reise in die USA, zu verdienen. Als Konditorlehrling im »Café Kreiner« hatte sie nur ein mageres Lehrlingsgeld bekommen, deshalb hatte sie ab dem Frühjahr 1971 abends im »Sweet Pussycat« gearbeitet, drei Mal unter der Woche und an den Samstagen. An Rosie Herold könne sie sich gut erinnern, deshalb habe sie ja auch sofort, nachdem sie den Beitrag über die Pressekonferenz im Fernsehen gesehen hatte, bei der Hotline angerufen.

»Die Rosie war immer donnerstags abends da, zusammen mit ihrer besten Freundin. Vorher hatten sie irgendeinen Kurs bei der Volkshochschule«, erzählte Antje Ortenstein. »Ich glaube, den Kurs haben sie nur deshalb belegt, weil sie einfach mal raus wollten, ein bisschen Spaß haben. Die beiden haben sich gerne von den Herren Sekt ausgeben lassen und geflirtet, was das Zeug hielt.«

»Hat Rosie Herold sich mit einem bestimmten Mann getroffen?«, fragte Pia.

»Nein, ich glaube nicht. Wir hatten viele Stammgäste, aber auch Kurgäste, die nur ein paar Wochen in Königstein waren. Oft ging sie früher als ihre Freundin, und die sagte dann immer so was wie: ›Jetzt trifft sie sich mit ihrem heimlichen Liebhaber‹ und rollte die Augen.«

»Können Sie sich daran erinnern, wie die Freundin hieß?«

»Oh ja!« Frau Ortenstein bewies ein phänomenales Gedächtnis. »Ich fand ihren Namen so schön, der war richtig exotisch: Estefania Ugonelli! Sie war Italienerin, bildschön, mit langen schwarzen Haaren und großen Kulleraugen, Typ Gina Lollobrigida. Im Gegensatz zu Rosie war sie damals noch nicht verheiratet, und die Rosie war immer ein bisschen neidisch auf sie, wenn die Estefania einen Mann an der Angel hatte und sie selbst nach Hause zu Mann und Kindern musste.«

Pia spürte, wie ihr Herz aufgeregt zu klopfen begann. Frauen neigten dazu, ihren besten Freundinnen die intimsten Geheimnisse anzuvertrauen. Hatte Rosie das auch getan? Hatte sie Estefania erzählt, mit wem sie sich heimlich getroffen hatte? Ob diese Freundin noch existierte? Mit diesem ungewöhnlichen Namen gab es zumindest eine Chance, dass Kai sie aufstöbern würde!

»Irgendwann kam die Estefania alleine«, sagte Frau Ortenstein. »Aber sie hatte ohne die Rosie nicht mehr so richtig Spaß.«

»Und warum kam Rosie nicht mehr mit?«

»Angeblich hatte ihr Mann ihr verboten, alleine auszugehen. Er hatte herausgefunden, dass sie ins ›Pussycat‹ ging. Irgendwer hatte es ihm wohl erzählt. Na ja, kein Wunder. Eigentlich ist es überraschend, dass er es so lange nicht mitgekriegt hatte.« Antje Ortenstein seufzte. »Das waren ja noch ganz andere Zeiten, damals. Da durften verheiratete Frauen nicht in solche Etablissements gehen. Die Rosie ist von ihrem Mann schlimm verprügelt worden. Und dann hat sie noch ein Baby gekriegt.«

»Wann war das? Wissen Sie das noch?«

»Hm.« Frau Ortenstein überlegte einen Moment. »Ich hab bis Weihnachten 1973 dort gearbeitet, da kam sie schon lange nicht mehr. Also, ich denke, sie war im Sommer 1972 zum letzten Mal dort gewesen. Danach bin ich ihr noch ein paarmal begegnet, in Königstein auf dem Markt oder im ›Café Kreiner‹, aber ich hab nur immer ein paar belanglose Worte mit ihr gewechselt.«

»Können Sie sich daran erinnern, wo Estefania gewohnt hat?«

»Sie kam aus Fischbach«, erwiderte Frau Ortenstein. »Immer kamen sie mit dem Auto, alle beide. Meistens waren sie ganz schön angeschickert, wenn sie gegangen sind. Alkoholkontrollen gab's ja nicht so richtig. Die Rosie hatte sowieso ziemlich gute Connections zur Polizei in Königstein. Der Leiter von der Polizeistation war ein Nachbar, wenn ich mich richtig erinnere. Der war auch öfter bei uns und war ganz scharf auf die Rosie. Er ist später irgendwann tödlich verunglückt, mit seinem Traktor.«

Pia war wie elektrisiert. Raimund Fischer, der Leiter der Polizeistation und Schwager von Dr. Lessing, hatte die Einschaltung der Kriminalpolizei damals für mehrere Tage hinausgezögert. Hatte er das vielleicht gar nicht Lessing zuliebe getan, wie sie bisher angenommen hatten, sondern weil Rosie ihn darum gebeten hatte? War er tatsächlich verunglückt, oder hatte möglicherweise jemand nachgeholfen, weil er zu viel gewusst hatte und gefährlich geworden war? Sein Name war der Erste auf der Liste mit durchgestrichenen Namen, die sie bei Leo Keller gefunden hatten. Was hatte das zu bedeuten?

***

»Ich hab vergessen zu tanken«, stellte Cem fest, als sie auf der Höhe von Liederbach waren. »So ein Mist!«

»Bieg links ab.« Bodenstein blickte von seinem Smartphone auf. Lorenz hatte ihm eine WhatsApp geschrieben, und er überlegte, seinem Sohn mitzuteilen, dass er nun wusste, wer Thordis'

Vater war. »Wir können an der Shell in Kelkheim tanken und fahren dann eben über Fischbach nach Ruppertshain.«

»Okay.« Cem setzte den Blinker, fuhr am Kelkheimer Hauptfriedhof vorbei und durch den Kreisel nach Kelkheim hinein. An der Tankstelle war wenig los, er konnte direkt an die Zapfsäule rollen. Während Cem das Auto betankte, tippte Bodenstein die Nachricht an Lorenz. Es wäre nicht in Ordnung, seine Schwiegertochter nach dreißig Jahren der Ungewissheit mit einer lapidaren WhatsApp über die Identität ihres Vaters aufzuklären, außerdem haderte er selbst noch mit der Vorstellung, dass er durch zukünftige Enkelkinder ausgerechnet mit Peter Lessing verwandt sein würde. Deshalb schrieb er nur, dass er erfahren habe, wer Thordis' Vater sei, ihr das aber persönlich mitteilen wolle, nicht per Smartphone. Ein Klopfen an der Fensterscheibe ließ ihn zusammenfahren. Irritiert blickte er in ein gerötetes Gesicht mit einem dicken Seehundschnauzbart. Er brauchte ein paar Sekunden, bis er den Mann erkannte.

»Hallo, Detlef.« Es wäre unhöflich gewesen, im Auto sitzen zu bleiben, deshalb stieg er aus.

»Na, Oliver. Was machst'n du hier?« Sonja Schrecks Ehemann trug eine ölverschmierte Latzhose, seine Finger waren rabenschwarz, und Bodenstein fiel wieder ein, dass er in der Werkstatt der Tankstelle arbeitete.

»Tanken«, erwiderte er trocken. »Und du?«

»Ei, ich schaff doch hier.« Schreck wies mit einer Kopfbewegung in Richtung Werkstatt.

»Gehst du nicht auf die Beerdigung?«

»Nee. Ich konnt den Clemens nicht ab. Da stell ich mich doch nicht an dem sein Grab und tu so, als ob ich traurig wär.« Er schnaubte verächtlich und klemmte seine Daumen unter die Träger der Latzhose. Wie er so dastand, breitbeinig, den dicken Bauch vorgeschoben, mit einem selbstgefälligen Grinsen auf dem geröteten Gesicht, wunderte Bodenstein sich nicht, dass seine Frau resigniert hatte. »Und die Rosie hat meiner Sonnie das Leben schwergemacht. Tut mir nicht leid, dass sie tot ist.«

Cem, der das gehört hatte, hob nur die Augenbrauen.

»Habt ihr den Leo einkassiert, he?« Schrecks wässrige Augen

glitzerten. »Die Roose Elfriede, die wohnt doch nebendran, und die hat erzählt, dass ihr dem Leo seine Bude durchsucht habt. Was habt'n ihr vor mit dem Dappes?«

Die pure Neugier war also der Grund, warum Schreck an die Scheibe geklopft hatte.

»Der Leo hat uns allen schön was vorgespielt. Ich bin immer noch ganz sprachlos.« Bodenstein ging auf die plumpe Vertraulichkeit ein. »Vierzig Jahre lang hat er so getan, als wäre er ein bisschen debil, dabei war das alles nur gespielt, das Stottern und Stammeln! Er kann ganz normal reden.«

»Ach komm!« Schreck riss die Augen auf, und Bodenstein konnte deutlich sehen, wie diese Nachricht durch die Gehirnwindungen kroch, bis aus Hören allmählich Begreifen wurde. »Der Leo! Ich fass es ja net!«

»Tja, ich auch nicht.« Bodenstein schüttelte den Kopf. »Wir waren alle völlig perplex. Vor allen Dingen darüber, was der uns alles so erzählt hat! All die Jahre haben ja alle geglaubt, der wäre ein bisschen ... gaga.«

»Ich fass es net!«, wiederholte Schreck in kurzatmigem Falsett. »Wie geht'n so was?«

»Du warst doch früher gut mit ihm befreundet«, sagte Bodenstein. »Hatte der Leo eigentlich damals eine Freundin? Oder hat er für ein Mädchen geschwärmt?«

»Der war mal mit der Patrizia zusammen, aber nicht lange.« Schreck zuckte die Schultern.

»Patrizia? Die Frau vom Jakob?«, vergewisserte Bodenstein sich.

»Ja, genau. Alle waren hinter der her, aber von uns war ihr keiner gut genug.« Ein alter Groll schwang in seiner Stimme mit. »Den Jakob wollte sie, unbedingt. Wollte die große Dame spielen, mit 'nem Anwalt als Mann, ha! Da hat sie alles drangesetzt. Aber dummerweise war der Jakob schon mit 'ner anderen verlobt. Und für die Patrizia hat er nicht viel übriggehabt.« Schrecks Grinsen wurde gehässig. »Er hat sich nur über sie lustig gemacht.«

Der Tankstutzen klickte, aber Cem blieb neben dem Auto stehen.

»Aber die Patrizia hat das nicht gestört. Raffiniert war sie ja schon damals. Die hatte einen Plan. Und der Jakob ist voll in die Falle getappt.« Er kicherte und feixte. »Beim Lumpenball an Fasching oben im Saal vom Grünen Wald, da war er reif. Auf dem Männerklo hat er sie gebumst, während der Leo ganz brav die Musikinstrumente von der Band ins Auto geladen hat.«

»Woher weißt du das denn?«

»Wir waren ja quasi dabei.« Schrecks rotes Gesicht wurde noch eine Nuance röter. »Wir haben Schmiere gestanden, der Clemens und ich. Das haben wir öfter gemacht für den Jakob.«

»Ihr seid ja feine Freunde gewesen.« Bodenstein schauderte bei der widerwärtigen Vorstellung, wie sich der picklige Detlef mit der Hasenscharte daran aufgeilte, wenn sein Kumpel Jakob, dem er sein gutes Aussehen neidete, Mädchen flachlegte.

»Na ja. War halt so.« Schreck war seine offene Schadenfreude kein bisschen peinlich, und ihn quälte wohl auch kein schlechtes Gewissen. »Konnte ja keiner ahnen, dass der Jakob die gleich dick macht.« Er lachte anzüglich. »Ein paar Monate später hat's die Patrizia ihm gesagt, als er übers Wochenende mal vom Bund zu Hause war. Das war's dann mit den großen Plänen, mit denen er immer vor uns rumgeprotzt hat. Nix mehr Studieren und Ausland, sondern heiraten und in Ruppsch hocken!« Er war noch immer schadenfroh nach all den Jahren. »Hat ihn so richtig reingelegt, den schlauen Jakob! Wir haben ihn ganz schön damit aufgezogen. Vor allem der Clemens, der konnt sich gar nicht mehr einkriegen.«

»Wie hat Leo darauf reagiert, dass seine Freundin von seinem besten Freund geschwängert worden ist?«, erkundigte sich Cem.

»Begeistert war er nicht«, gab Schreck zu. »Aber war ja nichts mehr dran zu ändern.«

»Und was war mit Ihnen?«, bohrte Cem weiter. »Was haben Sie und Ihre Freunde gedacht, als Sie erfahren haben, dass Leo ein Kind umgebracht und einen Selbstmordversuch begangen haben soll?«

Schreck blies die Backen auf. Seine Schweinsäuglein zuckten zwischen Cem und Bodenstein hin und her, er fuhr sich mit der schmutzigen Hand über den blanken Schädel.

»Wir haben's alle nicht glauben wollen«, sagte er nach kurzem

Zögern. »Ich mein, wenn man einen schon so lang kennt, dann kann man sich einfach nicht vorstellen, dass der so was macht.«

»Das haben Sie aber damals bei der Polizei nicht so gesagt.«

»Ja. Nee. Ich weiß gar nicht mehr«, wich Schreck aus.

»Wussten Sie, was wirklich passiert ist?«

»Nein! Ich hatte keine Ahnung, ehrlich!« Unbehagen wurde zu Angst. »Es wurde so viel geredet, und irgendwann glaubt man halt das, was die Leut' sagen.«

»Würde es Sie überraschen zu hören, dass Leo Keller sich überhaupt nicht das Leben nehmen wollte?«, fragte Cem. »Sondern dass jemand anderes versucht hat, ihn umzubringen?«

»W… was? Nee. Also. Ja, das … das tät mich echt überraschen«, stotterte der Mann nervös. »Wer hätte das denn tun sollen?«

»Das ist die Preisfrage.« Cem betrachtete ihn eindringlich, bis Schreck den Blick abwandte. »Lügen Sie uns an? Wissen Sie etwas? Decken Sie vielleicht einen Mörder?«

Detlef Schreck wurde leichenblass und wich einen Schritt zurück. Von seiner Selbstgefälligkeit war nichts mehr übrig.

»Nein, nein, das tu ich nicht!« Seine Stimme versagte. »Ich schwör's! Ich weiß nichts!«

»Warum konnten Sie Clemens Herold nicht leiden? Sie waren doch mal dicke Freunde gewesen?« Cem blieb beharrlich, und Bodenstein ließ ihn gewähren. Er bekam nicht mit, was Schreck darauf antwortete, und es interessierte ihn auch nicht, denn Stück für Stück schob sich ein ungeheuerlicher Verdacht in sein Bewusstsein.

***

Estefania Ugonelli lebte in Prüm in der Eifel, das hatte eine Einwohnermeldeamtanfrage ergeben. Entweder hatte die alte Freundin von Rosie Herold nie geheiratet oder einfach ihren Namen behalten, auf jeden Fall hatte ihr ungewöhnlicher Name die Suche nach ihr beträchtlich erleichtert. Über das Internet hatte Kai zudem herausgefunden, dass sie einen Kiosk mit Postagentur betrieben, diesen aber mittlerweile verkauft hatte.

Während Kai versuchte, Kontakt zu der Frau aufzunehmen,

saß Pia gemeinsam mit Nicola Engel im Nebenzimmer der Verhörräume hinter dem venezianischen Spiegel und verfolgte, wie Lombardi und Kim mit unendlicher Geduld und unter Vermeidung jeglicher Suggestivfragen versuchten, dem Erinnerungsvermögen von Leo Keller verschüttete Informationen zu entlocken. Der Mann gab sich die größte Mühe, kooperativ zu sein, aber in vierzig Jahren hatte sich Gehörtes mit Erlebtem vermischt und war zu einem zähen Erinnerungsbrei verkocht. Auch die Therapeuten, Psychologen, Hypnotiseure und Astrologen, die Keller aufgesucht hatte, um die Wahrheit herauszufinden, hatten Einfluss auf die Bilder in seinem Kopf genommen, sie verfälscht. Gleichzeitig dachte Pia über das nach, was Bodenstein ihr vorhin am Telefon von seinem Gespräch mit Detlef Schreck erzählt hatte. Ihr Unterbewusstsein gab sich größte Mühe, ihr etwas zu sagen – aber was?

»Ich weiß nicht, was das alles bringen soll«, unterbrach die Kriminalrätin ihre Gedanken. »Das ist pure Zeitverschwendung.«

»Aber auch unsere einzige Hoffnung«, entgegnete Pia. »Was nützen alle Indizien, solange der Kontext fehlt? Bis jetzt ist dieser ganze Fall nichts als ein Haufen Hypothesen und Möglichkeiten, und da drin sitzt möglicherweise unser einziger Augenzeuge.«

»Der einen Hirnschaden hatte und sich an nichts erinnert«, ergänzte die Engel kritisch. »Aber vielleicht führt er auch uns nur an der Nase herum.«

»Wieso sollte er das tun?« Pia wandte den Blick nicht von Kellers Gesicht hinter der Glasscheibe. Die Konzentration strengte ihn über alle Maßen an, dennoch sah er sich immer wieder die alten Fotos an, in der Hoffnung auf den Initialfunken, der seine Erinnerung zurückbringen würde.

Noch vor ein paar Stunden war Pia fest davon überzeugt gewesen, dass er der Täter war, den sie suchten, aber mittlerweile hatte sie ihre Meinung revidiert. Sein Motiv war einfach nicht stark genug. Selbst wenn Rosie dem Pfarrer gebeichtet hatte, dass sie sich mit Leo getroffen und sie gemeinsam das Kind umgebracht hatten, dann hätte es für ihn nichts geändert, denn er galt ohnehin offiziell als Arturs Mörder. »Er hat die Chance, sich zu rehabilitieren und die wird er nutzen, weil er nicht mehr so leben will wie bisher. Abgesehen davon beginnen wir übermorgen mit dem Massen-Gentest.«

»Der hilft auch nicht weiter, wenn es keine genetischen Vergleichsspuren gibt.«

»Aber die gibt es doch.« Pia richtete sich auf. »Sonja Schreck, die Tochter von Rosie Herold, hat uns schon ihre DNA zur Verfügung gestellt. Das Labor wird die DNA-Proben der Männer auf eine potentielle Vaterschaft untersuchen.«

»Passen Sie auf, dass Sie über all die Details nicht den Überblick verlieren«, sagte die Kriminalrätin. »Stichwort Meta-Perspektive. Verstehen Sie das bitte nicht als Kritik, nur als Rat.«

»Vielen Dank«, murmelte Pia bitter. Sie wünschte, sie hätte etwas darauf erwidern können, aber die Engel hatte leider exakt den wunden Punkt getroffen. Sie übersahen irgendetwas. Im Gewirr der verschiedenen Fährten mäanderte die eine richtige Spur durch den Wust nebensächlicher Informationen und hypothetischer Annahmen; sie war zum Greifen nah und dennoch versteckt, vielleicht, weil sie so offensichtlich war, dass es ihnen zu einfach erschien. Höchste Zeit, die Fakten zu ordnen und ein paar Widerspruchsebenen zu eliminieren. Pia lauschte nur mit einem Ohr auf die Stimmen aus dem Nachbarraum, die sie über Lautsprecher hörte. Ganz plötzlich durchzuckte sie eine Erkenntnis, und sie sprang auf, als habe sie jemand mit kochendem Wasser übergossen. Sie stürzte hinaus in den Flur und riss die Tür zum benachbarten Vernehmungsraum auf. Es gehörte sich nicht, einfach in Vernehmungen zu platzen, aber das war ihr egal, genauso wie die ungehaltenen Blicke von Lombardi und ihrer Schwester.

»Das T-Shirt, in das das Messer eingewickelt war«, sagte sie aufgeregt zu Keller. »Wann haben Sie das zuletzt getragen?«

»Ich … ich weiß nicht.« Leo Keller war verunsichert. »Ich habe davon zwölf Stück. Sie gehören zu meiner Arbeitskleidung.«

»Und wo bewahren Sie die üblicherweise auf?«

»In … in meinem Spind auf der Arbeit«, erwiderte Keller. »Wieso ist das wichtig?«

»Nehmen Sie sie mit nach Hause zum Waschen?«

»Nein. Wenn die Arbeitskleidung schmutzig ist, werfen wir sie in einen Schmutzwäschecontainer, der von der Firma, die die

Kleidung stellt, einmal pro Woche abgeholt wird. Gleichzeitig bringen sie die sauberen Sachen von der Woche vorher mit und legen sie in unsere Spinde.«

»Wo befindet sich dieser Schmutzwäschecontainer?«

»Im Keller vom Rathaus. Neben den Umkleideräumen.«

»Kann da einfach jeder dran, oder ist er abgeschlossen?«

»N... nein, der ist nicht abgeschlossen.« Keller nickte unbehaglich, wusste nicht, ob das, was er sagte, gut oder schlecht für ihn war.

»Danke«, sagte Pia schnell und stürmte wieder hinaus. Vor der Tür stieß sie fast mit Nicola Engel zusammen.

»Können Sie mir bitte ...?«, begann die Kriminalrätin.

»Keine Zeit!«, fiel Pia ihr ins Wort. »Ich muss mit Ralf Ehlers sprechen! Würden Sie bitte veranlassen, dass man ihn herbringt?«

»Ja, natürlich.« Die Engel sah sie irritiert an.

Immer drei Stufen auf einmal nehmend, hetzte Pia die Treppe hoch. Selbst die cleversten Täter machten irgendwann einen Fehler. Und den hatte sie gerade gefunden!

***

Die alte Frau Keller hatte Besuch von einer Nachbarin, als Bodenstein und Cem vor ihrem Haus anhielten und ausstiegen.

»Guten Morgen, Frau Hartmann«, grüßte Bodenstein die Mutter seines Schulkameraden Andreas. Elisabeth Hartmann trug eine Kittelschürze über einem Wollpullover und hielt eine Brötchentüte in der Hand. Sie war eine kleine, resolute Person mit kurzgeschnittenem graumeliertem Haar und abgearbeiteten Händen, denen man ansah, dass sie zupacken konnten.

»Wie geht's meinem Leo?«, wollte Frau Keller sofort wissen.

»Dem geht es gut«, beruhigte Bodenstein die alte Frau. »Machen Sie sich keine Sorgen. Er hat uns übrigens gestern Nacht die ganze Geschichte erzählt.«

»Tatsächlich?« Die Alte musterte ihn scharf.

»Ja. Er muss sich nicht länger verstellen.«

Cem und er hatten in der Bäckerei am Stehtisch Kaffee getrunken, dazu jeweils ein Brötchen gegessen. Konni Pokorny hatte sich nicht blicken lassen, aber seine Frau hatte die Ohren aufgesperrt, als sie laut über Leo Keller diskutiert hatten. Natürlich hatte es nicht lange gedauert, bis die Neugier sie unter einem Vorwand an ihren Tisch getrieben hatte. Bodenstein war sicher, dass sich die Nachricht über Leos jahrelange Verstellung wie beabsichtigt über Detlef Schreck und Sylvia Pokorny bis zur Beerdigung heute Mittag im ganzen Ort verbreitet haben würde.

»Ach, das ist gut.« Die alte Frau Keller seufzte. Ihr halbes Leben lang hatte man sie, die Mutter eines geistig behinderten mutmaßlichen Pädophilen und Kindermörders, wie eine Aussätzige behandelt. »Ich bin froh, wenn diese Scharade endlich ein Ende hat.«

»Was für eine Scharade?«, erkundigte sich Frau Hartmann neugierig, und Bodenstein erinnerte sich daran, dass sie Leo gut kannte. Er hatte seine Lehre in ihrer Metzgerei gemacht und bei Hartmanns gearbeitet, als das alles passiert war. Bereitwillig erklärte er ihr deshalb, dass Leo all die Jahre eine Rolle gespielt hatte, und zwar ausgesprochen überzeugend.

»Aber warum hat er so etwas gemacht?« Die alte Metzgersfrau war völlig entgeistert.

»Weil er Angst hatte, für etwas ins Gefängnis zu müssen, was er nicht getan hat«, entgegnete Bodenstein. »Die Polizei glaubte damals, Leo hätte Artur missbraucht und getötet, und es gab nichts, was ihn entlastet hätte. Heute ist das anders, denn wir haben die sterblichen Überreste von Artur gefunden.«

»Ich muss mich mal hinsetzen, Annemie«, murmelte die alte Frau benommen. Es würde eine Weile dauern, bis sie es vollends begriffen hatte, aber bereits jetzt regte sich der erste Anflug schlechten Gewissens, das sie, wenn sie eines Tages alle Zusammenhänge durchschaut hatte, bis zu ihrem letzten Atemzug quälen würde. Sie gehörte zu denen, die sich an Leo und seiner Mutter versündigt hatten. Und sie wusste es.

»Ja, setz dich nur, Elsbeth, setz dich.« Frau Keller, gestützt auf ihren Rollator, wies mit einem Kopfnicken auf die Bank vor der Haustür. Ihre Augen leuchteten triumphierend, sie wirkte verändert, um Jahre jünger, befreit von einer schweren Last.

Frau Hartmann ließ sich auf die Bank sacken. Sie war ganz blass geworden, griff sich an den Hals. »Das heißt, der Leo ist gar nicht so … nun ja …«

»Er ist kein Depp!«, brachte es Frau Keller nachdrücklich auf den Punkt. »Er hat nur so getan, weil er unschuldig ist. Ihr habt ihm alle Unrecht getan!«

»Aber wieso wollte er sich denn damals das Leben nehmen?«

»Wollte er nicht«, sagte Bodenstein und erntete dafür einen weiteren verständnislosen Blick. »Jemand hat versucht, ihn mit dem Schussapparat umzubringen. Weil er etwas wusste, wie wir annehmen.«

***

Tatsächlich war es Frau Dr. Engel gelungen, Ralf Ehlers innerhalb einer Stunde aus dem Untersuchungsgefängnis auf die RKI bringen zu lassen. Kai hatte die Telefonnummer von Estefania Ugonelli herausgefunden, aber da die Frau nicht ans Telefon ging, hatte er die Kollegen in der Eifel um Amtshilfe gebeten. Eine Streife hatte Rosie Herolds alte Freundin im Garten ihres Hauses angetroffen und sie darum gebeten, Pia anzurufen. Nun saß sie in einem Streifenwagen und war auf dem Weg hierher.

Gianni Lombardi und Pia saßen Ralf Ehlers gegenüber, und Pia bebte innerlich vor Aufregung.

»Wie geht es meinen Hunden?«, fragte der Mann als Erstes.

»Die sind im Tierheim in Kelkheim gut aufgehoben«, versicherte Pia ihm. »Und mit etwas Glück können Sie sie bald abholen.«

»Das klingt gut.« Der Gefängnisaufenthalt hatte Ehlers nicht eingeschüchtert. Er besaß Knasterfahrung, scherte sich nicht um seinen Ruf und wusste, dass man ihn nicht mehr lange festhalten konnte. »Womit kann ich helfen, Frau Hauptkommissarin?«

»Versuchen Sie, sich in das Jahr 1972 zurückzuversetzen«, bat Pia ihn. »In den Sommer. In die Zeit, als Artur verschwand.«

»Sind wir mit dem Thema nicht allmählich durch?« Ehlers schüttelte unwillig den Kopf.

»Was Sie und Ihre Freunde betrifft, sind wir das«, erwiderte Pia. »Uns interessiert, was Ihr Bruder gemacht hat.«

»Mein Bruder?« Ehlers überlegte einen Moment angestrengt,

ohne den Blick von Pias Augen zu wenden, dann entspannte sich seine Miene, und er lachte auf.

»Ach ja, das war ein hübscher Skandal, damals. Alle Leute haben darüber geredet und sich wohl heimlich ins Fäustchen gelacht«, erinnerte er sich und grinste. »Mein Bruder hatte sich an Weihnachten mit einem Mädchen aus Königstein verlobt, ihr Vater war ein hohes Tier bei der Deutschen Bank. Meine Eltern sind vor Stolz fast geplatzt! Außerdem hatte Jakob einen Studienplatz für Jura in München gekriegt, und meine Mutter hat das jedem erzählt, der ihr über den Weg lief. Sie hatte schon die Gästeliste für die Hochzeitsfeier fertig, sogar die Sitzordnung, und malte sich gerne aus, wie sie mit den wichtigen Vorstandseltern mit Sekt auf ›Du‹ anstieß.« Er kicherte in sich hinein. »Dummerweise hat mein Bruder aber eine andere geschwängert. Die Vorstandstochter löste die Verlobung und sagte die Hochzeit ab. Aber die schlimmste Demütigung für meine Eltern war, dass der scharfe Jakob ausgerechnet eins von den Kroll-Mädchen dick gemacht hatte.«

»Was bedeutet das?« Vor Pias innerem Auge erschien das Bild, wie Jakob Ehlers seinen Arm erst leutselig um Henriette Lessing, dann um Dr. Renate Basedow gelegt hatte.

»Die Krolls galten als etwas … nun ja … asozial«, erklärte Ehlers. »Neun Kinder und alle nicht gerade die hellsten Köpfe. Aber die Patrizia, die war clever. Sie hat Jakob regelrecht reingelegt, hat schön gewartet, bis sie im vierten Monat war, bevor sie's ihm gesagt hat. Ihre Eltern wollten natürlich, dass der Jakob sie heiratet, immerhin hatte er sie entehrt. Mein Bruder weigerte sich aber erst mal standhaft. Er hat von der großen, weiten Welt geträumt. Ich erinnere mich, dass es deshalb ein Riesentheater bei uns zu Hause gab. Das ganze Dorf hat schadenfroh gelacht. Für meine Eltern war das eine bittere Niederlage, und meine Mutter wäre am liebsten weggezogen.«

»Wann war das ungefähr?«

»Ich glaube, die Hochzeit war im Herbst«, erwiderte Ehlers. »Auf den letzten Drücker sozusagen, drei Wochen später kam schon das Baby.«

»Warum hat Ihr Bruder nachgegeben?«

»Das war halt damals so.« Ehlers zuckte die Schultern. »Patrizia und er waren beide noch nicht volljährig. Die Eltern haben entschieden. Fertig.«

»Weshalb ist Ihr Bruder kein Anwalt geworden? Das war doch sein Traum, oder?«

»Mit Frau und Kind musste er ja Geld verdienen. In den ersten Jahren haben sie bei uns in der Wohnung unterm Dach gewohnt, das war billiger als etwas Eigenes. Erst als Jakob die Ausbildung bei der Stadt fertig hatte, hat er etwas mehr verdient, und sie konnten ausziehen.«

»War er deswegen unzufrieden?«

»Es war eine Riesendemütigung für ihn, klar«, erwiderte Ralf Ehlers. »Ich denke, innerlich hat er schwer gehadert, aber er war viel zu stolz, um sich etwas anmerken zu lassen.«

»Was war mit seinen Freunden? Clemens Herold, Leo Keller und Detlef Schreck?«

»Dem Leo hat er einen Job bei der Stadt besorgt. Den hat er nie hängenlassen, auch nach dem Selbstmordversuch nicht und dem ganzen Gerede. Mit Clemens und Detlef hat er nichts mehr zu tun gehabt, der Clemens ist irgendwann aus Ruppertshain weggezogen.«

»Und was hat Ihr Bruder dazu gesagt, als Sie Clemens' Schwester Sonja geheiratet haben?«

Ralf Ehlers zögerte einen Moment. Zum ersten Mal schien er sich zu fragen, worauf Pias Fragen überhaupt abzielten.

»Wieso interessiert Sie das?«

»Antworten Sie einfach. Hat er sich gefreut? Oder wollte er eher verhindern, dass Sie heiraten?« Pia hielt gespannt die Luft an. Die Wahrheit war kein Leuchtturm in dunkler Nacht. Sie verbarg sich hinter hundert Ecken und kam nur ans Licht, wenn man ihr beharrlich genug auf den Fersen blieb. Und das hatte sie getan. Jetzt musste sie nur noch den Sack zumachen und Beweise dafür bekommen, dass sie mit ihrem Verdacht auf der richtigen Spur war.

»Hm.« Ehlers blickte verwundert. »Er hat mich tatsächlich davor gewarnt. Mehr als einmal, aber ich wollte nicht auf ihn hören.«

»Fanden Sie das nicht seltsam?«

»Doch. Schon irgendwie. Mein Bruder hat sich sonst nicht groß um mich gekümmert. Er kann mich eigentlich nicht leiden. Wieso fragen Sie das alles?«

»Weil ich vermute, dass Ihr Bruder Jakob der Vater Ihrer Exfrau ist«, sagte Pia. Ehlers starrte sie verblüfft an. »Sie ist am 5. April 1973 geboren. Ihr Bruder hatte im Sommer 1972 eine Affäre mit Rosie Herold, die am 17. August 1972 ein jähes Ende fand. Als sie nämlich gemeinsam Artur Berjakov umgebracht haben.«

***

»Um Gottes willen!« Elisabeth Hartmann legte die Hand vor den Mund. Betroffenheit verwandelte sich in Fassungslosigkeit und dann in blankes Entsetzen. Die ganze Tragweite der Neuigkeit dämmerte als schmaler Streifen am Horizont ihres Bewusstseins herauf.

»Ich hab mir nie erklären können, warum er sich umbringen wollte, der Leo«, sagte sie langsam, als sie sich vom ersten Schock etwas erholt hatte. »Er wollte doch im Winter die Meisterprüfung machen.«

»Hatte er eigentlich eine Freundin?«

»Nein, ich glaube nicht.« Ihr Blick wanderte kurz zu Leos Mutter. »Er war ja mal mit der Patrizia Kroll zusammen und hat schwer daran geknabbert, dass sie mit ihm Schluss gemacht und ausgerechnet seinen besten Freund geheiratet hat.«

»Die Patrizia!«, schnaubte Annemie Keller. »Mein Leo war ihr nicht gut genug, der war ja nur ein Metzger! Einen *Anwalt* wollte sie! Und eine *Villa*! Und was hat sie gekriegt?« Sie lachte schadenfroh auf. »Einen Standesbeamten und einen Bungalow im Gärtnerweg! Pah!«

»Was war mit der Rosie?«, erkundigte sich Bodenstein vorsichtig.

»Mit der Rosie?« Frau Keller furchte die Stirn. »Was soll denn mit der gewesen sein? Die war doch verheiratet und hatte ihre zwei Buben!«

»Wir haben gehört, dass die Rosie es mit der ehelichen Treue nicht so genau genommen hat«, sagte Bodenstein.

Die beiden Alten wechselten einen schnellen Blick. Sie waren beide nur unwesentlich älter als Rosie Herold, hatten damals etwa gleichaltrige Söhne gehabt.

»Ja, ja«, bestätigte Elisabeth Hartmann. »Die Rosie ist immer mal nebenraus, das wusste jeder. Aber da hat man nicht drüber gesprochen. Mit ihrem Mann wollte sich's keiner verscherzen.«

»Eines Tages hat er's aber rausgekriegt, dass sie ihm Hörner aufgesetzt hat«, sagte Frau Keller abfällig. »Da ging's rund! Der hat die Rosie so gedachtelt, dass sie zwei blaue Augen hatte. Und weil sie einen Unfall gebaut hatte, durfte sie nirgends mehr alleine hinfahren.«

»Einen Unfall?« Bodenstein horchte auf, und sein Herz begann zu klopfen. Plötzlich erfüllte ihn die Gewissheit, dass er ganz nah dran war. Mit Mühe bezähmte er seine Ungeduld. Sein Handy begann in seiner Jackentasche zu vibrieren.

»Das Auto war ziemlich hinüber«, erzählte Annemie Keller und kicherte bei der Erinnerung in sich hinein. »Angeblich hat sie einem Reh ausweichen müssen. Aber jeder hat gewusst, dass sie wohl eher ein paar Sektchen zu viel getrunken hatte!«

»Ohne den Fischer Raimund wäre ihr Führerschein futsch gewesen«, bekräftigte Elisabeth Hartmann. »Der hat ja immer ein Auge zugedrückt bei der Rosie.«

Hier ein Bröckchen, dort ein Krümelchen – wie Bodenstein geahnt hatte, war die Wahrheit all die Jahre in den Köpfen der Leute gewesen. Jeder wusste etwas, aber niemand hatte je die einzelnen Mosaiksteinchen zusammengesetzt, schlicht und einfach deshalb, weil keiner ein Interesse daran gehabt hatte, an diese Geschichte zu rühren. Artur war ein Fremder gewesen, Leo Keller der Sündenbock. Insgeheim war jeder froh gewesen, dass es nicht ihn selbst erwischt hatte.

»Gab es denn Gerüchte, mit wem sie etwas hatte?«, forschte er. Noch immer summte und vibrierte sein Handy. Er zog es heraus und reichte es Cem.

»Nein.«

»Ich erinnere mich nicht.«

Die zwei Alten vermieden Blickkontakt. Sie konnten einfach

nicht aus ihrer Haut. Verschweigen und Herausreden waren menschliche Abwehrmechanismen und längst zu ihrer zweiten Natur geworden.

»Mit Ihren Ausreden schützen Sie einen Mörder!«, sagte Bodenstein eindringlich. »Rosie Herold ist tot und ihr Mann auch. Aber Leo lebt, und er könnte von dem Verdacht, ein Kindsmörder zu sein, rehabilitiert werden, wenn Sie uns helfen, die Wahrheit ans Licht zu bringen!«

»Chef …«, sagte Cem, aber Bodenstein achtete nicht auf ihn.

»Jemand will gesehen haben, wie Leo an dem Abend, an dem Artur verschwand, aus dem Wald gekommen ist, und hat anonym bei der Polizei angerufen«, fuhr er fort. »Deshalb wurde er verdächtigt. Und deshalb hat man auch diesen Anschlag auf ihn verübt.« Bodenstein wandte sich an Frau Hartmann und wagte einen Schuss ins Blaue. »Übrigens schließen wir nicht aus, dass derjenige, der Leo angegriffen und jetzt vier Menschen ermordet hat, auch Ihre Tochter auf dem Gewissen hat.«

»Unsere Franzi?« Elisabeth Hartmann erstarrte. »Aber das … das war doch ein Unfall!«

»Mit einer Unfallflucht, die nie aufgeklärt wurde«, bestätigte Bodenstein. »Genauso mysteriös wie der Tod von Raimund Fischer.«

Die Unterlippe der alten Frau begann zu zittern. Ihre Augen füllten sich mit Tränen. Sie stieß einen herzzerreißenden Klagelaut aus, sackte in sich zusammen und schlug die Hände vors Gesicht. Bodenstein verspürte kein Mitleid. Eine gewisse Grausamkeit ließ sich bei der Suche nach der Wahrheit manchmal einfach nicht vermeiden.

»Chef«, sagte Cem leise und hielt ihm sein Smartphone hin. »Das musst du lesen! Unbedingt!«

Irritiert griff Bodenstein nach dem Telefon und kniff die Augen zusammen. Ihm wurde übel, als habe ihm jemand in den Magen getreten. Gleichzeitig sprühten die Synapsen in seinem Kopf Funken. *Jakob Ehlers ist unser Mann. Wir haben Beweise. Treffpunkt 12 Uhr Merlin. Vorher nichts unternehmen.*

***

»Rekapitulieren wir noch mal alles, damit wir keinen Fehler machen.« Pia saß am Kopfende des Tisches, entschlossen und voller Energie. Sie waren allein in dem Restaurant. Bodenstein hatte den Wirt auf dem Handy erreicht, und der war extra gekommen und hatte sie eingelassen. Offiziell war das Restaurant geschlossen und würde nur am Nachmittag für die Trauergemeinde öffnen, deshalb hatte Bandi die Tür wieder abgeschlossen, als das Team komplett war.

Bodenstein ließ seinen Blick über die vertrauten Gesichter seiner Kollegen schweifen, sah konzentrierte Mienen und leuchtende Augen und erkannte die Euphorie, die Müdigkeit und Erschöpfung vergessen ließ. Die Gewissheit, kurz vor dem Ziel zu sein, mobilisierte bei jedem von ihnen die letzten Ressourcen. Sie hatten die Beute aufgestöbert und eingekreist und konnten es kaum mehr erwarten, endlich zuzuschlagen.

Schon während der gesamten Ermittlung hatte er sich wie ein Fremdkörper gefühlt, so, als würde er nicht richtig dazugehören. Seitdem er die Nachricht von Pia gelesen hatte, erfüllte ihn ein heftiges Gefühl des Versagens und der Unzulänglichkeit. Hätte er eher auf Jakob Ehlers kommen müssen? Wieso hatte er ihn als möglichen Täter so vollkommen ausgeblendet? Nur, weil er damals bei der Bundeswehr und deshalb angeblich gar nicht hier gewesen war? Wie hatte er das einfach so hinnehmen können, ohne es zu überprüfen? War er zu sehr involviert gewesen, um objektiv und sachlich zu sein? Viele Menschen, die er sein Leben lang kannte, sah er jetzt mit völlig anderen Augen, und es war ein seltsames Gefühl, so, als ob er plötzlich schärfer sehen könnte.

»Jakob Ehlers hatte ungefähr von Oktober 1971 bis August 1972 eine heimliche Affäre mit Rosie Herold«, sagte Pia, und Bodenstein zwang sich zur Konzentration. Nur noch dieser Fall. Nur noch ein paar Tage. Dann ging ihn das alles nichts mehr an. »Das hat Rosies Freundin Estefania Ugonelli mir am Telefon erzählt.«

»Hat die Zeugin explizit den Namen erwähnt?«, wollte Frau Dr. Engel wissen.

»Nein«, erwiderte Pia. »Rosie Herold war diesbezüglich sehr diskret. Sie sagte nur immer: ›Jetzt lass ich meinen Soldaten wieder strammstehen‹ und dazu hat sie vielsagende Gesten gemacht und gekichert. Frau Ugonelli wusste zwar, wo die beiden sich trafen, ist aber nie heimlich hingefahren.«

»Jakob Ehlers war seit Oktober 1971 beim Bund«, sagte Kai Ostermann. »Damals dauerte der Wehrdienst noch achtzehn Monate. Er war in Wetzlar stationiert, aber er hatte einen guten Draht zu seinem Spieß. Ich konnte den Mann ausfindig machen und habe mit ihm telefoniert. Er hat mir bestätigt, dass Jakob Ehlers so gut wie jede Woche donnerstags gegen 21 Uhr die Kaserne verlassen hat, aber vor dem Wecken wieder zurück war. Jakob Ehlers und Rosie Herold haben sich vermutlich regelmäßig donnerstags auf einem Waldparkplatz an der L3369 zwischen Königstein und Ruppertshain getroffen. Im Sommer 1972 hörte Ehlers schlagartig auf mit seinen Extratouren. Sein ehemaliger Spieß konnte sich natürlich nicht mehr an das exakte Datum erinnern, aber ich gehe mal davon aus, dass es der 17. August gewesen ist.«

»Frau Ugonelli wird uns gleich auf den Friedhof begleiten«, sagte Pia. »Ich mische mich mit ihr unter die Trauergäste. Jakob Ehlers wird garantiert eine Reaktion zeigen, wenn er sie sieht. Frau Ugonelli und Rosie waren über Jahre die besten Freundinnen, er muss annehmen, dass sie etwas weiß.«

»Und wenn nicht? Bisher ist das alles noch nicht genug für eine Mordanklage«, fand die Kriminalrätin. »Vielleicht kennt er die Frau ja gar nicht.«

»Doch, er kennt sie«, erwiderte Pia. »Das hat sie mir bestätigt.«

Das Stichwort »Reaktion« weckte in Bodenstein die Erinnerung an sein Gespräch mit dem alten Pfarrer, nachdem er vor den Bus gelaufen war. Er war plötzlich mitten im Satz verstummt und hatte so verstört ausgesehen, dass er sich darüber gewundert hatte. Nun war ihm klar, dass Maurer in diesem Moment Jakob Ehlers in der Menge der Schaulustigen gesehen hatte!

»Die Techniker vom LKA haben das Handy von Elias Lessing wieder zum Laufen gebracht«, schaltete sich Kai Ostermann ein. »Die Qualität des Videos ist nicht sonderlich gut, aber man kann Ehlers erkennen. Und im Hintergrund sein Auto. Aus der Nummer kommt er nicht mehr raus. An der Kleidung von Pauline

Reichenbach wurden schwarze, leicht gewellte Hundehaare festgestellt. Ehlers bezahlt Hundesteuer, das hat Tariq herausgefunden. Ob dieser Hund schwarz ist, müssen wir noch überprüfen.«

»Das ist er«, mischte Bodenstein sich ein. »Schwarz, groß und zottig. Als ich am Samstagabend bei Patrizia den Schlüssel für die Kirche abgeben wollte, kam Jakob gerade vom Hundespaziergang zurück. Seine Schuhe waren voller Dreck, die Pfoten des Hundes jedoch sauber. Er erzählte mir, dass er im Baugebiet in den Erlen gewesen sei, was aber nicht stimmen kann, weil der Hund sonst auch schmutzige Pfoten gehabt hätte. Er war am Waldfreundehaus, hatte Pauline niedergeschlagen und ihr Auto in den Teich gefahren.«

»Jakob Ehlers kann problemlos an das T-Shirt aus dem Schmutzwäschecontainer im Rathaus gelangen«, ergänzte Kai. »Er kennt Leos Hütte, hat als sein bester Freund sogar einen Schlüssel für Tor, Fahrradschloss und Eingangstür. Er fällt in Ruppertshain nicht auf, wenn er dort herumläuft. Vom Rathaus bis zum Hospiz Abendrot ist es ein Katzensprung. Für den Mord an Pfarrer Maurer kann er sich den Schlüsselbund seiner Frau ausgeliehen haben, ohne dass sie das bemerkt hätte.«

»Hier muss ich noch einmal einhaken.« Nicola Engel räusperte sich. »Wenn Jakob Ehlers doch ein so guter Freund von Leo Keller war, wieso hat der ihm dann auch das Theater vorgespielt?«

»Weil er ihm misstraut hat«, erwiderte Kim. »Ehlers hatte ein schlechtes Gewissen, weil er glaubte, durch die Sache mit Patrizia schuld an Leos Selbstmordversuch zu sein. Deshalb hat er ihm den Job bei der Stadt besorgt und sich um ihn gekümmert. Er selbst hat Leo daran erinnert, dass er ihm die Freundin ausgespannt hatte.«

»In Wirklichkeit war er wohl eher dankbar, dass er dank Leo keine Angst vor der Aufdeckung seiner Tat haben musste«, ergänzte Lombardi. »Außer Rosie gab es niemanden, der etwas über die Sache mit Artur wusste.«

»Wobei das fraglich ist«, wandte Bodenstein ein. »Patrizia kann durchaus mit ihrem Mann unter einer Decke stecken.«

Vor einer halben Stunde hatte er einen Anruf von Valentina Berjakov erhalten. Ihre alte Jugendfreundin Claudia, die sich nach dem Fernsehbericht über die Pressekonferenz bei der Hotline gemeldet hatte, war am Morgen aus Lüneburg angereist, und die beiden waren gemeinsam durch Ruppertshain gelaufen, um in alten Erinnerungen zu schwelgen. Dabei war ihnen eine Beobachtung eingefallen, die ihnen damals nicht weiter wichtig erschienen war. Sie hatten auf der Wiese unterhalb der Metzgerei Hartmann im Gras gelegen und in den Himmel geschaut, Valentina, Claudia und Franziska Hartmann, drei dreizehnjährige Mädchen. Es war ein drückend heißer Nachmittag Ende August gewesen, im Schlachthaus der Metzgerei war schon saubergemacht worden, alle Türen hatten zum Lüften offen gestanden. Eine schwangere Frau war aus dem Kellerausgang des Gebäudes gekommen, sie hatte sich verstohlen umgeblickt, die drei Mädchen im Gras aber nicht entdeckt. Neugierig waren die Freundinnen ihr gefolgt und hatten beobachtet, dass sie zielstrebig einen Wiesenpfad entlang zur Hütte von Leo Keller gelaufen war. Eine Viertelstunde später war sie zurückgekommen, sie hatte es eilig gehabt und geschluchzt.

Pia lauschte aufmerksam, was Cem von dem Gespräch mit Frau Keller und Frau Hartmann berichtete. Die alte Metzgersfrau hatte sich an einen heftigen Streit zwischen Jakob und Leo erinnern können, der kurz vor Leos angeblichem Selbstmordversuch auf dem Hof vor dem Schlachthaus zwischen den beiden guten Freunden entbrannt war. Sie hatte nicht mitbekommen, worum genau es bei dem Streit gegangen war, hatte aber angenommen, Leo habe seinem Freund Vorwürfe gemacht, weil dieser ihm die Freundin ausgespannt hatte. Vor dem Hintergrund dessen, was sie heute wussten, konnte es auch um etwas völlig anderes gegangen sein. Um Patrizia Ehlers, vielleicht, oder aber um den Mord an Artur.

»Wir haben genug gegen Jakob Ehlers in der Hand«, sagte Pia. »Der Haftbefehl liegt vor. Wir werden nach der Beerdigung zugreifen. Cem und Tariq, ihr bleibt in der Nähe des Ausgangs, ich mische mich mit Frau Ugonelli unter die Trauergäste. Wir haben Kollegen in Zivil vor Ort auf dem Friedhof, und das Haus von Ehlers wird überwacht. Sämtliche Ortseingänge werden während und nach der Beerdigung abgesperrt, auch die landwirtschaftlichen Wege sowie die Straßen nach Schloßborn, Eppenhain und Königstein. Die Beerdigung wird gefilmt, wir alle werden gleich verkabelt, damit wir uns verständigen können.« Sie warf einen Blick auf ihre Uhr. »Es ist jetzt 13:10 Uhr. Los geht's, Leute! Jetzt holen wir uns das Schwein.«

* * *

Zahlreiche Menschen strömten zum Trauergottesdienst in die Kirche, standen Schlange im Kirchhof vor den ausgelegten Kondolenzbüchern, schweigend oder leise miteinander redend. Es herrschte noch immer Entsetzen; die Angst und das Misstrauen waren deutlich spürbar. Wie würden sie wohl reagieren, wenn sie wüssten, dass der Mörder mitten unter ihnen weilte? Jakob Ehlers war in Begleitung seiner Frau, seiner Mutter und seiner beiden erwachsenen Söhne und Schwiegertöchter gekommen; er trug einen schwarzen Anzug, eine schwarze Krawatte und einen angemessen betroffenen Gesichtsausdruck zur Schau, auf den ersten Blick unterschied er sich in nichts von den anderen Menschen ringsum. Ein Chamäleon, das sich jeder Situation anpassen konnte. Er wähnte sich unentdeckt und war völlig arglos. Bodenstein hatte sich unter die Menge gemischt, er begrüßte seine Eltern und Bekannte, von denen ihn die meisten mit Scheu musterten. Es hatte nichts damit zu tun, dass er Polizist war: Er war keiner von ihnen und war es nie gewesen, das hatte er in den letzten Tagen begriffen und das erleichterte ihm seinen Abschied von diesem Ort und von den Erinnerungen an seine Kindheit.

Es gelang ihm, eine Begegnung mit Jakob Ehlers zu vermeiden. In der hoffnungslos überfüllten Kirche fand er einen Stehplatz an der Wand neben dem Beichtstuhl. Vor dem Altar standen die beiden blumengeschmückten Särge – weiße Nelken auf dem von Rosie, cremefarbene Lilien auf dem von Clemens. Dahinter hatten die Mitarbeiter des Bestattungsunternehmens einen Wald aus Kränzen und Gestecken errichtet, die Schleifen waren sorgfältig ausgebreitet. Der süßliche Blumenduft bereitete Bodenstein Kopfschmerzen. Viele Leute blieben vor den Särgen stehen und verneigten sich kurz, bevor sie sich einen Platz suchten. Er ließ seinen Blick über die Menge schweifen. Von den alteingesessenen Ruppertshainern fehlte kaum jemand. Rechts vom Gang in der ersten Reihe saß Edgar mit seiner Familie, neben ihm Sonja mit ihren fast erwachsenen Kindern. Auf der anderen Seite hatte Mechthild Herold Platz genommen, sie würdigte ihren Schwager und ihre Schwägerin keines Blickes. Die Kluft innerhalb der Familie war auch durch die Tragödie nicht zu überbrücken. Hinter ihr saßen ein paar fremde Männer, wahrscheinlich Arbeitskollegen von Clemens. Jakob saß mit seiner Familie in der zweiten Reihe, keine fünf Meter von der Tür zur Sakristei entfernt, in der er fünf Tage zuvor den alten Pfarrer Maurer umgebracht hatte, und betrachtete ungerührt die lange Schlange der Trauernden, die den Verstorbenen ihre letzte Ehre erwiesen. Was empfand er beim Anblick der beiden Särge, in denen Menschen lagen, denen er das Leben genommen hatte? Berührte es ihn? Beglückwünschte er sich innerlich zu seiner Cleverness? Erfüllten ihn seine Taten vielleicht sogar mit Befriedigung?

Hätte es nicht so erdrückend viele Indizien für seine Täterschaft gegeben, so wären Bodenstein bei Ehlers' Verhalten Zweifel gekommen. In den letzten dreißig Jahren hatte er schon viele Mörder gesehen und manchmal nachvollziehen, wenn auch nicht verstehen können, warum sie zu Mördern geworden waren. Aber nicht diesmal. Jakob Ehlers' Taten waren so unverhältnismäßig und monströs in ihrer Niedertracht und ihrem Egoismus, und er war so völlig ohne Reue, dass es jeden, der sein Motiv kannte, nur fassungslos machen konnte.

Mit einem Mal wich die Taubheit in Bodensteins Innern, Hass und Zorn durchströmten ihn wie glühende Lava. Er musste alle Selbstbeherrschung aufbieten, um nicht auf Jakob zuzugehen, ihn aus der Bank zu zerren und in seine scheinheilige Visage zu schlagen. Über seinen Ohrstöpsel hörte er Pias Stimme. Die Kollegen hatten ihre Positionen auf dem Friedhof bezogen, vier Beamte in Zivil warteten vor der Kirche. Der Pfarrer kam aus der Sakristei, der Kinderchor, den Rosie viele Jahre betreut hatte, stimmte auf der Empore das *Ave Maria* an. Viele Leute schluchzten und schnäuzten sich. Aber weder der Klang der hellen Kinderstimmen noch das *Nehmt Abschied, Brüder*, das der Chor der Sängervereinigung Alemannia-Concordia hinter dem Altar intonierte, erreichte die Herzen der engsten Angehörigen. Ihre Gesichter blieben starr und ihre Augen trocken, zu viel Unverzeihliches hatte sich ihnen offenbart, sie waren nicht in der Lage zu trauern. Bodenstein zuckte zusammen, als sein Blick dem von Jakob Ehlers begegnete. Er nickte knapp, Ehlers erwiderte das Nicken und tätschelte die Hand seiner schluchzenden Frau.

›Du eiskaltes Schwein‹, dachte Bodenstein. Kaum nahm er die bewegenden Worte des Pfarrers wahr, hätte er hinterher nicht mehr sagen können, wer noch alles das Wort ergriffen hatten, um die beiden Verstorbenen zu ehren, so laut ließ der Zorn das Blut in seinen Ohren rauschen. Endlich war es vorbei. Die beiden Chöre sangen gemeinsam *Time to say goodbye*, die Leute erhoben sich und drängten ins Freie, während die Särge aus der Kirche gerollt wurden.

***

»Zielobjekt hat den Friedhof betreten.« Pias Stimme klang angespannt. »Wir warten die Zeremonie ab und schnappen ihn uns, wenn er gehen will. Seid ihr alle auf euren Positionen?«

»Ja«, bestätigte Cem.

»Ich auch«, sagte Tariq.

Die anderen Kollegen meldeten ebenfalls Bereitschaft. Sämtliche Straßen waren abgeriegelt, niemand kam in den Ort hinein oder hinaus, ohne eine Polizeikontrolle passieren zu müssen.

Bodenstein war zu Fuß im Pulk der schweigsamen Trauergemeinde zum Friedhof gelaufen, ein paar Meter hinter Jakob und seiner Familie, gemeinsam mit seinen Eltern. Der Ruppertshainer Friedhof lag idyllisch am unteren Ende des Ortes, er war auf zwei Seiten von Wald umgeben und nur über eine einzige schmale Anwohnerstraße zu erreichen. Vor der Trauerhalle und dem Eingangstor war Bodenstein nach rechts abgebogen, die Böschung hochgeklettert und am Kriegerdenkmal vorbei in den Wald gegangen. Jetzt stand er allein hinter einem Baumstamm, am Waldrand, ein paar Meter hinter dem Maschendrahtzaun, der den Friedhof umgab. Von hier oben hatte er einen perfekten Überblick über den kleinen Friedhof, der einen solchen Massenandrang wohl noch nicht erlebt hatte. Das Familiengrab der Herolds befand sich im hinteren Teil des Friedhofs; die städtischen Arbeiter hatten zwei Gräber ausgehoben und grünen Kunstrasen ringsum ausgelegt. Auf stabilen Bohlen ruhten die beiden Särge über den Gruben, die Bestatter waren schneller gewesen als die Trauergemeinde.

Es war ein stiller, prachtvoller Oktobertag. Stahlblau wölbte sich der wolkenlose Himmel über dem Taunus, und die warme Herbstsonne ließ das bunte Laub der Bäume leuchten. Spinnwebfäden schwebten durch die klare, kühle Luft. Trockene Zweige knackten unter Bodensteins Schuhsohlen, als er das Gewicht verlagerte. Sein Atem beruhigte sich, sein Hass hatte sich gelegt. Er war professionell genug, um sich nicht in diesem entscheidenden Moment von persönlichen Rachegelüsten zu Unaufmerksamkeit und Fehlern verleiten zu lassen.

Es roch nach Erde, Herbst und Vergänglichkeit. Buntes Laub fiel lautlos von den Ästen. Die Menschenmenge zu seinen Füßen war endlich zum Stillstand gekommen, die Schlange reichte bis auf die Straße. Hell läutete die Totenglocke, ihr Klang trug weit ins Tal hinab. Der Pfarrer und seine Messdiener waren weiße Flecken in der dunkel gekleideten Masse. Obwohl er mit erhobener Stimme sprach, verstand Bodenstein nur Wortfetzen von dem, was der Pfarrer sagte. Unablässig suchten seine Augen die Menge ab, registrierten bekannte Gesichter und Pia, die auf dem Weg oberhalb des Familiengrabes in der Menge stand. Direkt neben ihr bemerkte er eine kleine schwarzhaarige Frau, die Freundin von Rosie.

»Kannst du ihn sehen, Chef?«, fragte Pia in seiner Ohrmuschel.

»Gerade habe ich ihn noch gesehen, aber jetzt … nein, ich sehe ihn nicht mehr«, erwiderte er. »Er war eben noch auf zwei Uhr.«

Sein Puls beschleunigte sich, sein Mund war trocken vor Aufregung. Vor einer Minute hatte Jakob doch noch in der Nähe des Pfarrers gestanden! Bodenstein stützte sich an dem Baum ab und bemühte sich, die Gesichter zu erkennen. Die meisten Männer trugen schwarze Anzüge und Krawatten, viele von ihnen hatten weiße Haare. Verdammt! Eine Hitzewelle schoss durch seinen Körper, überdeutlich spürte er die raue Baumrinde unter seiner Hand und roch Weihrauch. Jakob konnte unmöglich ungesehen vom Friedhof verschwinden! An jeder Ecke standen Kollegen, einer von ihnen filmte die Beerdigung.

»Ich glaube, er hat etwas gemerkt«, flüsterte Pia. »Ich sehe ihn auch nicht mehr. Leute, passt auf, dass er nicht entkommt!«

Mit pochendem Herzen suchte Bodenstein in der Masse der Gesichter nach dem von Jakob Ehlers. Aber selbst wenn eine Menschenmenge zum Stillstand kam, war sie nie völlig unbeweglich. Köpfe wurden gedreht, man schob und wich aus, ständig veränderten sich die Positionen der Leute. Pia war hoffnungslos eingekeilt, sie hätte über mehrere Grabsteine klettern müssen, um sich zu befreien.

»Das darf doch wohl nicht wahr sein!«, vernahm Bodenstein die scharfe Stimme seiner Chefin, die im Einsatzwagen saß, der im Hof der Feuerwehr parkte. »Wo ist der Mann? Ich will eine Bestätigung!«

»Scheiße!«, murmelte Bodenstein und riss sich den Knopf aus dem Ohr. Im gleichen Moment bemerkte er eine Bewegung weiter unten am Waldrand. Und dann sah er Jakobs weißen Haarschopf! Er musste über den Maschendrahtzaun geklettert sein. Hatte er Estefania Ugonelli erkannt? War ihm bei ihrem Anblick klargeworden, dass er durchschaut war und man ihm eine Falle gestellt hatte?

Bodenstein lief los, hielt sich schräg hangaufwärts, um Jakob den Weg abzuschneiden. Er brach durch Unterholz und Gestrüpp und erhaschte kurz einen Blick auf den Fliehenden, der einigen Vorsprung hatte und körperlich weitaus fitter war als er selbst. Wo lief er hin? Warum flüchtete er überhaupt? Er musste doch wissen, dass er keine Chance hatte! Selbst wenn ihm kurzfristig die Flucht gelingen mochte, so war sein altes Leben für immer verloren. Bodenstein rannte, so schnell es das unwegsame Gelände zuließ. Dünne Baumstämme, Brombeerranken und unter Laub verborgene Felsen zwangen ihn immer wieder zu Umwegen. Oft hatten sie als Kinder hier gespielt. Hinter dem Rossert lag Eppenhain, und die Lichtung oben auf dem Berg war häufig Schauplatz ihrer Schlachten mit den Eppenhainern gewesen. Einst hatte er hier jeden Pfad gekannt: Leichtfüßig wie Rehe waren sie über Unebenheiten und umgestürzte Bäume hinweg gesprungen, aber das war vierzig Jahre her. Mit dem Geräusch seines Keuchens in den Ohren zwang er sich bergauf. Der Wald wurde lichter. Bodenstein hielt einen Moment inne. Außer Atem lehnte er sich an einen Baumstamm und blickte sich um. Da! Da vorne lief Jakob, knapp fünfzig Meter von ihm entfernt. Plötzlich begriff Bodenstein, was Jakob Ehlers vorhatte! Jenseits der Bergkuppe befand sich ein alter Steinbruch, in dem man Taunusquarzit abgebaut hatte. Er war vor mehr als fünfzig Jahren stillgelegt worden, weil er nur schwer zu erreichen war, aber heute war es genauso tödlich wie früher, wenn man von der Abbruchkante dreißig Meter in die Tiefe stürzte. Das war also Jakobs Plan B für den Fall einer Entdeckung!

»Ich krieg dich!«, knurrte Bodenstein und legte an Tempo zu. Er würde nicht zulassen, dass sich erneut ein Mörder der irdischen Gerichtsbarkeit durch einen feigen Selbstmord entzog, und wenn es ihn sein Leben oder seine Gesundheit kostete. Erinnerungen an Artur und Maxi zuckten durch seinen Kopf, er dachte an Valentina, der es die grausame Vergangenheit unmöglich gemacht hatte, zu lieben und zu vertrauen. Pauline kam ihm in den Sinn, dieses unschuldige Mädchen, und Felicitas Molin im Waldfreundehaus, die überhaupt gar nichts mit alldem zu tun hatte und die Jakob trotzdem so brutal ermordet hatte. Diese Gedanken schürten die wahnsinnige Wut, die ihn anfeuerte und über sich hinauswachsen ließ. Schweiß rann ihm in Strömen über Gesicht und Rücken, jeder Muskel seines Körpers schmerzte höllisch, aber er quälte sich weiter, den Blick fest auf die Gestalt vor ihm gerichtet. Auch Jakob wurde langsamer. Anstrengung und Alter forderten ihren Tribut. Er kämpfte sich einen steilen Abhang hoch, rutschte immer wieder zurück. Der Waldboden unterhalb des Bergrückens war tückisch, oft lauerte blanker Fels unter der Laubschicht. Bodenstein frohlockte, als er bemerkte, dass er aufholte. Doch da verfing sich sein Fuß unter einer Wurzel, er strauchelte, stürzte und schlitterte ein Stück hangabwärts, bis ein Baum seinen Fall schmerzhaft stoppte. Nach Luft schnappend, lag er auf dem Rücken. Er hatte einen Schuh verloren und sich den Knöchel verrenkt, aber das durfte jetzt nicht zählen. Bodenstein versuchte, auf die Beine zu kommen, aber der Schmerz in seinem Fuß zuckte wie ein Stromschlag bis in sein Gehirn. Zornig über diese Schwäche, das Versagen seines Körpers, stieß er einen wilden, verzweifelten Schrei aus, der im Wald widerhallte.

»Jakob!«, brüllte er. »Bleib stehen! Du entkommst mir nicht!«

Mühsam zog er sich an einem Baumstamm hoch. Seine Lungen brannten wie Feuer, sein Herz raste, als ob es aus seiner Brust springen wollte. Entschlossen schleppte er sich weiter, humpelnd, mit nur einem Schuh, angetrieben von glühendem Hass. Und in dem Moment, als er glaubte, aufgeben zu müssen, weil er vor Seitenstechen keine Luft mehr bekam, weil der Schmerz stärker war als das Adrenalin und es vor seinen Augen zu flimmern begann, tat sich der Wald auf, und er sah die Lichtung vor sich liegen, eine halbrunde, von hellem Sonnenlicht überflutete Wiese, an deren Rand die Kante des Steinbruchs lag. Wie klein die Lichtung erschien, jetzt, aus der Erwachsenenperspektive! Und wie riesig sie war, wenn der Körper streikte und man kaum noch laufen konnte! Keine zwanzig Meter weiter links brach Jakob aus dem Unterholz und taumelte auf die Abbruchkante zu, ohne sich umzudrehen, mit derselben Entschlossenheit wie Bodenstein, nur mit einem anderen Ziel, das so egoistisch war wie alles, was er in seinem Leben je getan hatte. Bodenstein zog seine Dienstwaffe und gab einen Warnschuss ab.

»Jakob!«, brüllte er und fiel auf die Knie. »Hast du gewusst, dass Patrizia deinen Freund Leo umbringen wollte? Hat sie dir gesagt, dass sie den Schussapparat geholt hat und zu Leos Hütte gegangen ist, damit er ihr nicht in die Quere kommt? Nicht nur du hast sie belogen, sie dich auch!«

Jakob hielt inne. Blieb mitten auf der Wiese stehen und drehte sich um.

»Das ist nicht wahr!«, schrie er.

»Doch! Es gibt Zeugen, die sie gesehen haben!« Bodenstein stand wieder auf und zielte mit seiner Pistole auf Jakobs rechtes Knie. Aber seine Hände zitterten zu sehr, als dass er sich getraut hätte, abzudrücken und den Mann womöglich aus Versehen zu erschießen.

»Komm nicht näher!« Jakob hob abwehrend die Hände und

machte ein paar Schritte rückwärts. Sein Blick flackerte. Er war hochrot im Gesicht. »Du lügst doch!«

»Sag mir wenigstens, warum das alles sein musste!«, verlangte Bodenstein zu wissen. »Nur, weil du eine Affäre mit Rosie hattest und ihr ein Kind gemacht hast, mussten all die Menschen sterben?«

»Was weißt du schon!«, stieß Jakob hervor. Er stemmte die Arme in die Seiten und schnappte genauso nach Luft wie Bodenstein. »Ich hab die Rosie wirklich geliebt! Aber ich konnte mir von ihr nicht mein Leben verderben lassen!«

»Du hast ein *Kind* umgebracht!«, schrie Bodenstein aufgebracht.

»Es war ein Unfall!«, schrie Jakob zurück. »Rosie hat ihn aus Versehen auf dem Parkplatz überfahren, und wir dachten, er wäre tot! Aber als wir nach ihm geschaut haben, hat er uns erkannt! Rosie war halbtot vor Panik, deshalb habe ich ihn erwürgt! Was blieb mir denn anderes übrig?«

»Was dir anderes übrigblieb? Du hast meinen besten Freund umgebracht, nur weil du Schiss vor Rosies Mann hattest!«, brüllte Bodenstein und steckte seine Dienstwaffe weg. Der Hass explodierte in seinem Inneren und aus dem Hass wurde eine Mordlust, die er sich selbst niemals zugetraut hätte. Er spürte keinen Schmerz mehr, als er auf Jakob zurannte. Mit voller Wucht krachte er gegen ihn, und beide stürzten zu Boden. Sie kämpften verbissen, es war ein Kampf um Leben und Tod, keine fünf Meter von der Kante des Steinbruchs entfernt. Jakob wehrte sich, dennoch gelang es Bodenstein, die Oberhand zu behalten.

»Nicht!«, winselte Jakob. »Hör auf, bitte!«

»Du Dreckschwein!«, keuchte Bodenstein und kniete sich auf Jakobs Arme. Seine Faust krachte in das Gesicht des Mannes, dem er geglaubt und dem er sich anvertraut hatte. Er dachte an den Abend, als er ihn zu einem Schnaps eingeladen und dabei ausgehorcht und sich wahrscheinlich ins Fäustchen gelacht hatte. Wie besinnungslos prügelte er auf ihn ein, wollte spüren, wie Zähne splitterten. Ein roter Schleier legte sich über seine Augen, er packte Jakobs Hals und drückte mit beiden Händen zu. Plötzlich fühlte er sich am Arm gepackt und nach hinten gerissen.

»Hör auf, Oliver! Hör auf!«, schrie ihn jemand an, und er kam zu sich. Benommen starrte er in das zerfurchte Gesicht von Wieland Kapteina. Er hatte keine Kraft mehr, aufzustehen. Hockte keuchend im Gras und starrte entsetzt seine Hände an, mit denen er beinahe einen Menschen getötet hatte. Die Fingerknöchel waren aufgeplatzt, so fest hatte er zugeschlagen.

»Wieland«, flüsterte er. »Hast du gehört, was er gesagt hat?«

»Ja, das habe ich«, erwiderte der Förster. »Hast du zufällig Handschellen dabei?«

»An meinem Gürtel.«

Wieland drückte ihm die Flinte in die Hand, nestelte die Handschellen von seinem Gürtel und ging zu Jakob Ehlers, der wimmernd auf dem Rücken lag.

»Er hat mich geschlagen, Wieland!«, jammerte er. »Das hast du doch gesehen, oder?«

»Ich hab gesehen, dass du gestolpert und aufs Gesicht gefallen bist«, knurrte Wieland und zerrte Ehlers' Oberkörper hoch. »Los, hoch mit dir, du Drecksack!« Er bog ihm die Arme hinter den Rücken und ließ die Handschellen um seine Handgelenke schnappen.

Bodenstein vernahm aus der Ferne erregte Stimmen und blickte sich um, erst dann begriff er, dass die Stimmen aus dem Ohrstöpsel kamen, der über seiner Schulter hing. Mit bebenden Fingern steckte er ihn in sein Ohr.

»Pia?«, krächzte er.

»Oliver! Was ist los?«, rief seine Kollegin aufgebracht. »Was ist mit Ehlers?«

»Er sitzt vor mir im Gras, mit Handschellen. Wieland bewacht ihn.«

»Und wo seid ihr?«

»Wir sind im Wald«, erwiderte er. »Dort, wo alles angefangen hat.«

Er zog den Stöpsel aus dem Ohr. Sein Blick wanderte über die bunten Wälder ringsum. Mit einem Seufzer ließ er sich nach hinten sinken und starrte in den Himmel. Er atmete den Duft von trockenem Gras und Kräutern, und für einen Moment kam es ihm so vor, als sei er wieder elf Jahre alt und das ganze Leben läge noch vor ihm. Und plötzlich empfand er einen tiefen Frieden. Das Rätsel war gelöst. Er war endlich frei.

Donnerstag, 16. Oktober 2014

Der Abend dämmerte bereits herauf, als Pia ihr Auto auf dem Parkdeck des Bad Sodener Krankenhauses abstellte und zum Gebäude der Privatklinik ging. Bodenstein war gestern direkt von der Waldlichtung aus ins Krankenhaus transportiert und operiert worden. Pia hatte eigentlich erwartet, dass er bei der ersten Vernehmung von Jakob Ehlers unbedingt dabei sein wollte, aber darauf hatte er keinen Wert gelegt. Sein Job sei erledigt, hatte er gesagt. Der Rest sei nun ihre Sache, genauso wie der Erfolg. Immerhin habe sie mehrere Morde innerhalb einer Woche aufgeklärt und den Mörder gefasst.

An der Rezeption erfuhr Pia Bodensteins Zimmernummer und nahm den Aufzug in den dritten Stock. Sie sehnte sich nach Schlaf und Ruhe und nach Christoph, den sie in den letzten Tagen kaum gesehen hatte, aber bevor sie ins Wochenende entschwand, wollte sie Bodenstein Bericht erstatten. Zimmer Nummer 5 war das letzte im Gang. Pia klopfte und ihr Chef rief »Herein«.

»Wow!«, entfuhr es ihr. Der geschmackvoll eingerichtete Raum mit den großen Fenstern und Parkettfußboden erinnerte eher an ein Luxushotel als an ein Krankenzimmer. Nur das Krankenbett, in dem Bodenstein lag und ein Buch las, störte das Ambiente. »Nobel geht die Welt zugrunde!«

»Wir Beamte haben in dieser Beziehung wirklich Glück.« Bodenstein nahm die Lesebrille ab, legte sein Buch zur Seite und lächelte. »Das ist ja eine nette Überraschung. Aber du hättest mich ruhig einfach anrufen können. Ich schätze, du bist ziemlich geschlaucht.«

»Ja, das stimmt. Sind wir alle.« Pia lächelte auch. »Ich wollte aber nach dir sehen.«

»Das ist nett. Nimm dir einen Stuhl. Es gibt sogar eine Minibar mit Cola light.«

»Danke.« Pia zog einen Stuhl heran und setzte sich neben das Bett. »Wie geht es dir?«

»Ziemlich gut.« Bodenstein sah tatsächlich sehr entspannt aus. »Die OP ist gut verlaufen, sie haben den Bruch problemlos richten und die abgerissenen Bänder wieder annähen können. Ich bin heute sogar schon mit Krücken herumgewandert.«

»Dann bist du ja bald wieder im Dienst.«

»Ach, ich glaube, ich lasse mich für eine Weile krankschreiben.« Bodenstein schmunzelte. »Und dann habe ich noch Resturlaub.«

Wieder verspürte Pia diesen feinen Stich. Ende des Jahres würde ein wichtiges Kapitel ihres Lebens beendet sein.

»Hast du es so eilig, von uns wegzukommen?«, wollte sie wissen.

»Nein, Pia.« Bodenstein wurde ernst. »Ich werde euch alle sehr vermissen, besonders dich. Du bist einfach großartig. Ach, ihr seid alle großartig. Und ich bin ja nicht aus der Welt. Vergiss nicht, ich bin jederzeit für dich da.«

»Das klingt gut.« Pia zwang sich zu einem Lächeln. Eine Weile schwiegen beide.

»Pauline ist aus dem Koma erwacht«, sagte Pia dann. »Stell dir vor, sie hat Tariq sofort erkannt.«

»Das sind gute Nachrichten.«

»Jakob Ehlers hat vollumfänglich gestanden. Ihm wäre auch kaum etwas anderes übriggeblieben, denn Leo Keller hat sich an ziemlich viele Dinge erinnern können. Es hat ihm den Rest gegeben, als er begriffen hat, dass seine Frau Leo umbringen wollte und ihm das all die Jahre verschwiegen hatte.« Pia seufzte. »Keller hat sich an den Streit in der Metzgerei erinnert, bei dem es um Patrizia ging. Er hat sie wirklich sehr geliebt.«

»Und Jakob hat ihre verheiratete Schwester geliebt.« Bodenstein schüttelte den Kopf und seufzte. »Ihretwegen ist er zum Mörder geworden.«

»Andere Leute sind auch mal unglücklich verliebt und metzeln deswegen nicht sechs Menschen nieder«, entgegnete Pia.

»Sechs?«, fragte Bodenstein nach.

»Raimund Fischer musste auch dran glauben«, sagte Pia. »Er war ganz verrückt nach Rosie, und er – nicht ihr Mann – war es, der ihr in der Nacht geholfen hat, die Leiche von Artur und Maxi in das Grab zu schaffen. Damit hat er sie dann aber später erpresst. Und Jakob hat das Problem für seine Angebetete gelöst.« Sie schnaubte ohne Heiterkeit. »Die eigentliche Tragödie hat ihren Anfang aber in der Nacht genommen. Leo Keller kam gegen Mitternacht aus Königstein und sah beim Vorbeifahren auf dem Parkplatz zwei Autos. Das von seinem Kumpel Jakob hat er natürlich erkannt, und er wusste, dass Jakob eine Affäre mit Rosie hatte. Hätte er angehalten, dann hätte er Artur vielleicht das Leben retten können. Aber er fuhr vorbei, heulend vor Wut, weil ihm klar war, was Jakob dort tat, während die schwangere Patrizia zu Hause saß und ihn in der Kaserne wähnte.«

»Wenig später ist er dann Clemens und Edgar begegnet.«

»Genau. Leo Keller hat Patrizia gesteckt, dass ihr Zukünftiger fremdgegangen ist. Mit wem, das hat er ihr verschwiegen. Aber er bettelte sie an, Jakob nicht zu heiraten. Er hat nicht kapiert, wie wichtig ihr das war und dass es für sie keine Rolle spielte, dass Jakob fremdging. Sie wollte ihn, unter allen Umständen.«

»Und als Leo keine Ruhe gab, kam sie auf die Idee mit dem vorgetäuschten Selbstmord. Denn das passte ja ganz gut.«

»Richtig. Sie war es, die anonym bei der Polizei angerufen hatte. Leider wird sie straffrei ausgehen. Die gefährliche Körperverletzung ist längst verjährt. Aber mit der Schuld wird sie leben müssen.«

»Wie ist eigentlich der alte Lessing hinter die ganze Sache gekommen?«, fragte Bodenstein.

»Raimund Fischer hatte seinen Schwager eingeweiht. Wenigstens teilweise. Er hat ihm weisgemacht, die Kinder, unter ihnen sein eigener Sohn, hätten Artur umgebracht. Wohl um von sich und Rosie abzulenken, was extrem niederträchtig war«, erwiderte Pia. »Ist schon unglaublich, was da gelaufen ist. Und alles wegen einem verbotenen Schäferstündchen!«

»Manchmal ist es ein einziger Kieselstein, der einen ganzen Erdrutsch auslöst«, sagte Bodenstein nachdenklich. »Jakob wusste nicht, was Patrizia getan hat, und sie wusste wiederum nichts von Rosie.«

»Sie war außer sich, als wir ihr gesagt haben, dass Sonja Jakobs Tochter ist«, bestätigte Pia. »Und sie hatte keinen blassen Schimmer, dass ihr Mann die Morde begangen hat.«

»Behauptet sie!«, warf Bodenstein ein.

»Nein, das glaube ich ihr sogar. Sie ist zusammengebrochen, als wir ihr das Audioprotokoll von Jakobs Geständnis vorgespielt haben.« Pia streckte ihre Beine aus, überkreuzte die Knöchel. »Er hat sich für besonders schlau gehalten, als er die Spuren auf andere gelenkt hat. Dabei war genau das sein Fehler. Hätte er nicht den Schal von Herold oder das Brecheisen von seinem Bruder benutzt, dann wären wir ihm vielleicht niemals auf die Spur gekommen, denn alles andere war schon gut geplant und durchgeführt.« Sie gähnte. »Obwohl … es war ziemlich dumm von ihm, Paulines Auto in den Anglerteich zu fahren. Besser wär's gewesen, er hätte es angezündet. Und Pauline am Leben zu lassen war auch ein Fehler. Er dachte, sie sei tot, und wollte ihre Leiche an dem Morgen etwas weiter vorne auf die Wiese ziehen, aber blöderweise kam der Jogger in dem Moment vorbei.«

»Es gibt eben keinen perfekten Mord«, sagte Bodenstein. »Warum hat er Felicitas Molin umgebracht?«

»Weil sie ihm nicht verraten wollte, wo Elias ist«, antwortete Pia. »Dabei konnte sie das gar nicht wissen. Ehlers hat behauptet, sie hätte in der Badewanne gesessen, mit einem Messer in der Hand, weil sie sich hatte umbringen wollen. Sie hat ihm ein Glas Wein ins Gesicht geschüttet und ihm die Maske heruntergezogen. Angeblich hat er sie nur deshalb getötet, weil sie sein Gesicht gesehen hatte.«

Sie verstummte.

»Hätten wir eher auf Jakob Ehlers kommen müssen?«, fragte sie dann.

»Darüber habe ich auch schon nachgedacht«, gab Bodenstein zu.

»Im Nachhinein wird vieles so offensichtlich.« Pia schüttelte den Kopf. »An dem Morgen am Reitplatz habe ich ihn gefragt, ob er denn keine Angst hätte, in der Dunkelheit allein im Wald herumzulaufen, und er war ehrlich überrascht. Natürlich hatte er keine Angst! Er wusste ja, wer der Mörder war!«

»Jakob war schlau«, erwiderte Bodenstein. »Er hat viele falsche Spuren gelegt und uns damit abgelenkt. Ich finde, wir waren schon ziemlich gut. Immerhin haben wir nur eine Woche gebraucht.«

»Trotzdem. Dass Felicitas Molin sterben musste, hätten wir verhindern können.«

Sie schwiegen eine Weile.

»Fahr nach Hause, Pia«, sagte Bodenstein. »Schlaf dich mal ordentlich aus.«

»Ja, ich glaube, das mach ich jetzt.« Sie war so müde, dass ihr in der angenehmen Wärme des Krankenhauszimmers beinahe die Augen zufielen. Doch dann fiel ihr noch etwas ein. Sie stand auf, ergriff die Tüte, die sie auf einem Sessel abgestellt hatte, und reichte sie Bodenstein. »Einem Mann Blumen mitzubringen finde ich albern. Ich dachte, das hier könnte dir gefallen. Außerdem ist es eine kleine Erinnerung an unseren letzten gemeinsamen Fall. Damit du mich nicht vergisst.«

»Du tust gerade so, als würde ich nach Australien auswandern.« Bodenstein lächelte und tastete die Tüte ab. »Was ist es?«

»Guck halt rein.« Gespannt beobachtete Pia, wie Bodenstein aus der Papiertüte einen etwas abgegriffenen Plüschfuchs zog.

»Das war früher eines meiner Lieblingsstofftiere«, erklärte sie. »Aber nicht meine Nummer eins, das war eine Eule. Deshalb kann ich ihn entbehren.«

Bodenstein verzog das Gesicht, und für eine Sekunde fürchtete Pia, er würde in Tränen ausbrechen.

»Der ist ja wirklich … goldig«, krächzte Bodenstein mit rauer Stimme, dann huschte ein Lächeln über sein Gesicht. »Maxi. Ja, ich denke, ich werde ihn Maxi nennen. Danke, Pia.«

»Geht klar.« Sie gab sich betont lässig. »Übrigens, bis übernächsten Freitag musst du fit sein. Die Engel schmeißt doch tatsächlich 'ne Party für mich. Und ich wäre echt sauer, wenn du nicht kommst.«

»Klar komme ich«, antwortete Bodenstein. »Notfalls im Rollstuhl.«

Epilog

Samstag, 20. Dezember 2014

»Hier sind alle Schlüssel.« Bodenstein legte sämtliche Schlüssel, die er für sein Haus hatte, auf die Arbeitsplatte der Küche. »Haustür, Garage, Eingangstor, Kellereingang. Die Zimmerschlüssel stecken alle.«

»Wunderbar.« Leo Keller lächelte zufrieden. »Im Januar fangen die Maler an, und ich hoffe, ich kann bald einziehen.«

Bodenstein nickte. Ein letztes Mal blickte er sich in dem leergeräumten Haus um, das er an Leo verkauft hatte. Nur eine Woche nach der Festnahme von Jakob Ehlers war die alte Annemie Keller gestorben, zufrieden in dem Wissen, dass ihr Sohn ohne Schuld war. Leo hatte von Wieland Kapteina erfahren, dass Bodenstein sein Haus verkaufen wollte, und man war sich rasch einig geworden.

Gestern war der Möbelwagen gekommen und hatte alle Möbel und Umzugskisten nach Hornau in Karolines Haus gebracht. Bodenstein reichte Leo die Hand, wünschte ihm alles Gute und frohe Weihnachten und verließ das Haus, das ihm vier Jahre lang ein Heim gewesen war, leichten Herzens.

»Papa, der Weihnachtsbaum verliert schon ganze viele Nadeln! Ich glaube, der muss schnell ins Wasser!«, rief Sophia ihm aufgeregt entgegen, als er die Außentreppe herunterkam. Bevor sie zur Hausübergabe gefahren waren, hatten sie beim Weihnachtsbaumverkauf in Schloßborn eine schöne Nordmanntanne erstanden und mit Hilfe eines jungen Mannes auf dem Autodach befestigt. Erst als Bodenstein ihm Trinkgeld geben wollte, hatte er Elias Lessing erkannt. Der junge Mann hatte völlig verändert ausgesehen. Er wohne wieder zu Hause und würde sein Abitur nachholen, hatte er erzählt. Nike und dem kleinen Leo ging es gut, und wenn sie beide Schule und Ausbildung fertig hatten, wollten sie zusammenziehen.

»Na komm«, sagte Bodenstein zu seiner Tochter. »Beeilen wir uns, bevor der Baum ganz kahl ist. Wir müssen nämlich noch bei Opa und Oma vorbei, bevor wir nach Hause fahren.«

Das Laufen funktionierte schon wieder recht gut, und Autofahren war dank der Automatik kein Problem. Sophia kletterte auf die Sitzerhöhung auf der Rückbank und schnallte sich an. Auch für sie würde sich einiges verändern. Nach den Weihnachtsferien würde sie in Kelkheim zur Schule gehen und fest bei Karoline und ihm wohnen. Cosima war zurückgekommen, aber nur eine Woche später wieder zur nächsten Reise aufgebrochen. Ihr war es nur recht, die Verantwortung für Sophia los zu sein.

Bodenstein setzte ein letztes Mal rückwärts aus der Einfahrt seines Hauses. An der Vorfahrtstraße bog er nach links ab und passierte nach hundert Metern das Ortsschild. Endlich konnte er Ruppertshain hinter sich lassen.

Vor vier Wochen hatten die sterblichen Überreste von Artur und Maxi ihre letzte Ruhe auf dem Familienfriedhof gefunden, wo sie schon vierzig Jahre lang gelegen hatten. Alles hatte sich geklärt. Nur, wer den tödlichen Unfall von Franziska Hartmann verursacht hatte, war ein Geheimnis geblieben.

Thordis hatte ihren Vater kennengelernt und verstand sich recht gut mit ihm. Ihre Mutter hatte das Land verlassen. Bodenstein wusste nicht, wohin Inka gezogen war, und es interessierte ihn auch nicht. Vor ihm lag ein neuer Abschnitt, und er freute sich auf das gemeinsame Leben mit Karoline und den beiden Mädchen.

»Weißt du noch, Papa, wie wir beide nachts bei diesem Brand waren?«, fragte Sophia. »Da, wo der Mann in dem Wohnwagen verbrannt ist?«

»Ja, natürlich weiß ich das noch«, erwiderte er und warf seiner Tochter einen Blick im Rückspiegel zu. »Wieso?«

»Na ja.« Sophia schürzte die Lippen. »Ich hab Greta erzählt, dass ich die Leiche gesehen habe.«

»Warum denn das? Das ist doch gelogen!«

»Aber nur halb!«, behauptete Sophia. »Von weitem hab ich sie ja gesehen.«

»So, so. Und was willst du jetzt?«

»Nur dass du mich nicht bei Greta verrätst.« Sophia lächelte einschmeichelnd. »Denn dann steht's bei uns 1:1.«

»Am besten vermeiden wir das ganze Thema«, sagte Bodenstein. »Dann ist keiner von uns gezwungen, zu lügen. Oder?«

Sophia blickte aus dem Fenster.

»Ach, guck mal, Papa!«, rief sie und wies auf ein Hinweisschild am Straßenrand. »Hier gibt's ja mehr *Wildun*fälle als auf der Straße nach Königstein!«

»Wild-Unfälle«, korrigierte Bodenstein und musste lächeln.

Seine Kollegen hatten ihm zum Abschied einen großzügigen Büchergutschein geschenkt, damit er sich in seinem Urlaub nicht etwa langweilte. Aber solange es Sophia gab, würde er sich garantiert nicht so bald langweilen. Obwohl er das unwahrscheinlich gerne mal tun würde.

ENDE

Danksagung

Wieder ist aus einer anfänglichen Idee ein ganzer Roman entstanden, mittlerweile der achte Fall für Pia und Oliver. Als ich vor zehn Jahren den ersten Krimi schrieb, der in meiner Heimat, dem Vordertaunus, angesiedelt war, ahnte ich nicht, dass diesem ersten Fall so viele weitere folgen würden. Das verdanke ich meinen begeisterten Leserinnen und Lesern, und dafür möchte ich an dieser Stelle ganz herzlichen Dank sagen. Es macht mir nach wie vor große Freude, meine beiden Ermittler direkt vor meiner Haustür auf Mörderjagd zu schicken, und auch wenn meine Fälle jedes Mal fiktiv sind, so sind es die Orte, an denen sie spielen, oftmals nicht.

Das Örtchen Ruppertshain – im Volksmund »Ruppsch« genannt – gibt es tatsächlich, und ich kenne es gut. Der Grund, weshalb ich es als Schauplatz für mein Buch ausgesucht habe, ist seine Lage: am Hang des Taunus, umgeben von Wäldern. Allerdings – und das möchte ich ausdrücklich betonen – haben sämtliche Figuren, die in meinem Roman auftreten, *keine* realen Vorbilder, obwohl, halt! Ajay »Bandi« Arora, der auch im wahren Leben der Wirt des Restaurants »Merlin am Zauberberg« in Ruppertshain ist, hat mir freundlicherweise gestattet, seine Person in die Geschichte zu schreiben. Ansonsten gilt: Keinen der Menschen, die ich beschrieben habe, gibt es in Wirklichkeit. Ähnlichkeiten sind nicht beabsichtigt, und falls es welche geben sollte, sind sie rein zufällig. Sollte also jemand glauben, er würde sich selbst oder einen Nachbarn wiedererkennen, so irrt er! Ruppertshain ist übrigens unbedingt einen Besuch wert. In der Realität ist es beileibe nicht so gefährlich, wie mein Buch vielleicht vermuten lässt. Und der atemberaubende Ausblick von der Terrasse des Zauberbergs ist für mich immer wie Urlaub.

Ich danke allen, die mich beim Schreiben von »Im Wald« unterstützt haben: allen voran meinem Lebensgefährten Matthias Knöß, der mich in jeder nur möglichen Weise entlastet und mir während der Schreibzeit den Rücken freigehalten hat. Er hat dafür gesorgt, dass ich nicht verhungere, er hat sich geduldig jede meiner Überlegungen angehört, er hat das Manuskript gelesen und mich an alle Schauplätze begleitet. Danke, liebster Matthias! Mit dir an meiner Seite macht mir das Schreiben doppelt so viel Freude.

Ich danke Wolfgang Männer für seine wertvollen Informationen über Ruppertshain im Jahr 1972 und heute. Seine Erinnerungen an die damalige Zeit waren für mich ausgesprochen hilfreich und haben dazu beigetragen, dass die Geschichte so authentisch wie möglich gelungen ist. Danke auch an Herrn Jörg Antkowiak, den Wehrführer der Freiwilligen Feuerwehr Königstein, für die ausführliche Beantwortung meiner Fragen rund um die Arbeit der Feuerwehr.

Ein riesengroßes Dankeschön an meine lieben Probeleserinnen, die mir wie immer ruck, zuck Feedback gegeben und mich damit ungeheuer motiviert haben: meine Schwestern Claudia Löwenberg-Cohen und Camilla Altvater, meine Agentin Andrea Wildgruber, meine Freundinnen Simone Jakobi, Catrin Runge und Susanne Hecker.

Ich danke meinem Kollegen Axel Petermann, ehemaliger Leiter der Mordkommission in Bremen und erfahrener Profiler, für seine großartige und freundschaftliche Unterstützung. Er hat mir äußerst wertvolle Ratschläge, Anmerkungen und Tipps gegeben. Danke, lieber Axel!

Danke an Herrn Polizeipräsident Stefan Müller vom Polizeipräsidium Westhessen, dem Chef von Pia und Oliver, wenn sie denn real wären, für seine Unterstützung und die Möglichkeit, dem Leiter des K11 in Wiesbaden Löcher in den Bauch fragen zu dürfen.

Last but not least: Tausendmillionen Dank an meine wunderbare Lektorin Marion Vazquez, die die Entstehung dieses Buches wie immer so feinfühlig, konzentriert und aufmunternd begleitet hat und mir dabei alle schöpferische Freiheit lässt, die ich brauche. Ich freue mich schon auf unser nächstes gemeinsames Projekt!

Ich danke allen Mitarbeitern des Ullstein Verlags für das große Vertrauen in mich, für Großzügigkeit, Begeisterung, Unterstützung und eine unkomplizierte und wunderbare Zusammenarbeit. Ihr seid die Besten!

Sollte ich vergessen haben, jemandem zu danken, so habe ich das nicht absichtlich gemacht und möchte das hiermit an dieser Stelle tun: Herzlichen Dank an alle, die an mich glauben!

Nele Neuhaus
Juni 2016

Quellen

I Aus einem Interview mit Josef Wilfing, Internet

II Rechtsmedizin – Grundwissen für die Ermittlungspraxis von Ingo Wirth und Hansjürg Strauch, 2006, Kriminalistik, Verlagsgruppe Hüthig Jehle Rehm GmbH, Heidelberg, ISBN 3-7832-0016-4

Die Erfolgsserie der Bestsellerautorin Nele Neuhaus:

Alle Titel sind auch als E-Book erhältlich.

1. Fall: Eine unbeliebte Frau
Kriminalroman. ISBN 978-3-548-60887-7

2. Fall: Mordsfreunde
Kriminalroman. ISBN 978-3-548-60886-0

3. Fall: Tiefe Wunden
Kriminalroman. ISBN 978-3-548-60902-7

4. Fall: Schneewittchen muss sterben
Kriminalroman. ISBN 978-3-548-60982-9

5. Fall: Wer Wind sät
Kriminalroman. ISBN 978-3-548-28467-5

6. Fall: Böser Wolf
Kriminalroman. ISBN 978-3-548-28589-4

7. Fall: Die Lebenden und die Toten
Kriminalroman. ISBN 978-3-548-28776-8

8. Fall: Im Wald
Kriminalroman. ISBN 978-3-548-28979-3

»Nele Neuhaus versteht es perfekt, die Spannung auf konstant hohem Niveau zu halten.« *krimi-couch.de*

www.ullstein-buchverlage.de